Canada Ouest

Directeur de collection et auteur
Philippe GLOAGUEN

Cofondateurs
Philippe GLOAGUEN
et Michel DUVAL

Rédacteur en chef
Pierre JOSSE

Rédacteurs en chef adjoints
Amanda KERAVEL
et Benoît LUCCHINI

Directrice de la coordination
Florence CHARMETANT

Directrice administrative
Bénédicte GLOAGUEN

Direction éditoriale
Catherine JULHE

Rédaction
Olivier PAGE
Véronique de CHARDON
Isabelle AL SUBAIHI
Anne-Caroline DUMAS
Carole BORDES
André PONCELET
Marie BURIN des ROZIERS
Thierry BROUARD
Géraldine LEMAUF-BEAUVOIS
Anne POINSOT
Mathilde de BOISGROLLIER
Alain PALLIER
Gavin's CLEMENTE-RUÏZ
Fiona DEBRABANDER

2012

hachette

Remarque importante aux hôteliers et restaurateurs

Les enquêteurs du *Guide du routard* travaillent dans le plus strict anonymat. Aucune réduction, aucun avantage quelconque, aucune rétribution n'est jamais demandé en contrepartie. Face aux aigrefins, la loi autorise les hôteliers et restaurateurs à porter plainte.

Hors-d'œuvre

Le *Guide du routard,* ce n'est pas comme le bon vin, il vieillit mal. On ne veut pas pousser à la consommation, mais évitez de partir avec une édition ancienne. Les modifications sont souvent importantes.

routard.com

✓ Rejoignez la plus grande communauté francophone de voyageurs : plus de **2 millions** de visiteurs !

✓ Échangez avec les routarnautes : forums, photos, avis d'hôtels.

✓ Retrouvez aussi toutes les informations actualisées pour choisir et préparer vos voyages : plus de 200 fiches pays, une centaine de dossiers pratiques et un magazine en ligne pour découvrir tous les secrets de votre destination.

✓ Enfin, comparez les offres pour organiser et réserver votre voyage au meilleur prix.

✓ ***routard.com,*** le voyage à portée de clics !

Avis aux lecteurs

Les réductions accordées à nos lecteurs ne sont jamais demandées par nos rédacteurs afin de préserver leur indépendance. Les hôteliers et restaurateurs sont sollicités par une société de mailing, totalement indépendante de la rédaction, qui reste donc libre de ses choix. De même pour les autocollants et plaques émaillées.

Mille excuses, on ne peut plus répondre individuellement aux centaines de CV reçus chaque année.

TABLE DES MATIÈRES

COMMENT Y ALLER ?

CANADA OUEST UTILE

HOMMES, CULTURE ET ENVIRONNEMENT

LA COLOMBIE-BRITANNIQUE

L'ÎLE DE VANCOUVER

Petit tour dans l'île de Vancouver

De Prince Rupert à Prince George

LES PARCS DE COLOMBIE-BRITANNIQUE

L'ALBERTA

Les Rocheuses

Nous avons divisé ce pays en plusieurs titres. En effet, la très grande majorité d'entre vous ne parcourt pas tout le pays. Et ces contrées sont tellement riches culturellement qu'elles peuvent nécessiter 6 ou 7 guides à elles seules. En les rassemblant en un seul volume, nos ouvrages atteindraient 1 500, voire 2 000 pages. Ils seraient alors intransportables et coûteraient... 3 fois plus cher ! Nous souhaitons conserver un format pratique à un prix économique tout en vous fournissant le maximum d'informations sur des régions qui méritent d'être développées. Voilà !

La rédaction.

Special thanks !

Raynald Belay, pour ses conseils pointus sur la ville de Vancouver.
Lisa Pilling et Holly Lenk, du Greater Victoria Visitors & Convention Bureau.
Karen Bonnell, de Tourism Vancouver Island.
Teresa Davis, de Tourism Campbell River & Region.

Nous tenons à remercier tout particulièrement Loup-Maëlle Besançon, Thierry Bessou, Gérard Bouchu, François Chauvin, Grégory Dalex, Stéphanie Déro, Solenne Deschamps, Fabrice Doumergue, Cédric Fischer, Carole Fouque, Michelle Georget, Claude Hervé-Bazin, Emmanuel Juste, Dimitri Lefèvre, Sacha Lenormand, Fabrice de Lestang, Romain Meynier, Éric Milet, Pierre Mitrano, Jean-Sébastien Petitdemange, Thomas Rivallain, Dominique Roland et Solange Vivier pour leur collaboration régulière.

Et pour cette nouvelle collection, nous remercions aussi :

Maureen Abel
David Alon
Sarah Amoyel
Pauline Augé
Emmanuelle Bauquis
Solene de Bellefon
Gwladys Bonnassie
Jean-Jacques Bordier-Chêne
Michèle Boucher
Alain Chaplais
Stéphanie Condis
Élodie Coué
Agnès Debiage
Jérôme Denoix
Tovi et Ahmet Diler
Clélie Dudon
Sophie Duval
Clara Favini
Alain Fisch
David Giason
Adrien et Clément Gloaguen
Stéphane Gourmelen
Xavier Haudiquet
Bernard Hilaire
Sébastien Jauffret
François et Sylvie Jouffa
Laetitia Lè Couédic
Solenne Leclerc
Jacques Lemoine
Valérie Loth
Jacques Muller
Caroline Ollion
Nicolas Pallier
Martine Partrat
Odile Paugam et Didier Jehanno
Delis Pusiol
Amélie Robin
Prakit Saiporn
Jean-Luc et Antigone Schilling
Laura Vanzo

Direction : Nathalie Pujo
Contrôle de gestion : Héloïse Morel d'Arleux et Aurélie Knafo
Secrétariat : Catherine Maîtrepierre
Direction éditoriale : Catherine Julhe
Édition : Matthieu Devaux, Géraldine Péron, Olga Krokhina, Gia-Quy Tran, Julie Dupré, Juliette Genest, Christine de Geyer, Barbara Janssens, Anaïs Petit et Clémence Toublanc
Préparation-lecture : Estelle Gaudin
Cartographie : Frédéric Clémençon et Aurélie Huot
Fabrication : Nathalie Lautout et Audrey Detournay
Relations presse France : COM'PROD, Fred Papet. ☎ 01-70-69-04-69.
• *info@comprod.fr* •
Direction marketing : Muriel Widmaier, Lydie Firmin et Claire Bourdillon
Contacts partenariats : André Magniez (EMD). • *andremagniez@gmail.com* •
Édition des partenariats : Élise Ernest
Informatique éditoriale : Lionel Barth
Couverture : Clément Gloaguen et Seenk
Maquette intérieure : le-bureau-des-affaires-graphiques.com, Thibault Reumaux et npeg.fr
Relations presse : Martine Levens (Belgique) et Maureen Browne (Suisse)
Régie publicitaire : Florence Brunel-Jars

NOS NOUVEAUTÉS

ISRAËL, PALESTINE (mai 2012)

Enfin un guide *Israël, Palestine* ! Malgré les apparences, les conditions d'une paix durable semblent enfin se dessiner dans la région. De chaque côté, on découvre des opposants à la haine et au racisme. Partout, des gens de bonne volonté, plus proches les uns des autres qu'on ne le pense. Ils font entendre leur volonté de paix. D'une façon assourdissante. Voici un guide qui permet de découvrir une région dont les identités sont si fortement imbriquées... outre les lieux branchés, les hébergements pour tous les budgets, les gastronomies (tant de plats typiques et délicieux en commun), les cultures... Et puis aussi, de Tel-Aviv à Ramallah, des endroits inouïs. Une vraie mosaïque passionnante et foisonnante qui compose cette Terre sainte... trois fois sainte.

SRI LANKA (Ceylan ; mai 2012)

Montagnes verdoyantes, plantations de thé peignées comme un dimanche, cascades impressionnantes et villages de bout du monde. Des pluies chaudes, des lumières fortes, des forêts primaires... En guise de bienvenue, le sourire des enfants et la robe safran des moines qui colorie ce décor. Répondant au vert de la nature, le bleu des lagons, tout simplement. Les Anglais avaient le nez pour découvrir les lieux paradisiaques. Ils ont laissé ici l'empreinte de petits cottages où il fait bon séjourner pour vivre en harmonie avec ce décor. Il est temps de redécouvrir ce paradis. Sri Lanka en a terminé avec la guerre civile et le tsunami. Soyez les premiers à en rouvrir les portes.

???
LES QUESTIONS
QU'ON SE POSE LE PLUS SOUVENT

Quels sont les papiers à avoir ?
Un passeport valide.

Quelle est la meilleure saison pour aller dans l'ouest du Canada ?
L'été et l'automne pour apprécier lacs, forêts et voir pointer quelques museaux... En mai, les parcs sont souvent encore enneigés et les lacs pas entièrement dégelés.

Quel est le décalage horaire ?
Il y a 9h de moins à Vancouver.

La vie est-elle chère ?
Cela dépend du taux de change et de la force de l'euro. Les prix des hébergements s'envolent dans les parcs nationaux, mais on trouve plus abordable en s'éloignant un peu des grands spots touristiques... La location d'une voiture, quasi indispensable, grève un peu le budget, heureusement elle est vite compensée par quelques nuits sous la tente !

Peut-on y aller avec des enfants ?
Plutôt deux fois qu'une ! Quel enfant refuserait de chevaucher avec de vrais cow-boys, de dormir sous un tipi ou de jouer au trappeur dans une petite cabane en bois ? Attention toutefois aux *B & B* et aux hôtels qui refusent les enfants, c'est hélas assez fréquent.

Quel est le meilleur moyen pour se déplacer dans le pays ?
Les Canadiens ne jurent que par l'avion et la voiture... C'est vrai qu'il vaut mieux avoir son propre véhicule pour apprécier les parcs en toute quiétude, mais pour les inconditionnels des bus et trains, ils couvrent les trajets principaux, il suffit de prendre le temps...

Comment se loger au meilleur prix ?
Le camping, sans hésiter : pas chers, très bien équipés, on en trouve partout, notamment dans les parcs nationaux, et c'est une des meilleures approches de la nature canadienne. Ils proposent souvent des bungalows en rondins de bois, tout aussi sympas. Près des villes, les motels coûtent moins cher que les hôtels, et les gîtes et autres *B & B* permettent de partager la vie de nos cousins d'Amérique.

Quels sports peut-on pratiquer ?
À part la plongée en eaux chaudes, on ne voit pas vraiment quel sport de plein air n'est pas pratiqué au Canada... La rando, le VTT, le canoë-kayak, le rafting arrivent en tête. Ski, surf et voile offrent également de bons moments. Et vous pensiez vous reposer ?

Aperçoit-on facilement des animaux dans les parcs ?
Oui, inutile d'être un grand aventurier pour approcher les wapitis, coyotes, orignaux et ours qui peuplent les grandes forêts canadiennes... Un bon coup d'œil et un peu de chance suffisent... Admirez-les de loin mais ne descendez pas de voiture, les ours ne sont pas de gentilles peluches...

Où rencontrer des cow-boys... ?
Au *Stampede* de Calgary, le must du rodéo, mais aussi tout simplement chez eux, puisque certains ranchs s'ouvrent aux touristes... Prévoir stetson et santiags pour une balade à cheval dans les règles.

... et des Indiens ?
La majorité des Indiens vivent dans les provinces de l'Ouest. Aujourd'hui, tout est fait pour réhabiliter l'image des « Premières Nations », beaucoup de sites leur sont consacrés, comme le superbe musée Glenbow à Calgary ou le musée d'Anthropologie de Vancouver. Une reconnaissance tardive mais salutaire.

♥ LES COUPS DE CŒUR DU ROUTARD

Assister à un concert à Vancouver, ville des musiques novatrices et des riffs diablement rock.

Se payer un footing, au petit matin, dans l'immense Stanley Park, un œil sur la *skyline* de Vancouver. Là-bas, les gratte-ciel. À vos pieds, l'océan et les bateaux.

Sur l'île de Vancouver, à Tofino, réveiller son âme de môme et aller en bateau **admirer le spectacle des baleines, lions de mer et phoques.**

Découvrir la mystérieuse *rainforest* (forêt pluviale ou humide) sur la côte ouest de l'île de Vancouver, sillonnée de sentiers surélevés en bois, déroulés entre les tapis de mousse épaisse et les grands arbres s'égouttant de la dernière pluie.

Arrêter le temps et **perpétuer la tradition du** *high tea* dans un salon de thé de Victoria, sur l'île de Vancouver. *So British !*

Dormir dans une des cabanes sur pilotis du vieux village de *Telegraph Cove,* au bout du bout de l'île de Vancouver.

Mettre le cap au nord pour découvrir, aux portes de l'Alaska, le fantastique pays des totems K'San.

Admirer par la fenêtre du ferry les paysages vierges de l'Inside Passage, un étroit chenal navigable qui souligne toute la côte de la Colombie-Britannique. Baleines et orques empruntent la même route lors de leurs migrations.

Se lever à l'aube pour surprendre, dans le parc de Kootenay, un jeune ours noir en train de se régaler de feuilles de chou puant.

Chausser ses culottes de cuir et se prendre pour un cow-boy en assistant au *Stampede* **à Calgary**, le plus grand rodéo du Canada. Hiiiii... Haaaa ! ! !

Louer un canoë et pagayer sur les eaux turquoise du Lake Moraine dans les lumières éblouissantes d'un matin estival.

En Alberta, **faire une randonnée exceptionnelle sur le glacier Athabasca,** à pied et avec guide, pour toucher du doigt (de pied) le problème de la fonte des glaciers.

Photographier, encore et encore, les animaux du parc de Jasper : ours, loups, mouflons, chèvres des montagnes Rocheuses, wapitis et daims pullulent.

Pour se remémorer le bon vieux Far West, **embarquer à bord du train Jasper-Vancouver** et regarder défiler les paysages sauvages des montagnes Rocheuses. À l'ouest, toute !

COMMENT Y ALLER ?

EN AVION

Les lignes régulières

▲ **AIR FRANCE**
Rens et résas : ☎ 36-54 (0,34 €/mn, tlj 6h30-22h), sur • airfrance.fr •, dans les agences Air France (fermées dim) et dans ttes les agences de voyages.
Numéro gratuit valable au Canada : ☎ 1-800-667-2747.
➢ Air France dessert Montréal avec au moins 2 vols/j. directs et Toronto 1 fois/j. (sans escale) au départ de Roissy-Charles-de-Gaulle. Correspondance sur tout le Canada.
Air France propose une gamme de tarifs accessibles à tous : du *Tempo 1* (le plus souple) au *Tempo 6* (le moins cher) selon les destinations. Pour les moins de 25 ans, Air France offre des tarifs très attractifs *Tempo Jeunes,* ainsi qu'une carte de fidélité *(Flying Blue Jeune)* gratuite et valable sur l'ensemble des compagnies membres de *Skyteam.* Cette carte permet de cumuler des *miles.*
Sur Internet, possibilité de consulter les meilleurs tarifs du moment, dans l'onglet « Achats et réservations en ligne », rubrique « Promotions ».

▲ **AIR CANADA**
• aircanada.com •
– Roissy-Charles-de-Gaulle : terminal 2A, porte 5. ☎ 0825-880-881 (0,15 €/mn). Tlj 7h30-15h.
– Lyon : 57, bd Vivier-Merle, 69003.
➢ Air Canada dessert tous les jours Montréal et Toronto au départ de Paris, et propose des correspondances sur tt le Canada.

▲ **AIR TRANSAT**
Rens et résas : ☎ 0825-120-248 (0,15 €/mn ; lun-ven 9h-19h, sam 9h-18h). • airtransat.com •
➢ Représenté en France par *Vacances Air Transat.* Vols directs à destination de Toronto, Calgary, Vancouver, Québec et Montréal (au départ de Paris).

▲ **CORSAIRFLY**
Rens : ☎ 0820-042-042 (0,12 €/mn). • corsairfly.com • (paiement en ligne sécurisé). Et dans ttes les agences de voyages.
➢ La compagnie régulière Corsairfly dessert Montréal avec 3 vols directs/sem mai-oct.

LES ORGANISMES DE VOYAGES

– Ne pas croire que les vols à tarif réduit sont tous au même prix pour une même destination à une même époque : loin de là. On a déjà vu, dans un même avion partagé par deux organismes, des passagers qui avaient payé 40 % plus cher que les autres. De plus, une agence bon marché ne l'est pas forcément toute l'année (elle peut n'être compétitive qu'à certaines dates bien précises). Donc, contactez tous les organismes et jugez vous-même.
– Les organismes cités sont classés par ordre alphabétique, pour éviter les jalousies et les grincements de dents.

EN FRANCE

▲ **AVENTURIA**
– Lyon : agence et siège au 42, rue de l'Université, 69002. ☎ 04-78-69-35-06.
– Paris Raspail : 213, bd Raspail, 75014. ☎ 01-44-10-50-50.

– Paris Opéra : 20, rue des Pyramides, 75001. ☎ 01-44-50-58-40.
– Bordeaux : 9, rue Ravez, 33000. ☎ 05-56-90-90-22.
– Lille : 21, rue des Ponts-de-Comines, 59800. ☎ 03-20-06-33-77.
– Marseille : 2, rue Edmond-Rostand, 13006. ☎ 04-96-10-24-70.
– Nantes : 2, allée de l'Erdre, cours des 50-Otages, 44000. ☎ 02-40-35-10-12.
– Strasbourg : 13 A, bd du Président-Wilson, 67000. ☎ 03-88-22-08-09.
Brochure sur demande par téléphone ou sur • www.aventuria.com •
Spécialiste du Canada et des États-Unis depuis plus de 20 ans, ce tour-opérateur original crée et propose toute une gamme de programmes originaux pour votre séjour au Canada. En hiver : raids motoneige et traîneaux à chiens du plus facile au plus sportif, héliski au cœur des Rocheuses. En été : vous construirez votre itinéraire idéal avec des conseillers en voyage expérimentés et vous personnaliserez totalement votre voyage à l'aide d'une sélection d'étapes de charme et de modules d'escapades. Découverte individuelle à votre rythme, hébergements authentiques ou luxueux, découverte de la faune avec des guides naturalistes, ethno tourisme chez les Amérindiens, tout est à la carte.

▲ BACK ROADS

• backroads.fr •
– Paris : 14, pl. Denfert-Rochereau, 75014. ☎ 01-43-22-65-65. Ⓜ ou RER B : Denfert-Rochereau. Lun-ven 10h-19h, sam 10h-18h.
Depuis 1975, Jacques Klein et son équipe sillonnent chaque année les routes américaines et canadiennes, ce qui fait de ces fous d'Amérique des grands connaisseurs de l'Ouest canadien. Pour cette raison, ils ne vendent leurs produits qu'en direct. Ils vous feront partager leurs expériences et vous conseilleront sur les circuits les plus adaptés à vos centres d'intérêt. Ils ont l'avantage de disposer de contingents de chambres dans les parcs nationaux ou à proximité immédiate. Ils peuvent également réserver les ferries ou des croisières le long du Passage intérieur, des expéditions en raft, des croisières d'observation des baleines ou des orques, ainsi que des séjours en ranchs. De plus, Back Roads représente deux centraux de réservation américains lui permettant d'offrir des tarifs très compétitifs pour la réservation. D'abord *Amerotel,* des hôtels sur tout le territoire, des *Hilton* aux *YMCA.* Ensuite *Car Discount* : un courtier en location de voitures.

▲ BOURSE DES VOLS/ BOURSE DES VOYAGES

Rens et résas : • bdv.fr • ou par tél au ☎ 01-42-61-66-61 (lun-sam 8h-20h).
Agence de voyages en ligne, Bdv.fr propose une vaste sélection de vols secs, séjours et circuits à réserver en ligne ou par téléphone. Pour bénéficier des meilleurs tarifs aériens, même à la dernière minute, le service de Bourse des Vols référence en temps réel un large panel de vols réguliers, charters et dégriffés au départ de Paris et de nombreuses villes de province. Bourse des Voyages propose des promotions toute l'année sur une large sélection de destinations (séjours, circuits...).

▲ COMPAGNIE DES ÉTATS-UNIS & DU CANADA

• compagniesdumonde.com •
– Paris : 5, av. de l'Opéra, 75001. ☎ 0892-234-430 (0,34 €/mn). Ⓜ Palais-Royal-Musée-du-Louvre ou Pyramides. Lun-ven 9h-19h, sam 10h-19h.
Compagnie des États-Unis & du Canada est depuis 15 ans la plus importante compagnie du groupe Compagnie du Monde, qui a ouvert à Paris un concept store offrant tous les voyages sur mesure sur le continent, une galerie d'art contemporain exposant des artistes américains, et un salon de café avec des variétés en provenance directe des meilleures plantations situées dans ces pays.
D'un côté, la compagnie propose des vols négociés sur les États-Unis et le Canada. De l'autre, une brochure très complète qui propose de nombreuses formules de voyages sur mesure : du camping aux circuits les plus luxueux ou la mythique route 66 (en Harley Davidson ou en voiture).
Les circuits et les séjours individuels sur mesure sont la spécificité de ce voyagiste avec son espace tourné vers le

« Beau ». La meilleure façon de respecter et de découvrir le monde. C'est pourquoi la Compagnie est aussi spécialisée dans les séjours tournés vers l'art, les grands musées, les expositions et l'architecture. Elle propose de nombreux séjours à New York, Philadelphie, Boston, Chicago, Las Vegas, et toutes les grandes villes de l'Ouest sans oublier chaque année deux forfaits de 7 jours pour les réveillons de Noël et du Jour de l'an à New York.
Compagnie des États-Unis & du Canada fait partie du groupe Compagnies du Monde, comme Compagnie d'Amérique latine & Caraïbes, Compagnie des Indes & de l'Extrême-Orient, Compagnie des plages, Compagnie de la Polynésie, et Compagnie de l'Afrique australe & de l'océan Indien.
Une envie de croisière, consultez le site le plus complet • *mondeetcroisieres.com* •

▲ COMPTOIR DU CANADA

• *comptoir.fr* •
– Paris : 6, rue Saint-Victor, 75005. ☎ 0892-238-438 (0,34 €/mn). Ⓜ Cardinal-Lemoine. Lun-ven 9h30-18h30, sam 10h-18h30.
– Lyon : 10, quai Tilsitt, 69002. ☎ 0892-230-465. Ⓜ Bellecour. Lun-sam 9h30-18h30.
– Marseille : 12, rue Breteuil, 13001. ☎ 0892-236-636. Ⓜ Estrangin. Lun-sam 9h30-18h30.
– Toulouse : 43, rue Peyrolières, 31000. ☎ 0892-232-236 (0,34 €/mn). Ⓜ Esquirol. Lun-sam 9h30-18h30.
21 comptoirs, plus de 60 destinations, des idées de pour votre voyage au Canada, le Comptoir vous propose une large palette de séjours et d'autotours du Québec et des Provinces maritimes à Vancouver. Si vous souhaitez partir en hiver, l'équipe vous fera découvrir toutes les activités neige typiques du Canada. Quelles que soient vos envies, des spécialistes du Canada vous aideront à créer et organiser votre voyage sur mesure.
Comptoir des Voyages s'impose depuis 20 ans comme une référence incontournable pour les voyages sur mesure, accessibles à tous les budgets. Membre de l'association ATR (Agir pour un tourisme responsable), le Comptoir des Voyages a obtenu en 2010, pour la 2de année, la certification Tourisme responsable AFAQ AFNOIR.

▲ EQUINOXIALES

☎ 01-77-48-81-00. • *equinoxiales.fr* •
25 ans d'expérience et une passion inépuisable sont les clés de l'expertise d'Equinoxiales pour les voyages sur mesure au long cours à prix « *low-cost* », assortis des meilleurs conseils. Un simple appel, un simple mail et les conseillers Equinoxiales sont à l'écoute pour créer avec les candidats au voyage le périple qui leur convient au meilleur prix.

▲ FUAJ

– Paris : antenne nationale, 27, rue Pajol, 75018. ☎ 01-44-89-87-27. Ⓜ La Chapelle, Marx-Dormoy ou Gare-du-Nord. Mar-ven 13h-17h30. Rens dans ttes les auberges de jeunesse, les points d'info et de résas en France et sur le site • *fuaj.org* •
La FUAJ (Fédération unie des auberges de jeunesse) accueille ses adhérents dans 160 auberges de jeunesse en France. Seule association française membre de l'IYHF *(International Youth Hostel Federation)*, elle est le maillon d'un réseau de 4 000 auberges de jeunesse réparties dans 90 pays. La FUAJ organise, pour ses adhérents, des activités sportives, culturelles et éducatives ainsi que des rencontres internationales. Vous pouvez obtenir gratuitement les brochures *Printemps-Été, Hiver,* le dépliant des séjours pédagogiques, la carte pliable des AJ et le *Guide des AJ en France*.

▲ NOUVELLES FRONTIÈRES

Rens et résas dans tte la France : ☎ 0825-000-825 (0,15 €/mn). • *nouvelles-frontieres.fr* • *Les brochures Nouvelles Frontières sont disponibles gratuitement dans les 300 agences du réseau, par tél et sur Internet.*
Nombreuses formules : vols sur Corsairfly, la compagnie de Nouvelles Frontières au départ de Paris et de province, et sur toutes les compagnies aériennes régulières, circuits ; aventure ou organisés ; séjours en hôtels, en hôtels-clubs et en résidences ; week-ends, formules à la carte...

▲ OBJECTIF USA

– Lyon : 9, quai des Célestins, 69002. ☎ 04-72-77-98-98.

Brochure sur demande par téléphone ou sur • www.objectif-amériques.com •
Depuis 25 ans, ce tour-opérateur, spécialiste des USA, est le leader en Rhône-Alpes sur cette destination. Leur passion, c'est de vous offrir un dépaysement total et un séjour inoubliable et original au Nouveau Monde. Découverte individuelle à votre rythme, hébergement authentique en hôtels et étapes de charme, les conseillers Objectif USA vous feront partager leur grande connaissance du continent Nord-Américain et vous fabriqueront un séjour totalement à votre mesure.

▲ PROMOVACANCES.COM
Les offres Promovacances sont accessibles sur • promovacances.com • ou au ☎ 0899-654-850 (1,35 € l'appel, puis 0,34 €/mn) et dans 10 agences situées à Paris et à Lyon.
N° 1 français de la vente de séjours sur Internet, Promovacances a fait voyager plus de 2 millions de clients en 10 ans. Le site propose plus de 10 000 voyages actualisés chaque jour sur 300 destinations : séjours, circuits, week-ends, thalasso, plongée, golf, voyages de noces, locations, vols secs... L'ambition du voyagiste : prouver chaque jour que le petit prix est compatible avec des vacances de qualité. Grâce aux avis clients publiés sur le site et aux visites virtuelles des hôtels, vous réservez vos vacances en toute tranquillité.

▲ PROMOVOLS
Infos et résas : • promovols.com • ou ☎ 0899-01-01-01 (1,35 €/mn). Lun-ven 9h-19h, sam 10h-18h.
Spécialiste de la vente de billets d'avion sur Internet, Promovols propose une vaste sélection de vols réguliers, charters et dégriffés au départ de Paris et de la plupart des villes de province. Grâce à son moteur de réservation très performant, cette agence de voyages en ligne vous garantit les meilleurs prix du marché quelle que soit votre destination.
Promovols propose également un très large choix d'hôtels, séjours et circuits à prix extrêmement compétitifs sur plus de 200 destinations.

▲ ROUTE DES VOYAGES (LA)
• route-voyages.com •
– Paris : 10, rue Choron, 75009. ☎ 01-55-31-98-80. Ⓜ Notre-Dame-de-Lorette.
– Aix-en-Provence : 6, rue Jaubert, 13100. ☎ 04-50-45-60-20.
– Annecy : 4 bis, av. d'Aléry, 74000. ☎ 04-50-45-60-20.
– Bordeaux : 10, rue du Parlement-Saint-Pierre, 33000. ☎ 05-56-90-11-20.
– Lyon : 59, rue Franklin, 69002. ☎ 04-78-42-53-58.
– Toulouse : 9, rue Saint-Antoine-du-T, 31000. ☎ 05-62-27-00-68.
Agences ouv lun-ven 9h-19h, sam sur rdv.
Spécialiste du voyage sur mesure depuis plus de 15 ans sur les cinq continents. C'est une véritable équipe de voyageurs spécialisés par destination qui, grâce à son écoute et à son expérience du terrain, construit des voyages très personnalisés. Elle travaille en direct avec des prestataires locaux, privilégie les voyages hors des sentiers battus et propose également des voyages solidaires sur le site • *routes-solidaires.com* •

▲ VACANCES CANADA
• vacancescanada.com •
– Paris : 4, rue Gomboust (angle 31, av. de l'Opéra), 75001. ☎ 01-40-15-15-15. Lun-ven 8h30-20h, sam 10h-18h30.
Vacances Canada fait partie du groupe Le Cercle des Vacances.
Voyagiste spécialiste du Canada, Vacances Canada propose des voyages à la carte à travers tout le pays, des plus simples (vols secs) aux plus élaborés, pour tous les types de budgets, pour les individuels comme pour les groupes, grâce à des conseillers ventes ayant vécu sur place. Découverte ou aventure, plusieurs formules sont proposées dans leur brochure et sur leur site. Au programme : vols sur toutes les compagnies régulières, circuits accompagnés, séjours multiactivités, voyages à la carte, circuits aventure, hébergements variés, location de voitures, week-ends thématiques à prix très attractifs...

▲ VACANCES FABULEUSES
– Paris : 36, rue de Saint-Pétersbourg, 75008. ☎ 0820-300-382. • vacancesfabuleuses.fr • Ⓜ Place-Clichy. Lun-ven 10h-18h.
Et dans ttes les agences de voyages.

Vacances Fabuleuses, c'est « l'Amérique à la carte ». Ce spécialiste de l'Amérique du Nord (États-Unis, Canada, Bahamas, Mexique et Amérique centrale) propose de découvrir le Canada de l'intérieur, avec un large choix de formules allant de la location de voitures aux circuits individuels à thème ou accompagnés. Vacances Fabuleuses, c'est aussi les hôtels de villégiature, ranchs, gîtes. Le transport est assuré sur compagnies régulières. Le tout proposé par une équipe de spécialistes.

▲ VOYAGES-SNCF.COM

Voyages-sncf.com, acteur majeur du tourisme français qui recense 9 millions de visiteurs par mois, propose d'acheter en ligne des billets de train, d'avion, des chambres d'hôtel, des locations de voitures, de vacances et des séjours clés en main ou Alacarte®, ainsi que des spectacles, des excursions et des visites de musées. Un large choix et des prix avantageux sont offerts toute l'année, pour tous types de voyages dans le monde entier : SNCF, 180 compagnies aériennes, 84 000 hôtels référencés et les principaux loueurs de voitures.
Leur site • *voyages-sncf.com* • permet d'accéder tous les jours, 24h/24, à plusieurs services : envoi gratuit des billets à domicile, Alerte Résa pour être informé de l'ouverture des résas et profiter du plus grand choix, calendrier des meilleurs prix (TTC), mais aussi des offres de dernière minute et des promotions...
Pratique : • *voyages-sncf.mobi* •, le site mobile pour réserver, s'informer et profiter des bons plans n'importe où et à n'importe quel moment.
Et grâce à l'ÉcoComparateur, en exclusivité sur • *voyages-sncf.com* •, possibilité de comparer le prix, le temps de trajet et l'indice de pollution pour un même trajet en train, en avion ou en voiture.

▲ VOYAGEURS AUX ÉTATS-UNIS ET AU CANADA

Le spécialiste du voyage en individuel sur mesure. • vdm.com •
– Paris : La Cité des Voyageurs, 55, rue Sainte-Anne, 75002. ☎ 01-42-86-16-30. Ⓜ Opéra ou Pyramides. Lun-sam 9h30-19h.
– Également des agences à Bordeaux, Caen, Grenoble, Lille, Lyon, Marseille, Montpellier, Nantes, Nice, Rennes, Rouen, Strasbourg et Toulouse.
Parce que chaque voyageur est différent, que chacun a ses rêves et ses idées pour les réaliser, Voyageurs du Monde conçoit, depuis plus de 30 ans, des projets sur mesure. Les séjours proposés à travers 120 destinations sont des suggestions élaborées par nos 180 conseillers voyageurs. Spécialistes de leur pays, ils vous aideront à personnaliser les voyages présentés à travers une trentaine de brochures d'un nouveau type et sur le site internet où vous pourrez également découvrir nos hébergements exclusifs et consulter votre espace personnalisé.
Chacune des 15 Cités des Voyageurs est une invitation au voyage : librairies spécialisées, accessoires de voyage, expositions-ventes d'artisanat et conférences. Voyageurs du Monde est membre de l'association ATR (Agir pour un tourisme responsable) et a obtenu en 2008 sa certification Tourisme responsable AFAQ AFNOR.

Comment aller à Roissy et à Orly ?

Bon à savoir :
– Le ***pass Navigo*** est valable pour Roissy-Rail (RER B, zones 1-5) et Orly-Rail (RER C, zones 1-4).
– Le ***billet Orly-Rail*** permet d'accéder sans supplément aux réseaux métro et RER.

À Roissy-Charles-de-Gaulle 1, 2 et 3

Attention : si vous partez de Roissy, pensez à vérifier de quelle aérogare votre avion décolle car la durée du trajet peut considérablement varier en fonction de cette donnée.

TRANSPORTS COLLECTIFS

🚌 ***Les cars Air France :*** *☎ 0892-350-820 (0,34 €/mn). • cars-airfrance.com • Paiement par CB possible à bord.*
Le site internet diffuse les informations essentielles sur le réseau (lignes,

horaires, tarifs...) permettant de connaître en temps réel des infos sur le trafic afin de mieux planifier son départ. Il propose également une boutique en ligne, qui permet d'acheter et d'imprimer les billets électroniques pour accéder aux bus.

➢ *Paris-Roissy :* départ pl. de l'Étoile (1, av. Carnot), avec un arrêt pl. de la Porte-Maillot (bd Gouvion-Saint-Cyr). Départs ttes les 20 mn, 6h-22h. Durée du trajet : 35-50 mn env. Tarifs : 15 € l'aller simple, 24 € l'A/R ; réduc enfants 2-11 ans.

Autre départ depuis la gare Montparnasse (arrêt rue du Commandant-Mouchotte, face à l'hôtel *Pullman*), ttes les 30 mn, 6h-21h30, avec un arrêt gare de Lyon (20 bis, bd Diderot). Tarifs : 16,50 € l'aller simple, 27 € l'A/R ; réduc enfants 2-11 ans.

➢ *Roissy-Paris :* les cars *Air France* desservent la pl. de la Porte-Maillot, avec un arrêt bd Gouvion-Saint-Cyr, et se rendent ensuite au terminus de l'av. Carnot. Départs ttes les 30 mn, 6h-23h des terminaux 2A et 2C (porte C2), 2E et 2F (niveau « Arrivées », porte 3 de la galerie), 2B et 2D (porte B1), et du terminal 1 (porte 34, niveau « Arrivées »).

À destination de la gare de Lyon et de la gare Montparnasse, départs ttes les 30 mn, 6h-22h des mêmes terminaux. Durée du trajet : 45 mn env.

Roissybus : ☎ *32-46 (0,34 €/mn).* • *ratp.fr* • Départs de la pl. de l'Opéra (angle rues Scribe et Auber) ttes les 15 mn (20 mn à partir de 20h), 5h45-23h. Durée du trajet : 45-60 mn. De Roissy, départs 6h-23h des terminaux 1, 2A, 2B, 2C, 2D et 2F, et à la sortie du hall d'arrivée du terminal 3. Tarif : 10 €.

Bus RATP n° 351 : de la pl. de la Nation, 5h30-21h20. Solution la moins chère mais la plus lente. Compter en effet 1h30 de trajet. Ou **bus n° 350,** de la gare de l'Est (1h15 de trajet). Arrivée Roissypôle-gare RER.

RER ligne B + navette : départ ttes les 15 mn. Compter 30 mn de la gare du Nord à l'aéroport (navette comprise). Un 1er départ à 4h53 de la gare du Nord et à 5h26 de Châtelet. À Roissy-Charles-de-Gaulle, descendre à la station (il y en a 2) qui dessert le bon terminal. De là, prendre la navette adéquate. Tarif : 9,10 €.

Si vous venez du nord, de l'ouest ou du sud de la France en train, vous pouvez rejoindre les aéroports de Roissy sans passer par Paris, la gare SNCF Paris-Charles-de-Gaulle étant reliée aux réseaux TGV.

TAXIS

Compter au moins 50 € du centre de Paris, en tarif de jour.

EN VOITURE

Chaque terminal a son propre parking. Compter 35 € par tranche de 24h. Également des parkings longue durée (PR et PX), plus éloignés des terminaux, qui proposent des tarifs plus avantageux (forfait 24h 23 €, forfait 7 à 8 j. 130 €). Possibilité de réserver sa place de parking via le site • *aeroportsdeparis.fr* • Stationnement au parking Vacances (longue durée) dans le P3 Résa (terminaux 1 et 3) situé à 2 mn du terminal 3 à pied ou le PAB (terminal 2). Formules de stationnement 1-30 j. (120-190 €) pour le P3 Résa. De 2 à 5 j. dans le PAB 12,50 € par tranche de 12h et de 6 à 14 j. 25 € par tranche de 24h. Réservation sur Internet uniquement. Les P1, PAB et PEF accueillent les deux-roues : 15 € pour 24h.

COMMENT SE DÉPLACER ENTRE ROISSY-CHARLES-DE-GAULLE 1, 2 ET 3 ?

Les rames du CDG-VAL font le lien entre les 3 terminaux en 8 mn. Fonctionne tlj, 24h/24. Gratuit. Accessible aux personnes à mobilité réduite. Départ ttes les 5 mn, et ttes les 20 mn, minuit-4h. Desserte gratuite vers certains hôtels, parkings, gares RER et gares TGV.

À Orly-Sud et Orly-Ouest

TRANSPORTS COLLECTIFS

Les cars Air France : ☎ *0892-350-820 (0,34 €/mn).* • *cars-airfrance.com* • *Tarifs : 11,50 € l'aller simple, 18,50 € l'A/R ; enfants 2-11 ans : 5,50 €. Paiement par CB possible dans le bus.*

➢ *Paris-Orly :* départs de l'Étoile, 1, av. Carnot, ttes les 30 mn 5h-22h40. Arrêts au terminal des Invalides, rue Esnault-

NOUVEAUTÉ

LA BRETAGNE ET SES PEINTRES (paru)

À travers 15 itinéraires sur leurs lieux d'inspiration, le *Guide du routard La Bretagne et ses peintres,* entièrement en couleur, vous propose de découvrir l'attirance pour la Bretagne d'artistes comme Monet ou Picasso mais également de peintres moins connus, sans oublier, bien sûr, Gauguin à Pont-Aven. Vous y trouverez évidemment les musées, mais aussi d'autres lieux hors des sentiers battus, églises, mairies, galeries, etc., qui présentent leurs œuvres. Ce guide souhaite vous entraîner « sur le motif », là où les peintres ont choisi de planter leur chevalet, pour retrouver les paysages qui figurent sur leurs toiles ; autant d'occasions de découvrir la Bretagne avec un autre regard. Bien entendu, vous trouverez aussi dans ce guide des hôtels sélectionnés pour leur proximité avec la peinture – endroits historiques et adresses faisant la part belle à l'art –, sans oublier nos restaurants préférés. La Bretagne est bien une région dont la vitalité artistique ne cesse de se renouveler.

Pelterie (Ⓜ Invalides), Gare Montparnasse (rue du Commandant-Mouchotte, face à l'hôtel *Pullman* ; Ⓜ Montparnasse-Bienvenüe, sortie Gare SNCF) et Porte d'Orléans (arrêt facultatif uniquement dans le sens Orly-Paris).

➢ *Orly-Paris :* départs ttes les 20 mn, 6h-23h40 d'Orly-Sud, porte L, et d'Orly-Ouest, portes B et C, niveau « Arrivées ».

RER C + navette Orly-Rail : *☎ 36-58 (0,23 €/mn).* • *transilien.com* • Prendre le RER C jusqu'à Pont-de-Rungis (un RER ttes les 15-30 mn). Compter 25 mn depuis la gare d'Austerlitz. Ensuite, navette Orly-Rail pdt 15 mn pour Orly-Sud et Orly-Ouest. Compter 6,45 €. Très recommandé les jours où l'on piétine sur l'autoroute du Sud (w-e et jours de grands départs) : on ne sera jamais en retard. Pour le retour, départs de la navette ttes les 15 mn depuis la porte G à Orly-Ouest (5h40-23h14) et la porte F à Orly-Sud (4h34-23h15).

Bus RATP Orlybus : *☎ 32-46 (0,34 €/mn).* • *ratp.fr* •

➢ *Paris-Orly :* départs ttes les 15-20 mn de la pl. Denfert-Rochereau. Compter 20-30 mn pour rejoindre Orly (Ouest ou Sud). La pl. Denfert-Rochereau est très accessible : RER B, 2 lignes de métro et 3 lignes de bus. Orlybus fonctionne tlj 5h35-23h, jusqu'à minuit ven, sam et veilles de fêtes dans le sens Paris-Orly ; et tlj 6h-23h20, jusqu'à 0h20 ven, sam et veilles de fêtes dans le sens Orly-Paris.

➢ *Orly-Paris :* départ d'Orly-Sud, porte H, quai 4, ou d'Orly-Ouest, porte J, niveau « Arrivées ». Compter 6,90 € l'aller simple.

Orlyval : *☎ 32-46 (0,34 €/mn).* • *ratp.fr* • Ce métro automatique est facilement accessible à partir de n'importe quel point de la capitale ou de la région parisienne (RER, stations de métro, gare SNCF). La jonction se fait à Antony (ligne B du RER) sans aucune attente. Permet d'aller d'Orly à Châtelet et vice versa en 40 mn env, sans se soucier de la densité de la circulation automobile. Compter 10,75 € l'aller simple entre Orly et Paris. Billet Orlyval seul : 8,30 €.

➢ *Paris-Orly :* départs pour Orly-Sud et Ouest ttes les 6-8 mn, 6h-22h15.

➢ *Orly-Paris :* départ d'Orly-Sud, porte J, à proximité de la livraison des bagages, ou d'Orly-Ouest, porte W du hall 2, niveau « Départs ».

TAXIS

Compter au moins 35 € en tarif de jour du centre de Paris, selon circulation et importance des bagages.

EN VOITURE

À proximité d'Orly-Ouest, parkings P0 et P2. À proximité d'Orly-Sud, P1 et P3 (à 50 m du terminal, accessible par tapis roulant). Compter 27,50 € pour 24h de stationnement. Ces 4 parkings à proximité immédiate des terminaux proposent des forfaits intéressants : « week-end » valable du ven 0h01 au lun 23h59 (43 €) et « grand week-end » du jeu 15h au lun 23h59 (59 €). Forfaits disponibles aussi pour les P4, P5 et P7 : 15,50 € pour 24h et 1 € par jour supplémentaire au-delà de 8 j. (45 j. de stationnement max). Il existe pour le P7 des forfaits Vacances 1 à 30 j. (15-130 €).

Les P4, P7 (en extérieur) et P5 (couvert) sont des parkings longue durée, plus excentrés, reliés par navettes gratuites aux terminaux. *Rens : ☎ 01-49-75-56-50.* Comme à Roissy, possibilité de réserver en ligne sa place de parking (P0 et P7) sur • *aeroportsdeparis.fr* • Les frais de résa (en sus du parking) sont de 8 € pour 1 j., de 12 € pour 2-3 j. et de 20 € pour 4-10 j. de stationnement pour le P0. Les parkings P0-P2 à Orly-Ouest, et P1-P3 à Orly-Sud accueillent les deux-roues : 6,20 € pour 24h.

Liaisons entre Orly et Roissy-Charles-de-Gaulle

Les cars Air France : *☎ 0892-350-820 (0,34 €/mn).* • *cars-airfrance.com* • Départs de Roissy-Charles-de-Gaulle depuis les terminaux 1 (porte 34, niveau « Arrivées »), 2A et 2C (porte B1), 2B et 2D (porte C2), 2E et 2F (niveau « Arrivées », porte 3 de la galerie) vers Orly 5h55-22h30. Départs d'Orly-Sud (porte K) et d'Orly-Ouest (porte B-C, niveau « Arrivées ») vers Roissy-Charles-de-Gaulle 6h30 (7h le w-e)-22h30. Ttes les 30 mn (dans les deux

sens). Durée du trajet : 50 mn env. Tarif : 19 €. Enfants 2-11 ans : 9,50 €.

RER B + Orlyval : *☎ 32-46 (0,34 €/mn).* Depuis Roissy, navette puis RER B jusqu'à Antony et enfin Orlyval entre Antony et Orly, 6h-22h15. Tarif : 17,60 €.

– ***En taxi :*** compter 50-55 € en journée.

EN BELGIQUE

▲ AIRSTOP

• airstop.be •

Pour ttes les adresses Airstop, 1 seul numéro de tél : ☎ 070-233-188. Lun-ven 9h-18h30, sam 10h-17h.

– Bruxelles : bd E.-Jacquemain, 76, 1000.

– Anvers : Jezusstraat, 16, 2000.

– Bruges : Dweersstraat, 2, 8000.

– Gand : Maria Hendrikaplein, 65, 9000.

– Louvain : Tiensestraat, 5, 3000.

Airstop offre une large gamme de prestations, du vol sec au séjour tout compris à travers le monde.

▲ CONNECTIONS

Rens et résas : ☎ 070-233-313. • connections.be • Lun-ven 9h-19h, sam 10h-17h.

Fort d'une expérience de plus de 20 ans dans le domaine du voyage, Connections dispose d'un réseau de 30 *travel shops* dont un à Brussels Airport. Connections propose des vols dans le monde entier à des tarifs avantageux et des voyages destinés à ceux qui désirent découvrir la planète de façon autonome et de vivre des expériences uniques. Connections propose une gamme complète de produits : vols, hébergements, locations de voitures, autotours, vacances sportives, excursions, assurances « protections »...

▲ GLOBE-TROTTERS

• globe-trotters.be •

– Bruxelles : rue Victor-Hugo (angle av. E.-Plasky), 179, 1030. ☎ 02-732-90-70. Lun-ven 9h30-13h30, 15h-18h ; sam 10h-13h.

En travaillant avec des prestataires exclusifs, cette agence permet de composer chaque voyage selon ses critères : de l'auberge de jeunesse au *lodge* de luxe isolé, du *B & B* à l'hôtel de charme, de l'autotour au circuit accompagné, d'une descente de fleuve en pirogue à un circuit à vélo... Motoneige, héliski, multiactivités estivales ou hivernales, équitation... Spécialiste du Québec, du Canada, des États-Unis, Globe Trotters propose aussi des formules dans le Sud-Est asiatique et en Afrique. Assurances voyages. Cartes d'auberges de jeunesse (IYHF). Location de voitures, motor homes et motos.

▲ NOUVELLES FRONTIÈRES

• nouvelles-frontieres.be •

– Nombreuses agences dans le pays dont *Bruxelles, Charleroi, Liège, Mons, Namur, Waterloo, Wavre* et au *Luxembourg.*

Voir texte dans la partie « En France ».

▲ SERVICE VOYAGES ULB

• servicevoyages.be • 22 agences dont 11 à Bruxelles.

– Bruxelles : campus ULB, av. Paul-Héger, 22, CP 166, 1000. ☎ 02-650-40-20.

– Bruxelles : rue Abbé-de-l'Épée, 1, Woluwe, 1200. ☎ 02-742-28-80.

– Bruxelles : hôpital universitaire Érasme, route de Lennik, 808, 1070. ☎ 02-555-38-63.

– Bruxelles : chaussée d'Alsemberg, 815, 1180. ☎ 02-332-29-60.

– Ciney : rue du Centre, 46, 5590. ☎ 083-216-711.

– Marche (Luxembourg) : 11, av. de France, 6900. ☎ 084-31-40-33.

– Wepion : chaussée de Dinant, 1137, 5100. ☎ 081-46-14-37.

Service Voyages ULB, c'est le voyage à l'université. Billets d'avion sur vols charters et sur compagnies régulières à des prix compétitifs.

▲ VOYAGEURS DU MONDE

Le spécialiste du voyage en individuel sur mesure. • vdm.com •

– Bruxelles : chaussée de Charleroi, 23, 1060. ☎ 09-004-45-00 (0,45 €/mn).

Voir texte dans la rubrique « Voyageurs aux États-Unis et au Canada » de la partie « En France ».

EN SUISSE

▲ STA TRAVEL

☎ 058-450-49-49. • statravel.ch •

– Fribourg : rue de Lausanne, 24, 1701. ☎ 058-450-49-80.

– Genève : rue de Rive, 10, 1204. ☎ 058-450-48-00.
– Genève : rue Vignier, 3, 1205. ☎ 058-450-48-30.
– Lausanne : bd de Grancy, 20, 1006. ☎ 058-450-48-50.
– Lausanne : à l'université, Anthropole, 1015. ☎ 058-450-49-20.
Agences spécialisées notamment dans les voyages pour jeunes et étudiants. 150 bureaux STA et plus de 700 agents du même groupe répartis dans le monde entier sont là pour donner un coup de main *(Travel Help).*
STA propose des voyages avantageux : vols secs *(Blue Ticket)*, hôtels, écoles de langues, *work & travel*, circuits d'aventure, voitures de location, etc. Délivre la carte internationale d'étudiant et la carte *Jeune.*
STA est membre du fonds de garantie de la branche suisse du voyage ; les montants versés par les clients pour les voyages forfaitaires sont assurés.

▲ TUI – NOUVELLES FRONTIÈRES

– Genève : rue Chantepoulet, 25, 1201. ☎ 022-716-15-70.
– Lausanne : bd de Grancy, 19, 1006. ☎ 021-616-88-91.
Voir texte dans la partie « En France ».

AU QUÉBEC

▲ SPORTVAC TOURS

• *sportvac.com* •
– Québec : 538 Notre-Dame, Saint Lambert, J4P 2K7. ☎ 1-888-776-7882 (poste 234).
Sportvac est une agence de voyages spécialisée dans les activités sportives : ski alpin, golf et marche. Du printemps à l'automne, elle propose de nombreuses destinations (une ou plusieurs journées) pour la marche en groupe dans diverses régions de la province. L'hiver, des forfaits pour le ski alpin au Québec ou dans l'Ouest canadien sont disponibles.

▲ TOURS CHANTECLERC

• *tourschanteclerc.com* •
Tours Chanteclerc est un tour-opérateur qui publie différentes brochures de voyages : Europe, Amérique du Nord, Amérique du Sud, Asie et Pacifique sud, Afrique et le Bassin méditerranéen en circuits ou en séjours. Il se présente comme l'une des « références sur l'Europe » avec deux brochures : groupes (circuits guidés en français) et individuels. *Mosaïque Europe* s'adresse aux voyageurs indépendants qui réservent un billet d'avion, un hébergement (dans toute l'Europe), des excursions ou une location de voiture. Aussi spécialiste de Paris, le grossiste offre une vaste sélection d'hôtels et d'appartements dans la Ville Lumière.

▲ TOURSMAISON

Spécialiste des vacances sur mesure, ce voyagiste sélectionne plusieurs « Évasions soleil » (plus de 600 hôtels ou appartements sur quelque 45 destinations), offre l'Europe à la carte toute l'année (plus de 17 pays) et une vaste sélection de compagnies de croisières (11 compagnies au choix). Toursmaison concocte par ailleurs des forfaits escapades à la carte aux États-Unis et au Canada. Au choix : transport aérien, hébergement (variété d'hôtels de toutes catégories ; appartements dans le sud de la France ; maisons de location et condos en Floride), location de voitures pratiquement partout dans le monde. Des billets pour le train, les attractions, les excursions et les spectacles peuvent également être achetés avant le départ.

▲ VOYAGES CAMPUS/ TRAVEL CUTS

• *voyagescampus.com* •
Campus/Travel Cuts est un réseau national d'agences de voyages spécialisées pour les étudiants et les voyageurs qui disposent de petits budgets. Le réseau existe depuis 40 ans et compte plus de 50 agences dont 6 au Québec. Voyages Campus propose des produits exclusifs comme l'assurance « Bon voyage » le programme de vacances-travail (SWAP), la carte d'étudiant internationale (ISIC) et plus. Ils peuvent vous aider à planifier votre séjour autant à l'étranger qu'au Canada et même au Québec.

UNITAID

UNITAID a été créé pour lutter contre le VIH/sida, le paludisme et la tuberculose, principales maladies meurtrières dans les pays en développement. UNITAID intervient dans 94 pays en facilitant l'accès aux médicaments et aux diagnostics, en en baissant les prix dans les pays en développement. Le financement d'UNITAID provient principalement d'une contribution de solidarité sur les billets d'avion mise en place par six pays membres, dont la France, où la taxe est de 1 € sur les vols intérieurs et de 4 € sur les vols internationaux (ce qui représente le traitement d'un enfant séropositif pour un an). En 5 ans, UNITAID a réuni plus d'un milliard de dollars Les financements ont permis à près de un million de personnes atteintes du VIH/sida de bénéficier d'un traitement et de délivrer plus de 19 millions de traitements contre le paludisme. Moins de 5 % des fonds sont utilisés pour le fonctionnement du programme, 95 % sont utilisés directement pour les médicaments et les tests. Pour en savoir plus : • *unitaid.eu* •

CANADA OUEST UTILE

Pour la carte générale du Canada, se reporter au cahier couleur.

ABC DU CANADA

- *Superficie :* 9 984 670 km^2 (soit près de 20 fois la France).
- *Population :* env 34 millions d'hab.
- *Densité :* 3,4 hab./km^2.
- *Capitale :* Ottawa (Ontario).
- *Langues officielles :* l'anglais et le français.
- *Monnaie :* le dollar canadien (1 $ = 0,70 €).
- *Régime politique :* démocratie parlementaire.
- *Chef du gouvernement :* Stephen Harper, Premier ministre.
- *Nature de l'État :* fédération (10 provinces et 3 territoires).
- *Chef d'État :* la reine Elizabeth II, représentée par un gouverneur général, David Lloyd Johnston.

AVANT LE DÉPART

Adresses utiles

En France

– ***Site officiel du tourisme au Canada :*** • canada.travel •

■ ***Ambassade du Canada :*** *35, av. Montaigne, 75008 Paris.* ☎ *01-44-43-29-00.* • *canadainternational.gc.ca/france* • Ⓜ *Franklin-D.-Roosevelt ou Alma-Marceau. Lun-ven 9h-12h, 14h-17h. Pour tt ce qui concerne les visas, les bureaux sont situés au 37, av. Montaigne. Même tél, mais slt 8h30-11h.*

■ ***Centre culturel canadien :*** *5, rue de Constantine, 75007 Paris.* ☎ *01-44-43-21-90.* Ⓜ *Invalides. Lun-ven 10h-18h (19h jeu).* Galerie d'art et centre de documentation. Événements culturels variés : musique, poésie, théâtre, cinéma, etc.

■ ***France Canada*** *(association) :* *5, rue de Constantine, 75007 Paris.* ☎ *01-45-55-83-65.* • *france-canada.info* • Ⓜ *Invalides. Lun-ven 11h-16h.* Pour tout projet de voyage au Canada.

En Belgique

■ ***Ambassade du Canada :*** *av. de Tervuren, 2, Bruxelles 1040.* ☎ *02-741-0611.* • *ambassade-canada.be* • *Lun-ven 9h-12h30, 13h30-17h. Section consulaire 9h-12h ou sur rdv.*

En Suisse

■ ***Ambassade du Canada :*** *Kirchenfeldstrasse, 88, 3005 Berne.* ☎ *031-357-32-00.* • *geo.international.gc.ca/canada-europa/switzerland/embassy/ambassador-fr.aspx* • *Lun-jeu 8h-12h,*

13h-17h ; ven 8h-13h30. Section consulaire lun-ven 9h-11h30.

Formalités

– ***Passeport en cours de validité.*** Un billet de retour ou de continuation sera exigé, ainsi que des preuves de solvabilité (carte de paiement, chèques de voyage...). Les enfants (jusqu'à 14 ans) déjà inscrits sur le passeport des parents n'ont pas besoin de passeport individuel. Avant le départ, on vous conseille de vérifier ces formalités sur le site de l'ambassade du Canada (● *canadainternational.gc.ca/france* ●).
Attention, si vous vous rendez aux États-Unis depuis le Canada, les formalités d'entrée sont plus strictes : consultez impérativement le site de l'ambassade des États-Unis avant votre voyage (● *france.usembassy.gov* ●).
– ***Pas de vaccination obligatoire.***
– ***Interdiction d'importer des denrées périssables non stérilisées*** (charcuterie, fromage, biscuits...) ***ou des végétaux.*** Seules les conserves sont tolérées. Une bouteille d'alcool par personne est autorisée.
– ***Aucun objet coupant autorisé en cabine.*** Même les ciseaux à bout rond des enfants seront confisqués !
– ***Les liquides, gels, crèmes, pâtes dentifrice sont restreints en cabine*** (sauf aliments pour bébés). Ils doivent être conditionnés dans des flacons ou tubes de 100 ml maximum et placés dans une pochette plastique transparente (type sac de congélation).

> Pensez à scanner passeport, visa, carte de paiement, billets d'avion et *vouchers* d'hôtel. Ensuite, adressez-les-vous par mail, en pièces jointes. En cas de perte ou vol, rien de plus facile pour les récupérer dans un cybercafé. Les démarches administratives seront bien plus rapides. Merci tonton Routard !

Et si, à la dernière minute, vous décidez d'acheter un flacon de sirop d'érable à l'aéroport, faites-le dans la zone d'embarquement *(duty-free)*, et pas avant. Si vous rapportez une bouteille d'un vignoble, il faudra obligatoirement la passer en soute...

Assurances voyage

■ ***Routard Assurance*** *(c/o AVI International)* **:** *106, rue de La Boétie, 75008 Paris.* ☎ *01-44-63-51-00.* ● *avi-international.com* ● Ⓜ *Saint-Philippe-du-Roule ou Franklin-Roosevelt.* Depuis 1995, *Routard Assurance,* en collaboration avec *AVI International,* spécialiste de l'assurance voyage, propose aux routards un tarif à la semaine qui inclut une assurance bagages de 2 000 € et appareils photo de 300 €. Pour les séjours longs (2 mois à 1 an), il existe le *Plan Marco Polo.* Également un nouveau contrat pour les seniors, en courts et longs séjours. *Routard Assurance* est aussi disponible en version *light* (durée adaptée aux week-ends et courts séjours en Europe). Vous trouverez un bulletin de souscription dans les dernières pages de chaque guide.
■ ***AVA :*** *25, rue de Maubeuge, 75009 Paris.* ☎ *01-53-20-44-20.* ● *ava.fr* ● Ⓜ *Cadet.* Un autre courtier fiable pour ceux qui souhaitent s'assurer en cas de décès-invalidité-accident lors d'un voyage à l'étranger, mais surtout pour bénéficier d'une assistance rapatriement, perte de bagages et annulation. Attention, franchises pour leurs contrats d'assurance voyage.
■ ***Pixel Assur :*** *18, rue des Plantes, 78600 Maisons-Laffitte.* ☎ *01-39-62-28-63.* ● *pixel-assur.com* ● *RER A : Maisons-Laffitte.* Assurance de matériel photo et vidéo tous risques dans le monde entier. Devis basé sur le prix d'achat de votre matériel. Avantage : garantie à l'année.

Carte internationale d'étudiant (carte ISIC)

Elle prouve le statut d'étudiant dans le monde entier et permet de bénéficier de tous les avantages, services, réduc-

tions étudiants du monde concernant les transports, les hébergements, la culture, les loisirs, le shopping... C'est la clé de la mobilité étudiante !
La carte ISIC donne aussi accès à des avantages exclusifs sur le voyage (billets d'avion, hôtels et auberges de jeunesse, assurances, cartes SIM, location de voitures...).
Pour plus d'informations sur la carte ISIC et pour la commander en ligne, rendez-vous sur le site • *isic.fr* •
Au Canada, elle donne droit à 35 % de réduction sur les tarifs des trains du réseau national de *VIA,* et ce sans conditions et sans réservation préalable. Elle permet aussi de prendre l'avion à prix très réduits dans les nombreuses agences *Voyages Campus/Travel Cuts.*

Pour l'obtenir en France

Pour localiser le point de vente le plus proche de chez vous : • isic.fr • ou ☎ 01-42-18-20-20. Il est possible de l'acheter en ligne.
Se présenter au point de vente avec :
– une preuve du statut d'étudiant (carte d'étudiant, certificat de scolarité...) ;
– une photo d'identité ;
– 12 €, ou 13 € par correspondance, incluant les frais d'envoi des documents d'information sur la carte.
Émission immédiate sur place ou envoi à votre domicile le jour même de votre commande en ligne.

En Belgique

Elle coûte 12 € (+ 1 € de frais d'envoi) et s'obtient sur présentation de la carte d'identité, de la carte d'étudiant et d'une photo d'identité auprès de :

■ ***Connections :*** *rens au ☎ 070-23-33-13 ou 479-807-129. • isic.be •*

En Suisse

Dans toutes les agences *STA Travel (☎ 058-450-40-00 ou 49-49),* sur présentation de la carte d'étudiant, d'une photo et de 20 Fs. Commande de la carte en ligne : • *isic.ch* • *statravel.ch* •

Au Canada

La carte coûte 20 $ (+ 1,50 $Ca de frais d'envoi) ; elle est disponible dans les agences *Travel Cuts/Voyages Campus,* mais aussi dans les bureaux d'associations étudiants. Pour plus d'infos : • *voyagescampus.com* •

Carte d'adhésion internationale aux auberges de jeunesse (carte FUAJ)

Cette carte, valable dans plus de 90 pays, vous ouvre les portes des 4 000 auberges de jeunesse du réseau *Hostelling International,* réparties dans le monde entier. Les périodes d'ouverture varient selon les pays et les AJ. À noter, la carte est souvent obligatoire pour séjourner en auberge de jeunesse, donc nous vous conseillons de vous la procurer avant votre départ. Adhérer en France vous reviendra moins cher qu'à l'étranger.
La carte donne également droit à des réductions sur les transports, les musées et les attractions touristiques dans plus de 90 pays. Ces avantages varient d'un pays à l'autre, ce qui n'empêche pas de la présenter à chaque occasion. Liste de ces réductions disponible sur • *hihostels.com* • et celles des réductions en France sur • *fuaj.org* •

Pour adhérer

– ***En ligne, avec un paiement sécurisé***, sur le site • *fuaj.org* •
– ***Dans toutes les auberges de jeunesse,*** points d'informations et de réservations en France.
– ***Auprès de l'antenne nationale*** : *27, rue Pajol, 75018 Paris. ☎ 01-44-89-87-27. • fuaj.org • Ⓜ Marx-Dormoy ou La Chapelle.* Horaires d'ouverture disponibles sur le site internet rubrique « Nous contacter ».
– ***Par correspondance*** en envoyant une photocopie d'une pièce d'identité et un chèque à l'ordre de la FUAJ du montant correspondant à l'adhésion. Ajoutez 2 € de plus pour les frais d'envoi. Vous recevrez votre carte sous quinze jours.

TARIFS D'ADHÉSION

– Carte internationale FUAJ moins de 26 ans : 11 €.
Pour les mineurs, une autorisation parentale et la carte d'identité du parent tuteur sont nécessaires pour l'inscription.
– Carte internationale FUAJ plus de 26 ans : 16 €.
– Carte internationale FUAJ Famille : 23 €.
Seules les familles ayant un ou plusieurs enfants de moins de 16 ans peuvent bénéficier de la carte « famille » sur présentation du livret de famille. Les enfants de plus de 16 ans devront acquérir une carte individuelle

En Belgique

La carte d'adhésion est obligatoire. Son prix varie selon l'âge : de 3 à 15 ans, 3 € ; de 16 à 25 ans, 9 € ; plus de 25 ans, 15 €.

■ ***LAJ :*** *rue de la Sablonnière, 28, Bruxelles 1000. ☎ 02-219-56-76. • laj.be •*
■ ***Vlaamse Jeugdherbergcentrale (VJH) :*** *Van Stralenstraat 40, B 2060 Antwerpen. ☎ 03-232-72-18. • vjh.be •*

– Votre carte de membre vous permet d'obtenir de 3 à 20 € de réduction sur votre première nuit dans les réseaux LAJ, VJH et CAJL (Luxembourg), ainsi que des réductions auprès de nombreux partenaires en Belgique.

En Suisse (SJH)

Le prix de la carte dépend de l'âge : 22 Fs pour les moins de 18 ans, 33 Fs pour les adultes et 44 Fs pour une famille avec des enfants de moins de 18 ans.

■ ***Schweizer Jugendherbergen (SJH) :*** *service des membres des auberges de jeunesse suisses, Schaffhauserstr. 14, 8042 Zurich. ☎ 01-44-360-14-14. • booking@youthhostel.ch • et contact@youthhostel youthhostel.ch •*

Au Canada

Elle coûte 35 $Ca pour une durée de 16 à 28 mois et 175 $Ca pour une carte valable à vie. Gratuit pour les enfants de moins de 18 ans qui accompagnent leurs parents.

■ ***Auberges de Jeunesse du Saint-Laurent / St Laurent Youth Hostels :***
– À Montréal : 3514, av. Lacombe, (Québec) H3T 1M1. ☎ (514) 731-10-15. N° gratuit (au Canada) : ☎ 1-866-663-5777.
■ ***Canadian Hostelling Association :*** *205 Catherine St bureau 400, Ottawa, (Ontario) K2P 1C3. ☎ (613) 237-78-84. • hihostels.ca •*

– Il n'y a pas de limite d'âge pour séjourner en AJ. Il faut simplement être adhérent.
– La FUAJ offre à ses adhérents la possibilité de réserver en ligne grâce à son système de réservation international • *hihostels.com* • jusqu'à 12 mois à l'avance, dans plus de 1 600 auberges de jeunesse dans le monde. Et si vous prévoyez un séjour itinérant, vous pouvez réserver plusieurs auberges en une seule fois.
Ce système permet d'obtenir toutes les informations utiles sur les auberges reliées au système, de vérifier les disponibilités, de réserver et de payer en ligne.

ARGENT, BANQUES, CHANGE

Le ***dollar canadien*** est différent du dollar américain : d'abord, il n'est pas vert ; ensuite, il ne vaut pas tout à fait la même chose. Il est divisé en cent *cents* et valait, courant 2011, environ 0,70 €.
– ***Pour les grosses dépenses*** (hôtels, restos, essence, etc.), le plus pratique est de régler avec une carte de paiement (même si une commission est prise par votre banque française à chaque opération). En effet, le seuil d'argent que l'on peut retirer chaque semaine au distributeur étant limité (vérifiez le montant autorisé avec votre banque avant de partir), si vous payez tout en liquide, il risque d'être vite

atteint. On peut payer par carte quasiment partout au Canada.

– ***Pour disposer d'argent liquide,*** le plus simple est d'en retirer sur place avec sa carte de paiement internationale aux nombreux ***distributeurs automatiques de billets*** (appelés *ATM*, pour *automatic teller machine*). Une commission fixe (environ 2-3 $) et un petit pourcentage variable étant prélevés par votre banque pour chaque retrait, il est préférable de retirer de grosses sommes plutôt que de multiplier les opérations (pour la commission fixe car, évidemment, la partie pourcentage reste proportionnelle à la somme retirée...). Des petits frais supplémentaires peuvent aussi s'ajouter quand on retire dans les petits distributeurs des hôtels, stations-service ou autres commerces. Mais à part ça, l'opération s'effectue au taux de change officiel, plus avantageux que dans les bureaux de change. Par mesure de précaution, utilisez de préférence les distributeurs attenants à une agence bancaire. En cas de pépin (carte avalée, etc.), vous aurez un interlocuteur dans l'agence, pendant les heures ouvrables du moins.

– Si vous devez changer au comptoir, il y a des ***bureaux de change*** dans les grands centres urbains et les villes touristiques. On trouve même, parfois, des machines qui changent les billets étrangers ! En revanche, si vous traversez les Grandes Plaines ou faites une escapade en campagne, ne vous attendez pas à en voir beaucoup. Le change, tant pour le cash que pour les *travellers*, s'effectue généralement avec une petite commission de l'ordre de 2 $, à laquelle il faut ajouter un taux de change tout de même moins avantageux que si vous retirez de l'argent d'un distributeur avec votre carte de paiement.

– Enfin, pour ceux qui ne disposeraient pas d'une carte de paiement ou qui auraient besoin de liquidités plus élevées que le plafond autorisé par leur banque, avoir une partie de son argent sous forme de ***chèques de voyage*** peut s'avérer plus sécurisant, car on peut se les faire rembourser en cas de perte ou de vol. Si c'est la solution que vous envisagez, veillez alors à acheter vos chèques en dollars canadiens (plus faciles à changer et acceptés par la majorité des commerçants).

– IMPORTANT : les prix affichés ne correspondent presque jamais aux prix réels. Selon les provinces, il faudra y ***ajouter 5 à 15 % de taxe*** ainsi que, dans les restos, le ***service*** (15 à 20 %, selon la satisfaction). Voir, plus loin, « Taxes et pourboires *(tips)* ». Si vous voyagez dans les provinces de l'Ouest, tâchez de faire vos gros achats plutôt en Alberta, la seule province du Canada à ne pas appliquer de taxe provinciale.

En cas de perte ou vol des cartes de paiement

Quelle que soit la carte, chaque banque gère elle-même le processus d'opposition et le numéro de téléphone correspondant ! Avant de partir, notez donc bien le numéro d'opposition propre à votre banque en France (il figure souvent sur votre contrat, au dos des tickets de retrait ou à côté des distributeurs de billets), ainsi que le numéro à 16 chiffres de votre carte. Bien entendu, conservez ces informations en lieu sûr et séparément de votre carte. Par ailleurs, l'assistance médicale se limite aux 90 premiers jours du voyage.

– ***Carte Bleue Visa :*** *assistance médicale incluse ; numéro d'urgence (Europ Assistance) : ☎ (00-33) 1-41-85-85-85. • visa-europe.fr • Pour faire opposition, contactez le numéro communiqué par votre banque.*

– ***Carte MasterCard :*** *assistance médicale incluse ; numéro d'urgence : ☎ (00-33) 1-45-16-65-65. • mastercardfrance.com • En cas de perte ou vol, composez le numéro communiqué par votre banque pour faire opposition.*

– ***Carte American Express :*** *téléphonez en cas de pépin au ☎ (00-33) 1-47-77-72-00, 24h/24. • americanexpress.fr •*

– Pour toutes les cartes émises par ***La Banque postale,*** composez le : *☎ 0825-809-803 (0,15 €/mn) depuis la France métropolitaine ou les DOM ; et depuis l'étranger le ☎ (00-33) 5-55-42-51-96.*

– Également un numéro d'appel ***valable quelle que soit votre carte de paiement pour faire opposition :*** ☎ *0892-705-705 (serveur vocal 0,34 €/mn). Ne fonctionne ni en PCV ni depuis l'étranger.*

Dépannage d'urgence

En cas de ***besoin urgent d'argent liquide*** (perte ou vol de billets, chèques de voyage, cartes de paiement), vous pouvez être dépanné rapidement grâce au système ***Western Union Money Transfer.*** Pour cela, demandez à un proche de déposer pour vous de l'argent en euros dans l'un des bureaux *Western Union* ou directement avec une carte de paiement sur le site • *western-union.fr* • Les correspondants en France de *Western Union* sont *La Banque postale (fermée sam ap-m ;* ☎ *0825-009-898, 0,15 €/mn)* et ***Travelex*** en collaboration avec la *Société financière de paiements (SFDP ; lun-sam 9h-19h ;* ☎ *0825-825-842, 0,15 €/mn).* L'argent vous est transféré en 10 à 15 mn. La commission, assez élevée, est payée par l'expéditeur. Possibilité d'effectuer un transfert en ligne 24h/24 par carte de paiement (*Visa* ou *MasterCard* émises en France).

ACHATS

– La fameuse ***couverture*** 100 % laine de la *Compagnie de la baie d'Hudson* (dite couverture à pointes), en vente dans les magasins de la chaîne *Hudson's Bay Company* ou *HBC* (héritier de la grande société coloniale et fournisseur et designer officiel des équipes olympiques canadiennes). Le motif à rayures vertes, rouges, jaunes et noires, sur fond blanc, n'a jamais changé ; on le retrouve aussi sur de bien chaudes « canadiennes » (nous parlons ici des vestes).
Autre chaîne de magasins de vêtements sportswear typiquement canadienne : *Roots,* que l'on retrouve à travers le pays, réputée pour ses beaux T-shirts et sweat-shirts estampillés, et ses gadgets de voyage.

MONNAIE DE CASTOR

Les couvertures de laine étaient très prisées à l'époque du commerce des fourrures. Chaudes et résistantes, elles pouvaient aussi être taillées pour en faire des capes et même des moufles. Les fameuses pointes (petites lignes souvent noires ou indigo tissées sur le bord du tissu) qui donnèrent le nom à ces couvertures indiquaient leur valeur, chaque pointe représentant une peau de castor échangée contre la couverture. Pour les plus grandes (donc les plus lourdes), il fallait payer jusqu'à trois peaux de castor.

– Pour les amateurs, les ***whiskies*** *Crown Royal* et *Canadian Club,* spécialités canadiennes.
– Pensez aussi au ***matériel de sport outdoor*** : du casque de vélo jusqu'à l'équipement de golf, les prix sont assez inférieurs à ceux pratiqués en France. Les équipements de vélo du Québécois Louis Garneau sont extrêmement populaires au Canada. La chaîne *Mountain Equipment Co-Op,* qui est une coopérative, comme son nom l'indique, est un véritable paradis pour campeurs, grimpeurs et kayakistes.
– ***L'artisanat indien :*** il est cher quand il est beau et fait main. On déniche aussi des fanfreluches bon marché. C'est dans l'Ouest que se trouvent les artistes amérindiens les plus réputés, tel *Bill Reid,* dont on peut admirer les impressionnantes sculptures au musée d'Anthropologie de Vancouver. La boutique du musée vend de fort belles reproductions. D'autres artistes moins connus réalisent aussi de beaux objets : calumets finement sculptés, bijoux en argent originaux, statuettes de pierre ou bois... Petits cadeaux géniaux et pas chers : les *dream catchers,* de petits filets en forme de toiles d'araignées qui, dans la mythologie amérindienne, saisissent les rêves au vol...

– ***L'art inuit :*** de nombreuses boutiques et galeries réservent une place importante aux sculptures inuit, réalisées en serpentine ou en *soapstone* (stéatite). Pour authentifier le travail de l'artiste, le gouvernement canadien appose une étiquette montrant un igloo. Là encore, c'est généralement très cher.
– D'Alberta, vous rapporterez des ***bottes et chapeaux de cow-boy,*** mais aussi des ceintures de cuir « western » et la fameuse « cravate » de l'Ouest. Pour compléter la panoplie, offrez-vous un bon disque country ; le choix est immense.
– ***Bonnes affaires :*** les CD et DVD sont moins chers, de même que les vêtements ou l'électronique (ordinateurs, téléphones portables, appareils photo...). Assurez-vous qu'ils fassent l'objet d'une *garantie internationale* et que leur modèle est autorisé à l'usage en Europe, où vous pourriez bien vous le faire confisquer par la douane française.

BUDGET

Pour le voyageur, le coût de la vie au Canada est peu ou prou comparable à celui de la France, voire un peu plus élevé dans les provinces anglophones.
Seule exception : l'essence, presque 50 % moins chère que chez nous. Si vous voyagez en voiture, cela peut faire une jolie différence, même si les distances sont longues.
Souvenez-vous que ***les prix indiqués s'entendent sans taxes (comme ceux cités dans le guide, sauf mention particulière).*** Pour vous aider à préparer votre budget, voici une échelle de prix pour l'hébergement et la nourriture.

Hébergement

Important : les fourchettes de prix indiquées ci-dessous sont celles de la haute saison touristique, puisque, par définition, c'est plutôt à ce moment-là de l'année qu'on voyage. Celle-ci correspond à l'été, sauf dans les stations de ski où, bien sûr, c'est en hiver que les prix grimpent. En revanche, hors saison et dans certains coins peu touristiques, les tarifs sont plus raisonnables.
– ***Bon marché :*** jusqu'à 50 $ la nuit par personne (en dortoir ou en chambre double dans les auberges).
– ***Prix moyens :*** de 80 à 150 $ la nuit pour deux en chambre privée (hôtels, motels ou *B & B*).
– ***Plus chic :*** de 150 à 250 $ pour deux. Hôtels de catégorie supérieure et *B & B* de charme.
– ***Très chic :*** plus de 250 $ pour deux.

Repas

Ici, outre les ***taxes*** (5 à 10 % dans la restauration), il faut ajouter le ***pourboire*** *(tip),* obligatoire, de 15 à 20 %. Au bout du compte, c'est 25 % en plus des prix affichés aux menus qu'il faut prévoir (un plat à 20 $ à la carte coûte en fait 25 $) ! Les prix ci-dessous correspondent à un repas constitué d'un simple plat, celui-ci étant généralement assez copieux pour pouvoir se passer d'autre chose.
– ***Bon marché :*** moins de 15 $.
– ***Prix moyens :*** de 15 à 25 $.
– ***Plus chic :*** plus de 25 $.

CLIMAT

À l'ouest du pays, le climat change encore énormément. On y compte même trois zones climatiques différentes. La côte pacifique jouit d'un microclimat doux et

humide. Il y pleut beaucoup en hiver, moins en été. Mais les bancs de brume de l'île de Vancouver sont célèbres... Il y a rarement de grandes chaleurs dans la région. L'intérieur sud de la Colombie-Britannique (Kamloops, vallée de l'Okanagan) est, en revanche, très sec. On peut même y souffrir de la canicule, reste à se rafraîchir en se baignant dans les lacs. Dans la région des Rocheuses, enfin, le climat est alpin, donc froid et sec. Vers Revelstoke, les chutes de neige atteignent des sommets : jusqu'à 25 à 30 m de flocons cumulés sur la saison en haut des montagnes ! L'Alberta est l'une des provinces canadiennes les plus ensoleillées.
Sachez enfin qu'en été, l'AC fonctionne partout à plein régime. Mieux vaut donc prévoir un pull quand on va dans un centre commercial ou au restaurant ! L'hiver, c'est carrément l'excès inverse, les appartements comme les lieux publics sont souvent surchauffés.

COURANT ÉLECTRIQUE

Comme aux États-Unis, généralement : 110-115 volts et 60 périodes (en France : 220 volts et 50 périodes). Attention : si vous achetez du matériel sur place, prévoyez l'adaptateur et le convertisseur électriques qui conviennent. Les fiches électriques américaines sont à deux broches plates. On conseille d'apporter un adaptateur si vous voulez recharger la batterie de votre appareil numérique, de votre ordi ou de votre téléphone portable. Vérifiez également si vos appareils acceptent indifféremment le 110 et le 220 volts. Si ce n'est pas le cas, n'oubliez pas de vous munir d'un convertisseur. En cas d'oubli, vous pourrez vous procurer un adaptateur dans les aéroports, à la réception de la plupart des hôtels, ou dans une boutique d'électronique, mais c'est nettement moins vrai pour les convertisseurs.

DANGERS ET ENQUIQUINEMENTS

En ville

Taux de criminalité faible, délinquance quasi inexistante, le Canada n'est pas une destination dangereuse. Les villes sont sûres et la société canadienne peu violente. Bien entendu, comme partout, ne tentez pas le diable et prenez les précautions de base contre le vol. Le soir, évitez les quartiers moins bien famés, notamment à Vancouver...
Le problème urbain majeur du Canada, ce sont les sans-abri, phénomène aggravé par des facteurs politiques et sociaux, en constante augmentation depuis le milieu des années 1990. Par endroits, en ville, la misère saute aux yeux – autant qu'aux États-Unis – et les soupes populaires ne désemplissent pas.

Dans la nature

De nombreux ***ours*** (bruns et noirs) hantent les forêts de l'Ouest. La Colombie-Britannique abrite même la plus forte concentration d'ours noirs au monde. Même s'ils représentent rarement un danger, il convient de faire attention. Des recommandations sont faites aux visiteurs à l'entrée de sites susceptibles d'abriter des ours. Si vous campez, la précaution majeure consiste à ne jamais laisser de nourriture à l'intérieur ou à côté de votre tente, ni même de produits de toilette ! L'odorat des ours est si développé qu'ils sont capables de repérer un tube de dentifrice (ils adorent !) ou un paquet de gâteaux abandonné dans une boîte à gants si l'on a laissé la fenêtre de la voiture ouverte. Et si c'est le cas, bonjour les dégâts : portières forcées et gros frais de réparations à prévoir ! Il est donc conseillé d'emballer les provisions dans un sac en plastique et de les pendre à la branche d'un arbre, suffisamment éloignées de votre tente et du tronc (sur lequel l'ours peut grimper), à au moins 3 m du sol. Quand vous marchez, faites un peu de bruit ou chantonnez pour avertir les ours de votre présence et, surtout, si vous tombez sur des empreintes, n'essayez pas de les suivre... En cas de rencontre nez à nez avec le *Teddy bear,* commencez par jeter par terre toute nourriture que vous transportez ; mettez-vous dans le vent pour qu'il puisse vous sentir et ne vous approchez pas. Ne vous enfuyez pas non plus : votre ami court bien plus vite que vous s'il le veut ! Si la gorge ne vous serre pas trop, parlez en levant les bras pour vous faire plus large et plus impressionnant que vous ne l'êtes, l'ours vous prendra peut-être pour un géant ou vous distinguera ainsi d'un autre animal et s'éclipsera. Un sifflet permet aussi de faire peur à un ours agressif. En tout dernier recours, vous pouvez projeter sur l'animal un jet de bombe à poivre (*pepper spray,* liquide qui brûle la peau et les yeux ; les boutiques de camping en vendent) ou grimper à un arbre... Mais bon, il grimpe lui aussi, et mieux que vous...

Dans le Nord, les forêts sont infestées de moustiques et de *black flies,* petites mouches noires qui piquent férocement. Ces insectes sont parfois tellement nombreux que ça peut devenir très pénible, voire vous faire rebrousser chemin. Quelques conseils : munissez-vous de produits répulsifs (voir la rubrique « Santé »), évitez de vous parfumer et de porter des vêtements de couleur foncée. Juin est le pire mois de l'année ; ça commence à se calmer en juillet, mais...

Sur les routes, des panneaux indiquent les zones peuplées d'***orignaux*** (élans d'Amérique) et autres caribous. Ralentissez, surtout la nuit. La confrontation orignal-véhicule est douloureuse. Et ce n'est pas une blague, ça arrive.

DÉCALAGE HORAIRE

Il y a six fuseaux horaires sur le territoire canadien. Quand il est 18h en France, il est 12h au Québec et en Ontario (donc - 6h) ; 13h au Nouveau-Brunswick et en Nouvelle-Écosse ; 11h au Manitoba ; 10h en Alberta, dans la Saskatchewan et dans les Territoires du Nord-Ouest ; 9h au Yukon et en Colombie-Britannique. Petite subtilité : il est 13h30 à Terre-Neuve ! Attention, certains parcs de la Colombie-Britannique (Revelstoke, Glacier, Yoho et Kootenay) s'alignent sur l'heure des Rocheuses (donc de l'Alberta), soit 1h de moins que le reste de la province.

FÊTES ET JOURS FÉRIÉS

- Nouvel An (1er janvier).
- Vendredi saint.
- Lundi de Pâques.
- Fête de la Reine, *Victoria Day* (le lundi précédant le 25 mai) : c'est souvent le début de la saison touristique.
- Fête nationale du Québec (24 juin).
- Fête du Canada, *Canada Day* (1er juillet).
- Fête civique en Ontario (1er lundi d'août).
- Fête du Travail (1er lundi de septembre) : date charnière puisque, au-delà de la fête, de nombreux musées et attractions du pays adoptent des horaires restreints ou sont carrément fermés. Si vous voyagez après cette date, il est bon de vérifier les horaires auprès des offices de tourisme.
- *Thanksgiving Day* (2e lundi d'octobre).
- Jour du Souvenir, *Remembrance Day* (11 novembre).
- Noël (25 et 26 décembre).

HÉBERGEMENT

Comme partout, et plus encore en Amérique du Nord, la loi de l'offre et de la demande dicte les prix. Vous paierez donc cher en été et pendant les vacances de

Noël, 20 à 30 % de moins au printemps et en automne et jusqu'à 40 à 50 % de moins en hiver – exception faite, bien sûr, des stations de ski, qui tournent alors à plein régime.
Il arrive qu'en fin de journée, un hôtelier fasse un prix pour une chambre qu'il n'espérait plus pouvoir louer. Tant mieux si vous pouvez en profiter, mais ne perdez pas de vue qu'en été, il vaut vraiment mieux réserver, sous peine de devoir dormir dans votre voiture... ou dehors. En effet, si les Rocheuses et l'île de Vancouver sont encore relativement peu parcourues par les Français, cela fait belle lurette qu'Allemands, Américains et Japonais y viennent en masse. Or, les hôtels ne sont pas toujours assez nombreux, car la saison touristique est courte. Soyez donc prudent si vous prévoyez de séjourner à Banff et dans les Rocheuses en général, ainsi qu'au parc national Pacific Rim et même à Vancouver. À Calgary par exemple, le taux d'occupation des chambres fluctue plutôt au gré des congrès et des événements politiques. Si vous êtes pris au dépourvu, n'hésitez pas à contacter les offices de tourisme locaux qui s'efforceront de vous dénicher une chambre libre. Il ne s'agira sans doute pas de votre premier choix, mais au moins vous ne dormirez pas dans votre voiture !

Campings

Le Canada est l'un des pays les mieux organisés au monde pour le camping ! Un grand nombre de sites sont néanmoins fermés jusqu'en mai-juin (en fonction de la météo) et à nouveau à partir du *Thanksgiving Day* (mi-octobre), quand ce n'est pas septembre. Grands espaces préservés et isolés, tables en bois, propreté du site... Assez souvent, les emplacements disposent d'un foyer pour faire des feux de bois, celui-ci étant vendu à l'accueil (pour 5 à 10 $), parfois même donné gratuitement lorsque la concurrence est sévère. Les prix s'échelonnent entre 15 et 35 $ pour une tente selon les lieux et les services disponibles : douches, eau courante, électricité pour les « motorisés »... Il est conseillé de réserver en été, surtout près des grandes villes, même si certains n'hésitent pas à prélever des frais de dossier supplémentaires (6 à 12 $). Dans certains campings rustiques, notamment dans les Rocheuses, on paie au moyen d'un système d'enveloppe à déposer dans une boîte (auto-enregistrement). Un ranger vient plus tard faire les comptes. Bien pensé.
Pour ceux qui souhaitent être en pleine nature sans forcément dormir sous la tente, certains campings louent également des « minichalets » (dénommés *cabins*), avec ou sans sanitaires, généralement équipés de vaisselle, plaques chauffantes et barbecue extérieur. Certains sont minuscules, d'autres peuvent accueillir tout un groupe.
La liste des campings, avec leur localisation, est disponible (par province) dans les offices de tourisme.

POUR RÉSERVER VOS PLACES EN ÉTÉ

■ ***Discover Camping :*** *☎ 604-689-9025 ou 1-800-689-9025. • discovercamping.ca • Service disponible slt pour la Colombie-Britannique, d'avr à mi-sept, lun-ven 7h-19h, w-e 9h-17h. Résas possibles jusqu'à 3 mois à l'avance et min 2 j. avt. Service payant en plus de l'emplacement : 6 $. Paiement par CB.*

■ ***Parcs nationaux :*** *☎ 514-335-4813 ou 1-877-737-3783 (tlj 7h-19h). • pccamping.ca • Pour ces campings, compter près de 11 $ de frais de résa...*

Auberges de jeunesse

Voir aussi « Avant le départ » plus haut. Les AJ canadiennes sont souvent formidables (chaleureuses et bien équipées). Bon, c'est évidemment moins le cas dans les grandes villes ou le meilleur voisine avec le pire... Prix : de 20 à 35 $ la nuit en dortoir, draps inclus. La plupart acceptent les cartes de paiement. Dans toutes, vous trouverez une cuisine équipée, un accès Internet (payant) et le wifi. Nom-

breuses aussi sont celles qui proposent des chambres privées, sommaires mais à peine plus chères (par personne) que les dortoirs. En dehors des villes, il n'est pas rare qu'on puisse aussi y planter sa petite « canadienne ».
Dans les auberges dites officielles (membres du réseau *Hostelling International*), attendez-vous à payer 4 $ de plus si vous n'êtes pas en possession de la carte *Hostelling International.* Les AJ non officielles, de type *backpackers,* accordent aussi parfois un rabais aux membres de *Hostelling International,* histoire de rester dans le coup.
Possibilité de réserver avec une carte de paiement sur le site internet de *Hostelling Canada* : • *hihostels.ca* • Avantage, les AJ étant souvent complètes, votre lit (en dortoir ou chambre privée) est réservé à la date souhaitée, 6 nuits au maximum et jusqu'à 6 mois à l'avance. Vous pouvez aussi annuler sans frais cette réservation jusque 24h avant la date d'arrivée.
– Il n'y a pas de limite d'âge pour séjourner en AJ.
– La FUAJ propose trois guides répertoriant toutes les adresses des AJ du monde : un pour la France, un pour l'Europe et un pour le reste du monde (les deux derniers payants).

Résidences étudiantes

L'hébergement dans les universités l'été n'est pas forcément une bonne solution, car les facs sont souvent éloignées du centre (nous l'indiquons quand c'est le cas) et les chambres ne sont pas toujours bon marché. Leurs prix se situent entre ceux des hôtels et des AJ. L'intérêt, c'est qu'elles possèdent souvent une cuisine collective et que l'on y trouve des chambres propres et assez confortables, la plupart du temps avec salle de bains. L'autre avantage, c'est que leur capacité est telle qu'on y trouve plus facilement des disponibilités en dernière minute.

Gîtes, *B & B* et chambres d'hôtes

Comme en Europe, les *B & B* ont la cote au Canada ! Il faut dire que, à prix égal, c'est nettement plus convivial que l'hôtel. D'abord, parce que vous serez le plus souvent dans une famille accueillante et contente de recevoir des étrangers ; ensuite, parce que tout y est évidemment plus personnalisé que dans un hôtel ; enfin, parce que le petit déj, généralement très copieux, est inclus dans le prix. Juste un bémol : étant donné le soin que certains propriétaires apportent à leur maison, et le charme qui souvent en résulte, nombreuses sont les adresses se situant dans la catégorie « Plus chic ». En général, c'est totalement justifié, mais, du coup, ces *B & B* ne sont pas à la portée de toutes les bourses... Autre inconvénient : il faut souvent réserver à l'avance en été et les conditions d'annulation sont très désavantageuses (perte des arrhes 15 à 30 jours avant).
À noter qu'il existe un tas d'associations à travers le pays s'occupant de loger les voyageurs en *B & B* (nous vous indiquons les principales dans les différents chapitres), et que les offices de tourisme peuvent, eux aussi, se charger de vous en trouver un. Chaque province canadienne édite un guide pour ce type d'hébergement.

Hôtels et motels

La plupart des hôtels ressemblent à ceux qu'on trouve aux États-Unis : confortables, fonctionnels mais pas très chaleureux. Cela dit, il faut bien reconnaître qu'à partir de deux, le prix de la nuit en motel devient intéressant (et à quatre, moins cher qu'en AJ !). Une hôtellerie de charme s'est néanmoins développée dans les zones les plus touristiques, mais ce charme a un coût...
Les chambres sont presque toujours équipées de TV et de salle de bains privée, de plus en plus souvent d'une machine à café et d'un frigo. Les prix sont donnés pour deux personnes, mais il arrive souvent qu'une chambre possède deux lits *king* ou *queen size* (de grande taille) et puisse, ainsi, loger jusqu'à quatre personnes.

Compter alors 10 à 20 $ par personne supplémentaire. Le petit déj, quand il y a un resto dans l'hôtel, est rarement inclus dans le prix de la chambre. Pour les motels, c'est pareil, sauf qu'ils ont tendance à se situer en périphérie et qu'ils disposent toujours d'un parking gratuit. Dans les grandes villes, en revanche, attendez-vous à raquer ferme pour vous garer : on a vu des hôtels demander jusqu'à 30 $ par jour ! Dans les aéroports, quelques offices de tourisme et certaines gares routières, vous trouverez des téléphones directement reliés à des hôtels dont la présentation est faite sous forme d'affichettes. Certains d'entre eux offrent même le transport depuis l'aéroport ou la gare routière.

Échange de maisons ou d'appartements

Une formule de vacances qui fait de plus en plus d'émules, relativement économique et très pratiquée outre-Atlantique. Il s'agit d'échanger son propre logement (que l'on soit proprio ou locataire) contre celui d'un adhérent du même organisme dans le pays de son choix, pendant la période des vacances. Voici deux agences qui ont fait leurs preuves :

■ ***Intervac :*** *☎ 05-46-66-52-76. • intervac-homeexchange.com • Adhésion annuelle avec diffusion d'annonce sur Internet : 95 €.*

■ ***Homelink International :*** *19, cours des Arts-et-Métiers, 13100 Aix-en-Provence. ☎ 04-42-27-14-14. • homelink.fr • Même type de prestations pour 125 €.*

Ranchs

Hébergement typique de l'Ouest, les ranchs d'Alberta et de Colombie-Britannique accueillent de plus en plus souvent les visiteurs, pour moins cher que les ranchs américains. On y partage la vie des cow-boys, comme dans un vrai western. Tous les ranchs sont installés sur d'immenses terres, soit dans la région aride du plateau intérieur de la Colombie-Britannique, soit dans les Grandes Plaines de l'Alberta, soit en bordure des régions montagneuses, notamment des Rocheuses. Les ranchs n'étant jamais très loin d'un lac ou d'une rivière, on y pratique donc non seulement l'équitation, la randonnée et l'escalade, mais aussi, suivant les endroits, le canoë, la baignade, le rafting, la pêche... Certains ranchs sont même ouverts en hiver.
Au choix, on peut dormir en dortoir, dans des chalets individuels en rondins, dans le bâtiment principal ou encore en camping (la formule la moins chère). Possibilité de *B & B* ou pension complète, et de forfaits spéciaux incluant les balades à cheval (plus les leçons si vous en avez besoin) et autres activités sportives. Les enfants ne sont pas toujours acceptés.
Il y a deux grandes catégories de ranchs :
– Les ***working ranches*** sont toujours en activité. On y élève du bétail et des chevaux. Pour augmenter leurs sources de revenus, ces ranchs accueillent quelques visiteurs (8 à 30 personnes au grand maximum), qui participent parfois aux menus travaux (rassembler les troupeaux avec les cow-boys, nourrir et soigner les bêtes...). Authentiques, les *working ranches* ne sont pas forcément moins chers pour autant. Confort rustique très sympa.
– Les ***guest ranches*** sont spécialisés dans l'accueil des visiteurs, même si certains pratiquent encore parfois un peu d'élevage. Les cow-boys sont surtout là pour vous emmener vous balader à cheval. Plus grands (jusqu'à 100 personnes) et plus confortables, les *guest ranches* sont parfois hyper luxueux, avec piscine et courts de tennis – ils s'appellent alors des ***ranch resorts*** ou ***dude ranches.*** Les repas sont copieux, souvent sous forme de barbecue en plein air.
Il existe une douzaine de *guest ranches* en Colombie-Britannique et une petite vingtaine en Alberta – inspectés chaque année par les offices de tourisme provinciaux. Attention : les familles canadiennes réservent souvent longtemps à l'avance pour y

séjourner. La liste des ranchs dûment sélectionnés est publiée par les offices de tourisme d'Alberta et de Colombie-Britannique ; les réservations peuvent se faire directement.

■ ***BC Guest Ranchers Association :*** ☎ *250-593-0258 ou 1-877-278-2922.* • *bcguestranches.com* •

Lodges, chalets et *resorts*

Cette autre formule d'hébergement « nature » se retrouve dans tout le Canada. Si certains sont réservés aux chasseurs et aux pêcheurs, les *lodges* sont surtout des havres de paix, souvent installés près ou dans les parcs nationaux ou provinciaux, au bord de rivières et de lacs cristallins. Les *lodges* sont composés de chalets ou de *log-cabins* (en rondin de bois), et toutes sortes d'activités sportives y sont proposées. Air pur et calme garantis. Le bonheur ! Mais vous vous en doutez, le bonheur a un prix... Pour dénicher leurs adresses, demandez les guides *Accommodation* (hébergement) et parfois plus précisément *Lodges,* fournis gratuitement par les offices de tourisme des provinces canadiennes (Alberta, Colombie-Britannique...).

LANGUE

L'anglais et le français sont les deux langues officielles du Canada. Sur le papier, tout au moins. Car le grand rêve de l'ex-Premier ministre Pierre Eliott Trudeau, farouche partisan du bilinguisme et soucieux de maintenir le Québec francophone dans la Fédération, ne s'est réellement matérialisé que dans les administrations relevant du gouvernement fédéral. À savoir, pour ce qui vous concerne : les douanes, les aéroports, les parcs nationaux, les postes... Et encore, les traductions sont souvent approximatives. Au quotidien, il ne faut donc pas vous attendre à vous faire comprendre partout en français. Sauf peut-être à Ottawa (Ontario) : la capitale du pays a accompli des efforts exemplaires, et la majeure partie de ses habitants est bilingue.

Il existe une minorité francophone en Ontario, évaluée à environ 550 000 personnes (4,8 % de la population ontarienne). D'autres communautés francophones, pour partie descendant des pionniers canadiens français du XIXe s, restent implantées un peu partout dans l'Ouest, notamment en Colombie-Britannique (64 000 personnes) et au Manitoba (48 000 personnes). Un nombre grandissant de Québécois prennent le chemin de l'Ouest et surtout de Vancouver, aux hivers plus cléments, mais beaucoup y perdent malheureusement leur langue en chemin. Rares sont aujourd'hui les enfants de parents l'un québécois et l'autre anglophone qui parlent les deux langues à l'ouest du pays...

D'une manière générale, donc, il vous faudra vous débrouiller en anglais, sans oublier que l'accent d'ici ressemble évidemment plus à celui des Américains voisins qu'à celui des Britanniques. Et rassurez-vous, vous rencontrerez tout de même régulièrement des étudiants québécois dans les centres touristiques. Ils profitent de leurs vacances estivales pour travailler dans les somptueux parcs nationaux, ainsi que dans l'hôtellerie et la restauration. Ils seront ravis de « placoter » en français avec vous.

Pour vous aider à communiquer, n'oubliez pas notre ***Guide de conversation du routard*** **en anglais.**

Vocabulaire anglais de base utilisé au Canada

Oui	*Yes*
Non	*No*
D'accord	*Okay*

POLITESSE

S'il vous plaît	*Please*
Merci (beaucoup)	*Thank you (very much)*
Bonjour !	*Hello ! (Hi !)*
Au revoir	*Good bye/Bye/Bye-bye*
À plus tard, à bientôt	*See you (later)*
Pardon	*Sorry/Excuse me*

EXPRESSIONS COURANTES

Parlez-vous le français ?	*Do you speak French ?*
Je ne comprends pas	*I don't understand*
Combien ça coûte ?	*How much is it ?*

VIE PRATIQUE

Bureau de poste	*Post office*
Office de tourisme	*Visitor center*
Banque	*Bank*
Médecin	*Doctor/Physician*
Hôpital	*Hospital*

Transports

Billet	*Ticket*
Aller simple	*One way ticket*
Aller-retour	*Round trip ticket*
Aéroport	*Airport*
Gare	*Train station*
Gare routière	*Bus station*
À quelle heure est le prochain bus/train pour... ?	*At what time is the next bus/train to... ?*

À l'hôtel et au restaurant

J'ai réservé	*I have a reservation*
C'est combien la nuit ?	*How much is it per night ?*
Petit déjeuner	*Breakfast*
Déjeuner	*Lunch*
Dîner	*Dinner*
L'addition, s'il vous plaît	*The check, please*
Le pourboire	*The tip/the gratuity*

Les chiffres, les nombres

1	*one*
2	*two*
3	*three*
4	*four*
5	*five*
6	*six*
7	*seven*
8	*eight*
9	*nine*
10	*ten*
20	*twenty*
50	*fifty*
100	*one hundred*

LIVRES DE ROUTE

– ***La Servante écarlate,*** de Margaret Atwood (J'ai lu, 1987). Les servantes, dans ce roman d'une noirceur impitoyable sur le monde de demain, sont les rares femmes encore en mesure d'avoir des enfants dans un État policier pollué par les produits chimiques et les radiations nucléaires, et où humanité et amour n'existent plus. Ces femmes deviennent alors les « procréatrices » de la société, et ce récit est la transcription des enregistrements de l'une d'elles, qui a réussi à s'échapper. Comme dans toute son œuvre, Margaret Atwood (née à Ottawa en 1939) explore les grands thèmes de notre temps d'une plume satirique et chirurgicale. *La Servante écarlate* n'est qu'une piste pour découvrir, si ce n'est pas encore fait, le plus célèbre peut-être des auteurs canadiens. On aurait également pu citer *Captive* (10/18, 1998), passionnant roman historique inspiré d'un fait divers ayant défrayé la chronique au Canada et explorant le système pénitentiaire et le traitement de la folie au XIXe s, ou encore *La Voleuse d'hommes* (10/18, 1994), une analyse drôle, tout en finesse et justesse, des rapports humains à notre époque.

– ***L'Objet du scandale,*** de Robertson Davies (Rivages poche, 1970). On découvre dans ce premier tome de la *Trilogie de Deptford* les mémoires de Dunston Ramsay, un vieux professeur d'histoire excentrique, dont la seule passion est la vie des saints. Une lecture à priori guère enthousiasmante et plutôt ennuyeuse. Seulement voilà, le professeur est doté d'un pouvoir étonnant : les petits incidents insignifiants qui peuplent sa vie peuvent en revanche bouleverser celle des autres... Drôle tout en étant profond, passionnant et fort bien écrit. Pas de doute, Robertson Davies (mort en 1995) a bien mérité sa réputation de « grand » de la littérature canadienne.

– ***Cantique des plaines,*** de Nancy Huston (J'ai lu, 1993). Nancy Huston replonge ici dans ses souvenirs d'enfance pour retracer la vie d'un grand-père pris au piège dans l'immensité des Grandes Prairies. Les ambitions brisées d'un homme et, avec lui, celles de toute une génération de pionniers confrontés à la rigueur du climat et à la dure solitude des plaines. Sans oublier la réalité du mal-être indien, évoqué sans détours à travers le destin tragique d'une amante métisse. Un cantique superbe, beau et douloureux.

– ***L'Indien généreux,*** de Louise Côté, Louis Tardivel et Denis Vaugeois (coédition Boréal/Septentrion, 1992). Un beau livre illustré qui dévoile tout ce que la civilisation nord-américaine doit aux Amérindiens.

– ***Les Premières Nations du Canada,*** d'Olive Patricia Dickason (Septentrion, 1996). Ouvrage un peu ardu mais très approfondi sur les Premières Nations du Canada. Pour ceux que la question passionne...

Deux bonnes adresses de librairies très spécialisées à Paris

■ ***Librairie canadienne : The Abbey Bookshop,*** *29, rue de la Parcheminerie, 75005. ☎ 01-46-33-16-24. • alevdesign.com/abbey/abbey_fr.html • Ⓜ Saint-Michel ou Cluny-La Sorbonne. Lun-sam 10h-19h. Café au sirop d'érable offert sur présentation de ce guide.* Petite boutique envahie par les livres, neufs et d'occasion, principalement de langue anglaise (possibilité de commandes). Cartes routières et cartes de rando également disponibles.

■ ***Librairie du Québec :*** *30, rue Gay-Lussac, 75005. ☎ 01-43-54-49-02. • librairieduquebec.fr • RER B : Luxembourg. Mar-ven 10h-19h, sam 12h-19h.* Plus de 10 000 ouvrages représentant l'édition québécoise et qui incluent des traductions d'ouvrages canadiens anglais ; guides touristiques et cartes routières ; toutes commandes possibles. Régulièrement, des rencontres littéraires avec divers auteurs québécois. Accueil très sympa.

POSTE

La plupart des bureaux sont ouverts du lundi au vendredi de 9h à 17h, et souvent le samedi matin. Compter au moins 1 semaine pour que bonne-maman reçoive votre carte. Affranchissement pour l'Europe à 1,75 $ pour une carte ou lettre de 30 g maximum.
Tout envoi fait à la poste restante *(general delivery)* doit être réclamé par le destinataire (en personne) dans les 2 semaines, sinon il est retourné à l'expéditeur. Dans les grandes villes, si aucun bureau de poste précis n'est indiqué, rendez-vous au bureau central pour récupérer votre courrier.

SANTÉ

Assurances

Au Canada, les frais de santé sont très élevés pour les touristes étrangers (tarifs hospitaliers de 1 000 à 2 000 $ par jour, selon la province et les hôpitaux). Les hôpitaux et cliniques sont plus formalistes que ceux des États-Unis et exigent la présentation d'une carte personnelle d'assurance pour accepter une admission. Il est donc indispensable de souscrire, avant le départ, une assurance voyage intégrale avec assistance-rapatriement (voir plus haut la rubrique « Avant le départ »).

Urgences

– ☎ ***911 :*** numéro gratuit à composer 24h/24 pour tout type d'urgences.
Les urgences hospitalières sont souvent très, très engorgées et les délais de prise en charge très longs. C'est le point faible d'un système de santé par ailleurs excellent.

Antimoustiques

Dès la fin de l'hiver, les ***moustiques*** et *simulies* (moucherons noirs piqueurs) prolifèrent et attaquent les animaux à sang chaud – l'homme en l'occurrence – avec une agressivité que l'on voit rarement, même sous les tropiques. Il convient de s'en protéger, car ils peuvent vite, par leur nuisance, transformer votre séjour en un véritable cauchemar (particulièrement de mi-juin à mi-juillet). Certains moustiques peuvent même transmettre, dans le sud du pays, une maladie potentiellement mortelle : l'encéphalite à virus *West Nile*. Pas de vaccin disponible. Seule protection, les mesures mécaniques et chimiques : moustiquaires et vêtements couvrants, répulsifs cutanés efficaces. Sur place, dans les magasins spécialisés dans le camping, on trouve toute une gamme de produits adaptés au pays. Mais attention, étant fortement dosés, ils sont généralement inutilisables avant 12 ans. Et mauvais pour votre santé en tout état de cause. Si vous voyagez avec des enfants, achetez-en plutôt avant le départ (par exemple, la gamme *Insect Ecran*), ou bien optez pour les vêtements en filets, genre minimoustiquaire de tête, à accrocher à votre casquette, ou bien carrément l'équivalent de la combinaison d'apiculteur (cette dernière ne se trouve qu'au Canada). Autrement plus judicieux pour l'environnement.
Par ailleurs, les ***tiques*** sont très nombreuses dans toutes les zones forestières et arbustives, autant dire la quasi-totalité du sud du Canada. Les tiques peuvent transmettre une autre redoutable infection : la maladie de Lyme. Pour l'éviter, lors de tout séjour rural : couvrez-vous bien la tête (chapeau), les bras, les jambes et les pieds (au mieux, vêtements imprégnés d'insecticides) ; n'hésitez pas à vous enduire les parties restées découvertes avec des répulsifs (*repellents* en anglais) ; examinez-vous et faites-vous inspecter régulièrement pour limiter les risques (il faut 24h à une tique pour transmettre la maladie).

On trouve toute une gamme de produits efficaces en pharmacie ou en parapharmacie, ou via le site internet de *Catalogue Santé Voyages* qui propose la vente en ligne de produits et matériel utiles aux voyageurs, parfois assez difficiles à trouver :

• ***sante-voyages.com*** • ☎ *01-45-86-41-91 (lun-ven 14h-19h). Espace dépôt-vente : AccesProVisas, 26, rue de Wattignies, 75012 Paris.* ☎ *01-43-40-11-34.* • *accespro-visas.fr* • Ⓜ *Dugommier ou Daumesnil.* Infos complètes toutes destinations, boutique en ligne en paiement sécurisé, expéditions Colissimo Expert ou Chronopost.

SITES INTERNET

Voici quelques sites qui pourront vous aider à préparer votre voyage :

• ***routard.com*** • Tout pour préparer votre périple. Des fiches pratiques sur plus de 200 destinations, de nombreuses informations et des services : photos, cartes, météo, dossiers, agenda, itinéraires, billets d'avion, réservation d'hôtels, location de voitures, visas... Et aussi un espace communautaire pour échanger ses bons plans, partager ses photos, définir son passeport routard ou trouver son compagnon de voyage. Sans oublier *Routard mag,* ses reportages, ses carnets de route et ses infos pour bien voyager. La boîte à outils indispensable du routard.

• ***passion-canada.com*** • Un portail d'informations sur les différentes provinces du Canada. De très belles photos, les immanquables pour chaque région et les bons plans de voyage.

• ***pc.gc.ca*** • Infos officielles sur les parcs nationaux et le patrimoine canadien (• ***bcparks.com*** • pour les parcs provinciaux de Colombie-Britannique).

• ***travelalberta.com*** • ***hellobc.com*** • Géographie, histoire, circuits, cartes, etc. Infos également sur les entreprises de langue française installées en Colombie-Britannique.

• ***getdown.ca*** • Le blog de la vie culturelle de Calgary, vous y trouverez des informations sur la plupart des événements de Calgary Downtown et les coups de cœur des internautes.

• ***veroniquem.blogspot.com*** • Le blog d'une Française installée à Vancouver depuis quelques années. Ses meilleures adresses de restaurants et de bars, mais aussi ses coins shopping préférés.

• ***insidevancouver.ca*** • Un blog en anglais régulièrement mis à jour qui recense les nouvelles adresses à la mode de Vancouver, les *happy hours* à ne pas manquer mais aussi des astuces pour profiter au mieux de la ville, comme l'appli parking libre à Vancouver, qui vous indique sur votre téléphone les places de parking gratuites les plus proches.

• ***ainc-inac.gc.ca*** • Site gouvernemental bilingue du ministère canadien des Affaires indiennes et du Nord. Idéal pour répondre à vos questions sur les populations amérindiennes et inuit.

TABAC

Il est strictement interdit de fumer dans les édifices publics et même dans un rayon de 3 m de leurs portes et fenêtres. Cela vaut aussi pour les moyens de transport, restos, bars, boîtes... sauf en terrasse bien sûr. La loi change légèrement d'une province à l'autre : par exemple, en Alberta, on n'a pas le droit de fumer à la terrasse d'un resto. Ceux qui ne peuvent pas se retenir d'en griller une ont donc intérêt à aimer le faire au grand air ! Le Canada anglais est un des endroits les plus férocement antitabac au monde. Les anglophones disent d'ailleurs avec humour que « le Québec est la section fumeurs du Canada »...

TAXES ET POURBOIRES *(TIPS)*

Les prix affichés ne sont pas ceux que vous paierez réellement. Dans les hôtels et les commerces, le client doit payer en plus une ou plusieurs taxes, dont la *TPS* (taxe sur les produits et services, *GST* en anglais). En tout, compter généralement 10 % de plus que les prix indiqués. Dans les restos, les taxes en vigueur sont la *TPS* et, parfois, une *liquor tax* (taxe sur les alcools), ce qui peut aussi représenter jusqu'à 10 % de la note... à laquelle il faudra encore ajouter le service, en moyenne 15 à 20 % du prix hors taxes. 5-10 + 15-20 = environ 25 %. Ami lecteur, quand vous entrez dans un resto, pensez-y ! Un plat de 20 $ à la carte vous coûtera en fait 25 $. *Important* : depuis 2007, il n'est malheureusement plus possible de se faire rembourser la *TPS*. Inutile donc de conserver tous vos reçus comme au bon vieux temps...

Les *tips*

Ce sont les pourboires... Les serveurs ont un salaire fixe très bas (moins de 10 $ de l'heure), et la majeure partie de leurs revenus provient de leurs pourboires. C'est une institution à laquelle vous ne devez pas déroger. Un oubli vous fera passer pour le plouc intégral. Les Français possèdent la réputation d'être particulièrement radins et de laisser plutôt moins de 10 % que les 15 à 20 % traditionnels du total hors taxes, parfois même rien du tout. Dans certains restos, du coup, le service est parfois ajouté d'office quand les clients sont étrangers. Dans ce cas, évidemment, ne payez rien en plus. Si vous réglez la note avec une carte de paiement, n'oubliez pas de remplir vous-même la case « *Tip* » qui figure sur le reçu, car sinon, le serveur peut s'en charger lui-même... Sur certains appareils plus modernes, il faut d'abord saisir le *tip* souhaité (soit en dollars soit en pourcentage) avant de composer son code puis de valider. La première fois, ce n'est pas évident !
Idem pour les taxis : il est de coutume de laisser 10 à 15 % en plus de la somme au compteur. Si vous oubliez, le chauffeur ne se gênera pas pour vous faire remarquer votre impair.

TÉLÉPHONE ET TÉLÉCOMMUNICATIONS

Téléphone

– Dans certaines provinces/villes, comme à Vancouver, il faut composer systématiquement l'indicatif téléphonique avant le numéro à sept chiffres, même pour un appel local. Pour les communications interurbaines, composer le 1, puis l'indicatif téléphonique, puis le numéro à sept chiffres. Par souci de cohérence, les numéros de téléphone sont présentés dans le texte avec les indicatifs téléphoniques.
– ***Les numéros de téléphone gratuits à l'intérieur du pays commencent par 1-800, 1-855, 1-866, 1-877 et 1-888.*** Ce service gratuit peut être limité dans une zone spécifique du Canada ou des États-Unis, mais il peut aussi couvrir les deux pays. La plupart des établissements touristiques en ont un, et nous les indiquons aussi souvent que possible.
– ***Les cartes téléphoniques prépayées*** *(calling cards)* **:** tout comme en Europe, il en existe tout un éventail permettant de téléphoner à des tarifs très avantageux, certaines à l'intérieur du Canada, d'autres pour l'étranger. Utilisation simple et classique : composer le numéro spécial indiqué, puis le code préalablement gratté et le numéro du correspondant. Pour les cabines, insérer d'abord une pièce de 25 cents, qui sera restituée à la fin de l'appel. Au début de chaque appel, une boîte vocale vous indique le solde disponible en minutes.
Avant de choisir votre carte spécialisée, vérifier le temps de communication offert pour la destination choisie mais aussi l'existence éventuelle de frais de connexion

(connection fees). Quand ceux-ci existent, ils pénaliseront un peu ceux qui comptent appeler fréquemment. Cela reste relatif sachant que les meilleures offres à l'international proposent jusqu'à 1 000 minutes (soit quasiment 17h) pour 5 $!
Les cartes de *Bell* (le grand réseau traditionnel) reviennent plus cher (les unités défilent à toute allure !), mais sont plus faciles à utiliser ; on les insère dans l'appareil et on n'a pas une foule de numéros à composer.
- ***Les téléphones publics :*** on en trouve encore un peu partout, ce qui est parfois bien pratique quand on ne dispose pas sur place de son téléphone portable. Ils fonctionnent avec des pièces, pas besoin donc de se préoccuper d'acheter une carte pour passer un simple coup de fil dans un hôtel ou un resto...
- Dans beaucoup d'appareils, on peut également utiliser sa carte de paiement (*Visa, MasterCard* ou *American Express*) mais cela coûte terriblement cher (à réserver aux cas d'urgence).
- ***Évitez aussi d'appeler de votre hôtel :*** souvent très, très cher.
- ***Canada → France :*** 011 + 33 + numéro du correspondant (sans le 0 initial).
- ***France → Canada :*** 00 (tonalité) + 1 + indicatif de la région (l'« indicatif régional ») + numéro du correspondant à sept chiffres.

TÉLÉPHONE PORTABLE

Le routard qui ne veut pas perdre le contact avec sa tribu peut utiliser son propre téléphone portable au Canada (à condition qu'il soit au moins tribande) avec l'option « Monde ». Cela dit, certains coins sont encore mal couverts par le réseau, et puis, gare à la note salée en rentrant chez vous ! Mieux vaut, si vous comptez beaucoup téléphoner sur place, acheter à votre arrivée une carte SIM locale prépayée chez l'un des opérateurs locaux représentés dans les boutiques de téléphonie mobile des principales villes du pays et souvent à l'aéroport *(Bell, Telus, Virgin Mobile, Rogers...).* On vous attribue alors un numéro de téléphone local et un petit crédit de communication. Avant de signer le contrat et de payer, essayez, si possible, la carte SIM du vendeur dans votre téléphone – préalablement débloqué – afin de vérifier si celui-ci est compatible. Si besoin, vous pouvez communiquer ce numéro provisoire à vos proches par SMS. Ensuite, les cartes permettant de recharger votre crédit de communication s'achètent dans ces mêmes boutiques, ou en supermarché, stations-service, etc.
En cas de perte ou de vol de votre téléphone portable : suspendre aussitôt sa ligne permet d'éviter de douloureuses surprises au retour du voyage ! Voici les numéros des trois opérateurs français, accessibles depuis la France et l'étranger :
- ***SFR :*** depuis la France, ☎ 1023 ; depuis l'étranger : ☎ + 33-6-1000-1900.
- ***Bouygues Télécom :*** depuis la France comme depuis l'étranger, ☎ 0-800-29-1000 (remplacer le 0 initial par « + 33 » depuis l'étranger).
- ***Orange :*** depuis la France comme depuis l'étranger, ☎ + 33-6-07-62-64-64.
Le blocage de votre portable peut aussi se faire via Internet.

Internet

Vous pourrez accéder à Internet dans quelques « cybers » (tarifs tournant autour de 5 $/h) et dans les bibliothèques publiques, où c'est souvent gratuit. Les auberges de jeunesse et les hôtels ont presque tous aussi des ordis (payants dans les premières, souvent gratuits dans les seconds) à dispo. Quant au wifi, il est présent quasiment partout, à condition d'avoir son *laptop* ou un iPhone avec soi...

TRANSPORTS

Location de voitures

Contrairement à ce que l'on croit, les grosses agences de location de voitures *(Hertz, Avis)* ne sont pas toujours les plus chères et garantissent un parc automo-

bile en excellent état avec une flotte toute neuve. Toujours téléphoner avant et demander si la compagnie propose un *special.* Les meilleurs tarifs sont invariablement le week-end (du vendredi au lundi). Ne pas hésiter à comparer les offres de plusieurs agences.
Dans tous les cas de figure, pour louer une voiture au Canada, il faut avoir au moins 21 ans (parfois même 25) et pouvoir montrer une carte de paiement. Le permis de conduire français rose à trois volets est valable au Canada.
Un conseil pour un séjour dans l'Ouest, prévoyez éventuellement une arrivée à Vancouver et un départ de Calgary (ou vice versa) pour économiser des kilomètres. Des frais d'abandon du véhicule sont généralement imputés, mais ça revient toujours moins cher que l'essence.

■ **Auto Escape :** *n° gratuit : ☎ 0820-150-300 • autoescape.com • Vous trouverez également les services d'Auto Escape sur • routard.com •* L'agence *Auto Escape* réserve auprès des loueurs de véhicules de gros volumes d'affaires, ce qui garantit des tarifs très compétitifs. Il est recommandé de réserver à l'avance. *Auto Escape* offre 5 % de remise sur la location de voiture aux lecteurs du Guide du routard pour toute réservation par Internet avec le code de réduction : « GDR5AE ». Important : tarif spécialement négocié au Canada pour les conducteurs de moins de 25 ans.
■ ***BSP Auto :*** *☎ 01-43-46-20-74. • bsp-auto.com •* Les prix proposés sont attractifs et comprennent le kilométrage illimité et l'assurance tous risques sans franchise (LDW). *BSP Auto* propose exclusivement les grandes compagnies de location sur place, vous assurant un très bon niveau de services. Les plus : vous ne payez votre location que 5 jours avant le départ + réduction spéciale aux lecteurs de ce guide avec le code « Routard ».
■ Et aussi : ***Hertz*** *(☎ 0825-030-040, 0,15 €/mn ; • hertz.com •),* ***Avis*** *(☎ 0820-05-05-05 ou 0821-230-760, 0,12 €/mn ; • avis.fr •),* ***Europcar*** *(☎ 0825-358-358, 0,15 €/mn ; • europcar.fr •) et* ***Budget*** *(☎ 0825-00-35-64, 0,15 €/mn ; • budget.fr •).*

Location de motor homes

Bonne idée pour partir en famille ou à plusieurs. Le réseau est étendu, avec des départs de Québec, Montréal, Toronto, Calgary, Vancouver, Whitehorse, Edmonton, ainsi que des États-Unis. Nombreuses formules (aller simple ou circuit en boucle, kilométrage illimité ou pas). Idéal pour vivre au rythme de la nature canadienne. Attention, permis de conduire trois volets et permis international exigés le plus souvent. Réservez tôt ! Renseignements dans les agences de voyages.

Conduire au Canada

Pour les Européens qui débarquent, ***conduire une voiture automatique*** ne va pas toujours de soi. En effet, il y a seulement deux pédales... et pas d'embrayage. Oubliez carrément que vous avez un pied gauche. **P** c'est *Parking,* la boîte de vitesses est bloquée. **R** c'est *Reverse,* la marche arrière. **N** c'est *Neutral,* le point mort (ne sert à rien). **D** c'est *Drive,* la marche avant normale ; les rapports passent automatiquement. À **2** les deux premiers rapports passent automatiquement, mais le troisième rapport est interdit. À **1** la boîte demeure toujours sur le premier rapport. Peut servir pour les côtes très raides. Mais concrètement le **1** et **2** ne servent jamais (ou si rarement), et conduire se résume à enclencher le **D**. Lorsqu'on s'arrête (au stop par exemple), il suffit de maintenir le pied sur le frein, puis d'accélérer à nouveau pour repartir.
L'***orientation*** est très simple quand on connaît le système : pour trouver sa route, ne pas s'attendre à toujours voir une direction précise (genre « Barry's Bay », « Tobermory »), mais plutôt connaître le numéro de la route et la direction *(North,*

South, East, West), voire le numéro de la sortie pour un hôtel. Mais attention, les sorties sont souvent indiquées au dernier moment !
Attention : ***vitesse limitée*** à 30 ou 50 km/h en ville et 90 km/h (parfois 100 ou 110) sur autoroute. La police tolère généralement 10 km/h au-dessus de la limite, 19 au grand maximum, nous informent des amis canadiens, dans les zones vraiment désertes. Au-delà, vous vous exposez à une sérieuse amende. Côté anglophone, les ***autoroutes*** du pays sont généralement excellentes, surtout dans le sud de la Colombie-Britannique où le cycle de gel-dégel est moins prononcé qu'ailleurs. Elles sont gratuites, à l'exception de quelques tronçons.
Attention, ***les feux sont situés de l'autre côté de l'intersection*** : faites gaffe à ne pas vous arrêter en plein milieu du carrefour ! Dans l'Ouest canadien, il est possible de « griller légalement » un feu rouge lorsqu'on tourne à droite... s'il n'y a aucune autre voiture à l'intersection. Il a alors juste valeur de stop. Au cœur des grandes villes, il est parfois interdit de faire cette manœuvre (soit tout le temps, soit aux heures de pointe), alors considérée dangereuse car il y a trop d'autos, de piétons, de cyclistes... Cette interdiction est alors signalisée.
À retenir encore : quand un ***bus scolaire jaune*** s'arrête pour faire descendre ou monter des élèves, des clignotants s'allument et un petit panneau « STOP » s'affiche sur la portière du conducteur. Faites gaffe ! Toutes les voitures doivent s'arrêter (celles qui suivent et/ou celles qui viennent d'en face), jusqu'à ce que les clignotants s'éteignent (même s'il n'y a pas d'enfants... *the law is the law*), sinon, l'amende est particulièrement salée ! C'est une des pires infractions au code de la route canadien.
La plupart des ***parkings*** sont payants et chers, surtout dans les grandes villes. Il faut obligatoirement (quand c'est indiqué) enlever sa voiture entre 7h et 9h et entre 16h et 18h, notamment dans les grandes villes. Les mises en fourrière sont hyper rapides. On paie désormais le parking même dans les parcs provinciaux de Colombie-Britannique, en pleine nature ! Honteux.

Le train *(Via Rail)*

Les trains dans le Canada anglophone se réduisent, en gros, à la ligne Toronto-Winnipeg-Saskatoon-Edmonton-Jasper-Vancouver. De Jasper, une ligne rallie aussi Prince George et Prince Rupert, dans le nord de la Colombie-Britannique. Ils sont plutôt lents et, du coup, nombreux sont ceux qui prennent le train pour « voyager autrement » plutôt que pour se déplacer rapidement d'un endroit à un autre. À titre d'exemple, la liaison la moins lente est celle qui relie Montréal à Toronto – 550 km – en 4h30 ; ce n'est pas le TGV, mais, pour le coup, c'est plus rapide que le bus, qui fait des arrêts intempestifs. La classe économique se dit *economy* ou *comfort class.* Au Canada, tous les trains sont non-fumeurs. Dans l'est du pays, la 1re classe se nomme *Via 1.* On n'a pas plus de place, mais le service est plus attentionné et un repas chaud est compris. Intéressant donc pour les routards fortunés qui aiment se faire bichonner !
Concernant les tarifs, ils sont assez élevés mais, heureusement, il existe de nombreux ***Express Deals,*** des offres spéciales très intéressantes (jusqu'à 75 % de réduction !) pour tel ou tel trajet à telle ou telle date, généralement en classe *economy* mais pas seulement, annoncées en permanence sur le site Internet. Savoir aussi que les 12-25 ans (ou détenteurs de la carte ***ISIC***) et les plus de 60 ans bénéficient de réductions, de l'ordre de 30 % pour les premiers et 10 % pour les seconds. Enfin, les enfants de 2 à 11 ans voyagent à la moitié du prix.
– Le ***Canrailpass*** est une carte permettant d'effectuer sept voyages partout au Canada sur une période de 21 jours en classe économique. Coût en 2011 : 969 $ de juin à mi-octobre, 606 $ le reste de l'année ; réduc.
– Une idée de voyage pour les routards très fortunés : un périple dans l'Ouest à bord du *Rocky Mountaineer.* • *rockymountaineer.com* • Ce train relie, entre autres, Vancouver aux parcs nationaux de Jasper ou Banff, avec continuation possible sur

Calgary (Alberta) dans le second cas. Il est évidemment possible de faire le trajet en sens inverse. Il s'agit en fait d'une formule tout compris de 7 jours incluant 2 jours de voyage – avec nuit d'hôtel à Kamloops – et tout un programme d'activités le reste du temps, y compris un survol des glaciers ! Le spectacle durant le trajet en train est époustouflant : Rocheuses enneigées, canyons des rivières Fraser et Thomson, glaciers, grands parcs... Option supplémentaire pour les routards vraiment très riches, le *Dome Coach* à deux étages, vitré et panoramique, en version hyper luxe. À noter qu'il est possible de faire des trajets similaires en train plus ordinaire, par exemple de Jasper à Prince Rupert, considéré par le National Geographic comme l'un des 10 trajets en train les plus spectaculaires au monde ! Choix entre deux classes là encore, la plus chère offrant, comme pour le *Rocky Mountaineer,* l'accès à un wagon au toit vitré. Sur cette ligne, le train s'arrête pour la nuit à Prince George (nuit d'hôtel aux frais du passager), histoire de ne rouler que de jour et de permettre aux voyageurs de ne pas perdre une miette du spectacle.

Le bus

Ce moyen de transport est souvent plus pratique que le train, avec des fréquences supérieures, et permet de parcourir de très longues distances d'une traite... à condition de réussir à dormir à bord. Les bus canadiens sont raisonnablement confortables et, en général, d'une propreté impeccable. Il y a toujours des w-c à bord, et souvent des TV avec vidéo. Les gares routières ne sont pas des palaces, mais elles sont relativement sûres (comparativement aux États-Unis). Cela dit, dans les petites villes, il n'y a parfois qu'un point d'arrêt.
Greyhound dessert l'essentiel du territoire, tout en étant particulièrement bien implanté à l'ouest, *Coach Canada* desservant plutôt l'Ontario et le Québec et *Orléans Express* et *InterCar* la Belle Province. Et peu d'ententes entre les diverses compagnies. Vive le bus au Canada, alors ? En fait, à deux ou plus, la location d'une voiture se révèle vite plus avantageuse, d'autant que les réseaux d'autobus canadiens n'ont pas la densité et les fréquences auxquelles on est habitué en Europe. En revanche, pour le routard solitaire, c'est relax et on fait plein de belles rencontres.
En général, les étudiants obtiennent 15 à 25 % de rabais sur le plein tarif. Avec *Greyhound,* réductions aussi en achetant le billet à l'avance (de 10 à 50 %), en l'achetant sur Internet, ou encore en profitant d'offres spéciales sur certaines destinations très courues. Également des *passes* de 7, 15, 30 et 60 jours.

RENSEIGNEMENTS

■ ***Greyhound Canada :*** *☎ 1-800-661-8747. • greyhound.ca •*

■ ***Coach Canada :*** *☎ 1-800-461-7661. • coachcanada.com •*

Si le sac à dos s'alourdit de souvenirs en cours de route, les services d'expédition des bus sont un moyen économique pour en envoyer assez rapidement une partie quelque part chez un copain au Canada. Ledit copain dispose de 2 semaines environ pour récupérer le colis.

L'avion

Pas grand-chose à signaler, si ce n'est que, vu la taille du pays, il peut s'avérer nécessaire pour certains déplacements. *Air Canada* propose régulièrement des offres spéciales sur son site internet *(• aircanada.com •* cliquer sur *Special Offers*). Ne pas négliger non plus les tarifs de *WestJet (• westjet.com •),* compagnie à bas coût desservant plus de 70 destinations dans le pays.
Sinon, pour un billet aller-retour acheté en Europe, toutes les compagnies proposent des *passes* intérieurs avec 30 % de réduction.

Distances en miles	CALGARY	CHICOUTIMI	EDMONTON	GASPÉ	HALIFAX	JASPER	MONCTON	MONTRÉAL	OTT AWA	QUÉBEC	REGINA	TORONTO	VANCOUVER	VICTORIA	WINNIPEG
CALGARY		4 220	229	4 694	4 973	415	4 756	3 743	3 553	4 014	764	3 434	1057	1 162	1 336
CHICOUTIMI	4 220		3 294	679	977	4 609	760	476	666	206	3 455	1 015	5 277	5 382	2 884
EDMONTON	299	3 294		4 715	5 013	369	4 788	3 764	3 547	4 035	785	3 455	1 244	1349	1 357
GASPÉ	4 694	679	4 715		945	5 084	669	951	1 141	703	3 930	1 490	5 752	5 856	3 359
HALIFAX	4 973	977	5 013	945		5 382	275	1 249	1 439	982	4 228	1 788	6 050	6 154	3 656
JASPER	415	4 609	369	5 084	5 382		5 156	4 133	3 943	4 403	1 154	3 824	875	980	1 725
MONCTON	4 756	760	4 788	669	275	5 156		1 024	1 213	784	4 002	1 563	5 824	5 929	3 431
MONTRÉAL	3 743	476	3 764	951	1 249	4 133	1 024		190	270	2 979	539	4 801	4 905	2 408
OTTAWA	3 553	666	3 547	1 141	1 439	3 943	1 213	190		460	2 789	399	4 611	5 126	2 218
QUÉBEC	4 014	206	4 035	703	982	4 403	784	270	460		3 249	809	5 071	5 176	2 678
REGINA	764	3 455	785	3 930	4 228	1 154	4 002	2 979	2 789	3 249		2 670	1 822	1 926	571
TORONTO	3 434	1 015	3 455	1 490	1 788	3 824	1 563	539	399	809	2 670		4 492	4 596	2 099
VANCOUVER	1 057	5 277	1 244	5 752	6 050	875	5 824	4 801	4 611	5 071	1 822	4 492		105	2 232
VICTORIA	1 162	5 382	1 349	5 856	6 154	980	5 929	4 905	4 715	5 176	1 926	4 596	105		2 337
WINNIPEG	1 336	2 884	1 357	3 359	3 656	1 725	3 431	2 408	2 218	2 678	571	2 099	2 232	2 337	

L'auto-stop

Se dit *hitchhiking* en anglais. Compter une bonne semaine pour aller de Montréal à Vancouver, même si le stop est théoriquement interdit sur les autoroutes des provinces anglophones et, d'une façon générale, en Colombie-Britannique. Sachez aussi que dans certains coins des Rocheuses, la concurrence peut être rude en été. Pour la sortie des villes, on conseille de prendre un bus urbain. Les relais routiers *(truck stops)* sont aussi de bons points « d'accroche ». Demandez directement aux chauffeurs où ils vont.

TRAVAIL AU CANADA

Il existe dans ce domaine des accords particuliers destinés aux 18-35 ans. Chaque année, 9 500 jeunes Français peuvent ainsi partir travailler au Canada, ainsi qu'un nombre plus limité de jeunes Belges (18-30 ans) et Suisses.

Formalités pour ceux qui ont déjà trouvé un job temporaire

Toute personne qui n'a ni la citoyenneté canadienne ni le statut d'immigrant « reçu » et qui veut travailler ou étudier au Canada doit être en possession d'un permis, et ce avant même d'y entrer. Différents programmes, recoupant différentes options (emploi d'été, stage de perfectionnement, programme vacances-travail, etc.), permettent d'obtenir un visa de travail temporaire selon un système de quota. Le formulaire de demande est disponible sur le site de l'ambassade à compter de début novembre pour l'année suivante. Il faudra l'accompagner d'une copie de l'offre d'emploi ou de stage détaillée sur lettre à en-tête, de copies de diplômes et attestations prouvant sa capacité à accomplir la tâche en question, de la copie des pages d'identification du passeport, de quatre photos d'identité et du montant des frais de traitement : environ 145 $. Délai d'obtention du visa, si obtention il y a : 5 à 6 semaines.
– Ceux qui obtiennent un visa de travailleur temporaire reçoivent une « carte fédérale », fournie par le gouvernement du Canada et qui donne droit à un numéro d'assurance sociale... et c'est tout.

Organismes susceptibles de procurer un stage ou un job

STAGES AGRICOLES

■ ***Sésame :*** *6, rue de La Rochefoucauld, 75009 Paris.* ☎ *01-40-54-07-08.* Ⓜ *Trinité-d'Estienne-d'Orves.* Pour les jeunes professionnels de l'agriculture entre 18 et 30 ans qui souhaitent vivre une expérience de travail et de vie en milieu agricole à l'étranger. Stages de 3 mois à 1,5 an. Formation agricole et expériences de 6 mois minimum (stages ou emplois) requises.

■ ***Willing Workers On Organic Farms (WWOOF) :*** *à Procter, BC.* ☎ *250-229-4448 ou 250-999-7131.* • *wwoof.ca* • *wwoof.fr* • Formule extra pour ceux qui veulent s'investir dans l'agriculture bio et apprendre comment ça se passe au Canada. Le WWOOF est un réseau international d'exploitations biologiques dont les proprios offrent gîte et couvert en échange d'un coup de main – cela peut aller de quelques jours à plusieurs mois. Le « wwoofing » est bien développé en Colombie-Britannique, mais on le retrouve jusque dans le Grand Nord. Le gros plus : comme ce n'est pas un travail payé, pas besoin de visa ni de permis de travail. Pas besoin d'expérience non plus, juste de l'énergie !

RÉCOLTE DES FRUITS

Dans la vallée de l'Okanagan, à 300 km à l'est de Vancouver (Colombie-Britannique). Travail dans un cadre magnifique. Y aller en juin (cueillette des cerises et légumes) ; pas plus tard, car c'est la cohue. Sachez que ce n'est pas bien payé et que tous les employeurs ne fournissent pas un logement. On loge souvent en AJ, si elle n'est pas trop loin.

Séjours au pair (1 an maximum)

Expérience et visite médicale sont exigées pour l'obtention du permis de travail. Plusieurs organismes proposent des places d'aide familiale (jeune fille ou jeune homme au pair). En voici quelques-uns :

■ ***Association France Canada :*** *5, rue de Constantine, 75007 Paris. ☎ et fax : 01-45-55-83-65. • france-canada.info • Ⓜ Invalides.*

■ ***Inter Séjours :*** *179, rue de Courcelles, 75017 Paris. ☎ 01-47-63-06-81. • asso.intersejours.free.fr • Ⓜ Pereire. Lun-ven 10h-17h30.*

La mythologie du Grand Nord a encore de beaux jours devant elle. Forêts étendues à l'infini, chiens de traîneau, lacs par milliers, igloos, saumons remontant les cours d'eau, baleines et ours, castors, bûcherons et hydravions... Cette imagerie stéréotypée (mais vraie), aussi étroite que la terre canadienne est immense, n'a jamais été autant ancrée qu'aujourd'hui dans les esprits européens... Car s'il y a belle lurette que les routards ont découvert le Canada, il y a moins longtemps qu'ils arpentent cet autre « Far West » où se dresse, immuable, la barrière enneigée des montagnes Rocheuses. Les épinettes et les sapins tapissent les paysages jusqu'aux confins du Grand Nord, où brille l'été un soleil qui semble refuser de se coucher. Ici, l'homme s'incline devant la nature : il a appris à vivre avec elle, à s'accommoder de ses ardeurs pour mieux en apprécier la beauté. Une beauté farouche qui subjugue par son immensité.
L'hiver, la neige en pagaille revêt tout le pays d'un blanc ouaté : on y skie à en perdre haleine. Vient le printemps, dont la douceur ranime les forêts et voit les ours pointer le nez hors de leur tanière. Le vert intense de la chlorophylle infuse les paysages, annonçant les tapis de fleurs de l'été, en montagne. Sur le littoral, les orques reviennent, naviguant à touche-touche avec les kayaks, tandis que les baleines croisent vers l'Alaska. Sur les plages, les troncs énormes abandonnés par les tempêtes de mars font une herse de bois mort. À l'automne, enfin, érables et bouleaux enflamment les collines de leur palette incandescente.
Sur les traces des pionniers dans les ranchs de l'Alberta ou dans les parcs nationaux des Rocheuses, la rencontre avec le Grand Ouest sera à la hauteur de vos espérances. Quant aux Canadiens, anglophones ou francophones, ils restent toujours aussi chaleureux.

BOISSONS

BOISSONS NON ALCOOLISÉES

– Dans la plupart des restos, on vous sert d'emblée un ***grand verre d'eau rempli de glaçons,*** hiver comme été (à la mode américaine).
– Tous les bons restos et ***coffee shops*** sont désormais dotés de machines à *espresso* et cappuccino. Les *coffee shops* sont la version nord-américaine de nos cafés. Souvent pourvus d'une terrasse, on s'y arrête pour prendre un café au perco ou, mieux (mais plus cher), un cappuccino ou un *caffè latte,* éventuellement accompagné d'un muffin ou d'un scone. Pratique, car on en trouve partout, parfois avec un cadre sympa et chaleureux, où l'on croise tous les habitants du quartier, mais le plus souvent en version aseptisée. La chaîne américaine *Starbucks,* d'ailleurs implantée dans les grandes villes d'Europe et d'Asie, est largement répandue au Canada, tout comme ses petites sœurs canadiennes *Second Cup,* équivalant de *Starbucks,* et *Tim Hortons,* qui jouent souvent le rôle convivial de café du village dans les petites collectivités du Canada.

– À tester (au moins une fois !) : le ***Clamato,*** un jus de tomate relevé d'un soupçon de jus de palourde. Déroutant à priori, mais, tout compte fait, on sent à peine le goût du crustacé. Le *Clamato* entre surtout dans la composition du *César,* cousin canadien du *Bloody Mary.* Souvent servi avec une branche de céleri ou un haricot vert au vinaigre, il peut être consommé alcoolisé (avec de la vodka), auquel cas on l'appelle *César en pantoufles* (!), ou *Virgin,* seulement avec de la sauce Worcester et du Tabasco. Une potion magique délicieuse !

BOISSONS ALCOOLISÉES

– À l'instar de l'Ontario, la Colombie-Britannique (vallée de l'Okanagan) produit de bons ***vins.*** Le premier à avoir développé commercialement la vigne au Canada (Ontario) est un Allemand, au début du XIXe s. Ailleurs, l'expérience vinicole ne date que de quelques décennies : la plupart des vignes de l'Okanagan, par exemple, ont été plantées dans les années 1980-1990. Néanmoins, un esprit d'aventure et d'expérimentation ouvre la voie à de bonnes surprises, surtout du côté du vin blanc (les cépages de choix sont le riesling et le chardonnay), même si les rouges canadiens (le cabernet franc est le cépage le mieux développé) sont en nette progression. Le label VQA *(Vintners Quality Alliance)* est une sorte d'AOC recoupant une désignation soit provinciale, soit géographique. Le miracle – et le succès commercial majeur – du vin canadien demeure toutefois le *ice wine,* produit principalement dans la région du Niagara à partir de raisins qui ont gelé sur pied au début de l'hiver. Le sucre est ainsi fortement concentré, donnant un vin liquoreux très doux. Le *ice wine* est principalement élaboré à partir du vidal, en raison de sa bonne résistance aux conditions climatiques, mais désormais de plus en plus de domaines utilisent du cabernet franc, du pinot noir, du pinot gris, du chardonnay, ou encore du riesling malgré sa fragilité. Dans tous les cas ce nectar est vendu entre 50 et 70 $ dans de belles bouteilles de 375 ml. C'est un cadeau remarquable et étonnant, mais très cher donc.

– ***La bière*** est beaucoup plus abordable et les Canadiens en font une consommation relativement importante. La tradition ne date pas d'hier : c'est l'intendant Jean Talon qui, en 1668, produisit la première bière à Québec ! La *Molson Canadian,* l'une des plus appréciées, trouve ses origines à Montréal au XVIIIe s. Autre valeur sûre : la *Labatt Blue.* Les deux marques sont vendues en bouteille ou à la pression. Les microbrasseries semi artisanales, qui produisent des bières localement (qu'on nomme *craft beers* au Canada anglais), connaissent un vif succès à travers le pays. À Vancouver, par exemple, essayez la *Granville Pale Ale (Granville Island Brewery).* Dans l'Ouest canadien, pour siroter une bière dans une ambiance vraiment sympa, allez dans un ***country bar.*** Ils sont nombreux en Alberta, situés en ville (Edmonton, Calgary) ou juste à la périphérie. N'oubliez pas votre stetson ni vos santiags, car tous les soirs on y danse au son de groupes western déchaînés. C'est l'occasion rêvée de vous mettre au *two step* (pas de deux) et au *line dancing* (les danseurs sont l'un à côté de l'autre, sur la même ligne et au même pas), qui revient à la mode chez nous en même temps que la musique country. L'ambiance est à son comble durant le *Stampede,* le plus grand rodéo du monde, chaque été en juillet à Calgary.

– À l'ère de la forme parfaite et des contrôles impitoyables de l'alcool au volant, les jeunes Canadiens boivent de plus en plus de ***boissons énergisantes sans alcool*** contenant du ginseng, du gingembre, de la caféine et d'autres éléments toniques.

– ***Bars et boîtes :*** les Canadiens anglais ont toujours été réputés pour être plus *straight* (stricts) que les Québécois. En général, dans la partie anglophone du pays, les bars comme les boîtes de nuit ne sont ouverts qu'aux plus de 19 ans, voire plus dans certains établissements. Et surtout, l'extinction des feux sonne beaucoup plus tôt : 1h ou 2h (au lieu de 3h au Québec) pour les bars et 2h ou 3h pour les boîtes de nuit. Si vous rêvez de rencontres, c'est surtout dans les bars et en boîte que vous les ferez : on s'aborde peu dans la rue et dans les situations formelles, au risque de choquer ou même d'effrayer. Pour se laisser aller, secouer leur fond de morale protestante pudibonde, les Canadiens anglophones ont souvent besoin d'une ou deux bières... voire beaucoup plus. L'alcool est de toutes les fêtes, jusqu'à l'excès du *binge drinking,* où l'on boit pour boire, jusqu'à se rendre malade. Le spectacle de jeunes complètement cassés, incapables de prononcer deux mots, est malheureusement assez récurrent. C'est le moment où toutes les pulsions sexuelles contenues se libèrent. Pas forcément très romantique !

CUISINE

Avant tout, évitez de mettre tout le Canada dans une même casserole. D'accord, la partie anglophone est, à première vue, plus américanisée du point de vue culinaire que le Québec, francophone et amateur de bonne chère. Dans les petites villes, comme au bord des routes, ne vous attendez donc pas à des agapes gastronomiques. Et régalez-vous plutôt sans remords d'épais club-sandwichs, d'énormes pizzas et autres tartes au chocolat glacé. C'est nourrissant et souvent goûteux, quoi qu'on en dise ! Il n'empêche que les Canadiens aiment manger – et se nourrissent généralement mieux que les Américains ; ils sont d'ailleurs nettement moins sujets à l'obésité. Depuis quelques temps, les efforts en matière culinaire sont bien visibles, et l'alimentation « santé » est plus que jamais d'actualité.
De Vancouver à Calgary, il existe désormais une foule de bons (et même très bons) restos, petits ou grands, où des chefs inventifs concoctent une cuisine de qualité. Les techniques françaises ou européennes y rencontrent le meilleur des produits locaux et des influences des diverses communautés immigrées : on appelle cela la cuisine fusion ou, dans une version plus édulcorée, ***cuisine Pacific Northwest.*** Celle-ci, apparue dans les années 1990, mêle beaucoup les produits du terroir au savoir-faire méditerranéen et asiatique. Dans le cas de la ***cuisine fusion,*** il n'est pas rare de voir se côtoyer dans une même assiette des champignons shiitake japonais, de la sauce de soja ou *teriyaki,* du fromage de chèvre frais, des canneberges ou des bleuets (myrtilles), des pousses de soja ou d'*alfalfa.* Les poissons sont tout juste saisis pour rester moelleux.
La tendance générale est de plus en plus aussi aux aliments ***bio.*** Du *coffee shop* au grand restaurant, tout le monde ou presque s'y est mis dans les villes – un peu moins en dehors. Non seulement bio, d'ailleurs, mais aussi souvent issus de la production locale. Les ***locavores,*** comme on les appelle, privilégient les aliments produits dans une zone géographique limitée, généralement à l'échelle d'une région. Cela permet un vrai contrôle de la provenance, et par conséquent de la qualité : on mange mieux, et de saison ! Une vraie révolution.
– En Alberta, vous ne serez jamais déçu si vous commandez de la viande. Au pays des cow-boys, le ***bœuf*** est tendre et savoureux. On trouve aussi du ***bison,*** plus fort et goûteux que son cousin.
– En Colombie-Britannique, le ***saumon*** (frais ou fumé), le ***flétan*** *(halibut)* et les ***fruits de mer*** sont rois. Nature ou accommodés à toutes les sauces, ils sont frais et abordables. Attention toutefois : ils sont presque toujours servis grillés ou frits, huîtres incluses. C'est évidemment moins fin et plus gras. Le plus classique (et le moins le cher), c'est le ***fish & chips.***
– Dans les grandes villes comme Vancouver, les restos exotiques donnent une touche de fantaisie à un milieu urbain autrefois bien *straight.*
– ***Alimentation à emporter :*** il existe un peu partout en ville des boutiques d'alimentation *(convenience stores)* ouvertes tard le soir et tôt le matin, et même les dimanche et jours fériés, genre *Seven-Eleven (7-11).* Ces magasins sont toutefois beaucoup plus chers que les supermarchés. En bordure des agglomérations, de nombreuses grandes surfaces ont également des horaires d'ouverture très pratiques (de 8h à 23h) et proposent un choix immense (presque trop !). Les cartes de paiement y sont toujours acceptées.

ÉCONOMIE

Le Canada occupe aujourd'hui le neuvième rang de l'économie mondiale, avec un PIB par habitant d'environ 40 000 US$. Mines, électricité, homards de l'Atlantique, touristes, automobiles, immigrants, bois d'œuvre et pâte à papier, hydrocarbures bitumineux, télécommunications, bœuf de l'Alberta, même combat ! Ils contribuent tous à la prospérité canadienne.

Immigrants ? Le Canada reçoit *per capita* plus d'immigrants que tout autre pays. Il le fait en partie pour des raisons humanitaires et pour réunir les familles d'immigrés, mais il bénéficie aussi beaucoup de cette immigration. Pourquoi ? Parce qu'il accepte en priorité les gens prêts à investir dans le pays, les jeunes aptes au travail, les diplômés spécialisés dans les industries de pointe. L'immigration procure donc au Canada des capitaux, des compétences diverses et exceptionnelles, de même que de la main-d'œuvre à bon marché. Comme quoi une mosaïque culturelle peut être rentable !

Bien sûr, le Canada est un pays de richesses naturelles ; elles ont permis aux Canadiens d'accéder à l'un des niveaux de vie les plus élevés du monde après la Seconde Guerre mondiale.

Les gisements présents notamment à l'ouest du pays, dans la province de l'Alberta, font du Canada le nouvel émirat pétrolier, juste après l'Arabie Saoudite. Évidemment, la découverte de cet eldorado a un prix : de grandes multinationales telles que Shell, Total ou Exxon ont débarqué en Alberta, investissant plusieurs milliards d'euros dans ces sables noirs devenus rentables depuis l'explosion du prix du baril, en oubliant les effets néfastes que cela comportait écologiquement parlant : arbres coupés, quantités considérables de terre déplacées, modification du paysage et pollution des eaux ne sont qu'une petite idée de ce qu'une telle exploitation pétrolière a fait subir au territoire de l'Alberta.

Bilan ? 4 % des émissions nationales de CO_2 et des accords de Kyoto non respectés... Nul doute que l'or noir remet en cause l'avenir vert du pays, d'autant plus que la grande disponibilité des énergies a fait du Canada le premier consommateur mondial en la matière... Loin d'être un modèle d'écodéveloppement donc.

La manne des sables bitumineux pose un autre problème, crucial pour l'équilibre politique du pays : l'Ouest s'est encore enrichi tandis que l'Est, l'Ontario et le Québec dépendent plus que jamais des importations. Moteur traditionnel du pays, l'Ontario doit s'appuyer en partie sur le nucléaire pour faire tourner sa machine économique. Les Provinces maritimes bénéficient depuis peu d'une production de pétrole et de gaz naturel offshore. Reste que, depuis quelques années, l'Alberta domine largement en terme de moteur du PIB national.

Le taux de change du dollar canadien a cessé d'être un avantage économique : alors que 1 $US valait plus de 1,50 $Ca il y a une dizaine d'années, la parité est aujourd'hui acquise. Une évolution qui aura au moins permis d'enrayer en partie l'hémorragie d'athlètes professionnels et de cerveaux vers les États-Unis !

Reste que les entreprises et les contribuables, surtout les plus riches, paient nettement plus d'impôts au Canada qu'aux États-Unis. Alors, si le pays profite de l'immigration, il perd au jeu de l'émigration. De brillants Canadiens (chercheurs, chirurgiens, etc.) préfèrent partir travailler aux États-Unis...

Le gouvernement canadien a réussi à éliminer un des pires déficits récurrents des pays industrialisés, avec l'aide d'une bonne croissance économique et grâce à une diminution conséquente de ses dépenses. La productivité canadienne, qui représentait un problème majeur, est aussi en hausse. Seul hic, le chômage, qui s'était stabilisé à un niveau raisonnable de 6 % ces dernières années, flirtait avec les 7,5 % mi-2011. Cette hausse cache de grandes disparités régionales (l'Ouest jouant le rôle d'aimant), créant ainsi une économie nationale à deux vitesses et des clivages géographiques.

Pourtant, le Canada ne dérape pas dans le virage économique de la mondialisation libérale. Bien au contraire, son économie est une des plus dynamiques et vigou-

reuses du G8, comme en témoigne le plan budgétaire de 30 milliards de dollars lancé début 2009 par le ministre des Finances, en vue de stimuler la croissance canadienne après les phases de récession des deux dernières années. Parmi les mesures adoptées, on peut noter les allégements d'impôts, les fonds mis à disposition pour soutenir les entreprises et les collectivités et pour stimuler la construction domiciliaire.
Les Canadiens doivent donc relever des défis sociaux semblables à ceux des Européens. Mais ils doivent le faire à l'ombre du géant américain qui, on le sait, est un partenaire-clé des échanges commerciaux mais aussi un concurrent économique pas toujours commode.

ENVIRONNEMENT

On est bien d'accord, les Canadiens sont exemplaires en matière de recyclage, leurs parcs sont un modèle du genre dans la protection de l'environnement, et l'Europe est mal placée pour donner des leçons. Mais quand on sait que les parcs nationaux ne protègent à l'heure actuelle que 2,2 % du territoire canadien, principalement en Arctique, on est en droit de se poser des questions... N'est-ce pas l'arbre qui cache la forêt ?

Forêts et déforestation

Riche en matière première (10 % des forêts mondiales), le Canada a longtemps réalisé, sans beaucoup de scrupules, jusqu'à 20 % des exportations mondiales de bois (environ 10 % en 2008). Le secteur génère quelque 230 000 emplois directs et indirects à travers le pays, et représente environ 2 % du PIB.
La sonnette d'alarme a été tirée dans les années 1990 : en Colombie-Britannique, il ne restait que 40 à 60 % de la forêt initiale ! Or, cette forêt humide tempérée de la côte ouest du Canada est très rare et ancienne. Elle abrite une faune et une flore endémiques et menacées, depuis les cèdres millénaires (chaque arbre peut valoir plusieurs dizaines de milliers de dollars une fois abattu) jusqu'aux ours de Kermode, espèce rarissime d'ours noir à poils blancs qui ne vit que sur l'île de la Princesse-Royale, où les bûcherons sont toujours à l'œuvre. Même si les pratiques se sont améliorées sous la pression de l'opinion, les compagnies forestières privées pratiquent encore par endroits des abattages de grande envergure sur des exploitations immenses de plusieurs milliers d'hectares : c'est ce qu'on appelle la « coupe à blanc » (ou coupe totale), très décriée pour les dommages irréversibles qu'elle entraîne pour tout l'écosystème. Pour lutter contre ces « saignées » (le mot est éloquent...), un code de bonne conduite forestière a été établi pour la Colombie-Britannique ; il protège désormais près de 14 % de la province. Fin 2007, le gouvernement fédéral a parallèlement annoncé le projet de création d'immenses parcs dans les Territoires du Nord-Ouest et au Yukon, couvrant plus de 100 000 km², soit près de 50 % de plus que la surface déjà existante ! Cette décision doit aussi ralentir la prospection pétrolière dans ces régions. En 2010, plusieurs entreprises membres de l'Association des produits forestiers du Canada (la FPAC), de même que neuf organisations environnementales ont proclamé la signature d'un accord afin de protéger au mieux la forêt boréale canadienne. Il est question de préserver d'une part plus de 70 millions d'hectares de forêts (soit une superficie qui représente deux fois l'Allemagne), et d'autre part le caribou, une espèce en voie de disparition. Bien que le Canada ait signé le protocole de Kyoto fin 2002, visant à réduire les gaz à effets de serre, l'actuel Premier ministre Stephen Harper, en poste depuis 2006, a un avis bien tranché quant au protocole de Kyoto, qu'il considère comme « le pire accord international que le Canada ait jamais signé » et comme « un complot socialiste visant à soutirer des fonds aux pays les plus riches »...

L'invasion des scarabées

Le constat est inquiétant : outre l'exploitation commerciale qui la touche, la forêt canadienne est victime d'une invasion massive de scarabées (186 000 km^2 de surface affectée en 2008). La situation est particulièrement grave en Colombie-Britannique, où des régions entières ont été dévastées par le dendroctone du pin ponderosa (scolyte), une bestiole endémique mais qui s'est subitement multipliée. Les autorités des parcs attribuent cette explosion de leur population à une erreur de gestion passée : à trop vouloir empêcher les incendies de forêt, on a favorisé le vieillissement des forêts, avec de grands arbres matures où préfère se nourrir et s'installer le dendroctone (plus à manger, meilleure protection). Les feux planifiés ont donc été réintroduits, et vous verrez régulièrement des pans de forêt calcinés, résultat de cette politique. Mais cela ne règle pas le problème induit par le réchauffement climatique, qui amène les insectes à progresser toujours plus vers le nord... Ils sont désormais bien implantés dans les parcs des Rocheuses, jusqu'à Jasper. Que sera le futur ? Les parcs canadiens se veulent rassurants : passée la période où des pans entiers de forêt roussissent et meurent, les feuillus s'installent dans les zones libérées. En attendant, le spectacle n'est pas toujours bien beau.

Les pluies acides

Si l'industrie forestière pose problème, la pollution n'est pas en reste, loin s'en faut. Le sud du Canada et le Midwest américain ont joué un rôle de premier ordre dans le développement de l'Amérique du Nord. Aujourd'hui, le pourtour des Grands Lacs représente 25 % de la production agricole canadienne et 45 % de son industrie. Les rejets de l'une et l'autre activité, couplés à la pression urbaine croissante – plus du tiers des Canadiens vivent dans la région – ont un impact direct sur les Grands Lacs. Plutôt que de se distiller, les émanations polluantes se sont longtemps concentrées, atteignant des sommets dans les années 1960. En 1969, la rivière Cuyahoga, un affluent du lac Érié, était si polluée qu'elle s'enflamma ! Plus de 360 polluants chimiques ont été relevés, dont beaucoup de toxiques persistants – BPC, mercure, DDT, etc. Leur action néfaste est amplifiée par le phénomène de concentration à travers la chaîne alimentaire. Certains animaux sont atteints de tumeurs, et leurs capacités de reproduction s'en trouvent altérées. C'est, semble-t-il, le cas de l'adorable béluga du Saint-Laurent.
Les oxydes de soufre et les oxydes d'azote, voilà les principaux ennemis des lacs canadiens. Rejetées dans l'atmosphère par les usines, ces émissions se transforment en particules de sulfate ou de nitrate, puis, en se combinant avec l'eau, en acides sulfuriques ou nitriques faibles. Les vents dominants leur font parcourir des centaines de kilomètres avant de les laisser retomber, mine de rien, sur les sols et les lacs innocents. Le pH des lacs (voir cours de chimie de 1re) descend ainsi au-dessous de 4,6 ; alors que les poissons, grenouilles et autres créatures aussi bien animales que végétales ont besoin d'un pH supérieur à 5 pour survivre, féconder ou proliférer.
La récurrence des pluies acides, dans les années 1980, poussa finalement les gouvernements canadien et américain à prendre le problème à bras le corps. Depuis cette époque, le Canada a réduit ses émanations acides de 50 %, et même de 70 % en Ontario. Néanmoins, une étude récente réalisée sur 152 lacs du sud de l'Ontario et du Québec révèle que seulement 41 % de ces lacs sont moins acides aujourd'hui qu'ils ne l'étaient il y a 20 ans.

Et dans le futur ?

De nouvelles menaces pèsent aujourd'hui : le développement de l'extraction des sables bitumineux à l'Ouest (plus polluante encore que les autres formes d'extraction) et l'exploitation pétrolière et gazière dans les Provinces maritimes ont créé de nouveaux rejets acides en quantité. Les vents dominants les portent naturellement

d'ouest en est, et vers le Grand Nord, région aux sols d'une grande fragilité. Ainsi, même si les rejets de dioxyde de soufre et d'oxyde d'azote diminuent au Québec, leur concentration dans l'eau et l'air va augmentant. D'ailleurs, la diminution de moitié de la durée de vie des lignes électriques, corrodées par les pluies acides, parle d'elle-même. Les autorités fédérales tirent la sonnette d'alarme, annonçant « un déclin des écosystèmes forestiers qui, à leur tour, vont affecter les plantes et la vie sauvage ». Selon le Comité sur la situation des espèces en péril au Canada, il y avait, en 2011, plus de 600 espèces d'animaux et de plantes en péril dans le pays. Néanmoins, la plus grande préoccupation environnementale est maintenant le réchauffement de la planète. Le Canada est aux premières loges du désastre, alors que son espace arctique fond et change si rapidement que la faune ne peut s'y adapter. L'ours polaire en est l'évidente victime. La disparition même partielle de la banquise entrave sa chasse : incapable de reconstituer ses réserves de graisse en chassant le phoque l'hiver, il crève peu à peu de faim. Le constat est le même dans tout l'Arctique. Pendant ce temps, les armateurs se frottent les mains : avec la fonte de la banquise, il sera bientôt possible de naviguer d'Europe en Asie via le fameux passage du Nord-Ouest, entre la terre de Baffin et le Groenland, réduisant d'un tiers les dépenses de carburant. Au-delà des querelles de territoire (entre le Canada et les autres pays de l'Arctique : Russie, USA, Norvège et Danemark), quid des éventuels naufrages de pétroliers dans ces zones isolées au milieu extrêmement sensible ?
En ce qui vous concerne, contentez-vous de ne rien couper, évitez de marcher sur les sols les plus fragiles et ramassez vos détritus, c'est déjà un bon début. Ne vous laissez pas non plus aller à nourrir les mignons oursons noirs ou les placides mouflons – ni même les écureuils : ce n'est pas autorisé dans les parcs et réserves, afin d'éviter que les animaux ne deviennent dépendants de l'homme (et voient leur taux de cholestérol exploser !). De toute façon, nourrir un ourson tiendrait du suicide, car les mamans ourses n'aiment pas ceux qui essaient de leur piquer leur rôle...
Voir aussi plus loin la rubrique « Parcs nationaux et provinciaux ».

GÉOGRAPHIE

Le Canada, avec ses 9,9 millions de kilomètres carrés, est le pays des grands espaces vierges. Il s'étend sur environ 5 000 km d'un océan à l'autre, des îles de Vancouver, à l'ouest, jusqu'à Terre-Neuve, à l'est. La frontière avec les États-Unis, purement arbitraire, suit plus ou moins le tracé du 49e parallèle jusqu'aux Grands Lacs, traverse les lacs Supérieur, Huron, Saint-Clair, Érié et Ontario, coupant en deux les chutes du Niagara. Elle se poursuit vers l'est le long du Saint-Laurent et s'écarte du fleuve vers les Appalaches et le Nouveau-Brunswick. Au nord, le Canada s'étend très au-delà du cercle polaire, jusqu'à l'île d'Ellesmere, séparée du Groenland par le canal de Kennedy, à plus de 80° de latitude Nord.
Le territoire canadien peut se diviser en cinq grandes zones : la région appalachienne au sud-est (Provinces maritimes), une très vieille cordillère ; le « bouclier canadien » au centre et à l'est du pays (région du Saint-Laurent, sud de l'Ontario et du Québec) ; les Prairies (le Manitoba, la Saskatchewan et une partie de l'Alberta) ; les Rocheuses, à l'ouest, qui s'étendent vers le Yukon, où culmine le mont Logan (5 959 m) ; la côte pacifique, baignée par des températures relativement douces et des pluies fréquentes. Les Territoires du Nord-Ouest et le Nunavut, des Rocheuses à la baie d'Hudson, ainsi que les îles arctiques et le nord du Labrador sont le domaine des « terres nues » ou *barren grounds*.
L'Ouest, proche de l'aire pacifique, est une région très active, tandis que l'Est est moins dynamique, dès qu'on s'éloigne de la vallée du Saint-Laurent et des Grands Lacs ; les régions de Toronto et Montréal dominent l'activité économique et culturelle.

On distingue l'***espace atlantique*** (la Nouvelle-Écosse, le Nouveau-Brunswick, Terre-Neuve et l'île du Prince-Édouard), logiquement tourné vers l'océan (pêcheries de Terre-Neuve), même si l'agriculture garde une place importante.
Au centre, le ***Québec*** et l'***Ontario*** ont longtemps formé l'axe dynamique du Canada. Montréal a tenu le premier rôle dans le développement du pays jusqu'aux années 1960, mais la métropole québécoise est distancée à présent par Toronto. L'Ontario s'impose comme la province la plus riche du Canada sur le plan agricole et industriel, grâce à de riches ressources naturelles (fer, potasse, soufre, charbon). Toronto est ainsi devenue la vraie capitale économique du Canada, suivie par Ottawa, capitale fédérale et ville administrative influente.
Les ***Prairies*** regroupent le sud de l'Alberta, de la Saskatchewan et du Manitoba, vaste plaine vouée à l'élevage du bétail et à l'agriculture, du blé notamment. L'arrivée du chemin de fer a permis le développement de Winnipeg, Regina et Saskatoon, et la découverte de pétrole a propulsé Calgary, plus connue pour ses pistes enneigées depuis ses J.O. d'hiver de 1988... Edmonton, dynamique capitale de l'Alberta, commence à faire parler d'elle.
Enfin, la ***façade pacifique*** est dominée par Vancouver, en Colombie-Britannique, troisième ville du Canada. Industrielle et commerciale, elle exporte essentiellement vers l'Asie, d'où sont originaires le tiers de ses habitants. La côte offre des paysages somptueux, avec ses grandes forêts de conifères et les Rocheuses à l'arrière-plan.
Quant au ***Grand Nord canadien,*** vaste et peu exploité, il s'y développe de petits centres urbains à vocation administrative et commerciale (Yellowknife, Whitehorse). Refuges de la civilisation amérindienne, ces territoires peu peuplés font rarement parler d'eux – à l'exception de la création en 1999 du Nunavut, fruit d'un long combat des Inuits (à ce propos, voir plus loin la rubrique « Les Inuits (les "hommes" en langue inuktitut) »).

HISTOIRE

Pour les Français, le Canada c'est d'abord le Québec, francophonie oblige. Le reste de ce vaste pays est encore bien flou dans nos esprits, alors qu'il compte neuf autres provinces, de l'Atlantique au Pacifique, plus trois immenses territoires, traversés par le cercle polaire, et 1 million de « francophones hors Québec ». Le Far West américain, passé à la moulinette hollywoodienne, évoque immédiatement un décor de canyons et de prairies, peuplé de cow-boys et d'Indiens. L'Ouest canadien, lui, se contente de quelques vagues clichés, comme sa « police montée », qui doivent beaucoup à Jack London.
Mais les choses changent. À force d'arpenter le Québec, les Français sont de plus en plus nombreux à s'aventurer vers l'ouest sur les traces des anciens coureurs des bois, bien au-delà de Montréal et des chutes du Niagara. Cet « autre Canada » est un pays différent, bien plus jeune que le Québec. Les provinces de l'Alberta et de la Colombie-Britannique ont été foulées par les premiers Européens voici à peine deux siècles ! Né officiellement en 1867, le Canada s'est forgé au rythme des vagues d'immigrations successives. Les explorateurs ont d'abord fait reculer ses frontières pour le compte des grandes compagnies de fourrures. Les pionniers ont suivi, enthousiastes à l'idée de s'installer dans un pays neuf et plein de promesses, loin de la Vieille Europe où plus rien ne les retenait.
Jouant sur le multiculturalisme plutôt que de tenter une intégration à l'américaine, le Canada s'enorgueillit de sa réussite. Toronto, par exemple, se vante d'être une des villes les plus cosmopolites du globe. Le Canada tout entier a par ailleurs bien du mal à se bâtir une identité. Aujourd'hui plus que jamais. Le référendum sur l'indépendance du Québec, fin octobre 1995, l'a montré. Si le « non » l'a emporté de justesse, les fédéralistes canadiens n'ont jamais eu aussi peur de leur vie. Que deviendrait en effet un Canada coupé en deux avec un Québec souverain ?

La question demeure entière, alors qu'une ferveur indépendantiste refait progressivement surface, après des années d'accalmie.

La nuit des temps

L'état actuel des connaissances permet d'affirmer que les Indiens d'Amérique, les Amérindiens, sont d'origine asiatique et ont pris pied sur le continent au départ de l'Asie du Nord via l'Alaska. La première vague remonterait à peut-être 40 000 ans. C'est en suivant les troupeaux de cervidés et de mammouths en migration que les premiers chasseurs-cueilleurs ont sans doute tout naturellement traversé le détroit de Béring, alors asséché. L'essaimage sur l'ensemble du territoire des Amériques s'est ensuite effectué graduellement et a donné lieu à de nombreuses civilisations autochtones, parfois remarquablement brillantes. Sur le territoire canadien, le nomadisme a perduré dans de nombreux cas, même après l'arrivée des colons européens. Dans d'autres, la sédentarisation et l'agriculture ont dominé. Avant l'arrivée des Européens, tous les peuples amérindiens du Canada avaient en commun de pratiquer des religions animistes, de perpétuer la culture ancestrale au moyen d'une tradition essentiellement orale et de croire au respect d'un équilibre nécessaire entre l'homme et la nature qui l'entoure. Elles ne croyaient pas à l'appropriation de la terre et ne reconnaissaient que le droit d'usage d'un territoire.

L'arrivée des premiers Européens

Un manuscrit du IXe s raconte l'épopée de saint Brendan, un moine chrétien qui, dans la tradition des ordres monastiques irlandais, aurait mis les voiles pour porter la bonne parole au monde inconnu. Si la plupart des historiens hésitent à accorder un grand crédit à ce récit, d'autres se laissent enthousiasmer par la vie extraordinaire de ce personnage, qui aurait peut-être été le premier Européen à gagner le Nouveau Monde. Vers l'an 565, progressant par étapes sur un coracle, petit bateau en osier tendu de cuir, il serait parvenu jusqu'à Terre-Neuve.
Une autre épopée, avérée celle-ci, confirme une découverte de l'Amérique antérieure à Christophe Colomb : celle des Vikings. L'histoire commence au IXe s avec l'expansion démographique et territoriale de ce peuple du Nord. Les Norvégiens découvrent et colonisent l'Islande. Aperçu pour la première fois vers l'an 900, le Groenland est abordé en 985-986 par le célèbre Erik le Rouge. L'année suivante, Bjarni Herjolfsson, en route vers la nouvelle colonie, est déporté par la tempête jusqu'à un littoral inconnu : Terre-Neuve sans doute.
Vers l'an 1000, le fils d'Erik le Rouge, Leif Eriksson, explore cette côte mystérieuse. Si l'on en croit la saga qui détaille son aventure, il aborde au Helluland (« pays de la pierre plate »), puis au Markland (« pays des forêts »), identifiés à la terre de Baffin et au Labrador. Il atteint ensuite le Vinland, dont la traduction a donné lieu à bien des débats. Certains y ont vu un « pays de la vigne », d'autres un « pays des pâturages », ce qui a permis de situer le Vinland à Terre-Neuve comme en Nouvelle-Angleterre... La découverte, dans les années 1960, des vestiges d'une colonie viking à L'Anse-aux-Meadows, à la pointe nord de Terre-Neuve, a (presque) clos les débats. Ici sans doute se trouve Leifsbudhir, où Eriksson fit construire quelques cabanes pour passer l'hiver avant de rentrer au Groenland. À moins qu'il ne s'agisse de la colonie de 150 personnes établie par le marchand Thorfinn Karlsefni, qui dut se résoudre à quitter définitivement le territoire à cause des attaques des « Skaerlings ».

La redécouverte

Découvert « officiellement » par le Vénitien *Jean Cabot* en 1497 pour le compte du roi d'Angleterre, le Canada va connaître par la suite un tas d'explorateurs : *Verrazano,* un Florentin qui navigue pour François Ier et ne fait qu'une courte visite en 1524 mais réussit à « magouiller » pour donner son nom à un pont de New York.

Jacques Cartier, le Malouin, qui y viendra trois fois, avait pour mission très officielle de « découvrir certaines îles et pays où l'on dit qu'il doit se trouver une grande quantité d'or et d'autres riches choses ». C'est lui qui prend possession du Canada au nom du roi de France, en 1534.

Lors de son second voyage, l'année suivante, il pénètre l'estuaire du Saint-Laurent, hiverne à Stadaconé (Québec), puis aborde sur une île du fleuve où se trouve une autre bourgade. « Kanata » lui indiquent les autochtones – en fait, un mot signifiant peu ou prou « peuplement ». Plus en amont, Cartier croit que la Chine est enfin à portée de voile ! En témoignent les *rapides de la Chine*, qu'il nomme lors de sa supposée découverte.

ET TOC !

En 1541, Cartier croit découvrir dans les falaises de Québec or et diamants. Il fait charger à ras bord l'une des caravelles et... prend le large, sans attendre son compagnon de voyage, Jean-François de Roberval, parti explorer le Saguenay. Au retour, l'or se révélant être de la pyrite et les diamants du quartz, toute l'Europe se gausse... Une expression apparaît : « Faux comme diamants du Canada » !

D'autres rêveurs français, anglais, espagnols vont, à leur suite, connaître les mêmes espoirs déçus... Mais où est donc cette hypothétique « mer de l'Ouest », naïvement tracée sur les premières cartes du continent ? Le navigateur anglais *Henry Hudson* est lui aussi persuadé d'avoir découvert le fameux passage du Nord-Ouest, qui doit conduire directement vers l'Orient. En extase devant une baie immense, il s'arrête, regarde à droite, puis à gauche, constate qu'il est seul et lui donne son nom. C'est une manie, quoi ! Mais la vie d'aventurier se paie parfois très cher. L'année 1611 lui est fatale : son équipage se révolte et, sans grande cérémonie, le largue dans un canoë au milieu des glaces du Grand Nord ! Hudson laisse ainsi sa vie (et son nom) dans cette baie, qui deviendra bientôt l'un des hauts lieux de l'histoire du Canada.

L'appât du gain

À défaut de trouver la Chine et ses fabuleux trésors, les Européens décident de rester au Canada. La petite colonie baptisée Nouvelle-France s'acharne courageusement sur ses « quelques arpents de neige » (plus tard dédaignés par Voltaire), tandis que les missionnaires jésuites et récollets débarquent bible et chapelet en main, et s'efforcent d'évangéliser les Indiens. L'ambiance est plutôt tendue. Les Français ne sont pas les seuls à s'intéresser au Nouveau Monde : l'ennemi héréditaire est sur les rangs. Quant aux Amérindiens, ils n'ont pas l'intention de se laisser déposséder de leurs territoires. Des alliances se tissent : les Anglais copinent avec les Iroquois, les Français avec les Hurons. Résultat : les conflits sont fréquents et sanglants. Tout ça n'altère pas l'esprit de conquête des uns et des autres. Bien au contraire. Faute d'or et de diamants, le commerce des fourrures s'impose vite comme une source de revenus exceptionnelle. L'appât du gain est un stimulant extraordinaire, qui pousse les aventuriers à pénétrer toujours plus avant vers l'ouest. Un mouvement qui va durer plus de deux siècles !

Tout ça pour un chapeau de feutre !

Ce que ces hommes cherchent, c'est le castor. Le poil de cette charmante bestiole sert à fabriquer le feutre dont on fait les chapeaux. Civils ou militaires, tricornes ou hauts-de-forme, ces couvre-chefs sont très à la mode en Angleterre comme en France, et cela durera jusqu'à leur remplacement par le chapeau de soie... au XIXe s. Seulement voilà, à force d'être chassé, le castor commence à se faire rare sur le Vieux Continent. Et cela, dès le milieu du XVIe s. Qu'à cela ne tienne ! Des petits malins se sont vite aperçus que le rongeur à la peau d'or pullule en Amérique du Nord, où l'on peut se le procurer à bas prix. S'ensuit une lutte acharnée entre les marchands européens pour monopoliser ce commerce juteux. Entre les Amérindiens aussi : ceux de l'intérieur du pays « trappent », chassent et fournissent les peaux ; d'autres jouent les intermédiaires et revendent la marchandise aux postes de traite. Chacun souhaite s'enrichir au maximum. Épris de liberté et d'aventure, de nombreux jeunes Français entreprennent de traiter directement avec les Indiens, jusque dans leurs lointains campements. Ils deviennent coureurs des bois, au grand désespoir des autorités qui préféreraient garder tout leur petit monde dans la colonie, y développer l'agriculture et, si possible, la natalité (mais les femmes sont encore trop peu nombreuses). Hors la loi, les coureurs des bois sont mis à l'amende lorsqu'ils se font pincer avec leur marchandise de contrebande. Les administrateurs de la colonie comme les curés ne peuvent souffrir ces hommes trop libres, qui délaissent leurs terres pour la couche des belles Amérindiennes... donnant naissance à d'innombrables Métis. Les connaissances des autochtones permettent aux premiers Européens de survivre dans un monde sans merci où pratiquement tout leur est inconnu.

Étienne Brûlé, un coureur qui n'était pas que de bois

Il n'empêche que certains coureurs des bois rendront de sacrés services à la colonie. Étienne Brûlé, par exemple. Débarqué de France à 17 ans, dans la ville de Québec à peine fondée par Samuel de Champlain (1608), il est échangé contre un jeune Amérindien que Champlain emmène en France. Étienne vit avec les Hurons et apprend leur langue, tout en acquérant de précieux renseignements sur la géographie et les peuples de l'intérieur. Tout cela sera drôlement utile à Champlain, qui l'embauche bientôt comme *truchement* (interprète). Explorateur dans l'âme, Brûlé est même l'un des « découvreurs » de l'Ontario : il est le premier Européen à atteindre la baie Georgienne, puis les rives des Grands Lacs. Il plante même son campement sur le site de l'actuelle Toronto (où un parc porte son nom), au bord du lac Ontario. Les raisons pour lesquelles Étienne est tué et dévoré à 41 ans par ses amis hurons sont obscures. Les mauvaises langues disent que ce grand coureur s'est intéressé de trop près à une jeune femme à laquelle il n'aurait pas dû toucher. On dit aussi qu'il agit en traître en voulant se passer des intermédiaires hurons pour créer une nouvelle entente commerciale entre les Français et certaines autres tribus.

Des Groseilliers et Radisson : fondateurs de la Compagnie anglaise de la baie d'Hudson

D'autres Français ont joué un rôle primordial dans l'histoire du Canada... même si ce fut pour le compte des Anglais. En 1659, *Médard Chouart,* sieur des Groseilliers, et *Pierre-Esprit Radisson,* son jeune beau-frère, entreprennent un long voyage de traite qui les conduit jusqu'aux Grands Lacs, puis vers la baie d'Hudson. Là, merveille : les castors abondent et la qualité de leur poil est extraordinaire. Les deux hommes achètent quantité de fourrures aux Indiens cree, qu'ils rapportent en déjouant les attaques iroquoises. Leur courage n'est guère récompensé : leur entreprise est illégale et la plupart des peaux sont confisquées par le gouverneur de la Nouvelle-France. Pour ne rien arranger, leur ambitieux projet d'ouvrir une base commerciale dans la région de la baie d'Hudson est boudé par les Français, Colbert en tête ; ils refusent l'expansion vers l'ouest et veulent d'abord et avant tout fixer les colons sur les terres. Pas découragés pour autant, Radisson et des Groseilliers se tournent vers l'Angleterre qui, pour une fois, n'est pas en guerre avec la France. Le roi Charles II est enthousiaste et signe, en 1670, la charte qui accorde à la « Compagnie des marchands aventuriers de la baie d'Hudson » et au gouverneur le monopole du commerce et le droit de coloniser la « Terre de Rupert » (baptisée ainsi en l'honneur du prince, cousin du roi), l'une des plus riches réserves de peaux du monde. Sans se soucier des peuples autochtones qui y sont installés depuis longtemps ! C'est ainsi que la France se fait voler par les Anglais l'initiative de l'une des plus fructueuses entreprises coloniales du Canada : la *Compagnie anglaise de la baie d'Hudson.* Par deux coureurs des bois français, qui plus est ! En ne faisant pas confiance à Radisson et à des Groseilliers, la France a perdu tous droits sur ce domaine immense (cinq fois plus grand que la France !), qui s'étire de l'actuel nord du Québec jusqu'aux Territoires du Nord-Ouest, en passant par le territoire du Nunavut, le nord de l'Ontario, tout le Manitoba, la Saskatchewan et le sud de l'Alberta. Et qui dessine déjà, bien avant la Confédération de 1867, une bonne partie du futur Canada.

La rivalité des « voyageurs »

Ce camouflet préfigure une autre défaite, plus grave. En 1759, l'armée française est battue à Québec. Au traité de Paris, en 1763, la France perd toutes ses possessions, mais garde Saint-Pierre-et-Miquelon pour se consoler auprès des poissons du golfe du Saint-Laurent. Après 150 ans d'occupation d'un territoire inhospitalier, la Nouvelle-France disparaît de la carte. Militaires, notables et commerçants rentrent en France, ne laissant derrière eux que les plus démunis. Après la conquête anglaise, les Français vont pourtant continuer à jouer un rôle essentiel dans l'exploration du territoire. Succédant à leurs ancêtres coureurs des bois, plusieurs d'entre eux deviennent des « voyageurs » pour le compte des grandes compagnies de fourrures. Les temps ont changé : à la différence des coureurs des bois, les voyageurs exercent une activité tout à fait légale et reconnue. La *Compagnie de la baie d'Hudson* n'est plus la seule sur le marché. En 1787, des marchands indépendants de Montréal se sont regroupés pour créer la puissante *Compagnie du Nord-Ouest.* La rivalité entre les deux compagnies est d'une férocité qui s'apparente à la guerre. Les postes de traite se multiplient. C'est à qui contrôlera en premier les territoires de chasse, obtenus par traité avec les Indiens.
La concurrence dessine une formidable course d'exploration à travers le continent, repoussant chaque fois un peu plus loin les frontières du pays vers l'ouest. La *Compagnie du Nord-Ouest* est forte d'une bonne trentaine de guides-interprètes amérindiens et de 1 200 « voyageurs », dont pas mal de Canadiens français. Courageux aventuriers, ces hommes sillonnent le pays en canot d'écorce de bouleau, transportent des tonnes de marchandises (fourrures et biens d'échange) et sont forcés de faire du portage durant de longues et périlleuses expéditions. Se déplaçant en brigades (plusieurs canots d'une dizaine d'hommes chacun), ils pagaient sans relâche. Pour survivre, ils mangent du *pemmican,* un mets indien très calorique, fait de viande de bison ou d'orignal séchée. L'« unité castor » sert même de base pour l'échange de marchandises avec les Amérindiens.

Employés des compagnies de fourrures et grands explorateurs

Pour étendre leur territoire et découvrir enfin une voie navigable jusqu'au Pacifique, les grandes compagnies de fourrures recrutent des jeunes gens ambitieux et hardis. Si la plupart sont restés anonymes, d'autres ont laissé leur nom en héritage aux fleuves et montagnes.
Parmi ceux-là : *Alexander MacKenzie,* l'un des initiateurs de la *Compagnie du Nord-Ouest.* Parti du lac Athabasca (en Alberta), il voyage à pied et en canot, traverse les Rocheuses et débouche enfin sur la côte ouest (1793). Il est le premier Visage pâle à se rendre en Colombie-Britannique. Un peu plus tard, *Simon Fraser,* employé de la même compagnie, cherche lui aussi une voie navigable pour l'océan Pacifique. Il descend le fleuve Fraser et franchit le vertigineux « Hell's Gate Canyon », canyon de la porte de l'Enfer, surplombant de dangereux torrents. *David Thomson,* lui, est cartographe avant tout. D'abord au service de la *Compagnie de la baie d'Hudson,*

il travaille ensuite pour la *Compagnie du Nord-Ouest* en espérant que ses talents y seront mieux utilisés. En 1807, il s'embarque avec sa vigoureuse épouse métisse et ses enfants (il en a 13 !) pour un grand voyage. Quatre ans plus tard, il découvre enfin le fleuve Columbia, qu'il suit jusqu'à l'océan. Infatigable, il voyagera pendant 28 ans et dressera la première carte de l'Ouest canadien, qu'il sillonnera sur des milliers de kilomètres.

La conquête par la mer

Pendant que les explorateurs écumaient le pays pour le compte des compagnies de fourrures, les navigateurs n'ont pas perdu de temps. Durant la seconde moitié du XVIIIe s, les vaisseaux espagnols, venant du Mexique, remontent vers les côtes de la Colombie-Britannique. Les commerçants russes, quant à eux, multiplient les expéditions le long de la côte ouest, en quête de peaux d'otarie et de loutre qu'ils revendent en Chine.
Après avoir participé à la prise de Québec (1759) comme engagé de la Marine royale britannique, le cher capitaine *James Cook* revient au Canada, mais dans sa partie ouest, en 1778. Il en profite pour traiter avec les Indiens nootkas, en leur achetant quelques belles peaux de loutre. Cook les revendra ensuite aux Chinois, peu regardants sur les prix. Vient ensuite *George Vancouver* (1792), qui donne son nom à la grande ville de Colombie-Britannique. Après avoir suivi son ami Cook dans les eaux bleues du Pacifique, il longe la côte nord-ouest de l'Amérique du Nord, dont il est le premier à dresser une carte précise.

La naissance du Canada

Après des années de concurrence acharnée, les deux grandes compagnies finissent par fusionner en 1821, en conservant le nom de la *Compagnie de la baie d'Hudson.* Il lui reste encore quelques belles années jusqu'à la signature de l'Acte de l'Amérique du Nord britannique (1867). Le Canada devient alors un « dominion britannique » (confédération de provinces) regroupant le Québec, l'Ontario, la Nouvelle-Écosse et le Nouveau-Brunswick. Afin d'asseoir sa puissance et de s'affirmer vis-à-vis des États-Unis, le jeune Canada veut acquérir la Terre de Rupert, toujours propriété de la *Compagnie de la baie d'Hudson.* De longues négociations aboutissent à la plus grosse transaction immobilière de l'histoire du Canada : pour 1,5 million de livres sterling, le Canada rachète la Terre de Rupert en 1869.
Aujourd'hui, *The Bay* (*La Baie,* au Québec) est devenue une importante chaîne de magasins à travers le Canada. Politiquement correct oblige, *The Bay* ne vend cependant plus de fourrures depuis 1991... En revanche, on y trouve toujours la célèbre couverture blanche de laine à rayures vertes, rouges, jaunes et noires, autrefois très appréciée des Amérindiens, qui était troquée contre des fourrures.

La révolte des Métis

Aveuglé par sa bonne affaire, le gouvernement canadien a pris à la légère un problème qui devient crucial : celui des Métis de la rivière Rouge, un ancien comptoir de la *Compagnie de la baie d'Hudson,* le Manitoba d'aujourd'hui. Descendants des aventuriers français (et, dans une moindre mesure, écossais) et des Amérindiennes, les Métis sont les premiers défricheurs de la région. Au moment du rachat de la Terre de Rupert, ils sont plusieurs milliers à partager leur existence entre les champs de blé et la chasse au bison. Sans leur demander leur avis, le gouvernement canadien envoie des arpenteurs qui repartagent sans vergogne leurs terres au profit des futurs colons anglophones de l'Ontario. En 1869, la résistance s'organise derrière *Louis Riel,* un bouillant Métis de 25 ans qui a été éduqué au Québec. Grâce à lui, le Manitoba devient une province du Canada en 1870, avec des droits particuliers pour les Métis et les colons francophones, qui composent alors 50 % de la population. Accusé du meurtre d'un Ontarien opposé à la rébellion, Riel s'exile aux États-Unis. En 1884, il revient cependant au Canada pour soutenir de nouveau les siens : en Saskatchewan cette fois, où plusieurs Métis se sont réfugiés après la dernière révolte. À bout de munitions, contre une véritable armée de 3 000 hommes, les Métis sont finalement matés à Batoche et, à la suite du procès le plus controversé de l'histoire canadienne, Riel est pendu à Regina en 1885. Une décision qui suscite un vif émoi au Québec et porte un dur coup à l'unité canadienne. Récemment encore, Louis Riel était considéré comme un traître par les anglophones, qui l'ont enfin réhabilité sur le tard. Il a cependant toujours été un héros aux yeux des Canadiens français. À sa mort, *La Marseillaise rielliste* a été composée, qui commence par « Enfants de la Nouvelle-France, Douter de nous n'est plus permis ! ». À 7 000 km de la France, il y a quand même de quoi s'étonner !

Le chemin de fer ou le Canada « d'un océan à l'autre »

Ces soubresauts tragiques s'effacent toutefois rapidement devant l'expansion de l'immigration. Le Canada se prépare à devenir un grand pays multiethnique. Tant pis pour les francophones, les Métis, et pour les Indiens qui s'apprêtent à être submergés. Une fois la frontière avec les États-Unis bien établie à l'ouest par le 49e parallèle, *John A. MacDonald,* le tout premier Premier ministre du Canada, fait le pari fou de tracer une ligne de chemin de fer à travers ce pays immense et quasiment vide, peuplé d'à peine 3 millions d'habitants. Son ambition : bâtir le Canada « d'un océan à l'autre », devise qui est restée celle du pays. C'est d'ailleurs sur la promesse d'une ligne de chemin de fer que la lointaine Colombie-Britannique accepte d'entrer dans la Confédération canadienne, en 1871, la belle étant aussi courtisée par les États-Unis. Après avoir franchi les Rocheuses, la double voie d'acier rejoint finalement la côte Pacifique en 1885 : au total, 4 600 km ! Pour accomplir cette tâche titanesque, la compagnie privée *Canadian Pacific Railways* obtient d'importantes subventions, et bien sûr des terres, autrefois propriétés de la *Compagnie de la baie d'Hudson* (toujours elle !). En échange de quoi, elle doit se charger du peuplement et inciter les colons à venir s'installer le long de son itinéraire. On fait venir des milliers de Chinois de San Francisco pour travailler sur les voies ferrées. Ces ouvriers sous-payés ne sont pas très bien traités, en dépit de leurs bons services : on leur interdit en effet de se marier au Canada, et on les prie fermement de repartir une fois leur pénible labeur accompli ! Les temps ont bien changé puisque, depuis quelques années, le Canada accueille plus d'Asiatiques que d'Européens. À l'époque, d'autres colons sont en revanche bienvenus : les Américains, du moins ceux qui savent cultiver des terres arides. Les Irlandais, les Écossais, et bien sûr les Britanniques. Les autres Européens sont plus ou moins bien accueillis – les Français, par exemple, sont mieux perçus que les Européens de l'Est. Parmi ceux-ci, de nombreux Allemands, Tchèques, Hongrois, Ukrainiens... dont les descendants sont aujourd'hui bien implantés partout dans l'Ouest. Au bout de 10 ans, le gouvernement canadien leur offre les terres qu'ils occupent s'ils ont réussi à les faire fructifier. Entre la fin du XIXe s et la Première Guerre mondiale, plus de 2 millions de pionniers débarquent ainsi au Canada. Le chemin de fer Canadien Pacifique *(Canadian Pacific Railways)* est le facteur déterminant de la colonisation de la région des Prairies. « Le cheval de feu », comme le surnomment les Amérindiens, fait surgir de nombreuses villes dans son sillage.

Les ruées vers l'or

Alors que l'intérêt pour les fourrures commence à se dissiper, un autre aimant va attirer les aventuriers vers l'ouest du Canada : l'or ! Car en Colombie-Britannique, il n'y a pas un, mais deux filons : dans le fleuve Fraser (1858), puis, plus au nord, dans les monts Cariboo (1862). Venus de Californie (où il n'y a plus la moindre pépite), les chercheurs affluent par milliers. Les gisements aurifères s'épuisent vite. Mais on entend bientôt parler d'un autre eldorado : le Klondike, une rivière qui coule au

Yukon, région encore inexploitée du Canada, à la limite de l'Alaska (que les États-Unis viennent d'acheter aux Russes). La plus grande ruée vers l'or de l'histoire est lancée. Là encore, les Américains se jettent par dizaines de milliers dans l'aventure. Décidément, il devient urgent de faire comprendre à ces messieurs qu'ils ne peuvent pas débarquer ici en pays conquis... La police montée (ces fiers *Mounties* en tunique rouge) surveille l'entrée du Yukon. Ils laissent tout de même passer le romancier Jack London, qui en a rapportera de bien jolies pages. La ruée et l'intense activité qu'elle déclenche, notamment à Dawson City, retombent comme un soufflé au début du XXe s.

Le Canada et le XXe siècle

Le Canada est aujourd'hui une monarchie constitutionnelle au sein du Commonwealth. La reine est représentée par un gouverneur général, désigné pour un mandat de 5 ans, mais à titre purement honorifique. Chaque province jouit d'une grande autonomie en matière d'éducation, de santé, de logement, de droits civils et de ressources naturelles. La première guerre à laquelle les Canadiens participèrent, en dehors de leur territoire, fut la guerre des Boers, en Afrique du Sud, contre les Afrikaners. Elle fut suivie par la Première Guerre mondiale. À cette occasion, Henri Bourassa, un chef politique québécois, déclara que « les vrais ennemis des Canadiens français ne sont pas les Allemands, mais les Canadiens anglais angliciseurs, les Ontariens intrigants et les prêtres irlandais » (les Irlandais étant certes catholiques mais anglophones et en compétition directe avec les Canadiens français...). Et il est vrai que par la suite, beaucoup de Québécois sont allés à la guerre à reculons. Pendant la Seconde Guerre mondiale, la menace nazie paraissait bien loin pour le Nouveau Monde, mais les Canadiens anglophones voulaient tout de même y participer pleinement, car leurs racines britanniques étaient assez récentes en général. C'était moins évident pour les Canadiens français, dont les liens avec la mère patrie étaient rompus depuis des siècles. En outre, les Canadiens français savaient bien qu'ils seraient bafoués dans une armée canadienne de langue anglaise. La question de la conscription obligatoire déchira le Canada. Les Canadiens français partirent malgré tout en grand nombre à la guerre. Des régiments entièrement canadiens-français furent formés, ce qui rassura les soldats francophones. Pour la première fois, l'accent québécois se faisait entendre massivement en France. Apparemment, les villageois libérés n'en croyaient pas leurs oreilles.
En fin de compte, le Canada paya le prix fort durant les deux guerres mondiales : 60 000 morts pendant la première et 43 000 lors de la seconde.

L'influence des États-Unis

Le « grand voisin du Sud », après avoir longtemps lorgné sur le jeune Canada dans l'espoir de l'absorber, ne serait-ce qu'en partie, reste omniprésent dans l'histoire économique du pays. Si chaque communauté a gardé une identité spécifique, l'influence américaine est néanmoins considérable. Les fast-foods, le *Coca-Cola* et les aspirations de l'*American way of life* sont partout, à chaque coin de rue. Dans la communauté francophone, l'impact de l'*American dream* était tel que déjà dans les années 1920, on avait interdit le cinéma aux adolescents !

Les nouveaux enjeux

La quasi-victoire souverainiste de 1994 jette un froid au Canada. Deux ans plus tard, le gouvernement fédéral questionne la Cour suprême sur la légalité d'une éventuelle sécession. Celle-ci affirme finalement que l'expression d'une « majorité claire » à une « question claire » obligerait le gouvernement fédéral à négocier. La « question du Québec » demeure donc d'actualité. D'autant que l'impopularité du gouvernement libéral (fédéraliste), soupçonné de corruption dans sa lutte contre le séparatisme, a permis un retour remarqué du Bloc québécois aux élections générales de juin 2004. Au-delà, certains affirment que ce regain de force du nationalisme québécois est plus profondément ancré, bien que l'arrivée de Stephen Harper en 2006 au poste de Premier ministre n'ait pas fait beaucoup avancer les choses. Comme ses prédécesseurs, il a d'abord soigneusement évité la question du Québec durant son début de mandat, jusqu'en novembre 2006 où la Chambre des communes du Canada a reconnu le Québec comme « une nation au sein d'un Canada uni ». Bien entendu, le symbole est plus fort que la valeur administrative et politique du vote, mais il consolide avant tout le sentiment du statut particulier de la province francophone.

La menace n'est plus désormais économique ni même politique, mais culturelle : beaucoup de Québécois craignent que l'immigration accroisse la part de l'anglais dans la province au détriment du français. Tous les chiffres prouvent d'ailleurs qu'ils ont raison : moins du tiers des nouveaux arrivants parle la langue de Molière. Crainte accentuée par le très faible taux de fécondité des Québécoises. Et les efforts du gouvernement du Québec, qui s'est fixé pour objectif d'accueillir 40 % d'immigrants francophones, n'y peut rien : la part du français au Canada ne cesse de diminuer. Il n'est plus désormais la langue maternelle que de 22,9 % de la population (contre 59,1 % pour l'anglais et 18 % pour les autres langues). Difficile d'imaginer le bilinguisme survivre à long terme dans ces conditions. À l'ouest, le chinois est déjà bien plus présent : alors, comment justifier d'un recrutement prioritaire des francophones dans une région où ils sont si peu nombreux ?

Qu'adviendrait-il du Canada si les souverainistes parvenaient à arracher le Québec à la Fédération ? Chacun a sa réponse. Certains anglophones, passé les premiers émois, ont durci leur position : s'ils veulent l'indépendance, qu'on la leur donne – mais en les faisant payer. À l'Ouest, le Québec agace sérieusement, et les retombées financières sans cesse grandissantes de l'exploitation pétrolière permettent de prendre de haut ce pou économique qui cherche des noises au pays. Au bout du compte, tout le monde y perdrait quelque chose. Les francophones des autres provinces, surtout. Il existe plus de 1 million de Canadiens francophones hors du Québec, surtout en Ontario et au Nouveau-Brunswick (des Acadiens), toujours menacés d'assimilation par le milieu anglophone. Ce danger se trouverait évidemment accentué par un quelconque changement de statut du Québec, car c'est celui-ci qui maintient un rapport de force linguistique au niveau de la Confédération.

INSTITUTIONS

Le Canada est un régime parlementaire, sur le modèle britannique, bien sûr. Une grande différence cependant : il s'agit d'une fédération (d'États ou provinces). Les Canadiens élisent donc un parlement fédéral et, dans chaque province, un parlement provincial qui s'occupe de tout ce qui n'implique pas les grands choix nationaux. Jusqu'en 1993, la vie politique a été dominée par deux grands partis : le Parti libéral (modéré et réformiste) et le Parti progressiste conservateur (vous noterez le paradoxe). Mais le scrutin fédéral d'octobre 1993 a bouleversé le jeu du bipartisme de façon spectaculaire : le Parti conservateur a été laminé, et on a assisté à la poursuite de l'émergence de deux partis « régionalistes » : le *Reform Party* (originaire de l'Ouest, populiste et ultraconservateur) et le *Bloc québécois* (parti « souverainiste » qui prône l'indépendance du Québec).

En 2005, le scandale des commandites, qui a mis au jour une corruption active des libéraux pour lutter contre le séparatisme québécois, a provoqué une dissolution de la Chambre et entraîné des élections anticipées. Sans surprise, ce sont les conservateurs qui ont remporté le scrutin mais, avec seulement 124 députés (36,3 %), ils constituaient le gouvernement le plus minoritaire de l'histoire du Canada moderne. À sa tête, Stephen Harper, un ancien du *Reform Party.* Au printemps 2011, nouvelle dissolution de la Chambre, suite à une motion de défiance à l'encontre du gouvernement. Et nouvelles élections anticipées... remportées, à nouveau, par Harper et son parti qui, désormais, forment un gouvernement majoritaire. Grand changement : l'effondrement du Parti libéral (moins de 19 % des voix) et du Bloc québécois (6 % des voix), et, outre l'élection d'une députée verte, l'ascension du Nouveau Parti démocratique, qui a récolté plus de 30 % des voix. Ces derniers, les plus à gauche de l'échiquier, ont fait un retour en force surprenant depuis les années 2000 après avoir affirmé leur ancrage socialiste. Ils gouvernent même dans deux provinces, le Manitoba et la Nouvelle-Écosse. Quant à Harper, il reste donc à la tête du pays. Très critiqué sur la scène internationale, il a voulu se faire le chantre d'une voie médiane entre protocole de Kyoto et obstination américaine à polluer – une position vue par beaucoup comme un renoncement des engagements préalables du Canada.

LES INUITS (LES « HOMMES » EN LANGUE INUKTITUT)

Des autochtones différents

Les Inuits sont un peuple autochtone du nord du Canada. Ils vivent au Nunavut, ainsi que dans le nord du Québec, du Labrador et dans les Territoires du Nord-Ouest. Les Inuits ne sont pas visés par la loi sur les Indiens. Au recensement de 2001, environ 45 000 personnes se sont identifiées comme Inuits, soit presque un tiers des Inuits du monde. Les deux tiers vivent dans leur région d'origine, l'autre tiers étant disséminé dans les principales agglomérations du pays.
Les Inuits sont apparus dans le nord-est du Canada il y a 4 500 ans, ce qui est relativement récent, comparé aux quelques dizaines de milliers d'années des Amérindiens. Jusqu'à la seconde moitié du XXe s, les Inuits de l'Est canadien n'ont guère connu des Blancs que les apparitions occasionnelles des navires baleiniers et des commerçants de fourrures venant d'Europe. Armée canadienne en repérages, ethnologues, explorateurs et missionnaires chrétiens complètent le tableau. Le véritable choc des cultures n'est intervenu que dans les années 1940-1950 avec l'implantation permanente de bases militaires, de services gouvernementaux, comme l'éducation et la santé, et un programme de logements pour encourager les Inuits à abandonner leur mode de vie nomade.
Aujourd'hui, si la chasse reste pour beaucoup un revenu d'appoint, les Inuits travaillent surtout dans les mines, les activités liées aux hydrocarbures, le bâtiment et les services (gouvernementaux, notamment). Le tourisme, quant à lui, est un secteur dynamique en plein développement. Environ 30 % de la population tire par ailleurs des subsides de l'art traditionnel inuit (sculpture, gravure, etc.).

Les effets indésirables de la modernité

Alors que la vie matérielle s'est considérablement adoucie, les effets de la sédentarisation rapide se font sentir. L'Inuit est doté d'un patrimoine génétique qui l'a pourvu d'un métabolisme extrêmement efficace ; il lui faut peu pour survivre. Dans les maisons que lui a données l'État et qui favorisent sa sédentarisation, il a trop chaud, il mange trop, il ne bouge pas assez. Résultat de l'inactivité et de la soudaine abondance, l'espérance de vie s'est accrue, alors même que la santé s'est détériorée. La culture inuit, initialement fondée sur la migration et le rapport intime à la nature, s'est effritée sous la poussée conjuguée de l'évangélisation et du modernisme promu, entre autres, par le système éducatif des premières années et la TV.

Renouveau politique et culturel

C'est avec les acquis de la convention de la baie James et du Nord québécois, signée en 1975, que les Inuits entament la reprise en main de leur destinée.

Les apports financiers de l'entente leur permettent un développement autogéré ciblé sur des besoins spécifiques, comme l'achat de bateaux de pêche modernes, la création d'une station de radio et d'un périodique, ainsi que de compagnies aériennes répondant à leurs besoins.
En 1999, une révolution secoue le Grand Nord canadien : répondant enfin aux revendications des Inuits, le gouvernement fédéral promeut la création d'un nouveau territoire, le Nunavut (« notre terre »), détaché des immenses Territoires du Nord-Ouest. Étendu sur près de 2,1 millions de kilomètres carrés, celui-ci compte en tout et pour tout 29 300 habitants... la population de Saint-Tropez en été sur un territoire grand comme quatre fois la France (les stars et les frimeurs en moins) ! On n'y compte, en tout et pour tout, que 26 communautés isolées.
Comme les autres provinces canadiennes, le Nunavut dispose d'une grande autonomie de gestion. Il élit son propre parlement (19 membres), très différent des autres dans le sens où il fonctionne uniquement par consensus et qu'aucun des élus n'affiche d'étiquette politique ! Le budget annuel, avoisinant les 700 millions de dollars, reste toutefois presque entièrement dépendant du gouvernement fédéral. Travaillant de façon autonome, les institutions locales veillent à l'administration et au développement de la région dans tous les secteurs d'activité. Les acquis administratifs et politiques lui permettent désormais de prendre en charge l'éducation en langue inuktitut, ainsi que le contrôle du développement et de la mise en valeur de tout le territoire. Chiffre encourageant : 70 % des jeunes Inuits parlent encore l'inuktitut, et le pourcentage fléchit à peine – cas unique pour les communautés autochtones du Canada.
La culture inuit regagne même une partie du terrain perdu. Les anciens sont sollicités par les plus jeunes afin d'enseigner leur savoir ancestral. On écrit soi-même ses livres d'histoire et ses dictionnaires, on rapatrie les objets traditionnels qui avaient été emportés vers les musées du Sud, on revalorise l'art traditionnel de la sculpture sur os, sur ivoire, sur andouillers de caribou et sur stéatite, et on prend en main sa commercialisation. Dans certaines régions, cette activité peut représenter une part non négligeable de l'économie locale. Pour s'en rendre compte, il suffit d'observer le prix de certaines œuvres dans les galeries spécialisées de Vancouver ou de New York. Mais la fierté et le dynamisme sont les premiers moteurs du renouveau au pays du morse, du narval et de l'ours blanc. En mai 2001, le premier film inuit, *Atanarjuat, la légende de l'homme rapide,* de Zacharias Kunuk, a fait sensation et reçu la Caméra d'or du Festival de Cannes.

MÉDIAS

Votre TV en français : TV5MONDE

TV5MONDE est reçue partout dans le monde par câble, satellite et sur IPTV. Voyage assuré au pays de la francophonie avec films, fictions, divertissements, sport, informations internationales et documentaires.
En voyage ou au retour, restez connecté ! Le site internet • *tv5monde.com* • et son application iPhone, sa déclinaison mobile • *m.tv5monde.com* • offrent de nombreux services pratiques et permettent de prolonger ses vacances à travers des blogs et des visites multimédias.
Demandez à votre hôtel sur quel canal vous pouvez recevoir TV5MONDE et n'hésitez pas à faire vos remarques sur le site • *tv5monde.com/contact* •

Presse

Le Canada édite plus d'une centaine de journaux quotidiens. Le plus influent, en anglais, est *The Globe and Mail.* Néanmoins, *The Toronto Star* est le plus vendu du pays.

À Vancouver, *The Vancouver Sun* est un journal de référence, comme l'est le *Victoria Times Colonist* pour toute l'île de Vancouver. *The Province* est, dans un tout autre style, un journal très populaire, mélangeant infos locales, provinciales, faits divers, ragots de stars, informations financières.
Comme aux États-Unis, les hebdomadaires culturels gratuits (les *alternative weeklies*) sont maintenant des journaux importants dans toutes les villes du Canada. Ainsi le *Georgia Straight,* particulièrement bien fait, est distribué partout à Vancouver, dans la rue, les cafés, les centres commerciaux. Le programme des boîtes, les expos, les spectacles... toute la vie culturelle de la ville y est annoncée pour la semaine. Il présente aussi régulièrement des classements des meilleurs endroits de la ville à fréquenter selon leurs atouts et selon la saison. Les Vancouverois ne jurent que par lui pour trouver le bon plan de la semaine !
En revanche, c'est à Regina qu'on trouve l'hebdo culturel au nom le plus original : *The Prairie Dog,* un vrai journal de fureteurs !

Télévision

Presque tous les hôtels canadiens sont câblés ou proposent une réception via satellite. On peut donc y regarder pas mal de canaux, dont plusieurs américains – les ondes ignorent les frontières. Il y a aussi des chaînes sur la musique, le sport, la cuisine, les voyages, l'histoire, le golf, bref, pour tous les goûts, à toutes les sauces.
CBC (Canadian Broadcasting Corporation) est la chaîne nationale publique de TV et de radio bilingue. C'est la plus rigoureuse dans le traitement de l'information. Partout au Canada, on retrouve le réseau public de langue française de la Société Radio-Canada, la CBC française si l'on veut. *CTV Newsnet (Canadian Television)* est une grande chaîne canadienne d'informations en boucle. En fait, c'est un peu l'équivalent national de CNN. *CBC Newsworld* joue un rôle similaire.
Si vous avez le mal du pays, vous pourrez essayer de capter *TV5MONDE* (voir plus haut « Votre TV en français : TV5 MONDE »), mais sachez que les hôtels de l'ouest du pays font rarement l'effort de le mettre à leur programme. Les émissions sont pour la plupart diffusées avec plusieurs jours de retard, voire plusieurs semaines... seuls les journaux télévisés (français, canadiens, suisses et belges) sont à jour. À cause du décalage horaire, les nouvelles du soir sont diffusées l'après-midi. Attention, les programmes sont annoncés à l'heure de Montréal. On peut aussi trouver *RDI,* la chaîne d'informations en boucle de *Radio-Canada,* qui propose débats d'actualités, émissions politiques, informations et reportages, en plus des journaux télévisés.
Enfin, il existe aussi des chaînes provinciales, comme *BCCTV* en Colombie-Britannique. À part les infos provinciales, les programmes ne sont pas très différents des autres : sitcoms, talk-shows, *real TV* souvent américains (pas vraiment haut de gamme !), ainsi que des films.

Radio

Les stations de radio commerciales diffusent toutes sortes de genres musicaux. Plus la ville est grande, plus elles sont spécialisées. Si vous allez assez loin dans le Nord, préparez-vous à ne capter aucun signal de radio hormis les ondes courtes (heureusement, les CD ne sont pas chers au Canada...). Vous retrouverez aussi la formule *talk radio* : ça ne vole pas très haut, mais ça permet de prendre le pouls d'un pays. Même la prestigieuse *Société Radio-Canada* joue parfois avec brio ce jeu des tribunes radiophoniques. Elle diffuse toute une gamme d'émissions d'informations (politiques, économiques, culturelles, sportives, etc.) dans tout le Canada. Il y a donc presque toujours une voix francophone au bout des ondes, même dans les zones reculées. Cela dit, le manque d'auditeurs francophones à l'ouest du pays fait que de plus en plus, les stations privées anglophones réclament de récupérer les fréquences de SRC...

Si vous êtes alternatif, vous serez curieux d'écouter les radios universitaires et communautaires. Elles diffusent des choses qui ne passent pas ailleurs... Vancouver et Victoria étant situés près de la frontière américaine, on y capte évidemment beaucoup de stations provenant de Seattle.

PARCS NATIONAUX ET PROVINCIAUX

L'histoire des parcs nationaux est liée, comme celle de l'Ouest canadien, à l'arrivée du chemin de fer à la fin du XIXe s, quand trois ouvriers de la *Canadian Pacific Railways* découvrirent par hasard des sources d'eaux chaudes sulfureuses. Les querelles qu'entraînèrent les droits de propriété attirèrent l'attention du gouvernement fédéral, qui les acheta. Le premier parc national du pays, celui de Banff, venait de naître, en 1885.

Le parc fut donc créé non par souci écologique, mais pour préserver un site économiquement exploitable par l'État, aux finances sacrément éprouvées par la construction du chemin de fer. La préservation du milieu sauvage n'était pas encore à l'ordre du jour, bien que quelques visionnaires aient déjà émis certaines inquiétudes sur une possible surexploitation des lieux. Les premiers gardes, sans formation spécifique, étaient seulement chargés de prévenir les feux de forêts et de faire respecter les lois sur la chasse... On mesure le chemin parcouru quand on voit l'organisation de *Parcs Canada* aujourd'hui ! Jusqu'en 1930, on autorisait l'exploitation minière, forestière et bien sûr touristique.

Actuellement, il existe une quarantaine de parcs nationaux sur le territoire canadien, ainsi que de nombreux parcs provinciaux et zones protégées à des degrés divers, dépendant des gouvernements provinciaux ou des autorités locales. Leur superficie s'étend de quelques kilomètres carrés à près de 45 000 km^2, pour une surface cumulée atteignant 2,2 % du territoire national (ce qui, tout compte fait, n'est pas énorme). Presque tous ont pour objectif d'assurer la protection des écosystèmes, tout en permettant au visiteur de découvrir les richesses de la nature. Mission accomplie lorsque l'on voit la qualité des services mis en place dans chaque parc. Dans les centres d'accueil, des naturalistes vous fourniront toutes les indications nécessaires pour choisir vos promenades en fonction de vos goûts et de votre temps. N'hésitez pas à discuter avec eux, ils sont passionnés par leur métier. Vous trouverez également dans ces parcs des installations de camping dans des coins superbes, des aires de pique-nique, etc. Près des villes, il y a aussi des parcs, essentiellement récréatifs, qui sont agréables en famille ou pour faire du camping, mais dont la valeur est faible, parfois nulle, en tant que patrimoine environnemental.

Faites comme la plupart des Canadiens, respectez la nature : dans les parcs, ne coupez rien, ramassez vos détritus et ne nourrissez pas les animaux. C'est de toute façon interdit.

Sur les panneaux routiers, les parcs nationaux sont signalés par un castor blanc sur fond brun. Ils ne sont pas tous ouverts toute l'année, et s'ils le sont, les services sont réduits hors saison. Des droits d'entrée sont demandés. Il existe une carte valable 1 an et donnant accès à la majorité des parcs nationaux et lieux historiques, à 68 $ par personne ou environ 137 $ pour les familles ou groupes. Cela peut paraître cher, mais, quand on voit la qualité du service et de l'organisation, on comprend mieux. Des cartes et des dépliants sont offerts gratuitement à l'entrée, en français si vous le souhaitez, car les parcs nationaux sont administrés par le gouvernement fédéral, qui est officiellement bilingue. Pour plus d'infos sur les parcs nationaux :
• *pc.gc.ca* •

Quant aux parcs provinciaux, beaucoup ferment de mi-octobre à mi-mai ou ont une activité et des services réduits (notamment les campings) hors saison. Leur entrée est également payante ; certaines provinces proposent des cartes saisonnières donnant accès à tous les autres parcs provinciaux (et non nationaux) de la région.

PERSONNAGES

– **Emily Carr** *(Victoria, 1871-1945)* **:** considérée comme l'une des plus grandes artistes du Canada, elle ne connut pourtant le succès qu'à l'âge de... 57 ans ! Après des études d'art à San Francisco, Londres et Paris, elle expose ses premières peintures à Vancouver, sans grand succès. Entre 1912 et 1928, elle se consacre alors à l'enseignement, à Vancouver et Victoria, et dans le même temps, rencontre le groupe des Sept à Ottawa, un ensemble d'artistes canadiens anglais très influent qui révolutionne l'art paysager au lendemain de la Première Guerre mondiale. Fortement impressionnée, Emily Carr se remet à peindre, et c'est de cette période que datent ses plus belles œuvres. Surnommée « Celle qui vit » par les Indiens, pour sa façon de faire revivre leur art à travers ses peintures, elle trouve son inspiration dans les bords de mer, les forêts de Colombie-Britannique et les scènes de vie indigène. En reproduisant fidèlement les totems des Premières Nations, l'artiste fournit un vrai travail anthropologique, la plupart de ces sculptures étant vouées à disparaître, pillées ou abîmées par le temps. Excentrique et rebelle, servie par un caractère difficile, Emily Carr s'est finalement imposée comme une grande artiste, bien au-delà des paysages de Colombie-Britannique qu'elle peignait. Expositions permanentes de ses œuvres à l'*Art Gallery* de Vancouver et à l'*Art Gallery* of Greater Victoria.

– **Douglas Coupland** *(né en 1961)* **:** d'une famille originaire de Winnipeg, Douglas a vécu à Vancouver la majeure partie de sa vie. Diplômé des Beaux-Arts, il voyage beaucoup, et ses sculptures connaissent un certain succès. Un article pour le *Magazine de Vancouver* l'amène à sortir son premier roman, *Génération X*. Succès immédiat, qui va en faire le porte-parole réticent de toute cette génération, née dans les années 1950-1960. Depuis, il a écrit une dizaine de romans traduits dans plus de 30 pays, dont *Microserfs,* en 1995.

– **Atom Egoyan** *(né en 1960)* **:** réalisateur, scénariste, producteur et metteur en scène né au Caire de parents artistes arméniens. À l'âge de 3 ans, il émigre avec sa famille à Victoria, sur l'île de Vancouver, avant de partir étudier les relations internationales à l'Université de Toronto. C'est en y travaillant sur l'histoire arménienne qu'il renoue avec ses origines et se découvre une passion pour le théâtre et le cinéma. Egoyan met très souvent en scène des personnages fragiles, solitaires et perdus, en quête de leur identité. Dans ses premiers films, ils s'avèrent être des Canadiens d'origine arménienne (*Proches Parents,* 1984 ; *Calendar,* 1993) ; l'Arménie et son histoire étant un sujet récurrent du cinéma – indépendant – d'Atom Egoyan. Avec *Exotica* (1994, primé à Cannes), le troublant portrait croisé des employés et clients d'un club de strip-tease, Egoyan accède enfin à la notoriété internationale. Un succès confirmé avec *De beaux lendemains* (1997, nominé aux Oscars et primé à Cannes), l'adaptation du roman de l'auteur américain Russel Banks, *Ararat* (2002), film très personnel traitant du génocide arménien (avec pour acteur principal... Charles Aznavour !) et, plus récemment, *La Vérité nue* (2004), *Adoration* (2008) ainsi que *Chloé* (2009, très mineur remake de *Nathalie...*). Atom Egoyan écrit également pour la télévision et met en scène des opéras pour la Canadian Opera Company.

– **Diana Krall** *(née en 1964)* **:** pianiste et chanteuse de jazz née à Nanaimo en Colombie-Britannique. Issue d'une famille de musiciens, Diana Krall grandit dans un univers artistique. Dès 4 ans, elle sait jouer du piano. À 17 ans, elle obtient une bourse d'études du *Vancouver International Jazz Festival* pour étudier dans le très prestigieux *Berklee College of Music* de Boston. Sur les conseils des bassistes Ray Brown (ex-mari d'Ella Fitzgerald) et John Clayton ainsi que du batteur Jeff Hamilton, Diana Krall s'installe à Los Angeles où Jimmy Rowles la convainc de travailler sa voix, grave mais douce, sensuelle mais énergique, avant de partir en 1990 pour New York. Son 1er album, *Stepping Out,* sort en 1993 mais c'est avec *All for You* (1996), *Love Scenes* (1997) et, surtout, *When I Look In Your Eyes* (1999), qui lui vaut le *Grammy* de la meilleure musicienne de jazz, qu'elle connaît ses premiers vrais succès, critiques comme publics. En 2003, elle épouse le chanteur de rock anglais Elvis Costello, avec qui elle commence à écrire ses propres textes (*The Girl in the other Room,* 2004). Diana Krall est membre de l'*Order of British Columbia* et de l'*Order of Canada.*

– ***Bill Reid*** *(1920-1998)* **:** un des artistes contemporains majeurs de l'Ouest canadien, révolutionnant l'art indien par l'utilisation de techniques européennes de fonte de l'or et de l'argent, et le mariage des métaux et du bois. De mère haïda mais de père germano-écossais, Reid n'est pas élevé dans la tradition amérindienne. Il vit en Alaska et en Colombie-Britannique, à Victoria, avant de travailler pour la CBC à Toronto pendant une dizaine d'années. Durant cette période, il s'intéresse à la joaillerie, dans l'intention de créer des bijoux contemporains. Mais lors d'une visite au Musée royal d'Ontario, il découvre l'art de la côte nord-ouest canadienne et s'intéresse alors aux origines haïdas de sa mère. Il rencontre Charles Edenshaw, un artiste amérindien reconnu, qui le forme au travail de l'argent et de l'argilite dans la tradition de leurs ancêtres. Dès lors, il cherche à faire connaître l'art haïda sous toutes ses formes. Dans les années 1950, Reid s'installe en Colombie-Britannique où il participe à de nombreux projets pour la promotion de la culture et de l'art des Haïdas. En 1985, il conçoit *L'Esprit de Haïda,* une sculpture monumentale en bronze représentant un canoë transportant des voyageurs, ours, hommes et autres créatures, basée sur la mythologie amérindienne. Exposée à l'entrée de l'ambassade canadienne à Washington, cette œuvre est reproduite en 1996 et présentée dans l'aéroport international de Vancouver.

À sa mort, Reid lègue un œuvre considérable. Il a influencé toute une génération de jeunes artistes autochtones. Le *Museum of Anthropology* de Vancouver expose bon nombre de ses œuvres, dont la célèbre *The Raven and the First Men (La Légende du corbeau et des premiers hommes),* mais ses œuvres totémiques sont exposées un peu partout dans l'Ouest canadien.

– ***Tecumseh*** *(1768-1813)* **:** ce chef shawnee rêvait d'un mouvement qui regrouperait tous les Amérindiens et d'un territoire assez vaste pour préserver le mode de vie de son peuple. Né en Ohio, Tecumseh est devenu un héros canadien en combattant aux côtés des Anglais (qui lui avaient promis des terres) contre les Américains dans la guerre de 1812. Tecumseh est mort alors que ses guerriers continuaient de lutter à Detroit et que les Anglais battaient en retraite. Sa vision politique et son courage physique en ont fait une légende.

– ***Pierre Elliott Trudeau*** *(1919-2000)* **:** Premier ministre du Canada de 1968 à 1979 et de 1980 à 1984. Souvent considéré comme le plus grand Premier ministre canadien. Ce séducteur et philosophe était un défenseur des libertés individuelles et d'une démocratie tolérante des différences culturelles et religieuses. Pour lui, le Canada était à la fois un lieu et un idéal. Il fut l'architecte du Canada officiellement bilingue et d'un certain nationalisme canadien (son gouvernement rapatria la Constitution canadienne de Londres en 1982). Fédéraliste acharné, il a été l'ennemi juré de l'indépendantiste René Lévesque, l'autre géant politique québécois de la fin du XXe s.

POPULATION : LES PEUPLES AUTOCHTONES DANS L'HISTOIRE CANADIENNE

Sauvages, Indiens ou autochtones ?

Après des siècles de cohabitation, les rapports entre les Canadiens et les autochtones demeurent chargés d'incompréhension, d'ignorance (souvent assortie de préjugés) et de ressentiment mutuel... Symbolique, même l'utilisation des termes pour définir les uns et les autres est problématique ! Durant les premières décennies du XXe s, on employait (notamment dans les manuels d'histoire) le mot « sauvages » pour parler des « Peaux-Rouges » ou des « Indiens » (ainsi baptisés par les premiers navigateurs, qui croyaient avoir trouvé la route des Indes). Puis on les a nommés « Amérindiens », pour traduire le concept d'Indien américain. Aujourd'hui, on dit aussi « autochtones », et de plus en plus peuples des Premières Nations *(First Nations)*, terme qui présente l'avantage d'englober les Inuits (car ceux-ci ne sont pas des Amérindiens). Vous y perdez votre latin ? Ne vous en faites pas, beaucoup de Canadiens ont le même problème. Même les Amérindiens sautent d'une appellation « correcte » à une autre. Ils se nomment même souvent *Indians* ; ce qui, en théorie, n'est pas une appellation correcte...

POURQUOI LE SCALP ?

Les Indiens croyaient dur comme fer que l'âme des personnes se trouvait au sommet de leur crâne puisque les cheveux continuaient de pousser, même après la mort. Selon eux, les esprits prenaient les corps par la chevelure pour les tirer vers le ciel. Quand on scalpait un ennemi, on s'appropriait sa force et on l'empêchait de goûter au repos éternel. Pas étonnant qu'aujourd'hui encore, les Indiens portent les cheveux longs.

Une classification difficile

Sur le territoire du Canada moderne, on dénombre une dizaine de familles linguistiques autochtones, subdivisées en une multitude de sous-familles (représentant souvent chacune un groupe ethnique distinct). En dresser le portrait complet serait long et téméraire. Un exemple de la complexité ? La famille wakaskenne, sur la côte pacifique, regroupe les langues haïsla, heiltsuk, kwakiutl, nuuchalnulth, nootka et nitinat ! Encore ? La famille athapaskane, autour des montagnes Rocheuses, comprend les langues castor, porteur, chilcotin, tcippewayan, flan-de-chien, han, lièvre, kaska, kutchin, sarsi, sakani, esclave, tagish, tahitan et tutchoni. Il y a vraiment de quoi y perdre son nassgitksan... Ce qu'il faut retenir, c'est que des Amérindiens de tribus différentes se sentent aussi étrangers culturellement que les Européens de différentes nations entre eux...

L'arrivée des colons... et des problèmes

L'arrivée des colons français puis anglais en ce qui allait devenir la Nouvelle-France et, plus tard, le dominion britannique du Canada, a irrémédiablement bouleversé le cours de la vie indigène : déportations, dépossessions et persécutions diverses firent partie du lot, à mesure que s'amplifiaient l'appétit de terres à cultiver des colons Blancs et l'exploitation des ressources naturelles.
Les maladies venues d'Europe ont fait payer un lourd tribut aux autochtones. Dans l'ensemble des Amériques, on va jusqu'à estimer qu'entre 1520 et 1700, la décimation indigène liée à la maladie a atteint un taux frisant les 90 %.
Les affrontements directs entre colons et peuples indigènes au Canada eurent surtout lieu dans les grands bassins fertiles où le contrôle de la terre devenait un enjeu, comme la plaine du Saint-Laurent ou la périphérie des Grands Lacs. À l'écart du littoral, les contacts furent plus rares, se limitant souvent à l'échange marchand, sans autre désir d'occupation. D'ailleurs, les autochtones d'Amérique du Nord ne demandaient pas mieux, au début, que de troquer des fourrures contre des chaudrons de métal qui amélioraient et facilitaient leur vie.

Prise de conscience et mea-culpa

Les Canadiens savent qu'ils ont eu des torts et ne peuvent se défendre d'un certain sentiment de culpabilité « historique », tout en estimant souvent que les autochtones bénéficient d'énormes privilèges (fiscaux notamment). Les autochtones, eux, cherchent à sauvegarder leur différence, leur culture (malmenée, on le sait, par la

modernité) ; ils se sentent exploités et réclament des territoires auxquels ils estiment avoir droit, tout en faisant valoir que leurs revendications sont aussi légitimes que celles des Québécois vis-à-vis du pouvoir fédéral canadien. On le voit, le problème est loin d'être simple !
La période récente, après la Seconde Guerre mondiale, a provoqué des changements sociaux particulièrement rapides et profonds. Dans la première moitié du XXe s, les Inuits et une grande partie des Amérindiens menaient encore une vie nomade. Le choc de la modernité fut rude, renversant les repères, aliénant les territoires traditionnels de chasse, menaçant l'identité même des autochtones vis-à-vis des Canadiens. Un écart important demeure encore entre leurs conditions de vie et celles de la population du Canada en général. Les taux de suicide, d'incarcération et de mortalité infantile restent nettement plus élevés que dans la population générale.

Combien sont-ils ?

Selon le ministère canadien des Affaires indiennes, il y avait 748 371 Indiens inscrits, donc reconnus officiellement en 2005. Mais ils seraient environ plus de 1 million à pouvoir réclamer ce statut : un tiers d'entre eux n'est donc pas officiellement enregistré. Au dernier compte, on répertorie 615 « Premières Nations ». La majorité (61 %) vit dans les provinces de l'Ouest (Manitoba, Saskatchewan, Alberta, Colombie-Britannique) et le quart en Ontario.
Rappelons qu'au moment de l'arrivée des Blancs, il y avait sans doute environ un demi-million d'autochtones au Canada : la croissance démographique aurait ainsi été quasiment nulle sur quatre siècles. Aujourd'hui, un bon tiers de la population autochtone est âgé de moins de 15 ans. On assiste donc clairement à un redressement de la démographie. Mais la médaille a son revers : l'assimilation va grandissant, manifestée, entre autres, par la perte de vigueur des langues autochtones. Moins de 15 % des Amérindiens déclarent pour langue maternelle celle de leurs ancêtres. Seuls les Inuits font exception.

Qu'est-ce que la « loi sur les Indiens » ?

Au terme de la Constitution canadienne, le gouvernement fédéral est habilité à légiférer en ce qui concerne les « Indiens et les terres réservées pour les Indiens ». La première loi du genre a été adoptée en 1869 et modifiée de nombreuses fois. Avant 1960, les « Indiens inscrits » vivant dans les réserves n'avaient pas le droit de vote aux élections fédérales. Quant au droit de vote aux élections provinciales, ils ne l'ont obtenu qu'en 1969... Ironie suprême, la « loi sur les Indiens » n'est elle-même devenue conforme aux dispositions inhérentes à la Charte canadienne des droits et libertés qu'en 1985 ! Auparavant, les « Indiens » pouvaient perdre leur statut d'« Indiens inscrits ». Cela s'appelait l'« émancipation ». Elle leur enlevait leurs droits en tant qu'Indiens mais leur accordait tous les droits des Canadiens. Vous avez compris ? Non ? Alors reprenez lentement en mâchant bien tous les mots.

La question autochtone aujourd'hui

Malgré tous ces pas en avant, le gouvernement fédéral reconnaît explicitement qu'aujourd'hui encore, la loi sur les Indiens « continue d'entraver le développement social, économique et politique » et « qu'elle ne peut satisfaire les aspirations contemporaines des Indiens ». Voilà pourquoi les dirigeants autochtones, le ministère de la Justice et celui des Affaires indiennes et du Nord canadien tentent actuellement de modifier profondément la loi afin de trouver des solutions, notamment sur les questions de la gestion des terres, de l'imposition et des pouvoirs administratifs.
Aujourd'hui, on fait tout pour réhabiliter l'image des « Premières Nations », d'un bout à l'autre du pays. En juin 2008, le Premier ministre Stephen Harper a présenté les excuses officielles du gouvernement dans l'affaire des *residential schools* : des

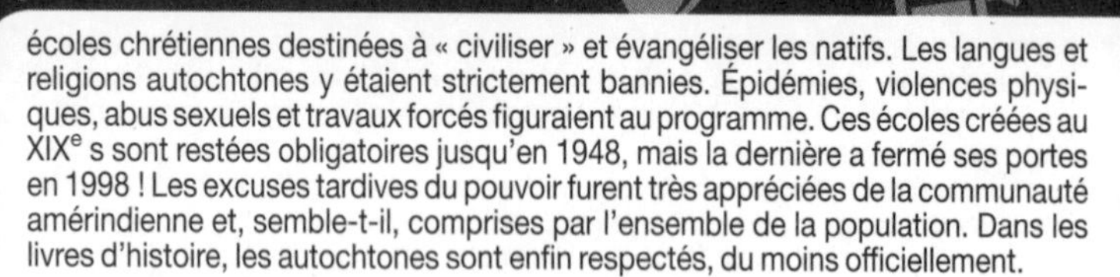

écoles chrétiennes destinées à « civiliser » et évangéliser les natifs. Les langues et religions autochtones y étaient strictement bannies. Épidémies, violences physiques, abus sexuels et travaux forcés figuraient au programme. Ces écoles créées au XIXe s sont restées obligatoires jusqu'en 1948, mais la dernière a fermé ses portes en 1998 ! Les excuses tardives du pouvoir furent très appréciées de la communauté amérindienne et, semble-t-il, comprises par l'ensemble de la population. Dans les livres d'histoire, les autochtones sont enfin respectés, du moins officiellement.

Droits constitutionnels et avantages

Les autochtones ont désormais les mêmes droits et avantages que tous les autres Canadiens. Les « Indiens inscrits », vivant dans l'une des 2 923 réserves du pays, bénéficient, en plus d'une exemption fiscale sur les revenus qu'ils y perçoivent et sur certaines taxes provinciales, de la gratuité des soins médicaux, d'aides au logement, d'une essence moins chère, de bourses pour poursuivre leurs études post-secondaires et de quelques autres allocations encore. Ces multiples avantages nourrissent le ressentiment des autres Canadiens, même si la plupart des réserves du pays présentent une situation peu reluisante, où le travail fait largement défaut et la pauvreté s'affiche au grand jour.
Voir aussi plus haut les rubriques « Histoire » et « Les Inuits (les "hommes" en langue inuktitut) ».

RELIGIONS ET CROYANCES

Les religions chrétiennes sont fortement majoritaires, mais toutes les autres grandes religions du monde sont présentes et pratiquées au Canada. Contrairement à leurs voisins américains, il y a une séparation très nette entre religion et vie politique. Les dirigeants évitent de parler de leurs propres croyances. Liberté de pratique et respect des différents cultes sont les maîtres mots. Les Canadiens savent donc éviter, dans une large mesure, les heurts entre communautés religieuses.

Petits accommodements entre amis

Pour encadrer tout risque de dérapage, le droit canadien a inventé la notion juridique d'*accommodement raisonnable*. En d'autres termes, pour empêcher toute discrimination et respecter le droit à l'égalité de chaque citoyen, l'interprétation d'une loi ou d'une règle peut être assouplie. La mesure a été définie dès 1985 dans le code du travail : « L'obligation dans le cas de la discrimination par suite d'un effet préjudiciable, fondée sur la religion ou la croyance, consiste à prendre des mesures raisonnables pour s'entendre avec le plaignant, à moins que cela ne cause une contrainte excessive. » L'intention est louable, mais le chemin pavé d'interminables interprétations. Qu'est-ce qui définit une « contrainte excessive » ? Un exemple : au début des années 2000, les cours de religion catholique sont supprimés au Québec pour ne pas contraindre les enfants issus des minorités à les suivre. Puis vient le tour des crucifix dans les écoles. Mais de raisonnable à déraisonnable, il n'y a souvent qu'un pas... Ainsi, lorsque les femmes musulmanes ont exigé des heures d'ouverture spécifiques dans les piscines publiques, lorsque le directeur général des élections a autorisé les femmes portant le *niqab* (voile intégral) à voter sans se dévoiler, lorsque certains ont exigé le retrait des sapins de Noël des espaces publics pour ne pas contraindre les non-chrétiens à supporter ce symbole religieux « ostentatoire », les esprits ont commencé à s'échauffer – particulièrement au Québec, d'ailleurs. La plupart des cas litigieux ont récemment porté sur des symboles musulmans, mais les autres communautés sont aussi concernées. Comme lorsque ce jeune sikh exigea de pouvoir aller à l'école avec son *kirpan*, un couteau cérémoniel...

SITES INSCRITS AU PATRIMOINE MONDIAL DE L'UNESCO

Pour figurer sur la liste du Patrimoine mondial, les sites doivent avoir une valeur universelle exceptionnelle et satisfaire à au moins un des 10 critères de sélection. La protection, la gestion, l'authenticité et l'intégrité des biens sont également des considérations importantes.
Le patrimoine est l'héritage du passé dont nous profitons aujourd'hui et que nous transmettons aux générations à venir. Nos patrimoines culturel et naturel sont deux sources irremplaçables de vie et d'inspiration. Ces sites appartiennent à tous les peuples du monde, sans tenir compte du territoire sur lequel ils sont situés. Pour plus d'informations : • *whc.unesco.org* •

Sites inscrits dans la zone couverte par ce guide

– ***Le précipice à bisons Head-Smashed-In Buffalo Jump*** (1981) ;
– ***Rocky Mountain*** (1984 et extension en 1990). Les montagnes Rocheuses canadiennes comprennent les parcs nationaux de Banff, Jasper, Kootenay et Yoho, ainsi que les parcs provinciaux du mont Robson, du mont Assiniboine et Hamber ;
– ***Le parc international de la paix Waterton-Glacier*** (1995) ;
– ***Dinosaur Provincial Park*** (1979).

SPORTS ET LOISIRS

Le sport national par excellence est le ***hockey sur glace.*** Dans les bars, tous les écrans retransmettent des matchs de hockey et tous les yeux sont rivés dessus. La saison se déroule d'octobre à fin mai, et tout le monde prend part aux festivités. Les plus grandes équipes sont les *Canucks* à Vancouver, les *Canadiens* à Montréal, les *Maple Leafs* à Toronto, les *Oilers* à Edmonton, les *Flames* à Calgary et les *Senators* à Ottawa, mais chaque communauté, jusqu'au village de 500 habitants, possède sa petite formation. Malheureusement, le hockey souffre de trop de professionnalisme et est en train de perdre son côté bon enfant qui le rendait si sympathique. Si vous passez au Canada en hiver, essayez toutefois d'assister à un match, ne serait-ce que pour l'ambiance.

ATTENTION, FAUX AMIS !

On associe toujours canoë et kayak, alors que ce sont deux sports différents. Le canoë, inventé par les Indiens, se pratique à genoux et avec une pagaie simple. Le kayak, lui, fut d'abord utilisé par les Inuits. On le pilote assis et avec une pagaie double. Un point commun toutefois : leur instabilité !

Au rayon des autres sports, le ***base-ball*** arrive bon deuxième, porté par la très populaire équipe des *Toronto Blue Jays.* Vient ensuite le ***football canadien,*** à peu près similaire au football US, et le ***basket-ball,*** représenté au plus haut niveau par l'équipe NBA des *Toronto Raptors.* Quant au ***football,*** que l'on appelle ici *soccer,* il gagne du terrain, surtout dans les écoles (car il requiert peu de matériel).
Sinon, à peu près tous les ***sports de plein air*** sont pratiqués au Canada. La rando, le VTT, le ***canoë-kayak***, le ***rafting*** arrivent en tête. Également le ***ski,*** ou encore le ***surf*** sur les vagues du Pacifique à Tofino.

LA COLOMBIE-BRITANNIQUE

◗ Pour la carte générale de la Colombie-Britannique,
se reporter au cahier couleur.

On trouve en Colombie-Britannique (Bii-Cii en anglais) les paysages les plus diversifiés et les forêts les plus envoûtantes du Canada, sur un territoire 1,7 fois plus grand que celui de la France. La côte ouest, étirée sur 700 km à vol d'oiseau, est déchiquetée en milliers d'îles et d'îlots, entre lesquels se faufilent les bateaux de pêche. Là, de hautes montagnes aux sommets enneigés jusqu'au cœur de l'été plongent brutalement dans l'océan, où croisent durant la belle saison baleines et orques. Une simple traversée en ferry a vite fait de se transformer en safari !

Sur le littoral, le niveau des précipitations et la récurrence des brouillards et bruines expliquent la luxuriance de la forêt humide, froide mais d'apparence presque tropicale avec ses arbres géants aux branches dégoulinantes de mousses et de lichens. Les amateurs de Tolkien y retrouveront un peu de leur imaginaire. À l'intérieur des terres, la forêt boréale s'étend à perte de vue.

La douceur de l'hiver, le cadre naturel et les loisirs nautiques attirent de plus en plus de monde dans la région. Nichée dans un site grandiose, où le *way of life* mêle respect de la nature et douceur de vivre, Vancouver en retire un caractère fort cosmopolite. C'est une ville très agréable qui sait se rendre attachante. Par ses galeries, ses expositions, elle est la capitale canadienne de l'art contemporain.

Toutes les prévisions affirment que la population de la province va encore croître de façon significative dans les années à venir. Les J.O. d'hiver de 2010, organisés conjointement à Vancouver et à Whistler (à 2h de route l'une de l'autre), ont d'ailleurs valu à la région une débauche de grands aménagements.

Rassurez-vous, l'espace ne manque pas encore : avec à peine plus de 4,4 millions d'habitants, dont la moitié autour de Vancouver, la province n'est pas à l'étroit... Vous le constaterez en mettant le cap sur les Rocheuses et les parcs nationaux de Yoho et de Kootenay. Pas tout à fait aussi impressionnants que leurs voisins d'Alberta (Banff, Jasper), mais un espace immense de crêtes montagneuses entre lesquelles se fraient une kyrielle de torrents et de chemins de randonnée. Ne les ratez pas si vous souhaitez découvrir le Canada profond et sauvage...

VANCOUVER

612 000 hab. (Greater Vancouver : env 2 250 000 hab.)

Pour les plans de Vancouver, se reporter au cahier couleur.

Riche de ses paradoxes, Vancouver véhicule un modèle de ville où il fait bon vivre... Véritable melting-pot, avec près de 70 nationalités différentes, elle reste néanmoins marquée par l'héritage amérindien, revendiqué à travers les grands totems disséminés dans la cité et le Stanley Park. La réserve la plus proche, autour du village squamish de Skwxwúèmesh Úxwumixw (ne nous demandez pas de prononcer !), se trouve d'ailleurs juste de l'autre côté du Lion's Gate Bridge.
Principal port du Canada, Vancouver a réalisé d'ambitieux projets d'aménagement pour les J.O. de 2010, de quoi s'étoffer un peu plus... Son architecture parvient à faire cohabiter les lignes ultramodernes du *Canada Place,* l'embarcadère en forme de vaisseau qui accueille les bateaux de croisière en saison, et celles des sculptures totémiques de Bill Reid.
Aux antipodes du stress des grandes cités, voici une ville jeune (à peine plus de 120 ans !) et dynamique. Randonnée, VTT, kayak et même planche à voile se pratiquent communément à deux pas du centre-ville ! De larges avenues, des parcs immenses, bien ordonnés et cependant sauvages (Stanley Park), des quartiers vivants le soir, où s'exprime une vie sociale et culturelle trépidante, un climat tempéré, doux en hiver, des gens qui prennent la vie comme elle vient... Vancouver a indéniablement bien des palmes à son actif. Elle est d'ailleurs devenue un lieu de tournage de films très prisé et se place désormais comme le troisième centre de production télévisuelle et cinématographique, derrière Los Angeles et New York ! Une étape incontournable de votre voyage, mais ne tardez tout de même pas trop avant de partir à la découverte de la fabuleuse île de Vancouver, amarrée à quelques dizaines de kilomètres au large, face au grand Pacifique.

Se repérer

Le centre – ou Downtown – occupe la base d'une longue presqu'île terminée par l'immense Stanley Park. L'*Heritage District,* aux gratte-ciel typiquement américains, y voisine avec *Gastown,* la ville « historique » étirée au-dessus du port de commerce (pas grand-chose à voir). *Chinatown* s'étend à l'est et le quartier ressuscité de *Yaletown* au sud ; c'est aujourd'hui le Q.G. des bons vivants en tout genre. Le *West End,* en direction du parc, est semé de maisons en bois veillées par de grands arbres et séparées par des jardinets où prospèrent les rhododendrons.
La presqu'île est délimitée au sud par *False Creek,* un bras de mer dont les eaux pénètrent profondément dans les terres. Sous le grand pont, *Granville Island* a vu ses docks et ses vieux entrepôts réhabilités. On s'y rend agréablement à bord de petits ferries. Au-delà, *South Vancouver* s'épanche en quartiers résidentiels plus ou moins urbains, plus ou moins éloignés de la plage. C'est ici que se regroupent la plupart des musées et les deux jardins botaniques.

Arriver – Quitter

✈ ***Aéroport international de Vancouver*** *(hors plan couleur d'ensemble par C3)* **:** *à env 10 km au sud du centre-ville* (Downtown). *Infos générales :* ☎ *604-985-0340. Infos vols domestiques :* ☎ *604-276-6117.* • *yvr.ca* •

– On y trouve des ***bureaux de change*** (taux pas terribles) au niveau des arrivées et des départs, et 2 points *ATM,* ainsi qu'un comptoir d'***infos touristiques*** *(24h/24 ; ☎ 604-247-7542 ou 1-800-HELLOBC).* Intéressant : ce dernier peut, souvent à des tarifs avantageux, vous dénicher une chambre d'hôtel en fonction de votre budget et dans le quartier de votre choix. On peut même y acheter un parapluie pour 5 $ (très utile dans le coin) ! Sinon, on croise les *green coats,* des volontaires prêts à répondre à ttes vos questions ou à vous aider à vous orienter.

– ***Consigne*** *(CDS-Bagage Services)* **:** dans le hall des arrivées, derrière les restos. Pas bon marché : *4-7,50 $ par bagage selon taille. Tlj 5h-1h.*

– Également : poste, pharmacie, coin presse, boutiques de luxe ou de produits locaux, restos et même un spa, bref, une vraie petite ville en miniature.

– ***Agences de location de voitures :*** dans le parking B en sous-sol, situé en face de la sortie de l'aéroport.

➢ ***Aéroport-Downtown en train rapide (Canada Line) :*** ce train rapide relie en 26 mn l'aéroport au centre de Vancouver. Très pratique. *Tlj env 5h-1h ; max 10 mn d'attente entre chaque train. Trajet : 5 $.*

➢ ***Pour l'île de Vancouver :*** *Pacific Coach. Rens : ☎ 604-662-7575 ou 1-800-661-1725. • pacificcoach.com •* Dessert directement Victoria, sur l'île de Vancouver, au départ de l'aéroport. Bus directs via le ferry de Tsawwassen, ttes les 2h, 7h40-19h40. Compter 3h50 de trajet en tt. Départ devant les arrivées internationales (Bay 2) et nationales (face au tapis à bagage n° 6). Compter 54 $ (ferry inclus).

➢ ***Pour Whistler :*** *Pacific Coach* assure également des liaisons avec la station de ski, avec arrêt possible à Squamish. De mi-avr à mi-déc à 10h, 13h, 15h et 20h (vérifiez) ; plus fréquents pour la saison d'hiver, ttes les 1-2h 9h30-21h30 et un dernier à minuit. Prévoir 45 $ pour Squamish et 54 $ pour votre hôtel à Whistler. Les vélos sont acceptés sur résa (15 $). *Rens : • whistlerpacificcoach.com •*

En voiture

3 directions majeures pour quitter Vancouver.

➢ La Hwy 99, vers le nord, double voie gratuite qui conduit à ***Whistler*** en moins de 2h.

➢ La même vers le sud, pour rejoindre l'Interstate 5 vers ***Seattle*** (à 150 km slt).

➢ Enfin, la Transcanadienne, la Hwy 1, pour partir explorer les ***parcs des Rocheuses*** et le reste du Canada. Section payante (10 $) en direction de Kamloops, passé Hope.

En train

Gare Via Rail *(zoom couleur Downtown D2)* **:** *1150 Station St, à l'est de* Downtown. *Rens : ☎ 1-888-842-7245 ou • viarail.ca • Tlj jusqu'à 17h50, variable en mat. Passeport requis pour les résas. Consigne tlj 8h-20h, 3 $ par bagage.* Bureau de change avec mauvais taux ! Si vous voulez louer une voiture, sachez que seul *Hertz* est présent sur place.

➢ ***Vers Seattle :*** 1 train en fin d'ap-m avec la compagnie américaine *Amtrak (☎ 1-800-872-7245 ; • amtrak.com •).* Compter 4h20 de trajet. Tarif dès 60 $, plus cher que le bus donc.

➢ 3 ***liaisons transcanadiennes***/sem (mar, ven et dim) à bord du *Canadien,* un train aménagé pour permettre aux passagers de faire une « croisière terrestre » plutôt qu'un simple déplacement. C'est donc bien plus cher que l'avion, surtout si vous allez jusqu'à ***Toronto*** (le terminus). Les principaux arrêts sont ***Kamloops, Jasper, Edmonton, Saskatoon*** et ***Winnipeg.*** Au min 590-790 $, selon saison, au tarif *super escompte,* en réservant au moins 3 j. à l'avance. La classe « Bleu d'Argent » (1re) est hors de prix : 3 085-4 415 $ selon saison, en chambre double, repas compris dans ce cas. Durée totale du voyage : 4 j., mais on peut, par exemple, ne faire que Vancouver-Jasper (à partir de 180 $), puis, de là, reprendre le bus ou un autre train « touristique » (le *Skeena*) vers le nord de la province.

En bus

Bus Terminal *(zoom couleur Downtown D2) : à la gare ferroviaire.* Point de départ pour ttes les destinations vers les États-Unis et le Canada. Les tarifs indiqués sont les moins chers et les billets non remboursables. Plus cher ven et w-e.

■ ***Greyhound :*** *☎ 604-683-8 1-800-231-2222. • greyhound.* compagnie propose aussi des *very Passes* 7, 15, 30 et 60 j 556 $).

➢ ***Seattle :*** 5 départs/j., 5h50-1 jet : 3h35-4h40. Pas très cher : Les bus continuent jusqu'à P Correspondances pour la Ca Attention, 1 seul bagage (23 k gratuit vers les USA (les autres
➢ ***Calgary :*** 4 départs/j. d 2 sens. Depuis Vancouver : 18h45. Trajet : au moins 15h... voire 24h pour les bus les moins directs (choisissez bien !). Dès 105 $ si on achète son billet au moins 1 sem avt.
➢ ***Toronto :*** 2 départs/j. dans les 2 sens, de Vancouver à 6h45 et 18h45 (changement à Winnipeg et Calgary). Trajet : env 70h. Certains bus poussent jusqu'à Montréal. À partir de 241 $. Avec un billet valable 30 j., on descend où l'on veut, mais il faut acheter un *Discovery Pass,* et c'est plus cher.
➢ ***Jasper :*** 2 départs/j. dans les 2 sens, 6h45-18h45. Trajet : compter 11h. À partir de 144 $. Attention, c'est presque aussi cher que pour traverser tt le pays !
➢ ***Kelowna :*** 6 bus directs/j. dans les 2 sens, 0h30-17h45. Trajet : env 6h. Dès 76 $.
➢ ***Prince Rupert :*** 1 départ à 7h45 lun-jeu depuis Vancouver. Trajet : env 24h. Tarif dès 211 $ pour un achat anticipé.
➢ ***Whitehorse (Yukon) :*** 3 départs/sem (en principe, mar, jeu et dim). Trajet : env 54h. Compter env 350 $ pour un achat anticipé.

Cantrail Coach Lines : *☎ 604-294-5541 ou 1-877-940-5561. • cantrail.com •*
➢ ***Seattle*** *(gare Amtrak) :* 4 bus/j., 5h30-17h, dont 3 dans la matinée. Compter 3h30-4h30 de trajet. C'est bien long. L'aller simple revient à 40 $. Retours de Seattle 10h45-21h15.

Pacific Coach Lines : *☎ 604-662-7575 ou 1-800-661-1725. • pacificcoach.com •*
➢ ***Victoria*** *(île de Vancouver) :* 8 départs/j. en été, 7h30-17h30, également à 20h45 certains jours fin juin-début juil. On peut le prendre directement depuis l'aéroport (voir plus haut). Aller simple : 49,50 $; pas de réduc étudiant. Il est possible d'être récupéré devant certains hôtels (+ 5 $) à condition de téléphoner à l'avance.
➢ ***Whistler :*** les mêmes que depuis l'aéroport, voir plus haut, mais 40 mn plus tard. Aller simple : env 32 $.

Tofino Bus : *☎ 250-725-2871 ou 1-866-986-3466. • tofinobus.com •*
➢ ***Tofino et Ucluelet*** *(île de Vancouver) :* 2 bus/j. tte l'année, à 7h30 et 11h30, via Nanaimo et Port Alberni. La 1re partie du trajet jusqu'à Nanaimo se fait avec *Greyhound* (chez qui on achète son billet), la 2de avec *Tofino Bus.* En tt, compter env 6h30 de trajet pour Ucluelet et 7h pour Tofino. Vélos acceptés sur résa, surfs également (moins de 8 ft, soit 2,40 m).

Rejoindre l'île de Vancouver en bateau

Pour les ferries (ceux qui prennent les voitures), il y a 2 points de départ. Le principal, qui dessert Victoria et Nanaimo, est à ***Tsawwassen,*** à env 45 mn de voiture au sud du *Downtown* de Vancouver. L'autre, qui dessert slt Nanaimo, est à ***Horseshoe Bay,*** à moins de 30 mn au nord-ouest du centre, mais les ferries sont un peu moins fréquents. Dans un cas comme dans l'autre, compter 1h30-2h de traversée.

■ ***BC Ferries :*** *infos sur • bcferries.com • Si vous avez un véhicule, résa conseillée : ☎ 1-888-223-3779.* Procurez-vous la brochure regroupant ts les horaires à travers la Colombie-Britannique *(BC Ferries Schedule).* Vente des billets jusqu'à 5 mn avt le départ pour les voitures, 10 mn pour les piétons. Les tarifs sont identiques pour les 3 liaisons suivantes : 15 $ par passager auxquels s'ajoutent 47 $ pour une voiture.

➢ ***Tsawwassen-Swartz Bay :*** la fréquence des rotations varie avec la saison. En été, près de 1 ferry/h 7h-22h, à l'heure pleine ; l'hiver, presque moitié moins. Le trajet, superbe, emprunte le dédale de passages entre les Gulf Islands, éparpillées entre l'île de Vancouver et le continent. Il n'est pas rare d'apercevoir des baleines ou des orques en été.
Si vous n'avez pas de voiture : soit vous prenez le bus de *Pacific Coach Line* (voir plus haut « En bus ») qui vous conduit de la gare ferroviaire (ou de l'aéroport international) de Vancouver au centre de Victoria (prix du ferry inclus) ; soit vous vous rendez en bus ordinaire jusqu'à Tsawwassen, vous achetez votre billet sur place et vous prenez le bus de Swartz Bay (débarcadère) jusqu'au centre de Victoria (env 30 km). La 1re solution coûte 2 fois plus cher que la 2de mais prend presque 2 fois moins de temps. À vous de voir si l'argent gagné vaut le temps perdu. Si vous optez pour la 2de solution, prenez le bus n° 601 à l'intersection de Granville Ave et de Broadway (au sud du *Downtown*) jusqu'au terminus de Ladner Exchange ; de là, bus n° 620 jusqu'à l'embarcadère de Tsawwassen. Arrivé sur Vancouver Island, bus n° 70 jusqu'à Victoria.

➢ ***Tsawwassen-Nanaimo :*** ttes les 2h30, 5h15-22h45, sf dim lorsque certains départs matinaux n'ont pas lieu. Trajet : env 2h. Moins logique pour aborder l'île de Vancouver, mais de bien jolies îles en chemin.

➢ ***Horseshoe Bay-Nanaimo :*** départs ttes les 1-2h, 6h30-21h, plus fréquents dans l'ap-m. Slt 8 ferries/j. en hiver. Si vous rejoignez l'embarcadère en bus, prenez le n° 250 ou le n° 257 sur Georgia St. Ce dernier est un express qui fait le trajet en 40 mn, alors qu'il vous faudra compter une petite heure avec le 1er. En revanche, la route du n° 250, le long de la côte, est superbe !

➢ Si vous avez une ***voiture,*** vous pouvez faire le chouette circuit suivant : de Horseshoe Bay à Langdale en bateau (ttes les 30 mn-2h, 7h20-21h15), puis route de Langdale à Earl's Cove, d'où on reprend le ferry jusqu'à Saltery Bay (ttes les 2h env, 6h30-12h30 et 16h25-22h10). De là, route jusqu'à Powell River avant de prendre le ferry pour Comox sur l'île de Vancouver (attention, slt 4 ferries/j., 8h10-20h45) et de descendre la côte jusqu'à Nanaimo. Cet itinéraire est sauvage et peu fréquenté. Nombreux campings sur tt le parcours. Pour entreprendre ce petit tour, il vaut mieux avoir du temps devant soi, aimer prendre le bateau, bien entendu, et avoir plaisir à se retrouver là où les autres ne vont pas. Bonne carte de la région indispensable.

Transports en ville

– ***La voiture*** est le mode de transport le plus approprié pour visiter les quartiers un peu éloignés du *Downtown.* Le centre se fait à pied. En voiture, prudence, on n'est pas en France. Si vous vous garez illégalement, d'abord c'est mal, mais surtout, le système de mise en fourrière est très au point. Pas le temps d'aller acheter son journal ! L'addition n'est pas trop sévère, mais on n'est pas là pour courir après sa voiture. Si ça vous arrive, appelez *Busters Towing* au ☎ 604-685-7246 ou 8181. Le premier numéro correspond à la fourrière située au 1410 Granville Street, au sud du centre-ville, sous le Granville Bridge *(zoom couleur C2).* Ouvert 24h/24. Les cartes de paiement sont acceptées...

■ ***Translink :*** *☎ 604-953-3333.* ● *translink.bc.ca* ● La compagnie gère tous les transports publics dans le grand Vancouver, ce qui comprend à la fois la *Canada Line* (nouvelle ligne de train rapide reliant l'aéroport au centre-ville) et les bus urbains, le *SkyTrain* (sorte de métro aérien) et le *Seabus,* un ferry reliant le centre-ville à North Vancouver. Les tickets sont les mêmes dans les trois cas. Valables 90 mn, ils sont vendus au prix de 2,50, 3,75 ou 5 $ en fonction du nombre de zones traversées ; réduc enfants et seniors. Ayez impérativement l'appoint. Les jours de semaine après 18h30, le week-end et les jours fériés, le système des zones est suspendu : on ne paie plus alors qu'une *flat rate* de 2,50 $, où que l'on aille ! Enfin, il existe un forfait à la journée *(day pass)*, vraiment bon marché, à 9 $, ainsi que des carnets de tickets.

Bus : système très bien fait et rapide. Si vous devez sortir du *Downtown* et que vous n'êtes pas motorisé, c'est ce qu'il vous faut.

Seabus : *ferry reliant, de Waterfront Station (zoom couleur Downtown D1), le* Downtown *à North Vancouver. Tlj ttes les 15-30 mn. Trajet en 12 mn. Ticket 2 zones.* On accède au ferry par une longue passerelle depuis la gare du *SkyTrain*. Fort belle vue de la ville.

SkyTrain : métro aérien à propulsion magnétique qui relie Waterfront Station à New Westminster et Surrey, villes satellites de Vancouver à une trentaine de kilomètres au sud-est, ainsi que Waterfront à Richmond (au sud) via l'aéroport. Les deux lignes (*Expo Line* et *Millennium Line*) se séparent au bout de quelques stations pour, de nouveau, se rejoindre avant le terminus. Elles observent des horaires différents selon les jours, mais fonctionnent, grosso modo, de 5h30 ou 6h à 0h30 ou 1h en semaine. Premiers métros un peu plus tard le week-end et derniers 1h plus tôt le dimanche.

– ***Le vélo*** est un excellent moyen de visiter Vancouver, même si certaines rues se révèlent un peu plus pentues qu'on ne l'aurait pensé... En particulier, faire le tour de Stanley Park par le front de mer (extra !). Les loueurs de vélos se rassemblent à l'extrémité de Denman Street, côté Georgia Street *(zoom couleur Downtown D2)*. Discount pour les étudiants. Ils sont généralement ouverts de 8h ou 9h à 20h ou 21h. Horaires revus à la baisse les jours de pluie. Normalement, on vous fournira plan des itinéraires cyclables et accessoires. Il est possible de faire voyager son vélo en bus ou train (fixation prévue à l'avant en général).

■ ***Stanley Park Cycle*** *(zoom couleur Downtown C1) :* *768 Denman St. ☎ 604-688-0087. • stanleyparkcycle.com • Dès 15 $ la ½ journée ; 20 $ la journée (8h max, ça fait une petite journée...), cependant le moins cher.*

■ ***Spokes Bicycle Rentals*** *(zoom couleur Downtown C1) : 1798 West Georgia St et Denman St. ☎ 604-688-5141. • spokesbicyclerentals.com • Dès 20 $ la ½ journée ; 27 $ la journée entière.* Le plus grand choix de 2-roues, de tandem *(16 $/h)*, et même de petites remorques pour enfants. Propose différents circuits en groupe : balade dans Stanley Park (3h), grand tour de Vancouver (4h30). • *cyclevancouver.com* •

■ ***Bayshore Rentals*** *(zoom couleur Downtown C1) : 745 Denman St ; entre Robson St et Alberni St. ☎ 604-688-2453. • bayshorebikerentals.ca •* Le plus cher. Propose aussi plusieurs circuits accompagnés.

Adresses et infos utiles

Infos touristiques

Tourist Info Centre *(zoom couleur Downtown C1) : Waterfront Center, Plaza Level, 200 Burrard St. ☎ 604-683-2000. • tourismvancouver.com • Tlj 8h30-18h.* Prendre un ticket à l'arrivée pour être appelé. Personnel extra et doc en tout genre, tant sur la ville que sur la province. Une vraie mine d'infos. Vend aussi des entrées à prix réduits pour certains spectacles du jour (guichet *Tickets Tonight*) et peut, comme à l'aéroport, vous réserver une chambre d'hôtel à des tarifs parfois plus bas qu'en s'adressant directement aux établissements, *hostels* inclus. Billets de bus, excursions, location de voitures, rien n'est impossible.

Tourist Info Centre *(zoom couleur Downtown C1) : Howe St, entre Georgia St et Robson St, face au magasin* Sears, *à côté de l'*Art Gallery. *Tlj 10h30-18h.* Ce petit kiosque peut vous donner quelques informations, mais est beaucoup moins achalandé en prospectus que celui du Waterfront Center.

Poste, Internet, change et services

✉ ***Post Office*** *(zoom couleur Downtown C2) : 349 W Georgia St. Lun-ven 8h30-17h30.*

@ Centres Internet : tous n'appliquent pas les mêmes tarifs. Voici quelques adresses, du moins cher au plus cher (mais toujours très raisonnable) :

– *1221 Thurlow St (zoom couleur Downtown C2,* ***1****) : tlj 9h-1h30.*

*– 616 Seymour St (zoom couleur Downtown C1-2, **3**) : lun-ven 9h30-22h, w-e 11h-22h.* Vente de cartes téléphoniques, scanner et possibilité de graver CD et DVD.

■ ***Change :*** distributeurs de billets un peu partout en ville, ainsi que de nombreux bureaux de change. Les meilleurs taux étant sur West Penter Street, notamment au siège VBCE au n° 800. Si vous venez des États-Unis, le dollar américain est souvent accepté pratiquement à valeur égale (monnaie rendue en dollars canadiens).

■ ***Foreign Electronics Inc.*** *(plan couleur d'ensemble D2, **8**) : 111 W Broadway Ave ; à l'angle de Manitoba St. ☎ 604-879-1189. Lun-ven 10h-18h, sam 11h-17h.* Si vous avez, entre autres, oublié de vous doter d'un adaptateur électrique ou des problèmes avec votre portable...

■ ***Laverie*** *(zoom couleur Downtown C2, **19**) : 1070 Davie St. ☎ 604-689-9112. Tlj 7h30-20h (dernière machine à 18h).* Il y a même un poste Internet pour patienter !

Représentations diplomatiques

■ ***Consulat de France*** *(zoom couleur Downtown C1, **5**) : 1130 W Pender St, suite 1100 (11e étage). ☎ 604-637-5300, poste 225 ou 234. • consulfrance-vancouver.org • Lun-ven 9h-12h50 et sur rdv l'ap-m.* Le consulat peut, en cas de difficultés financières, vous indiquer la meilleure solution pour que des proches vous fassent parvenir de l'argent, ou encore vous assister juridiquement en cas de problème.

■ ***Consulat de Suisse*** *(zoom couleur Downtown C1, **6**) : 999 Canada Pl, dans le World Trade Center, suite 790 (7e étage). ☎ 604-684-2231. Lun-ven 9h-13h.*

■ ***Consulat des États-Unis*** *(zoom couleur Downtown C1, **7**) : 1075 W Pender. ☎ 604-685-4311 (urgences). Infos visas : ☎ 1-900-451-2778. • canada.usvisa-info.com • Slt sur rdv, par tél ou sur Internet, pour les visas. Fermé 3e mar de chaque mois.*

Santé, urgences

■ ***Urgences :*** *☎ 911.*

■ ***Ultima Medicentre*** *(zoom couleur Downtown C1, **9**) : 1055 Dunsmuir St, Plaza Level (descendez les marches, c'est dans le renfoncement à gauche). ☎ 604-683-8138. En plein centre. Lun-ven 8h-17h.* Centre médical pour voyageurs et étudiants, où l'on reçoit sans rendez-vous. *Ou, tt à côté, **Stein Medical Clinic** : 550 Burrard St. ☎ 604-688-5924. • steinmedical.com •* Mêmes services.

■ ***Saint Paul Hospital*** *(zoom couleur Downtown C2, **10**) : 1081 Burrard St. ☎ 604-682-2344. • helpstpaul.com • Dans le centre.*

■ ***Pharmacies :*** *surtout dans les magasins du genre* Safeway *ou* London Drug *qu'on voit un peu partout. Celle du **Shoppers Drug Mart** (zoom couleur Downtown C2, **11**), au 1125 Davie St, est ouv 24h/24. Sinon, vous trouverez un **London Drug** au 1187 Robson St (zoom couleur Downtown C1, **12**), lun-sam 9h-1h, dim 10h-22h ; et un autre sur W Georgia, à l'angle de Granville (zoom couleur Downtown C1, **13**), lun-ven 8h-21h, sam 9h-21h, dim et j. fériés 10h-20h.*

Transports et compagnies aériennes

■ ***Air Canada :*** *☎ 1-888-247-2262. • aircanada.com •*

■ ***KLM :*** *☎ 1-800-618-0104. • klm.com •*

■ ***Lufthansa :*** *☎ 1-800-563-5954. • lufthansa.com •*

■ ***Air Transat :*** *☎ 1-877-872-6728. • airtransat.fr •*

■ ***Taxis : Black Top & Checker Cabs,*** *☎ 604-731-0111 ou 1-800-494-1111.* ***Yellow Cab,*** *☎ 604-681-1111.*

LOCATION DE VOITURES

■ ***Alamo :*** *à l'aéroport, ☎ 604-231-1400 ou 1-877-222-9075. • alamo.ca •* Attention, supplément 2nd conducteur assez élevé, même pour un couple.

■ ***Avis*** *(zoom couleur Downtown C1, **17**) : 757 Hornby St. ☎ 604-606-2869 ou 1-800-230-4898. • avis.ca • Lun-jeu 7h-17h30, ven 7h-19h, w-e 8h-17h30. Également à l'aéroport.*

■ ***Budget*** *(zoom couleur Downtown C2, **15**) : 418 W Georgia St, à l'angle de Homer St. Tlj 7h-17h30.*

Autres agences au 99 W Pender St et à l'aéroport. ☎ 604-668-7000 ou 1-800-299-3199. • budgetbc.com •

■ ***Dollar** et **Thrifty** (zoom couleur Downtown C1, **14**) : 413 Seymour St, ainsi qu'à l'aéroport. ☎ 604-606-1666 ou 1-800-847-4389 (même n° pour les 2). • thrifty.com • En ville, lun-ven 7h30-18h, sam 7h30-16h, dim 7h30-14h.*

■ ***National :** à l'aéroport, ☎ 604-231-1401 ou 1-800-222-9058. • nationalcar.ca •*

■ ***Pacific Car Rentals** (zoom couleur Downtown C2, **18**) : 501 W Georgia et Richards. Proche de* Budget, *au cœur du* Downtown. *☎ 604-689-4506 ou 1-866-689-3994. • pacificcarerrentals.com • Lun-sam 8h-18h, dim 9h-15h.* L'un des loueurs les moins chers.

Médias

– Les principaux quotidiens pour les nouvelles locales et régionales sont le *Vancouver Sun* et *The Province.* Pour savoir où sortir, voir un spectacle, « magasiner » ou faire des rencontres, il y a le mensuel *Vancouver,* vendu en kiosque, ou le *Georgia Straight* et le magazine *Where,* 2 hebdomadaires gratuits qu'on trouve un peu partout.

■ ***Radio en français :*** CBUF-CBC sur 97.7 FM. L'émetteur local de Radio-Canada Première Chaîne. Captée à Victoria sur 99.7 FM et à Kamloops sur 96.5 FM.

Sites web

• ***tourismvancouver.com*** • Site de l'office de tourisme de Vancouver. Infos sur tout ce qu'il y a à voir et à faire dans la ville et autour, actualité culturelle, liste d'endroits où loger (résas possibles en ligne), où manger, où sortir, etc. Bien fait.

• ***straight.com*** • Le *Georgia Straight* est le magazine gratuit (web et papier) couvrant l'actualité culturelle de Vancouver : liste complète des spectacles et articles sur les dernières tendances de la ville. Lecture obligée ! Sinon, essayez • ***vancouverisawesome.com*** •, webmagazine couvrant également sorties culturelles, etc.

• ***ticketstonight.ca*** • Calendrier des événements artistiques à Vancouver et vente de billets à prix réduits en ligne.

Où dormir ?

Important : les prix que nous vous indiquons sont, sauf indication contraire, ceux de la haute saison touristique qui va, grosso modo, de fin mai, début juin à fin septembre. Pour cette période, PENSEZ À RÉSERVER, quel que soit l'établissement que vous choisissez, bon marché ou luxueux. En revanche, si vous visitez Vancouver le reste de l'année, non seulement vous paierez moins cher, mais vous n'aurez en principe pas de difficultés à trouver une chambre sans réservation.

N'hésitez pas à vous adresser à l'office de tourisme, qui pourra vous dégoter une chambre à des tarifs souvent avantageux ! Pour ceux qui font le tour de la province, il y a aussi le *British Columbia Approved Accomodation Guide,* disponible gratuitement à l'office de tourisme, qui reprend une bonne partie des hôtels, *B & B* et campings de Colombie-Britannique. Enfin, au cas où tout ce qui suit ne suffirait pas, il existe les associations suivantes :

■ ***British Columbia B & B Inkeepers Guild :** • bcsbestbnbs.com •*

■ ***Best Canadian B & B Network :** 1064 Balfour Ave. ☎ 604-327-1102. • canada.bedandbreakfasts.net •*

■ ***High Street Corporate Rentals :** ☎ 604-605-0294 ou 1-800-557-8483. • travelsuites.net •* Location d'appartements.

CAMPINGS

Les campings des abords de Vancouver n'ont rien de bien folichon. Voici cependant quelques adresses, pour les inconditionnels des parcs à caravanes et autres mobile homes. Aucun n'est au calme, soyez prévenu !

⛺ ***Capilano RV Park** (hors plan couleur d'ensemble par C1) : 295 Tomahawk Ave, North Vancouver. ☎ 604-987-4722. • capilanorvpark.com • Le plus proche du* Downtown, *presque sous le Lion's Gate Bridge ! Après avoir passé le pont, prendre la direction Capilano, puis suivre les panneaux, c'est indiqué sur la droite. Env 30-60 $ pour 2 pers, une voiture et une tente selon* *emplacement.* Laverie, piscine, jacuzzi, sanitaires corrects. Plus de 200 emplacements principalement dédiés aux camping-cars... Le lieu fait d'ailleurs très parking. Assez bruyant, surtout pour les tentes en contrebas de l'autoroute. Tout petits emplacements avec bien plus de gravillons que de gazon, certains sans ombre. Tenu par des Indiens squamish.

Burnaby Cariboo RV Park : *8765 Cariboo Pl, Burnaby. ☎ 604-420-1722. • bcrvpark.com • Le 2e plus proche de Vancouver, à env 15 km au sud-est, contre le Burnaby Lake Regional Park. Prendre la Transcanadienne (Hwy 1), sortie 37. Compter 43-49 $ pour une tente et 2 pers selon taille du site ; 60-65 $ pour un camping-car.* Bien équipé : piscine intérieure chauffée (pas impeccable), bain tourbillon, supérette, laverie. Douches chaudes gratuites. Autoroute (d'un côté) et voie de chemin de fer (de l'autre) pour le moins présents... Et des sites si peu étendus que l'on a vite fait d'attraper des crampes !

Dogwood Campgrounds and RV Park : *15151 112th Ave, Surrey. ☎ 604-583-5585 ou 1-866-496-9484. • dogwoodcamping.com • À 25 km au sud-est, à gauche de la Hwy 1 en venant de Vancouver (sortie 48). Env 33 $ pour 2 pers avec une tente ; 40 $ en camping-car.* Plus de 300 emplacements, dont une centaine pour les tentes – plutôt spacieux –, sous les grands arbres, avec de l'herbe tendre pour s'installer. Dommage que l'on entende le bruit de fond de l'autoroute. Sanitaires bien tenus, petite piscine, laverie, épicerie et même un tennis. Douches chaudes gratuites.

Peace Arch RV Park : *14601 40th Ave, Surrey. ☎ 604-594-7009. • peacearchrvpark.ca • À 35 km au sud-est de Vancouver, un peu en marge de la Hwy 99. Bus du* SkyTrain *au camping ttes les 30 mn env. Compter 40 $ pour une tente et 2 pers, 46 $ en camping-car.* Accueil sur des airs de country. Piscine chauffée. Les tentes ne disposent que d'une vingtaine d'emplacements sur du gazon, entre de petits érables. Pas désagréable, mais, là encore, dommage que l'autoroute s'entende si bien !

ParkCanada RV Park : *4761 Nulelum Way, Delta. ☎ 604-943-5811 ou 1-877-943-0685. • parkcanada.com • Peu avt d'arriver au port des ferries de Tsawwassen, sur le côté de la route. Compter 33-50 $ pour une tente ; 43 $ en camping-car.* Rien à voir avec un parc national, malgré son nom ! Pas beaucoup d'intimité pour les tentes et relativement peu d'ombre (gros carré de gazon cerné par les camping-cars), mais l'endroit peut être pratique pour ceux qui ont raté le dernier ferry ou qui en descendent un peu tard. Globalement un peu plus calme que les précédents. Petite piscine, laverie et épicerie.

AUBERGES DE JEUNESSE

Très bon marché

American Backpackers Hostel *(zoom couleur Downtown C1, **20**) :* *347 W Pender St. ☎ 604-688-0112. • ameribackpackers.com • Accueil fermé 14h-16h. Env 10 $ la nuit en chambre de 4 ou 6 lits ; 35 $ la double ; 50 $ le w-e. Tarifs à la sem encore plus avantageux, également possibles oct-mai (180-220 $). Paiement CB + 4 $. Internet.* Peut-être l'auberge la moins chère d'Amérique du Nord (d'ailleurs, les prix n'ont pas bougé depuis 10 ans), mais juste pour 1 nuit et pour les fauchés, car vraiment limite, même un peu glauque, vous voilà prévenu ! Les salles de bains datent de l'arrivée des premiers pionniers et la crasse est bien incrustée. Ambiance très routarde, pas de couvre-feu. Cuisine, salle TV et billard, machine à laver. Dortoirs non mixtes.

Bon marché

Hostelling International Vancouver Downtown *(zoom couleur Downtown C2, **24**) :* *1114 Burnaby St. ☎ 604-684-4565 ou 1-888-203-4302. • hihostels.ca/vancouver • Dans le* Downtown, *mais dans un coin assez calme, non loin du Nelson Park. Compter 30-39 $ la nuit en dortoir si vous êtes membre, 4 $ de plus dans le cas contraire ; chambres privées pour 2-3 76-93 $ selon saison pour les membres, 8 $ de plus pour les autres. Bon petit déj*

VANCOUVER ET SES ENVIRONS

et serviettes inclus. Auberge officielle moderne, sans déco particulière, de 225 lits en chambres de 4 surtout. Courette, salons, grande cuisine bien équipée, salle à manger, laverie, petite bibliothèque, salle de jeux (avec billard) et location de vélos (un peu chère). Le tout propre et fort bien tenu. Reçoit pas mal de groupes.

Hostelling International Vancouver Jericho Beach *(plan couleur d'ensemble B2, **25**) : 1515 Discovery St. ☎ 604-224-3208 ou 1-888-203-4303. • hihostels.ca/vancouver • Dans le parc de Jericho, à l'ouest du* Downtown. *Pour y aller, prendre le bus n° 4 sur Granville St, direction UBC (25 mn de trajet) ; l'arrêt le plus proche est à 5 mn à pied de l'auberge. Ouv slt mai-sept. Pour les membres, juil-août 36 $ en dortoir ; 40 $ pour les autres. Chambre individuelle 80 $ pour les membres ; 86 $ pour les autres. Un peu moins cher les autres mois. Parking 8 $. Internet.* La grande maison blanche est à 2 mn à pied de la plage de Jericho, loin du centre mais dans un cadre autrement plus calme et séduisant. Tennis en face, sentiers, location de planches à voile et de kayaks à proximité, vélos à l'auberge... Les grands dortoirs (14 à 18 lits) sont très simples mais propres et divisés en petites sections de 4 lits. Cafétéria (petit déj et dîner seulement), salle TV, *laundry* et coin cuisine.

Hostelling International Vancouver Central *(zoom couleur Downtown C2, **21**) : 1025 Granville St. ☎ 604-685-5335 ou 1-877-203-4461. • hihostels.ca/vancouver • Lit en dortoir 35-46 $ pour les membres selon saison et nombre de lits (2 ou 4) ; pour les autres, compter 4 $ de plus, avec petit déj. Double privée, avec ou sans sdb, AC et TV, 92 $ pour les membres ; 10 $ de plus pour les autres. Taxes et petit déj inclus. Wifi.* AJ officielle aménagée chaleureusement, d'une excellente tenue générale, avec un personnel accueillant et plein d'atouts (petit déj gratuit, salle commune en brique rouge, pourvue de sofas moelleux, laverie, etc.). Panneau d'affichage de tous les transports à la réception. Le bémol : les vibrations de la discothèque du rez-de-chaussée transpercent les murs et, même avec les boules Quies données à l'accueil, ce n'est pas le pied... Alors évitez absolument le 1er étage ! Autre inconvénient : le chauffage difficile à contrôler en hiver. Actualité hebdomadaire sur les concerts et les expos. Également des offres d'excursions bon marché et entrée gratuite au club d'à côté, très (trop ?) animé le week-end.

Same Sun Backpacker Lodges *(zoom couleur Downtown C2, **22**) : 1018 Granville St. ☎ 604-682-8226 ou 1-877-972-6378. • samesun.com • En face de l'AJ* HI Vancouver Central. *27 $ la nuit en dortoir ; chambres doubles 80-90 $, ou triple 100 $ avec ou sans sdb. Petit déj inclus. Internet, wifi.* Situation on ne peut plus centrale, au cœur de la folle animation nocturne de Granville Street. AJ au décor ultracoloré et à l'ambiance très, très cool. C'est d'ailleurs là son attrait principal : rencontres en tout genre et virées nocturnes, souvent en compagnie de l'*entertainment manager*... Abrite aussi un resto-*lounge* avec ses propres DJs. Familles, s'abstenir ! Les chambres privées sont assez petites, mais les sanitaires sont en général bien tenus. Laverie, billard, *home cinema.*

Cambie International Hostel et Seymour Cambie Hostel *(zoom couleur Downtown D1, **26** et C1, **27**) : 300 Cambie St et 515 Seymour St. ☎ 604-684-6466 et 7757 respectivement, ou 1-877-395-5335. • thecambie.com • Env 32 $ la nuit en dortoir en hte saison selon nombre de lits (2-8) ; double 64 $ avec sdb partagée, 75 $ avec sdb privée. Petit déj inclus.* À quelques rues l'une de l'autre, ces 2 auberges ont été aménagées dans des *heritage buildings* en brique et en bois. Cadre sympa, mais les lieux sont un peu vétustes et les *bedbugs* infestent régulièrement les literies. Propreté inégale. Des 2 AJ, on préfère celle de Cambie Street pour sa bonne ambiance, avec un grand pub au rez-de-chaussée, où la bière est particulièrement bon marché. La 2e auberge, sur *Seymour Street,* est plus petite et propose des dortoirs *(29 à 32 $),* des chambres doubles assez sommaires *(64 à 70 $, petit déj inclus)* en haute saison. Réduction avec la *Cambie card* qui coûte 15 $ (intéressant pour un long séjour).

C & N Backpackers Hostels *(zoom couleur Downtown D2,* ***23****) : 927 Main St et 1038 Main St. ☎ 604-682-2441 et 681-9118, ou 1-888-434-6060. • cnnbackpackers.com • Lit env 20 $; double 50 $ selon saison, réduc si séjour longue durée. Internet, wifi (qui ne marche pas toujours).* Le quartier est un peu désertique, loin du centre, la voie rapide bien trop proche, mais les prix sont bas et la gare se trouve juste à côté (on y prend aussi les bus). Des 2 adresses, à 150 m l'une de l'autre, préférez la 1re, davantage réservée aux voyageurs, la 2de étant occupée surtout par des « travailleurs » (pauvres). L'intérieur du 927 Main est assez bien tenu : couloirs aux tons chauds, parquet, petites chambres avec évier et lits superposés. Certes, la TV ne marche pas toujours et l'accueil est loin d'être agréable, mais les douches sont propres. 2 cuisines, un salon, laverie. Pratique, le pub au pied du 1038 Main *(The Ivanhoe Pub).*

HÔTELS

Prix moyens

Buchan Hotel *(zoom couleur Downtown C1,* ***29****) : 1906 Haro St. ☎ 604-685-5354 ou 1-800-668-6654. • buchanhotel.com • Chambre avec sdb 130 $ ou sans sdb 95 $ en été ; dès 70 $ hors saison.* Hôtel de 3 étages entouré d'arbres dans un quartier résidentiel calme, à 2 blocs de Stanley Park. Agréable terrasse. Petites chambres très correctes, bien tenues, d'un excellent rapport qualité-prix. Les *executive* sont plus grandes *(165 $),* avec un mobilier plus récent. Café le matin dans la réception. Accueil sympathique.

YWCA Hotel *(zoom couleur Downtown C2,* ***31****) : 733 Beatty St. ☎ 604-895-5830 ou 1-800-663-1424. • ywcahotel.com • Doubles avec ou sans sdb, 1-2 lits, 85-145 $. Internet.* Le *YWCA* de Vancouver occupe un bâtiment moderne, à deux pas du quartier rénové de Yaletown. Accepte les hommes comme les femmes. Chambres pour 1 à 5 personnes, de 120 à 170 $ avec TV et frigo. Seules les *singles* n'en ont pas, ni de salle de bains d'ailleurs – et elles sont très petites. 3 cuisines et autant de laveries. Comme dans la plupart des *YWCA,* l'ensemble reluit de propreté. Très bon accueil. Petit avantage sur les hôtels : accès gratuit au centre de remise en forme (piscine, salle de gym, etc.), situé à 15 mn à pied, sur Hornby Street.

Barclay *(zoom couleur Downtown C1,* ***32****) : 1348 Robson St. ☎ 604-688-8850. • barclayhotel.com • Doubles 110-130 $; 65-85 $ en basse saison.* Immeuble bas à façade blanche du West End, dans un quartier sympa et commerçant. Les chambres et leurs salles de bains sont assez petites mais coquettes et fort bien tenues. Les plus grandes disposent d'un frigo. Bon rapport qualité-prix. Pas d'ascenseur.

The Kingston Hotel *(zoom couleur Downtown C2,* ***34****) : 757 Richards St. ☎ 604-684-9024 ou 1-888-713-3304. • kingstonhotelvancouver.com • Doubles 85-155 $, petit déj compris. Parking payant à proximité.* À quelques blocs à peine des magasins de Robson Street. Chambres sans prétentions mais plutôt bien finies, avec des couvre-lits et des fauteuils fleuris un peu chargés. Attention, les *singles* n'ont pas de salle de bains privée. Sauna et laverie.

Plus chic

Sylvia Hotel *(zoom couleur Downtown C1,* ***33****) : 1154 Gilford St. ☎ 604-681-9321. • sylviahotel.com • Résa indispensable : c'est toujours plein ! Doubles 185-200 $ (30 % moins cher nov-mars), pour une suite avec cuisine. Parking 15 $/j. Wifi.* Reconnaissable à sa noble façade couverte de lierre, cet hôtel fut considéré en 1912 comme le plus bel édifice du West End et, jusqu'en 1950, comme le plus haut (8 étages). Posé en lisière d'English Bay, avec sa plage et ses pelouses, il n'est qu'à 15 mn à pied de Stanley Park. Un endroit très appréciable, proposant des chambres claires et spacieuses, dont certaines donnent sur la baie. Également un resto (un peu cher).

Très chic

Listel Hotel *(zoom couleur Downtown C1,* ***36****) : 1300 Robson St. ☎ 604-684-8461 ou 1-800-663-5491. • thelistel* *hotel.com • Doubles à partir de 275 $. Internet.* Répartie à travers les parties communes et les chambres, la collection d'art de ce boutique-hôtel est évaluée à quelque 2 millions de dollars ! Les chambres des *Museum Floors* sont décorées d'art amérindien du Nord-Ouest, avec un mobilier en bois clair local, celles des *Gallery Floors* d'œuvres d'artistes modernes réputés, avec meubles en bois sombre. Grosses couettes douillettes dans les 2 cas. Partout, élégance et confort sur des notes design colorées très réussies. Personnel professionnel et souriant. Accès au bain tourbillon et au *fitness center* compris. Le resto du rez-de-chaussée, *O'Doul's,* est très réputé : excellente cuisine du Nord-Ouest servie sur fond de jazz live tous les soirs. Cher, naturellement.

Opus Hotel *(zoom couleur Downtown C2,* ***40****) : 322 Davie St. ☎ 604-642-6787 ou 1-866-642-6787. • opus hotel.com • Doubles dès 290 $ en été, 200 $ en basse saison.* Voilà un hôtel qui ne ressemble à aucun autre : lignes résolument design, mobilier et murs ultracolorés, c'est le nouveau chic urbain branché, Q.G. des jeunes yuppies. Les chambres se déclinent en 5 couleurs au choix : rouge, bleu, vert, jaune ou taupe. Les lits sont très confortables, le chauffage au sol top en hiver, les salles de bains sont immenses (avec pour la plupart baignoire et douche séparée), les pommeaux coulent à flots et des fruits vous attendent à votre arrivée. Si vous sortez le soir, on vous proposera même de vous conduire (gratos) dans la Mercedes maison ! Chic sur toute la ligne.

Wedgewood Hotel & Spa *(zoom couleur Downtown C1,* ***43****) : 845 Hornby St. ☎ 604-689-7777 ou 1-800-663-0666. • wedgewoodhotel.com • Doubles dès 350 $ en été, dès 220 $ hors saison.* En plein cœur de la ville (face à Robson Square), le grand luxe allié au charme anglais, dans un hôtel membre de la chaîne *Relais & Châteaux. Lobby* feutré et fleuri, avec gros fauteuils, cheminée et grand lustre, chambres spacieuses, très chic et ultraconfortables, avec mobilier d'époque, lits à baldaquin dans certaines. Spa (sauna, fitness). Bien sûr, c'est très cher.

B & B *ET* GUESTHOUSES

Prix moyens

Kitsilano Point B & B *(plan couleur d'ensemble C2,* ***35****) : 1936 McNicoll Ave. ☎ 604-738-9576. • jinks@telus.net • Selon saison, doubles 95-115 $; dispensé de taxes.* Jennifer, qui parle un peu le français, et son mari Larry, proposent 2 petites chambres raisonnablement confortables, avec une toute petite salle de bains privée (et les w-c sur le palier). Les prix se tiennent et la situation est extra : quartier résidentiel calme et verdoyant, plage à 3 mn à pied, le Musée maritime également – d'où l'on peut prendre le *False Creek Ferry* pour gagner le *Downtown.* Très bon accueil.

Ashby House B & B *(zoom couleur Downtown C1,* ***37****) : 989 Bute St. ☎ 604-669-5209. • ashbyhousebb.com • Doubles 135-145 $ (pas de taxes) ; min 2 j. Wifi.* Beaucoup de charme, de verdure et de calme dans cette belle petite maison jaune de 1899 située dans le quartier résidentiel de West End. Un poil excentré, mais parfait si on reste plusieurs jours. « *Home away from home* », comme ils disent ! 3 chambres cosy, salon avec belle cheminée et piano, et terrasse pour le petit déj.

De prix moyens à plus chic

Pacific Spirit Guest House *(plan couleur d'ensemble B3,* ***44****) : 4080 W 35th St. ☎ 604-261-6837 ou 1-866-768-6837. • vanbb.com • Doubles 125-135 $; 2 chambres pour 4 pers 225 $, 10 $ en moins en basse saison. Bon gros petit déj inclus. Min 2 nuits en été. Wifi.* Près de l'université, à côté du grand parc de Pacific Spirit : forêt à perte de vue. Seulement 2 chambres, confortables et cosy, chacune avec sa propre salle de bains, un minifrigo rempli de boissons gratuites, la TV avec câble complet, une bouilloire, une machine à café, des peignoirs et on en passe... Accueil adorable de Bernadette et son mari Peter, qui préparent un excellent (et fort copieux) petit déj et vous fourniront toutes sortes d'infos utiles sur la ville.

🏠 ***Greystone B & B*** *(plan couleur d'ensemble C2, **28**) : 2006 W 14th Ave. ☎ 604-732-1375 ou 1-866-518-1000. • greystonebb.com • À 2 km au sud-ouest du* Downtown, *dans le quartier des* B & B. *120-160 $ pour 2 pers, 40 $ en basse saison.* Située dans une jolie rue calme et verdoyante, fleurie de rhododendrons au printemps, cette belle maison en bois de 1910 abrite une suite à 2 chambres *(140 à 180 $)* avec cuisine au sous-sol (un vrai petit appart) et 2 confortables chambres tout équipées au-dessus. La verte est décorée sur le thème de la grenouille, la jaune avec des ours en peluche ! Accueil convivial de Graham et de son chien Maddy. Amateur de vin, il vous proposera sûrement un petit verre vers 17h. Sinon, il ne vous restera plus qu'à profiter des pâtisseries maison, du jus d'orange pressé et du plat chaud servis le lendemain matin, au petit déj ! Agréable petit jardin à l'arrière.

🏠 ***La Villa Antoine*** *(plan couleur d'ensemble C3, **48**) : 2451 W 37th St. ☎ 604-266-8285 ou 1-888-266-8285. • villa-antoine.com • Doubles 125-145 $; 20 $ de moins nov-avr (mais ferme généralement 2-3 mois à cette période) ; 10 % de moins à partir de 5 j. consécutifs.* Tenu par une Québécoise installée en « Colombie » depuis son enfance (elle parle parfaitement le français), ce *B & B* est situé dans un quartier résidentiel assez calme, quoique proche des commerces. Mieux vaut toutefois être motorisé, vu la distance d'ici au *Downtown*. Les 3 chambres sont grandes, belles, toutes avec leur propre salle de bains, du parquet et une déco assez épurée dans des tons beiges. Quelques chaises longues dans le jardin pour profiter de l'explosion de couleurs des rhododendrons. Frigo à disposition.

🏠 ***Moda Hotel*** *(zoom couleur Downtown C2, **38**) : 900 Seymour St (et Smithe St), face à l'Orpheum. ☎ 604-683-4251 ou 1-877-683-5522. • modahotel.ca • Doubles 140-210 $.* Cet hôtel centenaire classé Monument historique vient de subir un lifting complet à la sauce design tendance urbain chic. Des éléments du décor original ont été restaurés, comme la façade de brique, le sol en mosaïque et les moulures du *lobby*. Quant aux chambres, dans les tons blanc, anthracite et rouge vermillon, elles ont pour certaines conservé leur parquet d'époque. Pour la touche *arty*, la direction de l'hôtel a fait appel à des artistes cotés pour réaliser 2 *murals*. Summum de la branchitude. La bonne surprise pour la fin : les prix des nuitées, plutôt raisonnables pour le standing des lieux.

Plus chic

🏠 ***The West End Guesthouse*** *(zoom couleur Downtown C1, **41**) : 1362 Haro St, au coin de Broughton St. ☎ 604-681-2889 ou 1-888-546-3327. • westendguesthouse.com • À 1 bloc de l'animation de Robson St et à 600 m du Stanley Park. Résa quasi obligatoire. Chambres 150-255 $. Petit déj compris. Parking gratuit à l'arrière. Internet, wifi.* Cette très jolie maison en bois rose fuchsia du début du XXe s respire le charme victorien. Accueil et service stylés, lits en cuivre et mobilier ancien dans les 8 chambres. Vous trouverez même des petites surprises sur l'oreiller ! La *Grand Queen Room* (la plus chère) est un ravissement. Les moins chères sont toutefois assez petites pour le prix. Thé, café et muffins à volonté ; sherry servi dans le salon vers 17h. Petite terrasse agréable à l'étage, pour prendre un thé glacé, entre les plantes en pot. Bicyclettes gratuites pour les clients.

🏠 ***River Run Cottages*** *(hors plan couleur d'ensemble par C3, **39**) : 4551 W River Rd, à Ladner. ☎ 604-946-7778. • riverruncottages.com • Au sud de l'île de Richmond, proche du terminal de Tsawwassen (ferries pour Victoria). De la Hwy 99, prendre la direction Tsawwassen par la 17 Sud, puis à droite au 1er grand embranchement, dans Ladner Trunk Rd – qui devient River Rd. Doubles 180-225 $. Petit déj compris. Réduc à partir de la 2e nuit.* À 30 mn du *Downtown* en voiture. Si vous êtes motorisé, pas trop serré financièrement et que vous cherchez une adresse sortant des sentiers battus, alors offrez-vous (au moins) 1 nuit dans ce havre de paix au bord de la rivière Fraser. 4 maisonnettes sur pilotis, que la famille Watkins a aménagées avec beaucoup de goût et d'originalité : boiseries, tons chauds, poêle, jacuzzi ou baignoire sur la terrasse, et lits en mezzanine avec vue sur la rivière... Ultracoquet ! Vous pourrez même opter pour la magnifique cabine flottante *(Waterlily)* avec son aquarium. En plus d'être vraiment confortable, chaque unité dispose d'un ponton privé où prendre le petit déj aux beaux jours... Un kayak tandem et des vélos sont à disposition, parfaits pour découvrir la petite réserve ornithologique de Reifel, non loin de là. L'adresse de charme par excellence, d'où les amoureux ne voudront plus repartir !

LOCATION DE STUDIOS, SUITES OU APPARTEMENTS POUR UNE OU PLUSIEURS NUITS

Formule assez économique si vous êtes 4. On vous proposera une chambre avec kitchenette, un studio tout équipé ou un véritable appart. Les prix sont donnés pour 2 personnes (ajouter 10 à 15 $ par personne supplémentaire). Bien pour les groupes ou les familles qui veulent leur indépendance. En dehors des adresses ci-dessous, voici le site d'une agence pas trop chère, pas mal pour les séjours longue durée : • *lamondpropertie.com • ou ☎ 1-855-684-4649. Prix au mois pour un studio équipé (2-3 lits) 2 300-4 400 $ (soit env 80-150 $ la nuit).*

Prix moyens

⌂ *English Bay Hotel* *(zoom couleur Downtown C1,* ***45****) : 1150 Denman St ; à l'angle de Pendrell St. ☎ 604-685-2231. • englishbayhotel.com • Appartements pour 2-6 pers 95-175 $; taxes incluses. Parking 10 $.* Presque en face de la plage d'English Bay, dans une des rues les plus riches en restos de toutes sortes. Tenu par un Chinois sympathique mais avec qui le dialogue en anglais s'avère un peu difficile. Ne propose que des appartements tout équipés, sans aucun charme et un peu passés mais parmi les moins chers de la ville. Mobilier genre formica et moquettes fatiguées, vous voilà prévenu.

⌂ *Robsonstrasse Hotel & Suites* *(zoom couleur Downtown C1,* ***46****) : 1394 Robson St. ☎ 604-687-1674 ou 1-888-667-8877. • robsonstrassehotel.com • Compter 119-169 $ pour 2 pers en été en sem ; 15 $ de plus le w-e. Wifi.* Presque à côté du *Barclay,* bâtiment en béton peu engageant, voire assez fatigué du côté de la réception et de l'ascenseur, mais qui dissimule des chambres, suites ou studios soignés. La déco est standardisée. Parking gratuit mais étroit.

Plus chic

⌂ *Sunset Inn & Suites* *(zoom couleur Downtown C2,* ***47****) : 1111 Burnaby St. ☎ 604-688-2474 ou 1-800-786-1997. • sunsetinn.com • Pour 2 pers, petit déj inclus, petit studio + cuisine 190-320 $ en très hte saison (réduc au mois) ; suites avec chambre séparée 200-500 $. Parking gratuit.* La version chic de ce type d'hébergement ! 50 studios ou appartements spacieux, très confortables (certains avec jacuzzi)... et pleins de charme. Une superbe vue à partir du 5e étage sur les gratte-ciel de Vancouver. Une bonne adresse pour nos lecteurs plutôt à l'aise dans leur budget.

Où manger ?

On mange fort bien à Vancouver. Son caractère cosmopolite se retrouve dans l'assiette, avec un très grand choix de restos asiatiques (principalement japonais), mais aussi plus exotiques – grecs, mexicains, ukrainiens, afghans et perses, parmi tant d'autres ! En outre, vous ne vous y ruinerez pas. Les « Bon marché » le sont vraiment et, en fin de parcours, vous pourrez vous offrir un « chicos » sans commettre d'attentat au portefeuille.

Downtown, dans Chinatown

Chinatown possède pas mal de petits restos où l'on mange plutôt bien, copieusement et pour pas très cher. Toutefois, ni l'accueil ni le cadre de ces espèces de cantines ne vous donneront, en général, envie de vous y attarder. À signaler aussi que le quartier souffre un peu de la proximité de Hastings, une des rares rues à éviter à Vancouver, en particulier le soir.

Bon marché

|●| ***Hon's Wun-Tun House*** *(hors zoom couleur Downtown par D2,* ***50****) : 268 Keefer St. ☎ 604-688-0871. Tlj 9h-21h (16h w-e). Plats 7-13 $, thé compris ; assortiments de spécialités pour 2 jusqu'à 6 (20-56 $).* Grande cantine sans déco particulière, l'endroit où se remplir la panse à peu de frais, à condition de ne pas être sensible au bruit ! On y vient autant pour l'expérience culturelle que pour manger. La salle est comble tous les jours le midi et le service expéditif. Fait aussi rôtisserie (poulet et canard laqué).

|●| ***Kam Gok Yuen*** *(zoom couleur D2,* ***51****) : 142 E Pender St ; au cœur de Chinatown. ☎ 604-683-3822. Tlj 10h30-20h. Plats 6-15 $. CB refusées.* Salle avec quelques éventails aux murs. Copieux, pas cher et beaucoup de choix. Spécialisé dans la rôtisserie. Mieux vaut savoir maîtriser les baguettes ! On paie à la sortie, au comptoir. Dépaysement assuré !

Prix moyens à plus chic

|●| ***Bao Bei*** *(zoom couleur Downtown D2,* ***85****) : 163 Keefer St ; au cœur de Chinatown. ☎ 604-688-0876. Tlj sf dim 17h30-minuit. Petits plats 10-15 $.* Au cœur de Chinatown, voici LA « *chinese brasserie* » à la mode. Rien d'une brasserie ni d'une cantine chinoise cela dit, ici tout est élégant, design et d'une propreté absolue pour ceux qui auraient des doutes concernant les restos asiatiques. Tous les plats sont de qualité, des nouilles aux *dumplings* maison en passant par le porc sauce anisée et même les desserts : goûtez voir la *panna cotta* sauce caramel, un délice. Un peu plus cher que les chinois habituels, mais une bonne adresse.

Downtown, dans Gastown

Longtemps laissé dans un semi-abandon, le quartier connaît depuis quelque temps une nouvelle vie. Plein de nouveaux restos à la mode s'y sont installés.

Bon marché

|●| ***The Old Spaghetti Factory*** *(zoom couleur Downtown D1,* ***54****) : 53 Water St. ☎ 604-684-1288. Lun-jeu 11h-22h, ven-sam 11h-23h, dim 11h-21h. Sandwichs le midi autour de 9-10 $. Pâtes 13-18 $.* Le pionnier de la bonne vieille *Spaghetti Factory* qui fait recette tant aux États-Unis qu'au Canada. Moquette à fleurs, mobilier en bois autour de l'incontournable tram 1900, abat-jour en émaux, vieux objets aux murs. C'est chaleureux, le service est prévenant et la nourriture, assez basique, ne déçoit pas trop. Une vingtaine de plats de pâtes au programme, mais aussi des glaces. L'addition reste toutefois légère (salade, glace et thé ou café compris avec chaque plat). D'ailleurs, il y a toujours du monde. Terrasse agréable pour les beaux jours.

Prix moyens

|●| ***Water Street Café*** *(zoom couleur Downtown D1,* ***55****) : 300 Water St ; à l'angle de Cambie, en face de l'horloge à vapeur. ☎ 604-689-2832. Lun-jeu 11h30-21h, ven-sam 11h30-23h, dim 11h30-21h30 (22h en été). Plats (petite ou large portion) 17-27 $.* Resto à l'italienne (vaguement), un poil élégant, installé dans les murs de l'ancien hôtel *Regina,* le seul à avoir résisté à l'incendie de 1886. Choix de poisson, volaille, viande et, surtout, de pâtes à toutes les sauces ! Sans surprise mais bien cuisiné. 2 spécialités parmi d'autres : les gnocchis de pomme de terre et le *west coast crab cake.* Attention, le poisson du jour est au poids. Salades très copieuses. Les grandes baies vitrées qui donnent sur l'horloge à vapeur rendent la salle très lumineuse, et une terrasse vous accueille aux beaux jours. Service attentif mais parfois dépassé.

Plus chic

|●| ***Al Porto (Borgo Antico) Ristorante*** *(zoom couleur Downtown D1,* ***56****) : 321 Water St. ☎ 604-683-8376. Lun-*

ven 11h30-22h30, w-e dès 17h. Plats principaux env 25 $; pizza env 16 $. Moins cher le midi avec un menu rapide 13 $. Belle façade de brique rouge. Au choix, la douceur toscane de la salle du bas, ou, à l'étage, la vue sur North Vancouver et ses monts enneigés, par-delà les quais encombrés de containers. Cuisine italienne finement préparée, à base de produits frais locaux, assortie d'un grand choix de vins américains, français et canadiens. Pizzas au feu de bois également. Accueil très prévenant.

I●I ***Jules Bistro*** *(zoom couleur Downtown D1,* ***53****) : 216 Abbott St. ☎ 604-669-0033. Lun-sam 11h30-14h30, 17h30-22h ; fermé dim. Menu du midi (3 plats) 24 $; menu du soir 27 $.* On ne peut pas faire plus bistrot : le cadre, la cuisine, on se croirait rentré à Paris, exception faite des conversations des *young professionals* venus s'offrir une touche d'exotisme français autour d'une bonne entrecôte-frites, une assiette de fromages ou un clafoutis. Le soir, les escargots, les raviolis de foie gras et le cassoulet font leur entrée en scène. Voilà qui ravira ceux qui sont partis depuis longtemps !

Downtown, dans le centre et le quartier de West End

Bon marché

I●I ***Delany's Coffee House*** *(zoom couleur Downtown C1,* ***57****) : 1105 Denman St. ☎ 604-662-3344. Moins de 10 $.* Le rendez-vous petit déj par excellence du quartier de Denman. Cafés de toutes sortes, muffins frais débordant de leur moule, viennoiseries, œufs pochés sur muffins pour les plus affamés. Une vraie ruche, bourdonnante. Donnez votre prénom à la caisse, on vous appellera lorsque votre *latte* sera prêt. Quelques tables en terrasse.

I●I ***Capers Organic Produce*** *(zoom couleur Downtown C1,* ***59****) : 1675 Robson St. ☎ 604-687-5288. Tlj 8h-22h. Sandwich env 6 $.* Avant tout, un petit supermarché de produits naturels et bio, mais on peut aussi y manger sur des chaises hautes installées sur une terrasse en plein air, chauffée si nécessaire. *Salad bar,* sandwichs savoureux, excellents jus de fruits frais, super choix de saumons fumés et des pâtisseries délicieuses. Sans oublier les étalages, très appétissants, de fruits et légumes. Idéal pour préparer un bon pique-nique. Vous y trouverez aussi du sirop d'érable bio pour vos cadeaux de voyage. N'oubliez pas de débarrasser votre table et de mettre vos déchets dans les poubelles appropriées. *2 autres adresses en ville : 3277 Cambie St (tlj 8h-22h ; plan couleur d'ensemble C2,* ***67****) et 2285 W 4th Ave (tlj 8h-22h ; plan couleur d'ensemble C2,* ***68****).*

I●I ***La Bretagne*** *(zoom couleur Downtown C1,* ***69****) : 795 Jervis St. ☎ 604-688-5989. Tlj 9h-21h. Crêpe moins de 10 $.* Tous ceux qui sont sur la route depuis longtemps apprécieront les bonnes crêpes maison, croustillantes et fines à souhait. La « Québécoise », avec pommes chaudes et sirop d'érable, fera bien des heureux ! Le lieu est bondé le midi et la petite terrasse sur la rue peine à accueillir tout le monde.

I●I ***Stepho's*** *(zoom couleur Downtown C2,* ***60****) : 1124 Davie St. ☎ 604-683-2555. Tlj 11h30-23h30. Arrivez tôt, résas acceptées à partir de 5 pers slt... Assiettes* pitta, *fruits de mer,* souvlakia *(viande, riz, pommes de terre et salade), moussaka et autres spécialités moins de 11 $.* Le resto grec connu à Vancouver. Une taverne agréable et des plats plus que copieux (la version *small* est déjà un challenge pour l'estomac !) pour un rapport qualité-prix tout à fait honorable. Malheureusement, cette popularité auprès des locaux se paie souvent par une bonne file d'attente jusque dans la rue...

I●I ***Poncho's Mexican Restaurant*** *(zoom couleur Downtown C1,* ***63****) : 827 Denman St et Bute St. ☎ 604-683-7236. Tlj 17h-23h. Plats 10-15 $, salades et soupes 5-8 $ ou* parilla *traditionnelle env 30 $.* Cuisine mexicaine authentique et copieuse. Les *nachos,* les crevettes à l'ail et la *carne tampiqueña* sont particulièrement réussis. Le cadre simple mais chaleureux, avec des tables en bois incrustées de céramiques et des sombreros en guise d'abat-jour, et la margarita maison vous mettent tout de suite en appétit. Accueil très sympa. Sérénade guitare certains soirs.

🍴 ***Kintaro Ramen*** *(zoom couleur Downtown C1, **74**) : 788 Denman St. ☎ 604-682-7586. Plats 8-10 $.* La déco ? Inexistante. La musique ? Quelle musique ? Celle du bouillon qui frémit, il n'y en a pas d'autre. On ne vient pas chez *Kintaro* pour l'ambiance, mais pour ses *ramen* frais, les meilleurs de la ville, disent certains. Ils attirent en tout cas des centaines de gourmands qui s'entassent au bar, aux quelques tables de 2 ou à la grande table d'hôtes. Excellentes pâtes fraîches baignant dans un bouillon brûlant et fumant où flottent quelques morceaux de porc ou même, pour les amateurs... du fromage ! Une sacrée entorse à la tradition japonaise. Venez tôt pour éviter de faire la queue à l'extérieur.

🍴 ***Hamburger Mary's*** *(zoom couleur Downtown C2, **61**) : 1202 Davie St. ☎ 604-687-1293. Tlj 8h-3h (4h w-e). Petits déj 10-13 $; burgers 10-11 $.* Cadre typique de *diner* américain des années 1950, avec banquettes en skaï et carreaux noirs et blancs aux murs. Réputé pour ses petits déj, avec *pancakes* (5 d'un coup !) et omelettes faites avec 4 œufs (!). Servi le week-end jusqu'à 13h. On peut aussi s'y rendre le soir ou la nuit pour goûter aux multiples hamburgers (parfois excellents, parfois moins, tout dépend du *cook* en poste ce jour-là), ou siroter une margarita sur la petite terrasse, le long de Bute Street. Attention à la ration : si vous ne précisez pas, on vous servira une carafe de 1 l !

Prix moyens

🍴 ***Bin 941*** *(zoom couleur Downtown C2, **81**) : 941 Davie St. ☎ 604-683-1246. Tlj 17h-minuit (2h mer-sam). Pas de résas. Plats 9-17 $ selon taille.* Branché par excellence, *Bin* décline avec succès le nouveau concept à la mode : les tapas inspirés par la *fusion food.* La recette ? Regroupez quelques amis autour d'une minitable, jetez-y quelques verres de « raisins fermentés », des petits plats à partager, saupoudrez le tout de musique (forte) et secouez. La fusion est si inventive que les goûts se télescopent parfois un peu trop (on n'aime pas tout), mais l'exiguïté des lieux et l'atmosphère *lounge* plongent la plupart des convives dans la bonne humeur. Certains s'installent au bar et bavardent avec le chef en train d'œuvrer !

Plus chic

🍴 ***Joe Fortes*** *(zoom couleur Downtown C1, **65**) : 777 Thurlow St. ☎ 604-669-1940. Tlj 11h-23h. Résa très conseillée ! Poisson du jour 30 $, plateau de fruits de mer 40 $; menu 3 plats 29 $.* Joe Seraphin Fortes fut l'une des plus grandes figures locales : ancien marin puis barman, il passa sa retraite à enseigner la natation à des milliers d'enfants et à sauver des vies. En 1923, il eut droit, pour son enterrement, au plus important cortège de l'histoire de Vancouver. Immense salle haute de plafond, bruyante et animée. Un grand escalier conduit à une terrasse bien verdoyante (couverte et chauffée si nécessaire). Très réputé pour son poisson, dont le parfum embaume la salle, ses huîtres et ses fruits de mer. Il y a aussi des viandes pour les carnivores. Clientèle yuppie qui, parfois, se tient au bar en sirotant un whisky (belle sélection). Musique tous les soirs.

🍴 ***Cardero's*** *(zoom couleur Downtown C1, **66**) : 1583 Coal Harbour Quay. ☎ 604-669-7666. Tlj 11h30-minuit. Résa conseillée (mais pas toujours facile en terrasse). Plats 15-25 $.* La vue sur la marina du *Downtown* est imprenable et la terrasse absolument fantastique, pourtant les prix savent encore se tenir. Au menu, salades, soupes, tapas, pizzas, pâtes, viande grillée et plats au wok. Dommage, trop peu de spécialités de la mer, en dehors de la pêche du jour et de l'inévitable langouste. Mais le spot vaut le coup.

🍴 ***Lift*** *(zoom couleur Downtown C1, **64**) : 333 Menchions Mews. ☎ 604-689-5438. Lun-ven 11h30-minuit, w-e 11h-minuit. Résa obligatoire midi et soir (terrasse prise d'assaut). Le midi, menu 3 plats 35 $, le soir menu 5 plats 45 $, et carte.* Drôle d'ovni planté sur un ponton en béton, à l'extrémité du front de mer. Le panorama sur la marina, le Stanley Park et les montagnes en toile de fond a peu d'égal. Le patio supérieur profite même de la chaleur de 2 cheminées extérieures ! Le lieu est chic, *trendy* même. Vin cher, desserts itou, mais les sandwichs et salades sont encore abordables. Essayez celle au chèvre émietté, avec sauce à la poire caramélisée et aux canneberges. Pour le reste, les prix sont souvent trop élevés, alors évitez de venir le soir. Bar en onyx illuminé. On peut aussi venir boire un verre pour le point de vue.

|●| ***C Restaurant*** *(zoom couleur Downtown C2,* ***73****)* **:** *1600 Howe St. ☎ 604-681-1164. Lun-ven 11h30-14h30 juin-sept slt ; tlj 17h30-23h. Plats 38-50 $; menu tt saumon 65 $.* Entrée discrète au fond de Howe Street (attention de ne pas louper la rue, sinon vous vous retrouvez sur le Granville Bridge), mais ne vous y fiez pas, tout Vancouver connaît l'adresse. Situé sur le port dans un décor industriel épuré tout en gris et blanc (on vous accueille derrière un rocher), avec d'immenses baies vitrées, c'est ici que se signent les gros contrats – sur des chaises recouvertes de croco ! La table du *Wine Cellar,* elle, est cernée de bouteilles. Cher, mais une cuisine à la hauteur de son coût. Le chef Rob Clark a d'ailleurs été élu meilleur chef en ville. « C » comme Clark, mais aussi comme *sea,* poissons locaux et du monde entier. Intéressante sélection de vins. Terrasse agréable face aux bateaux.

Downtown, dans le quartier de Yaletown

Bon marché

|●| ***The Elbow Room Café*** *(zoom couleur Downtown C2,* ***71****)* **:** *560 Davie St. ☎ 604-685-3628. Tlj 8h-16h. Plats 7-12 $.* En 1re page de la carte, les règles à respecter. Voici probablement le seul endroit à Vancouver où vous risquez une amende si vous ne finissez pas votre assiette (et elles sont plutôt copieuses) ! Le patron, un Acadien du Nouveau-Brunswick, vous demandera une donation pour l'association *Loving Spoon Full* qui offre des repas aux malades du sida. Bref, mieux vaut venir avec un gros creux à l'estomac... et ne pas laisser une miette dans l'assiette. La spécialité, ce sont les petits déj, une vingtaine au choix, servis jusqu'en fin d'après-midi. Des œufs surtout : pochés, brouillés, sur croissant à la sauce hollandaise, aux fruits, façon mexicaine... sans oublier les omelettes : au saumon, aux crevettes, à la sauce tomate, au lard, aux champignons, au camembert, etc. Également des sandwichs, *quesadillas* et *burritos* le midi.

|●| ***Subeez*** *(zoom couleur Downtown C2,* ***72****)* **:** *891 Homer St ; à l'angle de Smithe. ☎ 604-687-6107. Lun-sam 10h-1h, dim 10h-minuit. Petits déj servis tte la journée 8-12 $; sandwichs avec salade ou frites et hamburgers 14-15 $.* Un des endroits tendance de Yaletown. Vaste intérieur de style *lounge,* à l'atmosphère tamisée avec d'amusants chandeliers, des sculptures et des tableaux modernes. Également une terrasse. L'ambiance est bonne, la musique un peu planante et la clientèle plutôt *trendy.* Beaucoup de gens y viennent surtout pour s'offrir un verre de vin ou un cocktail avant de sortir – ou après. Bon choix de crus de Colombie-Britannique.

Prix moyens

|●| ***Rodney's Oyster House*** *(zoom couleur Downtown C2,* ***62****)* **:** *1228 Hamilton St. ☎ 604-609-0080. Lun-sam 11h30-minuit, dim 16h30-21h30. Résa fortement conseillée. Plats 15-22 $.* Excellent choix de *seafood* de première fraîcheur et bien sûr d'huîtres, que l'on ouvre au bar, de cassolettes de moules. Installez-vous là si vous n'êtes pas trop nombreux, vous ne serez pas déçus. Une ambiance conviviale et animée dans un décor frais et iodé, avec un monde fou en fin de semaine et même le soir, après les sorties de bureau. Musique parfois un peu forte. Un bémol, peu de place pour consommer tranquillement, surtout au bar. Service dynamique mais irrégulier.

Au sud de Downtown

Bon marché

|●| ***Go Fish Ocean Emporium*** *(zoom couleur Downtown C2,* ***86****)* **:** *1505 W*

1st Ave, entre les 2 ponts, à 2 mn de Granville Island. Tlj 11h30-18h30. Sandwichs saumon, morue, flétan 8-13 $, tacos 6-10 $, soupe de poisson 5 $ (taxes et service compris). Un des tout meilleurs *fish & chips* de la côte ouest. D'ailleurs, ici on fait la queue devant le petit stand avant même l'ouverture, c'est dire. Gage de qualité, les pêcheurs locaux, qui débarquent juste en face, assurent l'approvisionnement. S'il n'y a plus de places assises, on peut pique-niquer sur le quai, face à la lagune.

Naam *(plan couleur d'ensemble B2, **79**) : 2724 W 4th Ave ; à côté de MacDonald St. ☎ 604-738-7151. Ouv 24h/24. Petit déj servi jusqu'à 11h30 en sem, 13h sam et 14h dim. Plats 9-15 $. Concerts ts les soirs à partir de 19h.* On adore ce resto chaleureux où s'imbriquent sans heurts vieux et néobabas, étudiants, écolos et employés du coin. Bois dominant dans le décor avec, sur le côté, un patio sur lequel court une treille, chauffé les jours plus frais. Remarquable nourriture végétarienne, avec une carte bien fournie : salades, *enchilada* aux épinards, *chili burrito, naam burgers, Thai noodles, dragon bowl,* etc. Les œufs sont bien jaunes, le sirop d'érable n'est pas coupé, les patates sont bio, le milk-shake aux bleuets (myrtilles)... et la bière aussi ! Et n'oublions pas les succulents gâteaux (au chocolat ou aux noix de pécan, entre autres).

De bon marché à prix moyens

Maenam *(plan couleur d'ensemble C2, **87**) : 1938 W 4th Ave, Kitsilano. ☎ 604-730-5579. Tlj sf lun midi 11h30-14h30, 17h-23h. Plats 15-18 $, petites portions à partager 8-10 $. Également plusieurs menus.* Ni plus ni moins le meilleur resto thaï de Vancouver, d'ailleurs le jeune et talentueux chef a travaillé pour la famille royale. Très bonnes spécialités parfumées à souhait et revisitées avec créativité, parmi lesquelles le *Pad Thaï,* traditionnel plat du lunch. Venir tôt pour être sûr d'avoir une table car l'adresse est prisée.

Big News Coffee Bar *(plan couleur d'ensemble C2, **84**) : 2447 Granville, à l'angle de W Broadway St. ☎ 604-739-7320. Lun-ven 6h-20h, sam 7h30-19h, dim 8h-17h.* Special café *et bagel avec* cream cheese *4 $! Lunch 10 $. Wifi.* Parfait pour le petit déj si vous résidez de ce côté de False Creek. Bagels, pâtisseries fraîches et cafés en partie bio sont servis avec le sourire par un sympathique couple japonais. Magazines à disposition et musiques du monde dans un cadre propret et accueillant.

Sophie's Cosmic Café *(plan couleur d'ensemble C2, **75**) : 2095 W 4th Ave ; au nord de Broadway, à l'angle d'Arbutus. ☎ 604-732-6810. Lun 8h-14h30, mar-dim 8h-20h. Plats 8-15 $.* Un vieux de la vieille à Vancouver, l'endroit « où commencer ou finir un régime », dit-on. Des familles, groupes de jeunes du coin et couples de tous les âges viennent s'écraser sur les banquettes en skaï rose et rouge, semées entre un incroyable fatras de bibelots des années 1960. Et au milieu, la Queen, la reine d'Angleterre, sérieuse comme une papesse dans sa robe de bal... Au tableau noir, les spécialités du jour. Dans l'assiette, hamburgers, sandwichs, succulentes (et gargantuesques !) omelettes, *fresh oyster burger,* plats végétariens, très bonne salade d'épinards à la feta et au bacon... Si vous venez le dimanche pour le brunch, préparez-vous à faire la queue. Terrasse sur le trottoir.

Nyala *(plan couleur d'ensemble D2-3, **77**) : 4148 Main St. ☎ 604-876-9919. Tlj sf lun 17h-23h (2h jeu-sam). Plats 14-24 $.* Petit resto chaleureux, parsemé de girafes, de tambours et de sculptures sur bois. Sympathique et goûteuse initiation à la cuisine éthiopienne, fort épicée (vous voilà prévenu !). Quelques plats typiques : le *yedoro watt* (poulet mariné au citron, ail, gingembre, cardamome et muscade), le *yasa watt* (poisson frais sauce berbère, à l'ail), le *kitfo* (steak tartare éthiopien super hot), ou encore le chevreau sauce berbère. Également des mets végétariens. Tous les plats sont servis avec une salade, du riz et l'*injera,* un pain non levé.

Accord Seafood Restaurant *(plan couleur d'ensemble D3, **78**) :*

4298 Main St ; près de 27th Ave. ☎ 604-876-6110. Tlj 17h-3h. Plat env 15 $. Assez excentré. N'intéressera que les routards motorisés amateurs de cuisine chinoise et de hors-piste. Ici, point de chichis ni lampions ou autres dragoneries. Murs presque nus et clientèle asiatique. On vient en famille se régaler d'une authentique cuisine servie généreusement, ou d'un *congee* (sorte de porridge de riz, la spécialité de la maison) au milieu de la nuit. Concernant les soupes, bols de nouilles et autres *pho*, entre *large*, *medium* et *small*, toujours choisir la *small* (presque pour 2 déjà !). Bon, mieux vaut ne pas être trop regardant côté hygiène.

De prix moyens à plus chic

|●| ***Vij's*** *(plan couleur d'ensemble C2,* ***82****) : 1480 W 11th Ave. ☎ 604-736-6664. Tlj dès 17h30. Pas de résas (arrivez tôt !). Plats 25-30 $.* En quête d'une expérience culinaire peu commune ? La réponse tient en un mot : *Vij's*. Attention, le restaurant est plein tous les soirs, et on attend parfois jusqu'à 2h pour avoir une table ! Mais pour vous faire patienter, on vous apportera un *apetizer* gratos... Décor sobre mais très réussi. Admirez la lourde porte en bois sculpté face à l'entrée, et les lustres en photophores. La cuisine, à dominante indienne mâtinée de touches de fusion, est tout simplement exquise. Même le rouge de la maison, à la fois doux et corsé (et généreusement servi dans un grand verre), est excellent ! Que demander de plus ? Le patron viendra sûrement vous saluer, pour faire votre connaissance et s'assurer que tout se passe bien...

|●| ***Seasons in the Park*** *(plan couleur d'ensemble C-D3,* ***83****) : 405 W 33rd Ave et Cambie St, dans le Queen Elizabeth Park, à côté du Bloedel Floral Conservatory. ☎ 604-874-8008. Tlj 11h30 (10h30 dim)-14h30, 17h30-21h30. Plats 15-30 $.* Très abordable le midi pour le standing proposé. Mais où Bill (Clinton) et Boris (Eltsine) ont-ils mangé lorsqu'ils se sont rencontrés en 1993 lors du sommet de Vancouver ? Ici, bien sûr ! Cadre très plaisant, agrémenté d'une cheminée et offrant une vue panoramique sur Vancouver, avec les jardins au 1er plan et les montagnes à l'arrière. Cuisine Pacific Northwest à base de produits locaux, saupoudrée de quelques touches fusion (asiatiques et italiennes surtout).

|●| ***Sun Sui Wah*** *(plan couleur d'ensemble D2,* ***80****) : 3888 Main St. ☎ 604-872-8822. Dim sum tlj 10h-15h ; dîner tlj 17h-22h30. Repas 15-30 $ selon ce que l'on prend.* Les *dim sum*, c'est un peu le brunch des Cantonais. Le principe ? On choisit sur le chariot parmi les innombrables petits plats salés et sucrés, et on goûte. *Foong jeng* (pattes de poulet), *aup jeng* (pattes de canard), gâteaux de radis, *taro* frit ou, moins risqué, beignets de légumes et rouleaux de printemps... *Sun Sui Wah* est l'un des meilleurs restos de *dim sum* de Vancouver, servis dans un cadre plus chicos que dans beaucoup d'autres. Attention, on n'a pas dit « romantique » : la salle, moderne, est une vraie caverne, genre stade de foot, où les conversations résonnent jusqu'à l'étourdissement. Le soir, si vous n'avez pas trop faim, misez sur le pigeonneau rôti *(squab)*, spécialité de la maison, ou sur les fruits de mer, excellents. La langouste vient d'Australie et le crabe géant d'Alaska.

Où boire un verre en musique ?

Ce ne sont pas les bars et les pubs qui manquent ! Petite sélection entre grands classiques, bars de quartier façon *Cheers*, microbrasseries à l'américaine et totale frime.

🍸 ***Chill Winston*** *(zoom couleur Downtown D1,* ***97****) : 3 Alexander St. ☎ 604-288-9575. Tlj 11h30-minuit.* Bar contemporain, très design, face à la statue de *Gassy Jack*, au début de Water Street. Ambiance décontractée, service jeune et *friendly*. On vient ici déguster des bières belges et anglaises, un cocktail varié ou une bonne bouteille de vin. Aux beaux jours, terrasse au soleil, prise d'assaut dès l'ouverture. Quelques plats, mais plutôt style sandwichs et tapas.

🍸 ***The Moose*** *(zoom couleur Downtown C2,* ***98****)* ***:*** *724 Nelson St. ☎ 604-633-1002.* Ce bar n'a rien d'extraordinaire, si ce n'est sa petite superficie qui facilite énormément les rencontres avec son voisin, ou sa voisine ! Ambiance détente, mais musique assourdissante ; on aime y venir pour regarder autour d'une bière le hockey, le foot (américain, bien sûr) ou le savoir-faire du barman, digne de celui de Tom Cruise dans *Cocktail* ! Les amateurs de sports seront à la fête : sur chaque téléviseur, tout autour du bar, une retransmission différente.

🍸 🍽 ***Yaletown Brewing Company*** *(zoom couleur Downtown C2,* ***95****)* ***:*** *1111 Mainland St, au coin de Helmcken St. ☎ 604-681-2739. • drinkfreshbeer.com • Tlj à partir de 11h30 ; dimmer jusqu'à minuit ; jeu 1h ; ven-sam 3h.* La 1re microbrasserie apparue à Vancouver propose 6 bières maison, de la blonde légère à la brune plus dense. Bar bourré de monde, clientèle tendance B.C.B.G. Fait aussi resto : *bar food* améliorée, avec quelques touches de fusion. En saison, une terrasse fait tout le tour de l'établissement. Animations tous les jeudis, du concours de Martini à l'opération *open doors* pour tous les musiciens, confirmés ou imaginaires. Billard.

🍸 🍽 ***Bridges Bistro*** *(zoom couleur Downtown C2,* ***96****)* ***:*** *1696 Durenleau St, Granville Island. ☎ 604-687-2861. Tlj 11h-22h.* L'une des plus séduisantes terrasses de Vancouver, face au port de plaisance et au pont de Burrard, avec le cri des mouettes en prime. Les yuppies s'y ruent dès la sortie des bureaux. Très chouette d'aller y boire un verre le soir ou le midi lorsque le soleil tape un peu. Fait également brasserie au rez-de-chaussée et resto chic à l'étage. Bonne ambiance, mais plutôt cher *(plats 18 à 25 $).* Belle carte des vins.

🍸 🍽 ***Steamworks Brewing Company*** *(zoom couleur Downtown C1,* ***92****)* ***:*** *375 Water St. ☎ 604-689-2739. • steamworks.com • Tlj 11h30-minuit.* Située à l'orée de Gastown, avec une grande terrasse partiellement tournée vers le port, pour les beaux jours, la microbrasserie fait le plein chaque soir malgré sa multitude de salles étagées. Assoiffé ? Commandez la tour de 3 l ! Et si vous appréciez, un *growler to go* d'un demi-gallon, que vous pourrez rapporter pour un *refill*... Cela mis à part, copieuses et belles salades, et quelques bonnes viandes pour ceux qui restent manger.

🍸 ***Afterglow*** *(zoom couleur Downtown C2,* ***93****)* ***:*** *1079 Mainland St. ☎ 604-602-0835. • glowbalgrill.com • Tlj à partir de 16h.* Adepte de la série *90210* ? Pour voir et être vu, mettez le cap sur ce *lounge* hyper *trendy* où l'on croise parfois quelques têtes connues et beaucoup de jolies filles sur leur trente et un. Canapés intimes, *love seats* surbaissés, lumières tamisées et sensuelles, rythmes cool, tout ici pousse aux rapprochements... y compris le *late night aphrodisiac menu* ! Spécialité de Martini qui feront souffrir votre portefeuille. Le tout est un peu factice, bien sûr.

🍸 ***George*** *(zoom couleur Downtown C2,* ***100****)* ***:*** *1137 Hamilton St. ☎ 604-628-5555. • georgelounge.com • Tlj 17h-2h.* « Ultra-*lounge* », rien que ça ! Un des lieux favoris des businessmen pour l'après-boulot, le long bar est illuminé par un étrange chandelier en verre façon anémone de mer. Cocktails en tout genre et tapas à partager. Si le grand G est allumé, c'est que les occupants de la salle privée ont sonné le serveur. Sinon, interdit d'entrer dans le *G Spot* (« point G ») : un antre pour 6 tout tendu de velours rouge. Ça vous tente ? *Minimum order* de 500 $! Pour les stars, paraît-il.

Plusieurs *cafés-restos* alternatifs sur Commercial Drive (entre William Street et 1st Avenue), et autour, parmi lesquels :

🍸 ♩ ***Café Deux Soleils*** *(plan couleur d'ensemble D2,* ***101****)* ***:*** *2096 Commercial Dr, à l'angle de 5th Ave. ☎ 604-254-1195. Tlj 8h-minuit. Entrée : 5 $ env.* Un *coffee shop* sympathiquement décoré avec des peintures naïves. Très accueillant pour les enfants dans la journée. De la musique live de 20h à minuit, les vendredi et samedi. Programme généralement annoncé sur un tableau noir à l'entrée de l'établissement. Également des soirées poésie le lundi, impro le jeudi, etc. Pour les amateurs de bohème ! Ne pas forcément y manger : sans intérêt particulier et hygiène très moyenne.

The Waldorf Hotel *(plan couleur d'ensemble D1,* ***105****) : 1489 E Hastings, au coin de McLean St. ☎ 604-253-7141. • waldorfhotel.com •* Un des nouveaux *landmarks* de la scène culturelle de Vancouver, à ne surtout pas manquer. Cet ancien hôtel (qui porte encore son nom d'origine) a été entièrement relooké dans un style d'inspiration hawaïenne années 1950. Un endroit insolite, qui fait à la fois hôtel donc, restaurant (brunch mexicain dans le patio couvert), resto de nuit au *Nuba (cuisine libanaise servie jusqu'à 2h30),* salle de concerts avec live du vendredi au samedi au *Tiki Bar,* et enfin centre d'art contemporain. Tout un programme !

Où écouter de bons concerts ?

Comme sa voisine américaine Seattle, Vancouver est réputée pour le dynamisme de sa vie musicale. Bien sûr, le festival folk de l'été *(• thefestival.bc.ca •)* attire les foules, mais sa scène rock et blues reste aussi certainement la plus vivante du Canada. De nombreux groupes de qualité naissent et se font connaître à Vancouver, gloires locales plus ou moins éphémères, parfois plus grosses pointures. Tous ont enflammé et enflamment encore les petites mais chaudes estrades des divers clubs et pubs. Poussez la porte de ces lieux enfiévrés, et les nuits de Vancouver deviennent furieusement rock ! Et si les défoulements nocturnes ne vous suffisent pas, si vous voulez faire trembler vos enceintes de ce *Vancouver Sound,* branchez-vous sur C-Fox (99.3 FM) et CITR (101.9 FM), la radio de l'université. La plupart des clubs sont payants mais pas ruineux.

The Yale *(zoom couleur Downtown C2,* ***90****) : 1300 Granville St, à l'angle de Drake ; bar de l'hôtel du même nom. ☎ 604-681-9253. • theyale.ca • À l'orée du Granville Bridge. Tlj 11h30-2h (3h ven-sam). Concerts payants slt le w-e (généralement autour de 12 $) ou pour les artistes de grande renommée (jusqu'à 35 $).* L'un des endroits les plus réputés du Canada pour le blues et le *R & B,* un passage obligé pour bon nombre de musiciens, même de La Nouvelle-Orléans ! Excellente atmosphère en fin de semaine, grâce, notamment, aux *open jams* (impros, de 15h à 19h, entrée libre).

Railway Club *(zoom couleur Downtown C1,* ***91****) : 579 Dunsmuir St, à l'angle de Seymour. ☎ 604-681-1625. • therailwayclub.com • Lun 16h-2h, mar-jeu 12h-2h, ven 12h-3h, sam 14h-3h, dim 16h-minuit. Entrée : 3-10 $ avt 19h entrée sans frais. Salle au 1er étage. Petits groupes ts les soirs.* L'ancêtre des clubs de Vancouver, fondé en 1931. Techniquement privé mais en fait ouvert à tous. Cadre bien patiné, avec panneaux de bois sombre et vieux fauteuils. À l'exception du jazz et du blues, tous les styles sont présents. Hard-rock, groupes irlandais, plastic acid, ça change tous les soirs... Le samedi *(de 16h30 à 20h),* rock des années 1950. Ambiance feutrée pour une clientèle de tous âges, des jeunes aux papis-mamies, en fonction de la programmation. Très bon enfant. On peut aussi y grignoter, s'offrir un *espresso Martini,* ou venir pour une lecture de poésie !

The Backstage Lounge *(zoom couleur Downtown C2,* ***99****) : 1585 Johnston St, Granville Island. ☎ 604-687-1354. • thebackstagelounge.com • Lun-sam 12h-2h, dim 12h-minuit. Entrée : 4 $ après 20h30.* L'un des lieux favoris des groupes et artistes locaux, tous genres confondus. Salle décontractée à l'américaine, sur des tons sombres, qui s'anime pendant les concerts quotidiens (sauf lundi, soirée *open mic* pour ceux qui ont envie de pousser la chansonnette). Petite piste de danse et gros fauteuils en cuir pour ceux qui font tapisserie. Table de billard. Petite terrasse quasiment sur l'eau, encadrée de plantes et de petits érables, très agréable.

The Cellar *(plan couleur d'ensemble B2,* ***103****) : 3611 W Broadway St. ☎ 604-738-1959. • cellarjazz.com • Mar 20h-minuit, mer-dim 18h30-minuit. Fermé lun. Cover 5-25 $ (en fonction des groupes) et min de 10 $ de commande au bar ou resto (15 $, ven-sam).* Tenu d'une main de maître par un musicien professionnel, le club est l'un des plus réputés du pays : des jazzmen de toute l'Amérique du Nord s'y produisent, dont certains grands noms. Salle petite et intime, très clean, sur des tonalités de rouge. Ne pas confondre avec la boîte *The Cellar* située sur Granville Street, royaume de la drague.

♪ ♫ ***Commodore Ballroom*** *(zoom couleur Downtown C2,* ***104****) : 868 Granville St.* ☎ *604-739-4550. Billets : 23,50-65 $. Vendus sur place ou par* Ticket Master *:* ☎ *604-280-4444 ou* • *livenation.com* • Énorme salle de spectacle, d'une capacité de 900 personnes, fondée en 1929, accueillant surtout des concerts de rock. Également, de temps en temps, de la musique africaine, une soirée DJ et, même, un spectacle genre *comedy show.* Se renseigner sur la programmation à l'office de tourisme qui vend aussi des billets. Piste de danse devant la scène.

Où danser ?

La plupart des boîtes fonctionnent de 21h à 2h ou 3h et demandent un droit d'entrée d'environ 10 $. Certaines exigent 2 pièces d'identité à l'entrée. La grande majorité se regroupent au sud du *Downtown,* autour de Granville Street. Ambiance un peu glauque lorsque tout le monde finit sur les trottoirs, bourré, à la fermeture ; 1h plus tard, la police disperse les derniers récalcitrants dans un concert de sirènes, avant que ne commence le ballet des nettoyeurs de rue.

♫ ***The Roxy*** *(zoom couleur Downtown C2,* ***110****) : 932 Granville St.* ☎ *604-331-7999.* • *roxyvan.com* • *Tlj 19h-3h. Concert ts les soirs sf mar. Entrée : 4-10 $ en sem et dim ; 12 $ ven-sam.* Qui, à Vancouver, ne connaît pas le *Roxy* ? Cette boîte de concerts plutôt rock n'a pas changé depuis 2 décennies et fait salle comble tous les soirs. Étudiants en goguette et drague tous azimuts autour de la piste de danse, mais tenue correcte exigée. Le dimanche, soirée country et western, ça change de rythme !

♫ ***Stone Temple Cabaret*** *(zoom couleur Downtown C2,* ***112****) : 1082 Granville St.* ☎ *604-488-8823.* • *stonetemplenightclub.com* • *Mer-sam 21h-3h.* Établi depuis plus de 10 ans, l'endroit reste très coté auprès des jeunes, qui apprécient son caractère relax. Certains ont surnommé l'endroit « Mexique sans la plage ». Atmosphère *beach party* et Corona donc ! On y passe, dans 3 salles garnies de quelques fresques et de grands miroirs muraux, des standards du top 40 (pas de top 50 ici !), du *R & B,* du hip-hop et du reggae. Et ça fait du bruit ! Drinks *specials* différents tous les soirs.

Où voir un *comedy show* ou une pièce de théâtre ?

Nullos in inngliche, s'abstenir ! Un guichet ***Ticket Tonight*** à l'office de tourisme *(tlj 10h-18h).* Réduction de 50 % sur certains spectacles pour le soir même. On peut aussi y acheter ses billets à l'avance. ☎ *604-684-2787.* • *ticketstonight.ca* •

Vancouver Playhouse & Queen Elizabeth Theatre *(zoom couleur Downtown C2,* ***121****) : à l'angle de Hamilton St et Dunsmuir St. Rens :* ☎ *604-873-3331.* • *vancouver.ca/theatres* • C'est le théâtre de la ville, et le plus important de Colombie-Britannique. Présente 6 productions par saison (d'octobre à mai), classiques et contemporaines. Également danse, musique et opéra.

Arts Club Theatre *(zoom couleur Downtown C2,* ***122****) : 1585 Johnston St. Rens :* ☎ *604-687-1644.* • *artsclub.com* • *Sur Granville Island, juste avt le* Backstage Lounge *(voir « Où écouter de bons concerts ? »).* Une institution à Vancouver pour ses thèmes de société joués sur 2 scènes : *Stanley Industrial Alliance Stage* et *Granville Island Stage.* Pièces et comédies musicales.

Où manger une glace ? Où boire un thé ?

Gelarmony Gelato Café *(zoom couleur Downtown C1,* ***130****) : 1094 Den-*

man St. ☎ *604-647-6638. Tlj 11h-22h30 (23h ven-sam). CB refusées.* À deux pas de la plage d'English Bay, d'excellentes glaces à l'italienne et de bons *espressos.* Les végétaliens et les allergiques au lactose y trouveront même des glaces à base de lait de soja ! N'hésitez pas à demander à goûter avant de faire votre choix. Autre adresse : 1222 Robson Street.

Et aussi ***Les Délices de l'Érable,*** pour sa partie salon de thé (voir ci-dessous).

Achats

Si vous demandez à un Vancouverois où faire du shopping, il vous enverra sans hésiter sur Robson Street, où s'étalent les grandes chaînes telles que *Gap, Guess, Banana Republic*. Dans un autre registre, on y trouve les librairies et les grands disquaires, idéal pour faire le plein de CD à moindres frais qu'en France. L'art inuit et amérindien se contemple (voire s'achète) du côté de Gastown, sur Water Street notamment. Les boutiques de mieux-être, de soins ou de produits bio se rassemblent, elles, autour de 4th Avenue, l'ancienne artère hippie au sud du *Downtown,* de l'autre côté de False Creek. Les boutiques de Robson Street ferment assez tard dans la soirée, les autres vers 18h.

Les Délices de l'Érable (Canadian Maple Delights) *(zoom couleur Downtown C-D1,* ***153****) : 385 Water St.* ☎ *604-682-6175. Tlj 8h (10h w-e)-20h.* Cette boutique de souvenirs consacrée au sirop d'érable se double d'un chouette salon de thé. Ici, le *maple syrup* est servi à toutes les sauces : dans le cappuccino, le lait chaud, les pâtisseries, bigrement alléchantes, les tartelettes, le tiramisu et les glaces. Miam ! Vous pourrez en profiter pour rapporter chocolat, confiture et même vinaigrette ou moutarde à l'érable.

Pacific Centre *(zoom couleur Downtown C1,* ***150****) : 700 W Georgia St.* ☎ *604-688-7235. • pacificcentre.ca • Lun-mar 10h-19h, mer-ven 10h-21h, sam 10h-19h, dim 11h-18h.* Une galerie marchande souterraine relie le centre commercial *Vancouver Center* aux grands magasins *Sears* et *The Bay,* situés de part et d'autre de Georgia Street. Pour l'habillement essentiellement.

Spirit Wrestler Gallery *(zoom couleur Downtown D1,* ***151****) : 47 Water St.* ☎ *604-669-8813. • spiritwrestler.com • Lun-sam 10h-18h, dim 12h-17h.* Sculptures, masques, dessins, peintures et autres œuvres d'art amérindien, certaines d'artistes fort réputés tels que le Haïda Robert Davidson.

Inuit Gallery *(zoom couleur Downtown D1,* ***163****) : 206 Cambie St (à l'angle de Water St).* ☎ *604-688-7323 ou 1-888-615-8399. • inuit.com • Lun-sam 10h-18h, dim 11h-17h.* Très belle sélection de masques et de sculptures inuit, mais aussi amérindiens. Marchander ferme car les prix sont, comme souvent, très élevés.

Hill's Native Art *(zoom couleur Downtown D1,* ***152****) : 165 Water St, dans Gastown.* ☎ *604-685-4249. • hillsnativeart.com • Tlj 9h-22h.* Magasin d'artisanat réalisé par des Amérindiens de la côte nord-ouest. Totems, masques, beaux lainages (tricotés par les Cowichans). Également des sculptures inuit. Un très bel endroit, où les photos sont d'ailleurs autorisées. Mais là encore, les prix ne sont pas tendres.

Darryl's Café & Native Art Shop *(zoom couleur Downtown C2,* ***160****) : 945 Davie St, au coin de Burrard.* ☎ *604-689-5344. Lun-ven 10h-18h, sam 12h-16h.* Ce magasin associe une expo-vente d'art natif (peintures, masques, sculptures bois-argent-cuivre et pierre à savon, bijoux... à prix plus abordables qu'à Gastown) et un café. Darryl, le propriétaire, est un natif originaire de la région de Prince Rupert (sa mère est nishga et son père tsimhiam). Que vous veniez par simple curiosité, pour boire un café, manger un muffin, ou par intérêt pour cette culture, il vous accueillera toujours avec gentillesse et humour.

Lush Fresh Handmade Cosmetics *(zoom couleur Downtown C1,* ***154****) : 1020 Robson St, entre Thurlow et Burrard. Lun-sam 10h-22h, dim 11h-21h.* Venue de Londres, cette boutique de savons et crèmes de toutes les couleurs, vendus à la coupe comme de gros gâteaux, fait fureur. Des produits très originaux, comme cette boule de sels de bain qui libérera des confettis en forme de cœur au contact de l'eau... On vous fera volontiers une démonstration.

Mountain Equipment Co-op *(plan couleur d'ensemble D2,* ***159****) : 130 W Broadway St. ☎ 604-707-3003 ou 1-888-847-0770. • mec.ca • Lun-mer 10h-19h, jeu-ven 10h-21h, sam 9h-18h, dim 11h-17h.* LE supermarché *outdoors.* Vous y trouverez tout pour le vélo, la rando, l'escalade (avec un mur pour tester le matos), le camping, le kayak... Avec ça, plus d'excuse pour ne pas faire de sport ! Également des cartes détaillées et topos pour tout l'Ouest canadien. *MEC* étant une coopérative, il faut être membre pour acheter : la carte, valable à vie, coûte 5 $ et s'obtient illico à la caisse.

HMV – Megastore *(zoom couleur Downtown C1,* ***156****) : 788 Burrard St. ☎ 604-669-2289. Tlj 10h-22h.* Pour vos achats de CD.

A & B Sound *(zoom couleur C1,* ***157****) : 556 Seymour St. ☎ 604-687-5837. Lun-jeu 10h-18h, ven 10h-19h, sam 10h-18h, dim 11h-17h. Également au 732 SW Marine Dr (West Vancouver) et dans Capilano Mall, 15-935 Marine Dr, à North Vancouver.* Le concurrent direct de *HMV* pour les CD.

Chapters *(zoom couleur Downtown C2,* ***161****) : 788 Robson St. ☎ 604-682-4066. Tlj 9h-22h.* Grande chaîne de librairies au Canada. Vous y trouverez une section géographique avec de nombreux guides et cartes en tout genre (1er étage). Livres en français au 3e étage. Plusieurs autres adresses en ville.

À voir

Les musées

Museum of Anthropology *(MoA ; plan couleur d'ensemble A2) : 6393 NW Marine Dr. ☎ 604-822-5087 ou 827-5932. • moa.ubc.ca • Situé en bordure de l'université (UBC). En voiture, prendre 4th Ave, qui devient Chancellor Blvd, jusqu'au bout ; c'est indiqué. En bus, prendre le n° 4 UBC ou le n° 17 UBC de Howe St. De mi-mai à mi-oct, tlj 10h-17h (21h mar) ; le reste de l'année, tlj sf lun aux mêmes horaires. Entrée : 16 $; pass famille 45 $. Tarif réduit pour ts mar 17h-21h : 7 $. Visites guidées : extérieur (25 mn ; si le temps le permet) tlj à 12h15 ; galeries (55 mn) sem à 11h, 13h et 15h, w-e à 11h et 14h ; salle des céramiques (55 mn) sam à 13h. Quelques expositions temporaires et projections vidéo.*
Bel exemple d'architecture moderne, inspirée des habitations indiennes traditionnelles, où place est faite à la lumière et à l'espace. Le musée présente principalement un riche ensemble d'objets artistiques, cérémoniels ou tout simplement utilitaires des premiers peuples *(First Nations)* de Colombie-Britannique. De récents travaux d'agrandissement et de rénovation lui ont permis de doubler sa surface d'exposition.
– Le clou des grandes galeries est la *collection de totems amérindiens,* dans la grande salle *(Great Hall)* éclairée par une immense baie vitrée. Ces hautes pièces de bois sculptées d'animaux juxtaposés étaient le plus souvent érigées devant les habitations des chefs, ou en l'honneur d'un défunt. Leur symbolique, très complexe, peut se lire à différents niveaux. Certains desseins de l'artiste sont évidents, d'autres ne l'étaient que pour lui ou sa famille. On retrouve souvent la grenouille, le castor, le loup, l'aigle et l'ours, animaux tutélaires des clans, dont ils sont les ancêtres mythiques. Certains totems sont dotés de longs becs, rompant le rythme vertical de l'œuvre.
Sur la droite, dans le *Great Hall* toujours, notez la « vaisselle de festin », énormes plats creusés dans des troncs, accrochés les uns aux autres comme des chariots sur roulettes. Deux têtes de serpents sculptées, avec cuillère géante en bouche, en forment les extrémités. Ces plats contenaient du sucre, distribué comme cadeau pendant les potlatchs du début du XXe s. Pendant ces cérémonies, les invités, par leur présence, se portaient garants de la pérennité des traditions, lors de mariages, hommages aux défunts, etc.

– L'autre temps fort du musée se situe dans *La Rotonde,* où l'on peut admirer, immense, au centre, la plus célèbre sculpture de Bill Reid (grand artiste haïda) : *La Légende du corbeau et des premiers hommes,* longtemps représentée sur les billets de 20 $, ne pèse pas moins de 4,5 t ! Né à Victoria en 1920 et décédé en 1998, Reid révolutionna l'art haïda en le mariant aux techniques européennes de fonte de l'or et de l'argent, inaugurant une nouvelle ère dans la tradition artistique de son peuple.
– Les fonds du musée comprennent en outre plus de 35 000 objets des cultures amérindiennes, asiatiques et du Pacifique, qui bénéficieront de plus de place une fois l'agrandissement du musée achevé.
– À gauche du hall d'entrée, on peut aussi voir la salle des céramiques européennes du XVIe au XIXe s (poêle allemand polychrome de 1560, bouteille des anabaptistes d'Ukraine, majoliques italiennes).

Maritime Museum *(plan couleur d'ensemble C2)* **:** *1905 Ogden Ave, près du Vanier Park. ☎ 604-257-8300. • vancouvermaritimemuseum.com • Bus n°s 2 ou 22 de Burrard St. Tlj 10h-17h ; dim hors saison 12h-17h. Fermé lun de sept à mi-mai. Proche du Space Center. Accès direct du* Downtown *par le* False Creek Ferry. *Entrée : 11 $; réduc.*
La plus grande salle du musée, très haute et de forme triangulaire, a été conçue pour abriter le *Saint-Roch,* le premier navire à avoir franchi les eaux de l'Arctique par le fameux passage du Nord-Ouest dans le sens ouest-est (de Vancouver à Halifax). Il mit 2 ans pour effectuer la traversée. En 2000, un *Saint-Roch II* se faufila d'un côté à l'autre du passage en à peine 1 mois ! Visite guidée du bâtiment toutes les 45 mn de 10h45 à 16h.
L'histoire maritime de Vancouver est dûment passée en revue dans le bâtiment attenant, à partir de l'époque amérindienne. On remarque de très belles maquettes (fabriquées sur place) et une impressionnante proue sculptée de l'*Empress of Japan,* à tête de dragon (1890). Reconstitution d'une cabine de pilotage et des coursives du *HMS Discovery,* le navire à bord duquel le capitaine George Vancouver explora la région à la toute fin du XVIIIe s. L'original fut converti en prison flottante sur la Tamise en 1818 ! Belles estampes, gravures, uniformes. Au passage : histoire des naufrages et de la piraterie, métiers de la mer et une petite salle didactique et ludique conçue pour les enfants.
Des expos temporaires très intéressantes sont organisées, notamment sur les cultures autochtones ou sur le réchauffement climatique – dont l'Arctique est la première victime.
À 200 m, dans la crique, un petit *Heritage Harbour* regroupe quelques bateaux anciens. Ce ne sont jamais les mêmes d'une année sur l'autre, et la plupart ne sont là qu'en été.

Vancouver Museum *(zoom couleur Downtown C2)* **:** *1100 Chestnut St ; à l'ouest du Burrard Bridge, dans Vanier Park. ☎ 604-736-4431. • museumofvancouver.ca • Bus n°s 2 ou 22 de Burrard St. Mar-dim 10h-17h (20h jeu), plus lun en juil-août. Entrée : 12 $; réduc.* Cette sympathique exposition retrace l'histoire de Vancouver du XVIIIe s à nos jours. La première salle devrait bientôt accueillir une section consacrée aux Premières Nations, ainsi qu'aux contacts initiaux avec les Européens. Vient ensuite le quotidien des habitants au cours du XXe s. On découvre ainsi un Vancouver déjà émietté en communautés dans les années 1900-1910, avec ses fumeries d'opium (interdites seulement en 1908 !), puis le développement architectural et industriel de la ville à la génération suivante. Des objets du quotidien peignent les réalités d'alors : un vieux lapin en peluche, une boîte de conserve, une luge en bois, un nécessaire à torturer... pardon, à friser ! Suivent les années 1950 avec leurs néons implacables et l'incontournable voiture américaine, le juke-box et les paquets de lessive *Lux,* la télé aussi, qui marche comme si vous y étiez. Pour entrer dans les années 1960-1970, ouvrez les portes des *closets* (armoires) remplis de fringues hippies. Vive le *flower power* !

MacMillan Space Centre (zoom couleur Downtown C2) : *1100 Chestnut St. ☎ 604-738-7827. • hrmacmillanspacecentre.com • Dans le même bâtiment que le Vancouver Museum. Tlj sf lun sept-juin, 10h-17h (15h hors saison). Entrée : 17 $; réduc.* Pour ceux que taraudent les questions d'ordre cosmique. On se met dans le bain avec une petite expo permanente sur la conquête spatiale, puis on passe aux trois attractions : une simulation de vol interplanétaire (avec sièges qui bougent), un show multimédia sur le cosmos animé par un présentateur, et le planétarium à l'étage. Le week-end (tous les jours en juillet-août), un spectacle différent toutes les heures.

Art Gallery (zoom couleur Downtown C1) : *750 Hornby St, à l'angle de Robson St. ☎ 604-662-4700. • vanartgallery.bc.ca • Située dans l'ancienne Court House, au cœur de la ville. Tlj 10h-17h (21h mar). Entrée : 23 $; réduc ; contribution libre mar dès 17h.*
La galerie présente essentiellement des expos temporaires d'art visuel (au sens large), certaines de grande qualité. Les seules œuvres exposées de manière permanente sont celles d'*Emily Carr,* dont la galerie possède la plus grande collection au monde. Et encore, il ne s'agit parfois que de quelques toiles intégrées à d'autres expositions thématiques.
Emily Carr (1871-1945) s'est employée à peindre des totems et des paysages de Colombie-Britannique, en particulier de l'île de Vancouver. Les Indiens la surnommaient « Celle qui vit ». Nombre de ses œuvres reflètent cette sensation qu'elle avait d'aller au-delà de la sculpture indienne, par la peinture. Certains paysages de forêt, froids au premier abord, s'éclairent peu à peu. On y trouve un relief créé par la profondeur des verts et un mouvement qui fait ressortir, de façon assez étrange, la force des éléments. Rappelons que Vancouver est la capitale des arts visuels au Canada.

Bob Rennie Collection (zoom couleur Downtown D2) : *51 East St. • renniecollection.org • Entrée gratuite. Visite certains jours slt, 13h-16h30. Résa obligatoire sur le site internet.* Dans un vieil immeuble restauré de 1889, le *Wing Sang,* Bob Rennie, magnat de l'immobilier, sorte de François Pinault local, a ouvert son musée privé au cœur de Chinatown. Il possède une des plus grandes collections d'art contemporain d'Amérique du Nord. Expositions temporaires régulières pour les amateurs.

Bloedel Floral Conservatory (plan couleur d'ensemble C-D3) : *dans le Queen Elizabeth Park, un poumon vert de 53 ha situé 33rd Ave et Cambie St. ☎ 604-257-8584. Pour s'y rendre, bus nº 15 Cambie à l'angle de Robson et Seymour St. Mai-août, lun-ven 9h-20h, w-e 10h-21h ; le reste de l'année, tlj 10h-17h. Entrée : 5,50 $; réduc.* Des essences rares, des fleurs superbes ! Cette version miniature du Biodôme de Montréal recrée, sous une serre en forme de cloche, un magnifique environnement tropical. Une cascade glougloute, les fougères arborescentes et les palmiers se dressent, majestueux, et toutes sortes d'oiseaux exotiques et bigarrés se baladent librement. Le cacatoès parle (en anglais, évidemment !) et le faisan doré lance son panache précieux. De la terrasse avant, magnifique panorama sur la ville. Profitez-en pour découvrir aussi le parc, son splendide *Quarry Garden,* sa roseraie et son arboretum, qui offre une vue d'ensemble de tous les arbres qu'on peut trouver au Canada. Au fil des allées se révèle une profusion de rhododendrons, en fleur à la fin du printemps.

Van Dusen Botanical Garden (plan couleur d'ensemble C3) : *37th St et Oak St. ☎ 604-257-8665. • vandusengarden.org • Proche du Queen Elizabeth Park. Du centre-ville (Robson et Granville St), prendre le bus nº 17 Oak et descendre à la 37th Ave. Juin-sept, tlj 10h-20h30. En saison, visite guidée gratuite tlj à 14h. Entrée : env 13 $; réduc. Demandez la brochure en français.* Grand espace de 22 ha de jardins fleuris à thème (roseraie, méditerranéen, sino-himalayen, etc.), très joliment aménagés, avec des mares et des petits ponts. On y recense quelque 7 500 espèces de plantes issues de tous les continents. Une bonne période pour

VANCOUVER ET SES ENVIRONS

s'y balader est le printemps, lorsque les rhododendrons embrasent les bords des sentiers, ou l'automne lorsque les érables rougeoient. Trois circuits (de 20 mn à 2h) sont proposés.

Stanley Park *(plan couleur d'ensemble C1)*

Le poumon de Vancouver, mais aussi sa principale attraction ! Vraiment fantastique. Situé à la pointe ouest de la presqu'île, face à l'océan, ce parc de 400 ha, aussi grand que le *Downtown,* donne du charme à la ville et contribue notamment à lui conférer son petit caractère californien. Forêt aux trois quarts sauvage, sentiers, espaces verts dégagés, piscines, sculptures, totems amérindiens, pistes cyclables, balades à dos de poney, golf, points de vue sur l'océan, animaux sauvages, tout cela à 10 mn à pied du cœur de la ville (vous pouvez aussi vous y rendre par le bus n° 19, de Pender Street West). Malheureusement, le succès a un prix, le parking est payant dans tout le parc *(env 2,50 $/h, ou 8,50 $/j.).*

➢ On vous conseille vivement de louer un ***vélo*** et de vous balader un après-midi dans le parc, en empruntant la petite route qui en fait le tour par la côte. Plusieurs loueurs de bicyclettes dans Denman Street (voir plus haut « Transports en ville »), à 5 mn de là. Vous attend une superbe balade d'une dizaine de kilomètres, qui permet d'admirer les pins géants, la *skyline* de Vancouver, le *Lion's Gate Bridge* et, tout au nord, les montagnes enneigées dominant North Vancouver. On peut couper la poire en deux en prenant la piste cyclable qui traverse la presqu'île d'est en ouest, en longeant le Beaver Lake et ses grands arbres. Mais alors, on rate le panorama imprenable sur la baie depuis Prospect Point, à l'orée du *Lion's Gate Bridge.* Le vénérable pont, aux faux airs de Golden Gate (mais en vert), avait fait l'objet, il y a plusieurs années, d'un sérieux débat chez les Vancouverois : on parlait en effet de le remplacer pour faciliter le trafic grandissant des voitures. Mais pour beaucoup de gens, la perte de ce *landmark,* l'un des plus célèbres de Vancouver, aurait été un désastre. Il a finalement été élargi et rénové en 2000-2001, mais les problèmes de circulation ne semblent pas complètement résolus pour autant !

En fin de journée, revenez par le *seawall,* une promenade qui longe tout le front de mer occidental du parc. Animation assurée et superbe coucher de soleil sur la baie.

➢ ***À pied,*** si vous n'avez pas trop de temps devant vous, nous vous conseillons au moins une balade de 1h. Départ devant le point info du parc, où vous récupérerez un plan. Remontez sur la gauche vers le cercle des peintres. Puis prenez à droite pour traverser une portion de forêt épaisse avec ses énormes pins Douglas. Vous longerez ensuite la côte, avec vue sur les gratte-ciel du centre-ville. Arrêtez-vous à Brockton Point où se dressent huit totems, hauts de 3 à 10 m. Longez enfin l'extrémité ouest de la péninsule jusqu'au phare, d'où la vue embrasse toute la baie. Retour par l'aquarium.

➢ Sinon il existe, en saison *(tlj de 10h à 18h),* une ***navette*** (payante) qui s'arrête aux endroits les plus intéressants du parc.

Plusieurs jolies plages sur la façade ouest de la péninsule, dont ***Third Beach*** *(plan couleur d'ensemble C1),* avec quelques pins géants. De juin à septembre, les plages, comme l'ensemble du parc, sont surveillées par des rangers.

Vancouver Aquarium *(plan couleur d'ensemble C1)* **:** *côté est de Stanley Park.* ☎ *604-659-3474.* • *vanaqua.org* • *Pour s'y rendre, bus n° 19 de West Pender St. Tlj 9h30-17h (19h juil-août). Entrée : 27 $; réduc.*

L'aquarium de Vancouver n'est plus à la pointe de la technologie, mais il a de beaux restes. On y admire des poissons de toutes les mers, mais surtout ceux des fonds de l'île de Vancouver, dont la biodiversité est stupéfiante. Regardez donc ces étoiles de mer rouges et violettes, ces oursins, ces anémones de toutes les couleurs et ces coraux perdus dans les forêts de *kelp.* Juste à droite de l'entrée, une section tropicale reproduit le milieu amazonien dans une grande serre chauffée, entre tortues, serpents (dans des vivariums, rassurez-vous !), caïmans et oiseaux en liberté.

Levez les yeux, vous y apercevrez sûrement un ibis rouge haut perché ou un basilic paresseux ! Dans les aquariums tournent de gigantesques poissons aux allures antédiluviennes.
À l'extérieur, plusieurs bassins abritent des mammifères marins, façon Marineland : lions de mer, otaries, dauphins, loutres de mer et plusieurs bélougas (petites baleines blanches) du Saint-Laurent. Leur tête, bizarrement dessinée, et leur grand sourire les rendent tout de suite sympathiques. Vous aurez peut-être la chance de les voir s'amuser avec les bulles qu'ils forment dans l'eau... L'aquarium n'a plus de *killer whale* (orque). Le dernier, qui souffrait d'une infection pulmonaire, fut envoyé à l'aquarium de San Diego où il mourut. Voilà qui en dit long sur les conditions de vie de ces animaux en captivité.

Robson Square *(zoom couleur Downtown C1-2)*

En plein cœur du *Downtown.* Cette large esplanade plantée à plusieurs niveaux, agrémentée de fontaines, de restos, de terrasses, de promenades, est l'un des lieux de rendez-vous des yuppies le midi : ils n'ont qu'à descendre de leur tour d'ivoire. Il n'y a pas grand-chose à y faire, mais le quartier vaut le coup d'œil, architecturalement. Tout autour du grand espace vert se côtoient des banques aux lignes modernes et des anciens immeubles. À noter, le nouveau *palais de justice,* coiffé d'une immense verrière inclinée à 45°, réfléchissant la lumière. Étonnant d'audace et de sobriété. Plus loin, l'ancien palais de justice dresse ses colonnes austères. Peu d'animation en soirée. Mieux vaut alors se rabattre sur Davie, Robson ou Denman Streets.

Le quartier de Denman et Davie Streets, près de la mer

Un des quartiers les plus animés de la ville, de jour comme de nuit. C'est aussi le quartier de la communauté gay. Sur Denman, ambiance très *easy-going,* avec ses boutiques chic, terrasses de cafés, petits restos de tous les coins du monde. Les rues qui montent et qui descendent (un peu) au gré du relief rappellent (un peu) San Francisco.

Au bout de Denman Street, on arrive à l'***English Bay Beach*** *(zoom couleur Downtown C2),* la plage la plus fréquentée de Vancouver (pas très propre). Atmosphère de vacances : gazon, joggeurs, cyclistes, vendeurs de glaces et troncs d'arbres sur la plage pour s'adosser... on pense à tout ici ! Le soir, les amoureux viennent voir le soleil se coucher sur les bateaux ancrés dans la baie. Au départ de la plage, un circuit à vélo de 15 km longe le littoral presque constamment jusqu'à l'*University of British Colombia (plan couleur d'ensemble A2),* où se trouve le musée d'Anthropologie.

Gastown *(zoom couleur Downtown C-D1)*

Le plus vieux quartier de la ville, situé autour de Water Street. Depuis quelques années, on a remis cet ensemble d'entrepôts et de vieilles bâtisses au goût du jour. Boutiques chic, galeries, restos et commerces en tout genre ont permis de sauver quelques maisons de brique du XIXe s, ainsi que de beaux édifices de pierre grise, ornés de frises harmonieuses. Toutefois, le quartier n'a pas su éviter complètement le genre surfait et faux.

On jettera un œil à l'***horloge à vapeur,*** sur Water Street, à l'angle de Cambie *(zoom couleur Downtown D1).* Elle sonne normalement toutes les 15 mn, sauf lorsqu'elle est enrouée... À chaque heure, c'est un vrai concert ! On verra également, sur Maple Tree Square, la ***statue de Gassy Jack*** *(Jack le Bavard)* qui donna son nom au quartier. On vous déconseille les quelques rues de Skidrow coincées entre Gastown et Chinatown, aux abords de Hastings Street. S'y concentrent S.D.F. et toxicomanes. Vous devrez le traverser pour rejoindre Chinatown. Rassurez-vous, nous n'avons pas constaté de signe d'agressivité, mais ne vous y attardez pas. Évitez également de vous y garer.

LE ROI DU WHISKY

Employé d'une compagnie anglaise de bateaux à vapeur, John Deighton s'installe en Colombie-Britannique en 1862, où il ouvre un saloon pour abreuver les chercheurs d'or de Cariboo. Le mirage envolé, il déménage sur le site de la future Vancouver, avec sa femme amérindienne, son chien jaune et 6 $ en poche. Bien peu pour reconstruire un nouveau bar... Malin, il passe un accord avec les ouvriers de la scierie voisine : ils construisent son établissement en échange de tout le whisky qu'ils réussissent à ingurgiter en une seule journée ! Le volubile John y gagne son surnom de Gassy Jack, le « bavard ». Sans doute était-il aussi très doué pour entortiller ses interlocuteurs...

Harbour Centre Tower (zoom couleur Downtown C1) **:** *entrées sur Seymour et W Hastings St. • vancouverlookout.com • Été, tlj 8h30-22h30, hors saison, 9h-21h. Entrée : 15 $, valable 1 j. pour plusieurs visites ; réduc.* À quelques pas du quartier de Gastown (dans l'Heritage District), cette tour panoramique vous offrira une jolie vue au sommet ! Contrastes assurés. Montagnes, Stanley Park d'un côté, les docks de l'autre et le quartier des affaires au milieu. Un *coffee shop.*

Chinatown *(zoom couleur Downtown D1-2)* Non !

Dans East Pender St, entre Carrall et Gore. Pour s'y rendre, bus n° 22 N de Burrard ou n° 19 E sur Pender St.

Bien moins esthétique mais beaucoup plus authentique que Gastown, le quartier de Chinatown n'a pas besoin de légende pour vivre. Son histoire et son présent suffisent. On y trouve la troisième communauté chinoise d'Amérique du Nord, après celles de San Francisco et de New York. Les Chinois débarquèrent lors de la ruée vers l'or et surtout, 10 ans plus tard, en 1881, pour la construction du chemin de fer (revoyez votre collection de *Lucky Luke*). Arrivés par centaines, ils travaillèrent d'arrache-pied pour accumuler un petit magot qui, une fois de retour en Chine, leur aurait permis de faire vivre aisément leur petite famille. Mais la plupart d'entre eux s'installèrent sur place, conservant leurs coutumes et surtout leur esprit communautaire. Les Visages pâles ne voyant pas cela d'un très bon œil, les Chinois durent affronter nombre de brimades, tant sociales qu'économiques (expéditions punitives, salaires de misère, etc.). Rien, cependant, n'eut raison de la vénérable communauté, et la fin de la Seconde Guerre mondiale vit une nouvelle vague d'immigrants redynamiser le quartier.

Depuis, la communauté asiatique rassemble près d'un tiers de la population de Vancouver, mais son emprise immobilière et financière n'est, de nouveau, pas toujours très bien perçue par les Blancs. Surtout lorsque certains promoteurs rasent les maisons en bois et les arbres pour les remplacer par des tours en béton (appelées *monster houses* !). En outre, les Chinois ont tendance à se passer de l'anglais grâce à leurs deux chaînes de TV, leurs trois radios et autant de quotidiens (deux en cantonais, un en mandarin).

Ici plus qu'ailleurs, les Chinois montrent leur capacité à vivre à l'étranger tout en conservant leurs coutumes. Pour vous en rendre compte, baladez-vous dans les rues bordées d'herboristeries, magasins de thé (dégustation possible), commerces de cassettes du hit-parade chinois et autres petits restos (en général hyper copieux). À noter enfin que le quartier s'est offert, en 2002, une belle porte dans Pender Street. Il faut dire que pour une *Chinatown* d'une telle envergure, cela devenait nécessaire !

Dr Sun Yat-Sen Classical Chinese Garden *(zoom couleur Downtown D2)* **:** *578 Carrall St. ☎ 604-662-3207. • vancouverchinesegarden.com • De mi-juin à fin août, tlj 9h30-19h ; le reste de l'année, horaires un peu plus restreints. Fermé 1er janv et Noël. Entrée : 14 $; réduc. Visite guidée « Tour, Talk and Tea » ttes les heures (incluse dans le ticket) 4-8 fois/j. selon saison. Durée : 45 mn.* Adorable oasis en pleine ville, avec un kiosque au milieu et un petit lac couvert de nénuphars où barbotent des tortues. Il s'agit d'une fidèle reproduction d'un jardin de la dynastie Ming (XVe s), le premier, en fait, à avoir été construit à cette échelle hors de Chine, avec des matériaux importés à cet effet. Si vous faites cette sympathique visite, n'oubliez pas de déguster le thé au jasmin gracieusement offert avant la sortie. Le vendredi, en été, concerts de musique du monde et asiatique, parfois de jazz, vers 17h ou 19h (ticket séparé, se renseigner). Si vous êtes fauché, sachez que vous pouvez voir l'essentiel du jardin depuis le parc voisin *(de 9h à 18h30 de mi-juin à août, horaires réduits en hiver).*

Le building Sam Kee *(zoom couleur Downtown D2)* **:** *à l'angle de Carrall et Pender St, à deux pas du Chinese Garden.* Pas vraiment spectaculaire mais révélateur de ce qu'est l'Amérique. En 1913, Chang Toy, le propriétaire d'un immeuble amputé par l'élargissement de la rue, ne renonça pas à faire du business pour autant. Sur la mince bande de terrain qui lui restait, il reconstruisit un building commercial de 1,80 m de large sur 33 m de long, avec boutiques au rez-de-chaussée et bains publics à l'étage. Depuis, il s'enorgueillit de figurer dans le *Livre des records* comme immeuble commercial le plus étroit du monde !

– Le dimanche matin, les Chinois font leur gym par centaines au **Queen Elizabeth Park** *(plan couleur d'ensemble C-D3).* Impressionnant, d'autant qu'il y a aussi pas mal de manieurs de sabres et de bâtons *(kendo).*

Granville Street *(zoom couleur Downtown C1-2)*

Quartier de banques et de grands magasins le jour (Bay Center, à l'angle de Georgia Street), une foule bigarrée de clochards et de prostituées arpentent les trottoirs de Granville Street le soir. C'est aussi, dans sa partie basse, le coin des boîtes de nuit et des cinémas, très fréquenté les vendredi et samedi soir. La plupart des lignes de bus empruntent cette rue.

Granville Island *(zoom couleur Downtown C2)*

Ancien secteur industriel rénové, situé exactement sous le Granville Bridge. Pour s'y rendre, le bus no 50 (False Creek) s'arrête à l'entrée de l'île. Possibilité également d'utiliser l'*Aquabus* du bas de Hornby Street *(3,25 $).* C'est bien plus sympa, et on peut même passer son vélo pour le même prix ! Fonctionne en été de 6h45 à 22h30. Liaison aussi avec le Musée maritime par le *False Creek Ferry (de 7h à 22h30 en été ; de 7h à 21h en hiver).*
Sur l'île, nombreuses attractions plus ou moins factices, restos en tout genre et microbrasseries éparpillés entre les ateliers de réparations et les magasins d'accessoires de bateau, les maisons flottantes sur pontons et de nombreux ateliers d'artisans, boutiques et studios. On a presque l'impression d'être dans un décor de ciné ! Vivant mais pas charmant, surtout avec l'ombre du grand pont jetée en permanence sur le quartier...

Public Market *(marché) : tlj 9h-19h.* Bâti en 1917. Ancienne usine de câbles qui brûla dans les années 1950. Très coloré. Étals de fruits frais, souvent bio, mais pas donnés. Des stands de nourriture proposent d'excellents fruits de mer et de la cuisine du monde entier, à grignoter face aux quais.

Granville Island Brewing Company : *1441 Cartwright St. ☎ 604-687-2739. • gib.ca • Tlj 12h-20h. Visites guidées env 12 $ à 12h, 14h et 16h, dégustation comprise.* Pour les fans de bière qui n'auraient pas eu l'occasion de visiter une microbrasserie.

– La vie culturelle est loin d'être absente, avec deux bons ***théâtres.***

Pour se reposer la tête et les gambettes, deux superbes terrasses : le ***Bridges Bistro*** et ***The Backstage Lounge*** (voir « Où boire un verre en musique ? » et « Où écouter de bons concerts ? »).

Vancouver vue du ciel

Un tour en hydravion est une autre façon de découvrir Vancouver et ses environs. Un peu cher, mais quelle vision !
Deux compagnies proposent différents vols, 2-6 passagers, plus ou moins longs et donc plus ou moins chers : ***Seaplane Tour,*** *☎ 1-800-665-0212, • westcoastair.com •, à partir de 100 $/pers, 2 pers min, pour 20 mn de survol ;* ***Seaplane Adventures,*** *☎ 1-877-537-9880, • saltspringair.com •*

À voir à North Vancouver

Capilano Suspension Bridge : *3735 Capilano Rd. ☎ 604-985-7474. • capbridge.com • En voiture, traverser le Lion's Gate Bridge, puis prendre la 1re sortie à droite (Marine Dr) direction Capilano ; ensuite, c'est fléché. Bus n° 246 Highland West sur Georgia St ; descendre sur Ridge Wood et Capilano Rd, puis marcher. Autre possibilité, plutôt plus sympa : Seabus jusqu'à North Vancouver, puis bus n° 236 jusqu'au pont. En saison, tlj 8h30-20h ; sinon, à peu près 9h-17h. Entrée (chère) : 33 $; réduc ; gratuit moins de 6 ans. Parking : 4,50 $.* Pont suspendu à 70 m de hauteur, traversant une gorge profonde de 137 m. Excitant et terrorisant à la fois de se sentir ballotté par ses vibrations et ses balancements. Plus il y a de monde, plus ça bouge ! Cela dit, il s'agit d'une attraction ludique chère pour ce qu'elle est réellement. Peu à peu, le pont s'est mué en miniparc d'attractions, avec plusieurs activités annexes : espace où totems et musique indienne vous arrêteront quelques instants, acteurs costumés, exposition sur l'histoire naturelle, passerelle en bois du Cliffhanger Walk effectuant une courte boucle à travers la forêt sur l'autre berge. Le plus sympa est sans doute le circuit à la cime

UN PONT-DÉRABLES

En 1889, un immigrant écossais, George Grant Mackay, achète plus de 2 400 ha de terres vierges de part et d'autre de la rivière Capilano. Petit souci : comment franchir le canyon que forme le cours d'eau ? Il commissionne deux Indiens pour construire un pont de planches. Amarré sur chaque rive à un gros pin de Douglas, l'ouvrage est d'abord surnommé « le pont qui rit » en raison du bruit qu'il fait lorsque souffle le vent... puis bientôt le « nervous bridge » *alors que débarquent les premiers curieux ! Modernisé en 1903 et en 1956, le pont devient une attraction à part entière. Ses câbles peuvent désormais supporter le poids de deux 747 remplis à ras bord !* No stress.

des arbres, *tree top adventures,* qui vous balade dans les branches, à 30 m du sol, sur sept ponts de singe. Pas très long mais d'une stabilité à toute épreuve.

Pour une expérience de pont suspendu moins commerciale, on peut préférer le ***Lynn Canyon,*** également à North Vancouver. *Pour vous y rendre, de la Hwy 1, prenez la sortie 19, puis Lynn Valley Rd sur 2,5 km jusqu'à Peters Rd (c'est indiqué).* Moins impressionnant, certes, mais moins de monde s'y presse et, surtout, c'est gratuit. Jolie vue sur des chutes en contrebas.

Cleveland Dam : *entre Capilano Bridge et Grouse Mountain.* Un joli point de vue sur *Capilano Lake,* l'un des trois réservoirs d'eau de Vancouver, étiré sur 5,5 km. Il est joliment dominé par des montagnes enneigées jusqu'au début de l'été. Ce grand barrage a été construit en 1954.

Grouse Mountain : *en poursuivant sur Capilano Rd, à 5 mn en voiture du pont suspendu. Un téléphérique vous conduit au sommet de Grouse Mountain (1 250 m). ☎ 604-980-9311. • grousemountain.com • Pour s'y rendre en bus, n° 236 (Grouse Mountain) du terminal du Seabus à North Vancouver. Tlj 9h-22h. Départ ttes les 10-15 mn. Très (trop) cher : 44 $; réduc ; gratuit jusqu'à 4 ans. En hiver, forfait incluant ski ou snowboard 74 $.*
C'est certain, la vue sur Vancouver et la vallée de Capilano est magnifique depuis le sommet. Mais nous avons ressenti un air de parc à touristes, ou à joggeurs... Démonstrations de bûcherons, ours (orphelins) captifs dans un petit enclos, attractions diverses comme les descentes sur un fil d'Ariane *(zipline)* et même survols en hélico...
Les marcheurs noteront qu'une randonnée très appréciée de 3 km démarre d'ici pour gravir le flanc de la montagne par le Grouse Grind. On y skie aussi, et même de nuit (pistes ouvertes jusqu'à 23h !), jusqu'en avril.

Où profiter du rivage ?

Où que vous alliez, attention au parking payant si vous êtes véhiculé ! On paie partout, et les pervenches locales veillent au grain.

English Bay Beach *(zoom couleur Downtown C1)* **:** la plage la plus proche du centre, étendue sur la façade ouest de la péninsule du *Downtown.* Ambiance sympa, avec une foultitude de joggeurs, cyclistes et autres promeneurs de chiens, mais le tapis de sable n'est malheureusement pas très propre.

Kitsilano Beach *(plan couleur d'ensemble C2)* **:** *de l'autre côté de False Creek.* Appelée *Kits Beach.* Beaucoup de monde aux beaux jours. La Côte d'Azur de Vancouver...

Jericho Beach *(plan couleur d'ensemble B2)* **:** *à 5 mn à pied de l'AJ du même nom (voir « Où dormir ? »), à la pointe ouest du Jericho Park, à l'ouest de Kitsilano.* Un peu moins fréquenté. Balade sympa le long de la côte pour s'y rendre à vélo et continuer vers l'université et le musée d'Anthropologie.
– ***Le bateau :*** pourquoi ne pas louer un petit voilier ? Prendre des leçons de bateau à voile en famille. Ce n'est pas trop ruineux *(à partir de 40 $/h)* et c'est rigolo. Vous en trouverez auprès de *MacSailing,* au *Jericho Sailing Center,* à 200 m de l'AJ *(☎ 604-224-7245 ; • macsailing.com •).*
– ***Kayaks et planches à voile :*** en location au *Sailing Center* auprès d'*Ecomarine* *(☎ 604-689-7575 ; • ecomarine.com •)* et de *Windsure* *(☎ 604-224-0615 ; • windsure.com •).*

Wreck Beach *(plan couleur d'ensemble A2)* **:** *pour s'y rendre, prendre le sentier discret qui part à gauche de l'entrée du musée d'Anthropologie, puis bifurquer à gauche après être passé entre les totems, pour rejoindre un chemin qui s'enfonce dans le sous-bois. Des escaliers se présentent rapidement : 390 marches à déva-*

ler... puis à remonter après le bain ! Plage naturiste, l'une des rares du coin, sauvage mais malheureusement pas très belle.

Fêtes et manifestations

On en dénombre plus de 40 chaque année, du festival dédié aux enfants à celui du vin, en passant par les parades nautiques et, bien sûr, les très nombreux festivals de musique. En voici une petite sélection :
– ***Polar Bear Swim :*** *une (grosse) bande d'allumés se baigne 1er janv sur l'English Bay Beach, à 14h30 tapantes.*
– ***Nouvel An chinois :*** *15 j. de festivités dans le quartier chinois, notamment autour du Dr Sun Yat-Sen Park. La date varie d'une année à l'autre : 23 janv 2012, 10 fév 2013, etc.* Au programme : parades, danses du lion, concerts et... diseuses de bonne aventure.
– ***Bard on the Beach Shakespeare Festival :*** *juin-sept. Programme disponible à l'office de tourisme, dans les kiosques ou sur • bardonthebeach.org •* Forcément pour ceux qui maîtrisent la langue de Shakespeare... et qui savent faire face aux aléas climatiques. Pièces jouées sous des tentes dans Vanier Park, près du Musée maritime.
– ***Festival d'été francophone de Vancouver :*** *mi-juin. ☎ 604-736-9806. • lecentreculturel.com •* Attention, francophone ne veut pas dire français, et vous serez surpris de voir la diversité des spectacles proposés, des tempos africains au folklore québécois...
– ***International Jazz Festival :*** *fin juin-début juil. • coastaljazz.ca •* Les places publiques, les parcs, les théâtres, les salles de jazz de Vancouver et certains restos accueillent quelques grands noms de la scène internationale. Au programme : plus de 400 concerts et 1 800 musiciens du monde entier ! À ne pas manquer.
– ***Vancouver Folk Music Festival :*** *mi-juil. Sur Jericho Beach, près de l'université, le temps d'un w-e. • thefestival.bc.ca •* Groupes folks canadiens et américains.
– ***Celebration of Light :*** *fin juil-début août, pdt 4 nuits. • celebration-of-light.com •* Toute la ville est tournée vers la mer pour suivre cette compétition internationale de feux d'artifice sur English Bay Beach. Foule énorme.
– ***Vancouver International Film Festival :*** *fin sept-début oct. • viff.org •* Avec la projection de quelque 350 films d'une cinquantaine de pays, ce festival commence à faire parler de lui.
– Pour connaître le programme complet des différentes festivités qui peuvent se dérouler à Vancouver : *☎ 604-684-2787. • ticketstonight.ca •*

DANS LES ENVIRONS DE VANCOUVER

Vers le nord, le ***Mount Seymour Provincial Park*** (20 mn en voiture) offre de très belles balades.

Lighthouse Park : *en empruntant Marine Dr vers l'ouest, depuis North Vancouver, on longe la côte, joliment boisée et plantée de belles maisons dominant les flots. À 10 km, on atteint Lighthouse Park. Visites guidées, gratuites : ☎ 604-925-7270. Un dépliant sur les sentiers à l'entrée.*
La plus belle forêt des environs de la ville, étendue sur près de 65 ha, a été préservée presque par accident... Elle devait, à l'origine, servir de réserve de bois à la chaudière qui alimentait la corne de brume postée sur la pointe d'Atkinson ! On y trouve encore un phare (1912 ; fermé) : des abords (on n'y accède pas), vue panoramique sur le détroit de Géorgie. La balade prend 10 à 15 mn dans chaque sens. Parfait pour un pique-nique. Si vous avez plus de temps, empruntez le *Valley Trail* pour vous plonger au cœur de la *Rain Forest*. Idéal au crépuscule, après une bonne journée à piétiner dans Vancouver !

La route côtière mène à Horseshoe Bay, petit port reculé encadré de monts verdoyants et de nombreux îlots. C'est de là que l'on prend le ferry pour Nanaimo, sur l'île de Vancouver (voir le circuit dans « Arriver – Quitter »). Ceux qui auraient besoin d'y dormir y trouveront juste un motel.

Seaside Village : *6665 Royal Ave. Tlj 7h-17h30.* Gros sandwichs (dont le contenu peut être glissé dans un bagel), jus de fruits frais et cafés bio, c'est tout, mais c'est bon et pas ruineux. Juste ce qu'il faut pour se caler en attendant le ferry. Les affamés iront plutôt chez **Troll's,** à deux pas *(6408 Bay St),* une institution depuis plus de 65 ans ! Au menu : *fish & chips,* burgers, hot dogs et autres *chicken wings*.

Vers Whistler : *après Horseshoe Bay, très belle route jusqu'à Whistler. Au passage, on peut voir le* **BC Museum of Mining,** *situé à* **Britannia Beach,** *à 42 km de Vancouver. ☎ 604-896-2233 ou 1-800-896-4044. • bcmuseumofmining.org • Tlj 9h-16h30. Entrée : 21 $; réduc.* Ce musée occupe plusieurs vieux bâtiments en bois restaurés, consacrés au quotidien des mineurs. Dans l'un d'eux, on peut voir une vieille photo montrant un chasseur à dos de chameau... Non, vous n'avez pas la berlue ! 21 de ces animaux furent importés en 1862 en Colombie-Britannique pour explorer certaines des zones arides de la région. Outre un camion de 235 t, on peut y voir une expo sur l'industrie minière dans la province et pénétrer en petit train dans un tunnel de 1912 *(départ ttes les 30 mn à 1h en été selon l'affluence, 10h-16h30).* Le réseau couvrait à l'origine 210 km ! Le filon de cuivre fut découvert en 1888, et l'exploitation vraiment lancée en 1903. Quelques années plus tard, la mine de Britannia était la plus grande de l'Empire. Elle a fermé en 1974, ses ressources épuisées. Vous aurez même droit, à la sortie, à une battée pour tenter de trouver un peu d'or !

Porteau Cove Campground : *à 35 km au nord de Vancouver. ☎ 604-986-9371 (infos), 968-9025 (résas) ou 1-800-689-9025. • seatoskyparks.com • Résas aussi possibles (impératives en été) sur le site • discovercamping.ca • Env 10 $ pour 2 avec tente et voiture ; 30 $ pour un camping-car, ou, pour les plus fortunés, loc d'une cabine-bungalow des jeux olympiques (140-180 $) !* Un camping fort agréable à taille humaine, très verdoyant, aux emplacements spacieux qui s'égrènent tout au long du rivage du *Sound.* Certains ont un accès direct à la grève. Les tentes sont les mieux traitées : elles s'installent sur une mini-presqu'île, tout à l'est. Seul inconvénient : les douches sont situées à l'autre bout.

Shannon Falls : *à 57 km au nord de Vancouver, peu avt Squamish, vous pourrez admirer ces jolies chutes situées sur le bord de la route. Parking : 1 $/h ; eh oui, même ici !* Point de départ d'une randonnée vers le sommet du *Stawamus Chief* (2,5 km), une destination connue des grimpeurs de tout poil. Ce monolithe de granit vieux de 100 millions d'années est classé deuxième au monde par la taille ! Le sentier, ardu et entrecoupé d'escaliers, présente une dénivelée de 550 m. Ceux qui aiment la solitude pourront éventuellement, au niveau du deuxième pont, prendre à droite en direction de High Bluff, jusqu'à un superbe point de vue sur Horseshoe Bay. Compter 4h aller-retour.

Squamish : *les bûcherons s'y pressent fin juillet-début août pour le Loggers Sports Festival.* Championnat international de tronçonneuse, de lancer de hache, d'escalade et d'abattage d'arbres et autres activités d'hommes... Ah bon, les femmes participent aussi ? Désolés. Ce qui attire le plus de monde, toutefois, ce sont les pygargues à tête blanche, les fameux *bald eagles* – emblème des États-Unis, où ils sont devenus si rares. Ils viennent se sustenter de saumons de fin octobre à mi-février, avec un pic en janvier. On en compte alors plusieurs milliers dans la vallée (record : 3 769 !), souvent regroupés sur les mêmes arbres. L'occasion d'un festival, avec décompte des aigles, expéditions, expositions... Le site d'observation le plus célèbre, baptisé Eagle Run, se trouve à *Brackendale,* à quelques kilomètres au nord de Squamish, sur la rivière du même nom.

Brandywine Falls : *env 15 km avt Whistler.* Elles ont été baptisées ainsi par deux employés du chemin de fer qui y jetèrent deux bouteilles (vides, sans doute), l'une de brandy, l'autre de vin ! Elles sont encore plus impressionnantes que les Shannon Falls, car on les observe d'une plate-forme haut perchée. Départ de randonnée vers un pont suspendu (4 km).

WHISTLER

10 500 hab.

Principale station de ski aux portes de Vancouver, Whistler a gagné une renommée internationale depuis qu'elle s'est vu attribuer l'organisation des compétitions de ski, de luge, de bobsleigh et de biathlon des J.O. d'hiver de 2010. L'un des deux villages olympiques a même élu domicile ici, l'autre se trouvant à Vancouver même.

La célébrité nouvelle de Whistler au-delà de la Colombie-Britannique a eu un effet pervers : les prix de l'immobilier se sont envolés, les amateurs de tranquillité ont fait leur balluchon, tandis que les Porsche sont apparues dans les rues enneigées... Skier ici est désormais quasi inabordable.

Reste que la montagne est belle, et la route qui y mène encore plus. L'été venu, Whistler devient la mecque du golf et du VTT, pratiqué à l'américaine... On grimpe en téléphérique avec sa monture, harnaché comme un chevalier en armure, avant de dévaler les pentes à toute allure pour le plaisir du frisson.

Né avec le tourisme, le domaine de Whistler n'est pas grand mais étalé. De Vancouver, on arrive d'abord sur Whistler Creekside et le lac Alta, puis dans le cœur de la station, Whistler Village, avant d'aborder Village North. Au-dessus, Blackcomb Mountain complète la station. Méfiez-vous donc des distances et vérifiez bien où vous voulez vous rendre avant de sortir.

BEAR ATTITUDE

Une étonnante statistique affirme que, à aucun moment, à Whistler, on ne se trouve à plus de 800 m d'un ours noir... C'est dire si le nombre de plantigrades est élevé. Deux d'entre eux campent même directement aux abords du golf !

Arriver – Quitter

En bus

Le bus s'arrête devant le *Visitor Center.*

■ **Pacific Coach :** ☎ *604-662-7575 ou 1-800-661-1725.* • *pacificcoach.com* • De mi-avr à mi-déc, départs à 10h40, 13h40, 17h40 et 20h40 de Vancouver Downtown, 40 mn avt de l'aéroport ; en hiver, ttes les 1-2h, 9h30-21h30, et un dernier à minuit. Prévoir 54 $ l'aller ou 90 $ l'A/R, pour 4 $ de plus on vous prend à votre hôtel. Cette même compagnie peut vous laisser à Squamish pour 4 $ de moins. Vélos acceptés sur résa (22 $).

En train

➢ Le *Whistler Mountaineer* fonctionne de fin avr à mi-oct. Ce train de luxe offre une vue somptueuse sur les montagnes, mais ses tarifs ne sont pas franchement bon marché : compter 135 $ l'aller ; 235 $ l'A/R. Le wagon panoramique *(Glacier Dome)* est encore plus cher : respectivement 235 et 335 $.

Départ de Vancouver à 6h45, arrivée à 11h30 ; retour à 14h45. Attention, la gare n'est pas à Whistler même, mais à Nita Lake, à 5 km au sud. Une navette vous mènera au village. *Infos : ☎ 1-888-687-7245. • rockymountaineer.com •*

En avion

➢ Quitte à avoir les moyens, pourquoi ne pas venir en avion ? *Whistler Air* assure 2 vols tlj dans chaque sens, de mi-avr à mi-oct (1 le mat, l'autre le soir). Durée : 35 mn. Compter 170 $ l'aller. *☎ 604-932-6615. • whistlerair.ca •*

Adresses utiles

Whistler Visitor Center : *4010 Whistler Way. ☎ 604-935-3357. • whistler.com • Tlj 8h-22h.* Résa d'hôtels et d'activités, et de billets de bus. On peut même s'y enregistrer si on prend l'avion et y faire émettre sa carte d'embarquement ! Bon accueil (en français si vous le demandez). Petite restauration snack-sushi à l'intérieur du centre.

Whistler Host Center : *au centre du village, face au resto* La Brasserie. Petit kiosque où des volontaires en chemise rouge, très aimables, vous donneront des plans, et toutes les informations nécessaires pour votre séjour à Whistler.

BC Transit : *☎ 604-932-4020. • bctransit.com •* Indispensable sur place pour ceux qui ne sont pas motorisés. Le terminal des bus est situé au pied de la télécabine. Trajet : 2,50 $ pour 1 voyage, mais il existe aussi des carnets de 10 tickets pour 20 $, des *passes* à la journée à 7 $ ou au mois à 65 $. Vélo gratuit s'il y a de la place sur le porte-vélos... Carte avec horaires disponible à l'office de tourisme.

■ **Location de vélos :** voir plus loin « À faire ».

■ **Taxis :** *☎ 604-932-3333 ou 938-1515.*

@ **Internet : Whistler Public Library,** *4329 Main St. Lun-sam 11h-19h, dim 11h-16h. Wifi gratuit, comme dans ttes les bibliothèques du pays, mais Internet payant si vous n'avez pas votre ordi, slt 2 $, une affaire.* En règle générale, wifi gratuit dans les cafés et restos.

Supermarché : IGA Market's Place, *un peu au nord du village, sur la place du même nom, proche de Whistler Olympic Plaza. Tlj 8h-22h.* Connu des habitués pour sa grande surface d'alimentation la moins chère de la station, beaux fruits frais.

■ **Custom House Currency Exchange :** *4227 Village Stroll. Tlj env 10h-18h.* Taux de change un peu meilleur qu'à Vancouver.

✉ **Poste :** *4360 Lorimer Rd.*

■ **Medical Clinic :** *4314 Main St, en face de la* Whistler Library. *☎ 604-905-7089.* Service d'urgences surtout connu pour le service de médecine du sport.

Où dormir ?

Camping

Riverside RV Resort : *8018 Mons Rd. ☎ 604-905-5533. • whistlercamping.com • À 1,5 km au nord du village. Tte l'année pour ceux qui voudraient camper sous la neige ! Tente pour 2 pers mai-sept 35 $, le reste de l'année 25 $; yourtes (plus confortables) 70-80 $; camping-cars 50-57 $ selon saison ; bungalows en rondins 140-170 $.* Le seul camping du village est agréable et bien équipé. Les tentes s'installent dans un recoin tranquille, sous les sapins et les bouleaux, contre la rivière Fitzsimmons. Des filets sont déjà accrochés dans les arbres pour que vous y placiez vos aliments : les ours rôdent !... Les 14 bungalows ne sont pas très grands mais agréables, avec 2 lits (dont 1 en mezzanine) et un canapé dépliant, cuisine et TV. Très bon accueil.

Bon marché

Hostelling International Whistler : *1035 Legacy Way. ☎ 604-962-0025 ou 1-866-762-4122. • hihostels.ca/whistler • À env 8 km de Whistler, prendre la Sea-to-Sky Hwy (BC 99 South) ; à l'intersection, tourner à droite direction Cheakamus Lake Rd, puis, après le pont, à gauche sur Legacy Way, l'auberge est assez isolée mais le bus* *n° 2 vous y mène. Lits 31-35 $; plus 5 $ pour les non-membres. Chambres privées 90-110 $; plus 5 $ pour les non-membres. Internet, wifi.* Une nouvelle AJ de 200 lits, installée dans un grand chalet du village olympique construit pour les J.O. de Vancouver 2010. Excentré, mais architecture et aménagement ultradesign. Du salon-*lounge* aux dortoirs en passant par le café-resto, tout est flambant neuf et high-tech. Et puis, quelle vue sur les montagnes ! Forcément, les prix sont un peu plus élevés que dans une AJ basique, surtout pour les chambres privées (grand luxe !). Nombreuses activités sportives et animations quotidiennes sur place. Laverie, grande salle à manger avec cuisine, terrasse pour les barbecues, etc.

AMS-UBC Whistler Lodge : *2124 Nordic Dr. ☎ 604-932-6604. • ubcwhistlerlodge.com • Env 2,3 km avt d'arriver au village, tourner à droite au pont (indication Nordic Estates), de nouveau tt de suite à droite, puis à gauche ; le chalet est un peu plus haut dans la rue, côté gauche. Le bus n° 2 vous déposera au bout de la rue. Check-in 16h-18h (hiver) ou 16h-20h (été). De mai à mi-oct, lit 25 $ en dortoir de 10, pour les membres HI ; 30 $ pour les autres. Le reste de l'année, 30-35 $. Draps non compris, mais possibilité d'utiliser son sac de couchage. Doubles 90-110 $ selon saison. Internet.* Sorte de refuge géré par l'université de Colombie-Britannique, aux lits calés dans des espèces de renfoncements séparés des couloirs par un rideau. Atmosphère très estudiantine, donc, genre blagues grasses et *binge drinking*... Cuisine équipée, salon avec cheminée, jacuzzi, barbecue, machines à laver, billard et autres jeux. Pour les économes prêts à se passer d'intimité.

Plus chic

Chalet Luise B & B Inn : *7461 Ambassador Crescent. ☎ 604-932-4187 ou 1-800-665-1998. • chaletluise.com • Dépasser Whistler Village et prendre à droite la Nancy Greene Dr, puis la 4e à droite. En été, 130-140 $; en hiver, 150-270 $ pour 2 pers. Parking gratuit.* Reconnaissable à sa façade de chalet suisse ornée de quelques sgraffites, comme en Engadine. Il faut dire que la propriétaire, anglaise d'origine, a vécu 10 ans chez les Helvètes. Chambres standard ou supérieures, les premières peut-être un peu petites, les secondes avec cheminée, toutes très soignées et arrangées comme... en Suisse ! Mobilier en bois clair. Bon accueil. Qui plus est, thé et café offerts, petit déjeuner copieux et jacuzzi.

Edgewater Lodge : *8020 Alpin Way. ☎ 604-932-0688 ou 1-888-870-9065. • edgewater-lodge.com • À env 4 km au nord du village ; indiqué depuis la Hwy 99. Doubles 200-230 $ en été ; 300-340 $ en hiver ; dès 155 $ hors saison. Petit déj compris.* Un peu perdu au bord du lac Green, cet hôtel en bois conviendra aux routards en quête d'un peu de tranquillité. Une douzaine de chambres (dont 6 suites), très confortables, pour ne pas dire moelleuses, disposent de grandes fenêtres donnant sur le lac et les montagnes. Salle de resto lumineuse, au bord de l'eau, offrant une bonne cuisine *Pacific Northwest*. À signaler aussi, un jacuzzi et le Q.G. de *Whistler Outdoor Experience*, juste à côté, qui propose une kyrielle d'activités, que ce soit l'été avec la pêche, la randonnée, le vélo, le kayak, le canoë, la voile et l'équitation, ou l'hiver avec les balades en traîneau hippomobile ou encore en ski de fond.

Whistler Cascade Lodge : *4315 Northlands Blvd. ☎ 604-905-4875 ou 1-866-580-6643. • whistler-cascadelodge.com • À l'entrée du village. Appartements 190-420 $/j. selon taille et saison ; moins cher en été qu'en hiver. Internet.* 3 administrateurs de biens gèrent les studios et les appartements de ce grand immeuble pour le compte des proprios absents ; certains sont même occupés selon la formule du *time share*. Dans la pratique, vous ne verrez aucune différence entre les loueurs, plutôt entre la décoration des apparts, qui varie en fonction des goûts de chaque proprio (difficiles à prévoir !). Tous disposent d'une cuisine, la plupart également d'une cheminée. *Check-in* au rez-de-chaussée, comme dans un hôtel. On peut très bien ne rester que 1 nuit si on le souhaite. Piscine (la plus grande de Whistler), jacuzzi, petit *fitness center.*

Où manger ?

Bon marché

|●| ***Hot Buns :*** *4322 Sunrise Alley. ☎ 604-932-6883. À 50 m de Village Sq, derrière l'*Amsterdam Pub. *Tlj 7h30-18h. Tout 4-9 $ env.* Une boulangerie toute mignonne, où il fait bon s'installer le matin, à l'intérieur ou sur la petite terrasse, pour déguster un croissant au beurre ou un pain au chocolat. Parquet, baie vitrée, banquettes avec dossiers couverts de coupures de journaux du monde entier. Bien aussi pour un sandwich, un croque-monsieur ou une crêpe (préparée sous vos yeux). Essayez donc celle au coulis de mangue.

|●| ***Ingrid's Delicatessen :*** *sur Village Sq, à côté de l'*Amsterdam Pub. *Tlj 7h-18h. Snacks 8-10 $, servis dans des panières.* Petits déj, salades, sandwichs, hamburgers (y compris végétariens), gâteaux maison à déguster sur une petite terrasse fleurie. Le tout tendance bio.

De prix moyens à plus chic

|●| ***Longhorn Saloon & Grill :*** *Village Sroll Plaza, face aux télécabines, aux télésièges de Excalibur, Gondola, Blackcomb, et à l'arrivée du Bike Park. ☎ 604-932-5999. Tlj 8h-22h30. Petits plats 8-13 $, plus copieux 19-24 $.* Un bon plan pour attendre l'arrivée de son sportif préféré, hiver comme été, sur la grande terrasse au soleil. On y sert le petit déj, le lunch, tendance espagnole, ou bien des plats plus copieux, genre saumon grillé, demi-poulet, côtelettes, etc. À partir de 17h, place aux cocktails et aux dîners à thème, et le samedi soir à la musique live (dès 21h30). Service sympa.

|●| ***La Bocca :*** *au cœur de Village Sq. ☎ 604-932-2112. Tlj 11h30-23h (minuit ven-sam). Plats 8-18 $.* Une belle terrasse donnant sur la place principale du village. Au menu, soupes, salades, *seafood* et d'excellents desserts dont des glaces de la *gelateria* à côté. Dimanche, dîner de la ferme avec 3 plats (environ 25 $), et bien sûr carte de cocktails et bières variées, pour ceux qui voudraient y prendre un verre seulement.

|●| ***Elements :*** *4359 Main St, Village North à côté de l'hôtel* Summit, *dans un quartier calme, loin de l'effervescence du centre du village. ☎ 604-932-5569. Tlj 8h-14h, 17h-22h30 (minuit ven-sam). Addition 16-35 $.* Le concept a le vent en poupe : servir la cuisine de fusion née des rencontres de toutes les communautés immigrées, façon tapas, à l'espagnole. Idéal pour ceux qui n'ont pas trop faim ou qui aiment varier les plaisirs en les multipliant. On a adoré la salade de feuilles d'épinards au brie, myrtilles et pistaches – parfait avec un verre de merlot de l'Okanagan. La salle, triangulaire, se partage entre bar et cuisines d'un côté, banquettes sur les 2 autres. Fond musical agréable et service pro, souriant. Bref, un sans-faute, mais un peu cher.

|●| ***Caramba ! :*** *4314 Main St. ☎ 604-938-1879. Sur Village Stroll. Tlj 11h30-22h, ainsi que le midi tlj en été et slt ven-dim en hiver. Entrées 9-15 $; rôtisseries poisson ou viande 18-24 $.* Grande salle avec, au milieu, des cuisines bien ouvertes où s'affairent une demi-douzaine de gaillards en casquette. Le ton est donné. Atmosphère pleine des vapeurs qui s'échappent des fourneaux, musique espagnole rythmant le pas décidé des sympathiques serveurs. Salades, pâtes, pizzas et grillades. Ne pas hésiter à prendre 2 entrées à la place d'un plat, ça permet de varier les plaisirs et c'est très copieux ! Terrasse agréable au soleil pour le lunch ou en début de soirée.

|●| ***The Brewhouse :*** *4355 Blackcomb Way. ☎ 604-905-2739. Tlj 11h30-minuit (1h ven-sam). Pizzas, pâtes et salades 9-17 $; grillades 22-34 $; menu plus simple et meilleur marché le midi.* Sympathique et chaleureux avec sa brasserie (au sens technique du terme !) visible au-dessus de la rôtisserie, sa salle sur 2 niveaux, sans oublier sa belle terrasse qui donne presque sur les anneaux olympiques de Whistler Olympic Plaza. Dommage que les 3 écrans géants autour du bar soient

parfois un peu envahissants. Spécialités de *ribs* et *roast chicken*, et de coq au vin, servis avec de la purée. N'oubliez pas de déguster la délicieuse mousse au chocolat. Quelques bons sandwichs à la viande cuite au feu de bois aussi, le midi. Sans oublier la *Dirty Miner*, une bière brune maison.

Old Spaghetti Factory : *4154 Village Green, dans le* Crystal Lodge, *à Whistler Village.* ☎ *604-938-1081. Tlj 11h30-21h. Plats 10-16 $.* Une chaîne que vous avez peut-être déjà croisée au Canada (ou aux États-Unis). Sans surprise, mais le décor 1900 reste sympa et la formule plat-soupe-salade-café-glace plutôt avantageuse.

Où boire un verre ? Où sortir ?

Whistler dort peu la nuit, et la journée de ski se prolonge souvent dans les nombreux bars et boîtes éparpillés dans le village – on en compte une bonne vingtaine ! C'est un tout petit monde, alors n'hésitez pas à demander au bar des entrées gratuites pour les boîtes et les concerts du soir.

Pour prendre un verre ou une petite collation, installez-vous à l'***Amsterdam Pub,*** *« established a long time ago »* (tout est relatif), sur Village Square, au ***Città,*** juste en face, le préféré des snowboarders, ou à ***La Brasserie.*** Toujours du monde, car belles terrasses au soleil, quand il est là, et vraiment très central. Le ***Neighborhood Pub,*** à 50 m de là, plus au calme, n'est pas mal non plus.

Maxx Fish : *salle en sous-sol à côté de l'*Amsterdam Pub. ☎ *604-932-2904. • maxxfish.moonfruit.com • Tlj à partir de 21h30.* Hip-hop, top 40, funk, rétro le vendredi. Concerts ou DJs selon les soirs. Tout un tas de banquettes intimes pour s'installer, écrans plasma pour les retransmissions sportives et tapas à toute heure pour ceux qui ont un petit creux. Un feeling très urbain.

Moe Joe's : *4115 Golfers Approach, à côté du* Neighborhood Pub *et du Whistler Conference Center.* ☎ *604-935-1142. • moejoes.com • à 50 m de Village Sq. Ouv mer-sam.* Même genre que *Maxx Fish.* Son différent chaque soir : hip-hop, rock, reggae, etc. Groupes ou DJs.

Buffalo Bill's : *4122 Village Green.* ☎ *604-932-6613. • buffalobills.ca • Presque en face du* Moe Joe's. *Tlj 20h-2h.* Brasse une foule un peu plus âgée que les autres. Soirées à thème, concerts de rock ou de pop, football dimanche et lundi, projection de *ski movies,* musique des *Seventies...* Beaucoup de groupes désormais reconnus y ont fait leurs débuts. C'est aussi un grill, avec en plus au menu paninis et burgers (pas terribles cela dit)...

Garfinkel's : *4308 Main St, au Town Plaza.* ☎ *604-932-2323. • garfswhistler.com • Jeu-dim à partir de 21h ou 21h30. Entrée : 30 $, mais, en général, maintenant la salle est louée à* ***Whistler Club Crawl.*** ☎ *604-722-2633, • whistlerclubcrawl.com •, qui organise, ven-sam, des « parties » tt compris, dinner + 5 boissons + droit d'entrée concert-danse 60 $.* Grande boîte, la plus grande de Whistler, avec un bar en forme de square au milieu. Faune de tout poil pour une ambiance effervescente. Concerts, soirées à thème. Hip-hop, jazz et *R & B.*

Achats

Cow's : *102-4295 Blackcomb Way. Dans le village, à 50 m de l'office de tourisme. Tlj 10h-22h.* Pour ceux qui aiment les vaches, représentations de bovidés sur toutes sortes de vêtements et d'objets (T-shirts, pantoufles, pyjamas, tasses, crayons, jouets...). Également des glaces... au lait, bien sûr ! Boutique identique à Banff.

À faire

– ***Ski :*** Whistler possède l'un des plus grands domaines skiables du Canada. Pas franchement bon marché : *le forfait est à 75 $/j. ou 185 $ pour 3 j.* Sans oublier la location des skis, au moins 25 à 40 $, plus 20 $ par jour pour les chaussures et davantage pour un meilleur matériel. La saison s'étend grosso modo de fin novembre à fin avril. On peut même rechausser ses skis en juin, juillet et août lorsque les pistes du glacier Horstman ouvrent. Les forfaits sont alors un peu moins chers : environ 55 $ tout de même. Les plus fortunés se paieront le luxe d'une journée d'héliski. On ne vous dira même pas combien ça coûte, on pourrait presque combler le déficit budgétaire du Mali avec ça... Quant au ski de fond, il n'est pas très développé, avec 15 km de pistes.

– ***Rafting :*** *avec* ***Wedge Rafting,*** *départ au Gondola Building (☎ 604-932-7171 ou 1-888-932-5899 ; • wedgerafting.com •),* ***Whistler River Adventures*** *(☎ 604-932-3532 ; • whistlerriver.com •) ou* ***Canadian Outback*** *(☎ 604-921-7250 ou 1-800-565-8735 ; • canadianoutback.com •).* Plusieurs formules en fonction de l'âge et de l'expérience, de quelques heures *(90 à 95 $)* à 1 journée entière *(165 $)*. Cette dernière option inclut généralement un pique-nique.

– ***Canoë-kayak :*** *nombreux* outfitters, *dont* ***Whistler Outdoor Experience,*** *à côté du* Edgewater Lodge *(voir plus haut « Où dormir ? »). ☎ 604-932-3389. Également* ***Outdoor Adventures*** *: 4205 Village Sq. ☎ 604-932-0647. • adventureswhistler.com • Loc de canoës et kayaks, balades guidées de 3h à 10h, 11h, 13h et 16h, 80 $ (60 $ pour les 13-18 ans), aux abords de Whistler.* Pour une expérience relax, le *lac Alta* offre des sorties sans aucun danger dans un site magnifique. Ceux qui cherchent à mouiller leur chemise iront, plus haut, se frotter aux rapides du *Green Lake,* mêmes horaires 100 $, 70 $ pour les jeunes.

– ***VTT : Fanatyk Co*** *(excellent accueil et très bon matériel !) au 4433 Sundial Pl. ☎ 604-938-9455. Également* ***Whistler Clearance Centre*** *(☎ 604-932-6611 ; • whistlerclearance.com •) ou* ***Cross Country Connection*** *(☎ 604-905-0071 ; • crosscountryconnection.ca •).* L'activité la plus pratiquée l'été à Whistler, si bien qu'il est conseillé de réserver son vélo à l'avance. Locations à tous les prix, mais vous ne trouverez rien à moins de 50 $ par jour pour un VTT et jusqu'à 120 $ pour les *downhill* (descente) les plus perfectionnés, avec équipement complet de cascadeur façon cosmonaute *(compter 28 $)*. Un vélo de tourisme pour parcourir le *Valley Trail* revient à environ 40 $ par jour (tarifs dégressifs si plusieurs jours). Nombreux chemins aménagés, en particulier près du Lost Lake. Guides et cartes disponibles au *Visitor's Center* et dans les magasins de location. Il y a aussi le *Bike Park* municipal... À 47 $ la journée *(ou 135 $ pour 3 jours)*, c'est un peu chérot, mais bon. Forfait descentes + leçon d'introduction + location VTT 110 $. Pour toutes les infos spécialisées, consultez • *whistler.com/bike* •

– ***Randos :*** de superbes randos à faire autour de Whistler. Pas si peinard qu'il y paraît... méfiez-vous des ours ! Pour une simple balade, sans guide, prenez le *Lost Lake Trail,* qui conduit jusqu'au lac, où se trouvent des aires de pique-nique et de baignade. Du côté de Lost Lake Dock, la tendance est même très *clothing-optional.* Une navette gratuite mène au plan d'eau en juillet-août depuis le village (terminal des bus). Pensez aussi à prendre le *Gondola* (télécabine) pour le point de vue et les balades. Pass *45 $/j. ou 2 j. 55 $ en été ; on peut même prendre ven-dim un forfait* pass*/j. + barbecue dans un resto d'altitude pour env 60 $.*
Les amateurs de grands espaces lorgneront plutôt sur l'immense parc provincial Garibaldi, étendu des portes de Whistler jusqu'à la hauteur de Squamish. • *garibaldipark.com* • Au programme : pics altiers, glaciers, lacs et nature sauvage. Pour une première approche, on peut rejoindre le lac Cheakamus (6 km, 1h20). Plus ardu, le sentier du lac Garibaldi, où se trouve un terrain de camping primitif : 9 km, et, surtout, 800 m de dénivelée. Départ du sentier à Garibaldi, au sud de Whistler.

– ***Zipline :*** un nom barbare pour désigner de longues glissades sur des fils d'Ariane en acier, tendus entre des plates-formes perchées dans les arbres ou des pylônes. Les plus raides permettent d'atteindre 100 km/h ! *Proposé par* ***Ziptrek Ecotours*** *(☎ 604-935-0001 ; • ziptrek.com •). Forfait 3h selon 2 parcours 100-120 $ ou simple balade sur des passerelles au-dessus des arbres : 2h, 30 $.*

– Si votre budget vous l'autorise, un ***survol*** de 30 mn au-dessus des glaciers vous coûtera 165 $ par personne pour 45 mn ; tabler sur 250 $ par personne pour 2h (minimum 4 personnes) si vous voulez survoler les lacs. *Rens auprès de **Whistler Air** : ☎ 604-932-6615 ou 1-888-806-2299.* • *whistlerair.ca* • Cette compagnie propose aussi, du jeu au lun, une excursion avion + train, départ à 9h de Vancouver (30 mn de vol jusqu'à Whistler, balade et lunch sur place, puis retour sur Vancouver, en fin d'après-midi, en train, pour 400 $).

L'ÎLE DE VANCOUVER

Presque aussi vaste que les Pays-Bas (34 000 km²), l'île de Vancouver s'étire sur 460 km de long face à la côte sud de la Colombie-Britannique. Peu peuplée (735 000 habitants environ), elle n'est réellement développée que dans sa partie sud, où s'amarre Victoria, la coquette capitale aux allures un peu *British.* En souvenir des débuts de la colonie, on y prend encore le *high tea* à l'anglaise, avant d'aller déambuler, bras dessus, bras dessous, dans l'un des nombreux parcs ou jardins fleuris.

À quelques dizaines de kilomètres au nord, l'île n'est déjà plus qu'une immensité sauvage qui, pour sa majeure partie, est restée inexploitée. La densité de la végétation, le caractère accidenté du relief, la faiblesse de l'infrastructure routière et la richesse de la faune font de l'île un vrai bastion naturel. Ainsi, près de 12 000 ours noirs peupleraient ses forêts – la plus grande concentration en Amérique du Nord ! Les pumas, bien qu'extrêmement discrets, y sont aussi plus nombreux que partout ailleurs. Au début de l'été, les baleines croisent le long des côtes pendant leur migration vers l'Alaska, tandis qu'au nord, le *Johnstone Strait,* classé « Réserve de la biosphère » par l'Unesco, est fréquenté par les orques (de fin juin à début octobre). On peut les observer au départ de Telegraph Cove, un petit village qui ravira les amateurs d'authenticité avec ses vieilles baraques colorées sur pilotis.

Mais l'île de Vancouver, c'est aussi, et peut-être avant tout, une façade maritime sans égale. À l'ouest, là où l'océan Pacifique se meurt une grande partie de l'année en tempêtes et en brumes impénétrables, s'étendent des plages immenses et sauvages, où s'amassent troncs flottés et *kelp.* Le superbe parc national de Pacific Rim s'y est taillé un petit domaine relativement accessible, mais c'est en randonnée ou, mieux encore, en kayak, que l'on découvrira vraiment toutes les splendeurs de ce monde perclus d'humidité. La forêt, atteinte de gigantisme, y prend des allures de monde mystérieux avec ses drapés de mousses et de lichens pendant des branches. Le monde parallèle de Tolkien vient à l'esprit.

AU RYTHME DE LA TECTONIQUE

Mystère de la tectonique des plaques, l'île de Vancouver est née de volcans sous-marins à la latitude de l'équateur, avant de dériver jusqu'à sa position actuelle. C'est ainsi que, il y a 80 millions d'années, elle se trouvait face aux côtes californiennes !

UN PEU D'HISTOIRE

C'est le capitaine James Cook qui, lors de son exploration du Pacifique à la recherche du passage du Nord-Ouest, en 1778, aborde le premier les côtes de la grande île. À son habitude, il fait du troc avec les insulaires. À son bord, un jeune marin encore inconnu : George Vancouver. De retour d'Hawaii, où Cook a trouvé la mort,

L'ÎLE DE VANCOUVER

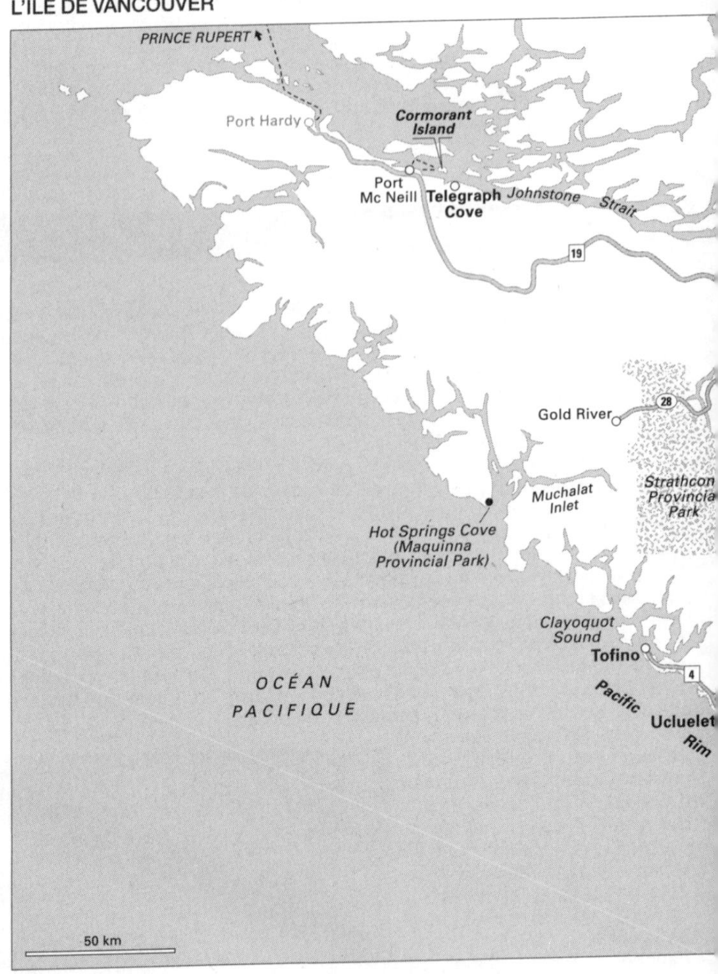

Vancouver est fait lieutenant, puis capitaine. Il revient dans la région en 1792 pour en prendre officiellement possession au nom de la Couronne britannique. Une dispute violente vient d'opposer le Royaume-Uni à l'Espagne à ce propos. Vancouver effectue le tour complet de l'île pour la première fois et rencontre le capitaine de garnison espagnol, qui poursuit ses propres explorations. Ils s'entendent plutôt bien et, d'un commun accord, ils nomment l'île Quadra et Vancouver... Seul le second nom restera. Au cours des années suivantes, Vancouver explore et cartographie une grande partie de la côte nord-ouest américaine. De retour à Londres, il y meurt en 1798, solitaire et dans l'anonymat, victime de ses trop nombreux détracteurs.

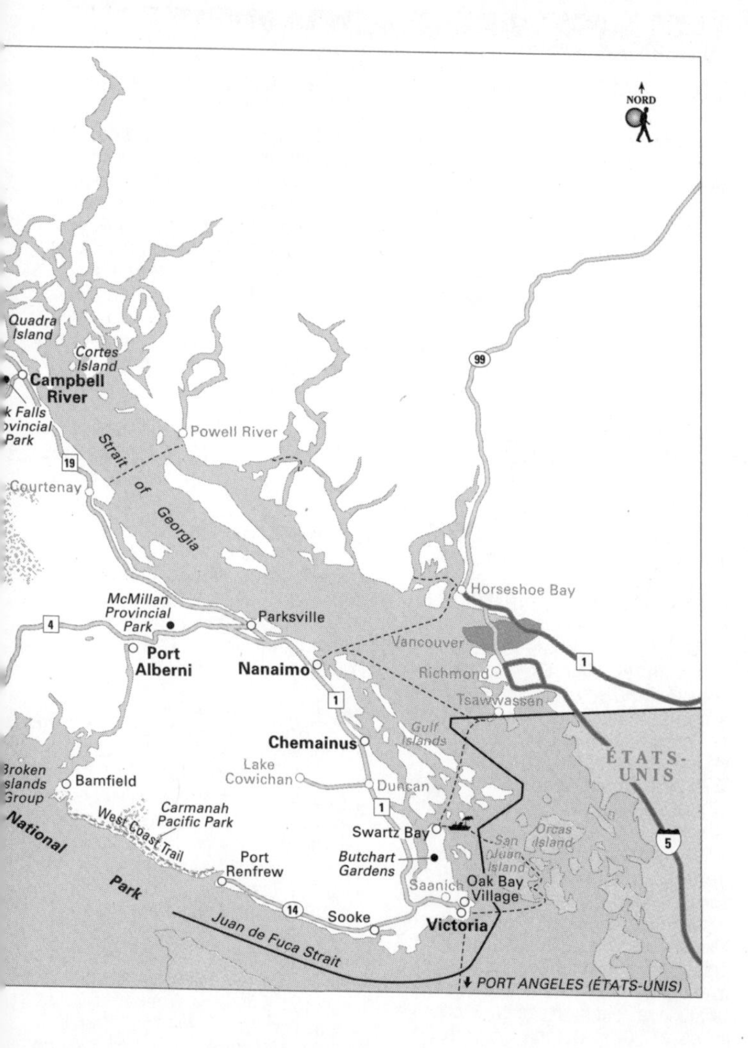

La *Compagnie de la baie d'Hudson* fonde un fort sur le site de l'actuelle Victoria en 1843, peu avant que le traité de l'Oregon définisse la frontière entre Canada et États-Unis indépendants à la hauteur du 49e parallèle. La pointe de l'île de Vancouver, qui darde au sud de cette limite, demeure néanmoins canadienne. Six ans plus tard, l'île est déclarée colonie de la Couronne et officiellement louée à la *Compagnie de la baie d'Hudson* pour... 7 shillings par an ! Elle est finalement rattachée à la Colombie-Britannique en 1866. Victoria, qui s'est développée comme base arrière de la ruée vers l'or sur la rivière Fraser, en devient la capitale et voit fleurir un bouquet d'édifices publics ainsi que de splendides jardins pour la promenade des notables.

VICTORIA

78 700 hab. (Greater Victoria : 330 000 hab.)

Ville principale de l'île et capitale de la Colombie-Britannique, Victoria, calme et souriante, semble vivre à l'anglaise avec ses jardins fleuris, ses maisons victoriennes, ses vieux buildings et ses entrepôts en brique. Pas trop petite, pas trop grande, elle se parcourt facilement à pied. Ici, le tracé des rues échappe un tout petit peu à l'éternel damier, parce qu'il suivait à l'époque l'emplacement des fermes. Le caractère tranquille du lieu et son climat tempéré attirent beaucoup de retraités, de riches Américains et de touristes, mais la proximité de l'université empêche la ville de s'endormir tout à fait au coucher du soleil. Nombre d'anciens bâtiments ont été aménagés en de chaleureux bars et restos, qui se remplissent le soir venu. Vous l'avez compris, Victoria constitue plutôt un bon point de départ pour une balade dans l'île, de même qu'un agréable point de chute pour les routards fatigués.

Arriver – Quitter

En bus

Gare routière *(zoom B2)* **:** *700 Douglas St. Juste derrière l'hôtel* Empress. *Hyper central.*

■ ***Greyhound :*** *☎ 250-388-5248.* ● *greyhound.ca* ●

➢ ***Nanaimo :*** 6 bus/j. (5 le dim). Au moins 2h de trajet. Correspondances pour ***Port Alberni, Ucluelet*** et ***Tofino*** avec *Tofino Bus.*

➢ ***Campbell River :*** 4 bus/j. (3 le dim), les mêmes que pour Nanaimo.

■ ***Pacific Coach Lines :*** *☎ 250-385-4411 ou 1-800-661-1725.* ● *pacificcoach.com* ●

➢ Transport en bus et ferry pour le centre (ou l'aéroport) de ***Vancouver.*** En saison, 1 départ/h ; ttes les 2h au pire le reste de l'année. Compter 40 $ pour un aller simple vers le *Downtown* et 46 $ pour l'aéroport (même si on s'y arrête avant !). Comme pour venir de Vancouver, cela revient moins cher de prendre le bus n° 70 de Victoria à Swartz Bay, d'acheter son billet de ferry sur place, puis de prendre des bus urbains jusqu'au *Downtown* (voir à Vancouver « Arriver – Quitter. En bateau »), mais c'est nettement plus fastidieux.

En train

Gare Via Rail *(zoom B2)* **:** *450 Pandora Ave. ☎ 1-888-842-7245.* ● *viarail.ca* ● La ligne qui reliait quotidiennement Victoria à Courtenay via Chemainus, Nanaimo, Parksville et Qualicum Beach, est temporairement fermée pour travaux.

En bateau

En plein été, les liaisons maritimes au départ de Victoria sont souvent saturées. Résa impérative pour la voiture, surtout pour les passages vers les États-Unis (Port Angeles).

BC Ferries pour Vancouver : *☎ 250-386-3431 ou 1-888-223-3779.* ● *bcferries.com* ● Départ de Swartz Bay, à env 30 km au nord de Victoria. Arrivée à Tsawwassen, à 40 km au sud-est de Vancouver. En hte saison, ttes les heures 7h-19h, puis à 21h. Pour plus de détails, voir à Vancouver « Arriver – Quitter. En bateau ».

Black Ball Ferry Line *(zoom B2,* ***6****)* **:** *430 Belleville St. ☎ 250-386-2202.* ● *cohoferry.com* ● Ferry reliant l'année Victoria à Port Angeles, aux États-Unis. De mi-mai à fin sept, 3 départs/j. ; 2 slt hors saison. Trajet : env 1h30. Compter 16,50 $ par passager adulte (moitié prix pour les 5-11 ans) ; env 60 $ pour une voiture. Attention, résa payante en plus pour les véhicules : 11-16 $.

Clipper Vacations *(zoom B2,* ***7****)* **:** *☎ 250-382-8100 ou 1-800-888-2535. À Seattle : ☎ 206-448-5000.* ● *clippervacations.com* ● Vedette rapide pour Seattle avec prolongation possible aux îles San Juan. De mi-mai à fin août, 2 à 3 départs/j. (1 seul hors saison). Durée de la traversée : 2h45. Résas impossibles à moins de 24h du départ. Tarifs pour Seattle : aller seul 80-92 $ selon période, A/R 130-140 $.

Washington State Ferries : *départ de Sidney (non loin de Swartz Bay, le terminal des* BC Ferries*).* ☎ *1-888-808-7977.* • *wsdot.wa.gov/ferries* • En saison, 2 départs/j. pour Anacortes, aux États-Unis, à travers les Gulf Islands. L'un en fin de matinée, l'autre en fin d'ap-m via Friday Harbour, sur San Juan Island. Tarif : env 18 $/adulte ; réduc. Possibilité de passer la voiture (env 50 $). Trajet : 2h pour le direct, 2h30 avec escale.

En avion

✈ ***Victoria International Airport*** *(hors plan général par C1)* **:** *à Sidney, 22 km au nord de Victoria.* ☎ *250-953-7500. Navette par* Akal Airport Shuttle *:* ☎ *250-386-2525 ou 1-877-386-2525.* Ttes les 30 mn env, 4h-minuit. Sinon, bus urbains nos 75 ou 83, 6/j. Plusieurs compagnies de loc de voitures sont présentes sur place.

➢ Nombreux vols quotidiens pour ***Vancouver*** (15 mn) avec *Air Canada* et *Pacific Coastal Airlines,* mais aussi vers Calgary, Edmonton et Toronto *(Air Canada, WestJet).* ***Seattle*** est desservi par *Horizon Air* à raison de 6 vols/j.

Adresses et infos utiles

Infos touristiques

■ ***Tourism Victoria*** *(zoom B2)* **:** *812 Wharf St.* ☎ *250-953-2033. Pour les résas de logement :* ☎ *1-800-663-3883.* • *tourismvictoria.com* • *Au-dessus du petit port. Tlj 9h-17h.* Comme à Vancouver, doc quasi exhaustive sur l'île et la ville de Victoria.

Services, urgences

✉ ***Poste*** *(zoom B2)* **:** *714 Yates St. Lun-ven 9h-17h.*

@ ***Stain Café*** *(zoom B2,* ***1****)* **:** *609 Yates St.* ☎ *250-382-3352. Tlj 10h-2h.*

@ ***James Bay Coffee & Books*** *(plan général B3,* ***2****)* **:** *143 Menzies St.* ☎ *250-386-4700. Tlj 7h30-21h (22h mar et ven).*

■ ***Royal Jubilee Hospital*** *(hors plan général par D2)* **:** *1900 Fort St.* ☎ *250-370-8000 ou 8212 (urgences).*

Transports en ville

■ ***Location de vélos et scooters : Cycle BC Rentals,*** *685 Humboldt St (zoom B2,* ***8****), ainsi que 950 Wharf St en saison slt, à côté des hydravions (zoom B2,* ***8****).* ☎ *250-380-2453 ou 1-866-380-3453.* • *cyclebc.ca* • *Vélos à partir de 7 $/h ou 24 $/j. ; scooters 16 $/h ou 69 $/j., plus assurance (6 $). Prix dégressifs selon durée.*

■ ***Victoria Harbour Ferry*** *(petits bateaux-taxis)* **:** *sur le port, plusieurs arrêts.* ☎ *250-708-0201.* • *victoriaharbourferry.com* • *De mi-mai à mi-sept, tlj 9h-21h ; moins fréquent hors saison.* Ces drôles de petites embarcations couvertes (genre *Fiat 600* sur l'eau) font des sauts de puce le long de Victoria Harbour pour un peu plus cher qu'un ticket de bus : dès 5 $ la course (réduc). Propose aussi des tours du grand port de Victoria *(22 $)* et des allers jusqu'à Gorge Park (pas de retour possible).

BC Transit *(bus urbains)* **:** ☎ *250-382-6161.* • *bctransit.com* • *Trajet env 2,50 $.*

Location de voitures

■ ***Avis*** *(zoom B2,* ***9****)* **:** *1001 Douglas St.* ☎ *250-386-8468.*

■ ***Budget*** *(zoom B2,* ***4****)* **:** *757 Douglas St.* ☎ *250-953-5300.*

■ ***Island Rent-a-Car*** *(zoom C2,* ***10****)* **:** *850 Johnson St, à l'angle de Quadra.* ☎ *250-384-4881.*

Où dormir ?

Comme pour Vancouver, les prix indiqués sont ceux de la pleine saison touristique, à savoir les mois d'été. Vous pouvez donc vous attendre à payer 20 à 30 % de moins si vous voyagez en dehors de cette période.

CAMPINGS

Goldstream Provincial Park *(hors plan général par B1,* ***18****)* **:** *2930*

VICTORIA – PLAN GÉNÉRAL

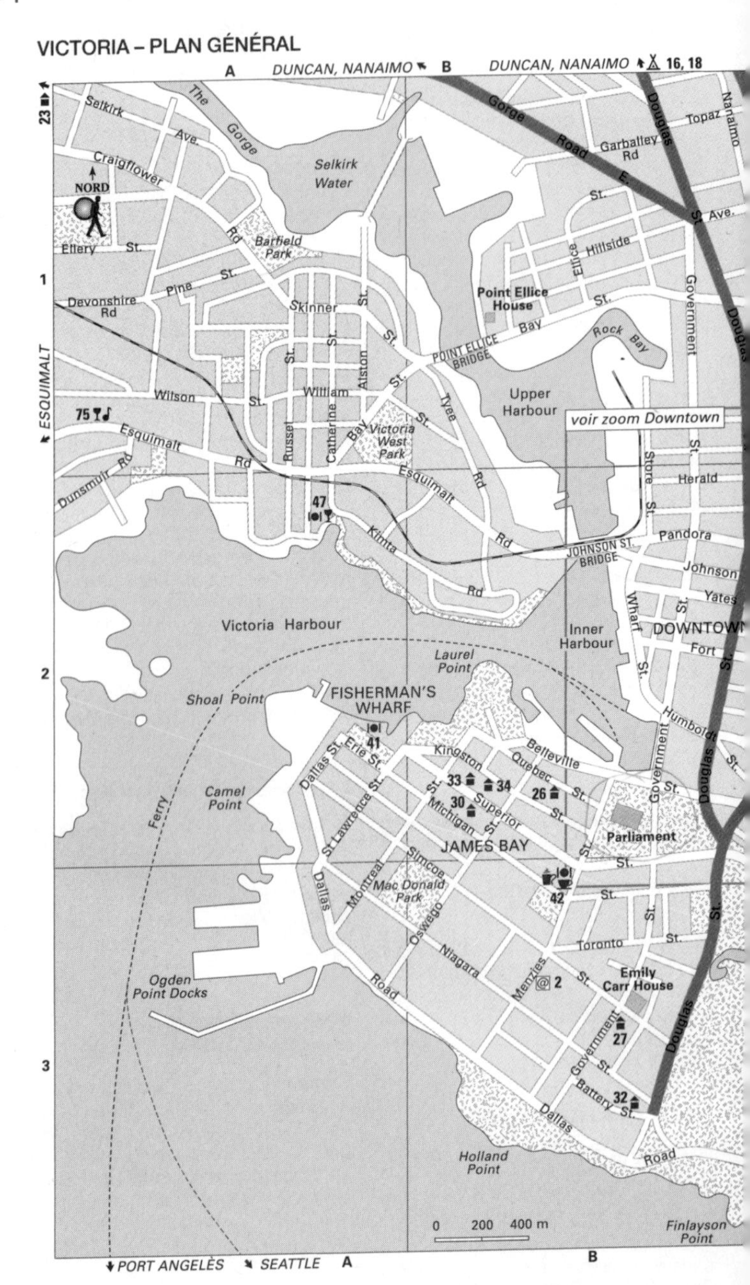

VICTORIA

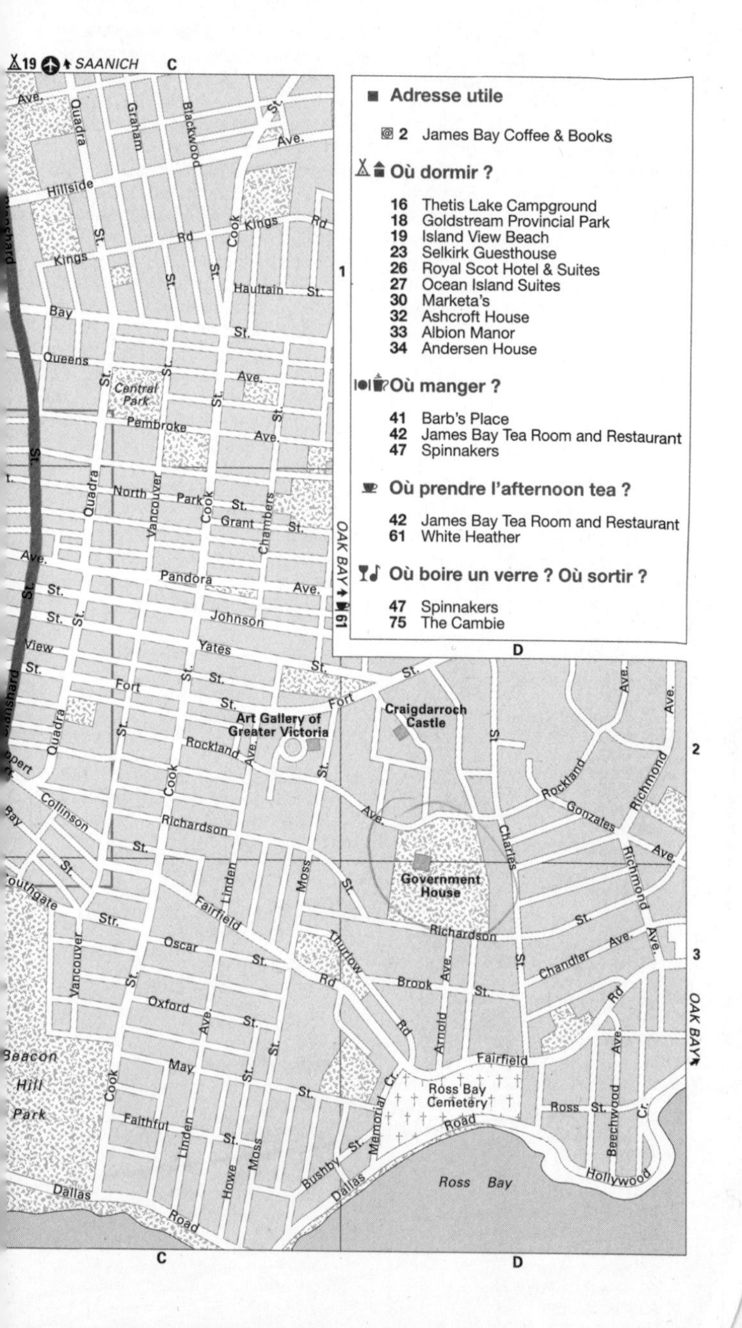
19 SAANICH
C
D
1
2
3
Adresse utile
2 James Bay Coffee & Books
Où dormir ?
16 Thetis Lake Campground
18 Goldstream Provincial Park
19 Island View Beach
23 Selkirk Guesthouse
26 Royal Scot Hotel & Suites
27 Ocean Island Suites
30 Marketa's
32 Ashcroft House
33 Albion Manor
34 Andersen House
Où manger ?
41 Barb's Place
42 James Bay Tea Room and Restaurant
47 Spinnakers
Où prendre l'afternoon tea ?
42 James Bay Tea Room and Restaurant
61 White Heather
Où boire un verre ? Où sortir ?
47 Spinnakers
75 The Cambie
OAK BAY 61
OAK BAY
Quadra
Graham
Blackwood
Hillside
Cook
Kings
Rd
Haultain
Bay
Queens
Central Park
Pembroke
North Park
Grant
Vancouver
Chambers
Pandora
Johnson
Yates
View
Fort
Art Gallery of Greater Victoria
Craigdarroch Castle
Rockland
Collinson
Richardson
Linden
Moss
Government House
Charles
Gonzales
Richmond
Fairfield
Southgate
Oscar
Thurlow
Brook
Arnold
Chandler
Oxford
Beacon Hill Park
May
Faithful
Howe
Ross Bay Cemetery
Memorial
Bushby
Dallas
Road
Ross
Beechwood
Hollywood
Ross Bay

Trans Canada Hwy. ☎ *1-800-689-9025. Résas : • vislandcamping.com • gocampingbc.com • À 16 km à l'ouest de Victoria, par la Hwy 1 ; sortie West Shore Parkway ; c'est fléché. Ouv tte l'année, mais pas d'eau de nov à mi-mars. Env 30 $ pour un emplacement, une voiture et jusqu'à 4 pers.* Sauvage et isolé, dans une épaisse forêt de pins de Douglas. Les plus grands atteignent 90 m de haut ! Emplacements vastes et bien espacés, douches chaudes et gratuites. Une rivière passe par là, avec des chemins de randonnée à proximité. Bref, un environnement très agréable pour planter la tente. Épicerie et pub-resto près de l'entrée du parc.

⛺ ***Thetis Lake Campground*** *(hors plan général par B1,* ***16****) : 1-1938 W Park Lane.* ☎ *250-478-3845. Fax : 250-478-6151. Accès depuis la Hwy 1, sortie 10, puis suivre les petits panneaux bleus avec un dessin de tente. Ouv 20 juin-20 sept. Env 25 $ pour 2 pers en tente.* Environ 120 emplacements dispersés dans la forêt, sur des terrasses, en bordure du Thetis Lake Park (balades sympas). Dommage que la *highway* soit aussi bruyante. Lave-linge et petite épicerie. Les douches sont payantes et l'eau chaude est parfois un peu juste le matin.

⛺ ***Island View Beach*** *(hors plan général par C1,* ***19****) : Homathko Dr, Saanichton.* ☎ *250-652-0548. • crd.bc.ca/parks/islandview/campground • À mi-chemin entre Swartz Bay et Victoria. Depuis le terminal des ferries, prendre la route 17 (direction Victoria) ; après env 12 km, dépasser la sortie Saanichton et tourner à gauche dans Island View Rd. Ouv mi-mai à début sept. Env 15 $ pour une tente, 20 $ pour un RV.* Petit camping au bord d'une plage de sable gris, semée de troncs et branches d'arbres – super pour se faire une cabane ! L'ensemble est relativement *basic*, avec les motor homes contre la plage et les tentes de l'autre côté de la rue. Espace gazonné pour ces dernières, tranquille hors saison, mais sans trop d'intimité quand c'est plein.

VICTORIA

■ Adresses utiles

- ℹ Tourism Victoria
- **1** Stain Café
- **4** Budget
- **6** Black Ball Ferry Line
- **7** Clipper Vacations
- **8** Cycle BC Rentals
- **9** Avis
- **10** Island Rent-a-Car

Où dormir ?

- **20** Ocean Island Backpackers Inn
- **21** HI Victoria Hostel
- **22** Turtle Hostel
- **24** Dalton Hotel
- **25** Helm's Inn
- **28** Humboldt House

Où manger ?

- **40** John's Place
- **43** Milestones
- **44** Hernande'z
- **45** Pagliacci's
- **46** Don Mee
- **48** Café Mexico
- **49** Red Fish Blue Fish
- **50** Zambri's
- **51** Noodle Box
- **52** The Pink Bicycle
- **53** Pescatores
- **54** Camille's
- **55** Lotus Pond
- **56** Solstice Café
- **57** Rebar Modern Food

Où prendre l'*afternoon tea* ? Où acheter de merveilleux chocolats ?

- **60** The Fairmont Empress
- **62** Rogers'

Où boire un verre ? Où sortir ?

- **70** Club 9one9
- **71** The Sticky Wicket
- **72** Swans
- **73** Lucky Bar
- **74** Canoe
- **76** Rehab

Achats

- **100** Mountain Equipment Co-op
- **101** Christmas Village
- **102** Chinatown Fan Tan Trading
- **103** Munro's Books

À voir

- **60** The Fairmont Empress Hotel
- **91** Maritime Museum of British Columbia

VICTORIA - ZOOM

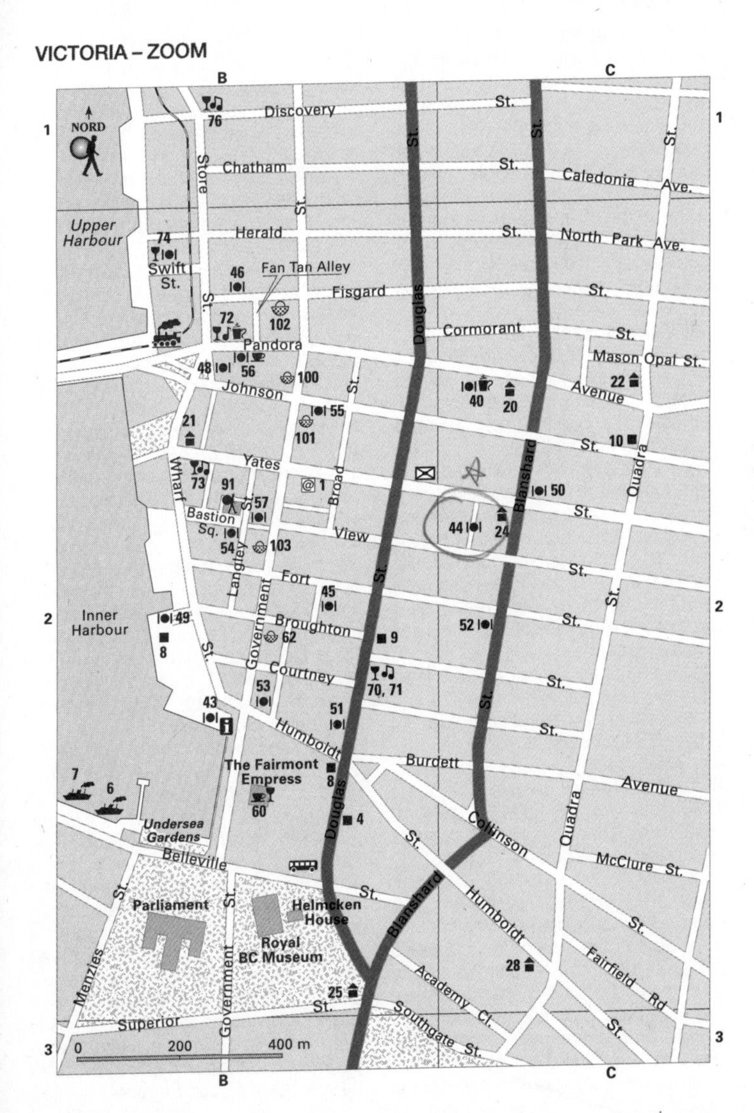

AUBERGES DE JEUNESSE

Ocean Island Backpackers Inn *(zoom C2, **20**) : 791 Pandora Ave. ☎ 250-385-1788 ou 1-888-888-4180. • oceanisland.com • Nuits en dortoir 20-26 $ pour étudiants ou avec la carte Hostelling International, 22-29 $ sinon. Chambres privées 46-83 $ pour 2 pers (un poil plus cher w-e et j. fériés). Parking 10 $. Internet, wifi.* Cette AJ assez centrale abrite de sympathiques espaces communs, des dortoirs tout à fait convenables (à 6 lits principalement, avec frigo), certains pouvant convenir pour des familles (lit double + 3 lits simples). Également plein de jolies chambrettes très colorées, fort bien tenues avec ou sans sanitaires. Attention, celles à prix plancher n'ont pas de fenêtre mais les plus chères sont vraiment super, avec salle de bains attenante. Cuisine et salle à manger, laverie. Le bar-*lounge (de 17h à minuit)* est un des plus sympas et animés en ville, avec un son différent chaque jour. On peut d'ailleurs bosser quelques heures contre un « crédit » boissons. Avis aux amateurs ! Organise aussi tous les jours des excursions entre mai et septembre. Très bon accueil.

HI Victoria Hostel *(zoom B2,* ***21****) : 516 Yates St. ☎ 250-385-4511 ou 1-866-762-4122. • hihostels.ca • Lits 24-30 $; 28-35 $ pour les non-membres. Propose aussi une poignée de chambres privées pour 2-3 pers 70-80 $. Internet, wifi.* En plein centre, l'une des premières *warehouses* de la ville (1882), classée et joliment rénovée. À l'intérieur aussi, tout vient d'être refait du sol au plafond. Une centaine de lits répartis dans des dortoirs de configurations différentes, de 4-6 personnes à carrément 44 (impressionnant mais pas étouffant grâce aux beaux volumes). Au rez-de-chaussée, vaste cuisine bien équipée avec salle à manger, et, à l'étage, salon pour bouquiner, salle TV et billard. Laverie et possibilité de location de vélos.

Turtle Hostel *(zoom C2,* ***22****) : 1608 Quadra St. ☎ 250-381-3210 ou 1-877-381-3210. • turtlehostel.ca • Lits 20-22 $ selon saison et taille du dortoir ; chambres doubles 40-56 $, avec sdb partagée. Wifi.* Plus excentrée, cette petite AJ, installée dans une maison victorienne en bois coloré (avec terrasse sur le toit), pourrait être charmante si elle était mieux tenue. Aménagement de bric et de broc, propreté et accueil aléatoires... En dépannage seulement, si les 2 autres AJ affichent complet. Ou bien pour les voyageurs les moins exigeants et ric-rac car, reconnaissons-le, les prix des plus petites chambres privées sont assez imbattables.

HÔTELS

Helm's Inn *(zoom B2,* ***25****) : 600 Douglas St, à l'angle de Superior. ☎ 250-385-5767 ou 1-800-665-4356. • helmsinn.com • Au pied du Beacon Hill Park, à quelques blocs à peine du port. Doubles 115-145 $ en été ; dès 75 $ hors saison. Parking 5 $. Internet, wifi.* Derrière le Royal BC Museum, donc impeccablement placé, un motel haut de gamme quoique encore raisonnablement tarifé. Les chambres sont jolies, de belle taille et très fonctionnelles, réparties dans 3 bâtiments d'architectures contrastées. La plupart disposent d'une cuisine tout équipée et les plus grandes d'une chambre séparée. Laverie. Excellents accueil et rapport qualité-prix.

Royal Scot Hotel & Suites *(plan général B2,* ***26****) : 425 Quebec St. ☎ 250-388-5463 ou 1-800-663-7515. • royalscot.com • Doubles 125-165 $ en été (selon taille) ; dès 110 $ hors saison. Parking 10 $. Internet, wifi.* Ceux qui en ont les moyens lorgneront vers les belles suites de cet hôtel très apprécié des familles et idéalement situé, à 3 mn à pied du port intérieur. Beaucoup d'espace, même dans les plus petites chambres (avec kitchenette). Toutes les autres ont une vraie cuisine, ce qui permet d'économiser sur les restos... Déco classique mais très bon niveau de confort général et de services : piscine couverte, jacuzzi, salle de jeux, mini-épicerie, etc.

Dalton Hotel *(zoom C2,* ***24****) : 759 Yates St. ☎ 250-384-4136. • daltonhotel.ca • Double standard 145 $ (dès 95 $ hors saison) ; catégorie « boutique » 235 $ en été, petit déj léger inclus. Parking 10 $. Wifi.* Un ancien bâtiment en brique rouge à la façade un peu décatie. Son principal atout est sa situation, en plein centre, mais l'intérieur est encore vraiment *old-fashioned*. Les chambres standard sont tristounettes, les nouvelles *boutique style* (un bien grand mot) sont un cran au-dessus (tons beiges, cheminée) mais chères pour le coup. Demandez en tout cas à en voir plusieurs car elles sont inégales.

B & B *ET* GUESTHOUSES

Victoria possède un joli bouquet de *B & B* de charme et de *guesthouses* (sans petit déj). Nombre d'entre eux ne sont pas donnés, mais si vous êtes prêt, pour 1 nuit, à desserrer un peu les cordons de votre bourse, en principe vous ne le regretterez pas. Si, par hasard,

VICTORIA

vous ne trouviez pas votre bonheur dans les adresses qui suivent, n'hésitez pas à vous adresser à l'office de tourisme ou même aux bureaux de réservation :

■ ***British Columbia B & B Inkeepers Guild :*** ● *bcsbestbnbs.com* ●
■ ***Best Bed and Breakfasts of Victoria :*** ☎ *1-877-484-2262.* ● *bestbnbvictoria.com* ●
■ ***Victoria Vacation Rentals :*** ☎ *1-888-479-8600.* ● *bcacc.com* ●

De prix moyens à plus chic

Selkirk Guesthouse *(hors plan général par A1,* ***23****) : 934 Selkirk Ave. ☎ 250-389-1213 ou 1-800-974-6638. ● selkirkguesthouse.com ● Un peu excentré mais facile d'accès. Du centre-ville, 30 mn à pied... et à peu près autant en kayak ! En voiture, traverser le pont Johnson, puis à droite au 1er feu dans Tyee, qui devient Skinner puis Craigflower ; tourner à droite dans Arcadia et, enfin, à gauche dans Selkirk. Sinon, bus n° 14 Craigflower de Douglas et Yates (arrêt Tillicum ; 10 mn de trajet). Téléphoner avt de venir, car c'est souvent complet ! Doubles 100-135 $; également une chambre partagée à 3 lits, 30 $ la nuit. Petit déj 8 $.* Accueil très décontracté. Les 6 chambres (la moitié avec salle de bains privée), décorées simplement, sont agréables. 2 disposent d'une kitchenette. Le jardin est un vrai petit paradis pour enfants : animaux, barbecue, jacuzzi, trampoline. Au petit déj, on vous servira les œufs pondus par la poule de la maison ! Envie d'aller au resto ? On saute dans un canoë, et le tour est joué (attention au fort courant !).

Ocean Island Suites *(plan général B3,* ***27****) : 143 Government St. ☎ 250-385-1788 ou 1-888-888-4180. ● oisuites.com ● Dans un quartier résidentiel calme, à 50 m de la maison d'Emily Carr et 10-15 mn à pied du port intérieur. Pour 2 pers, 100-140 $. Parking gratuit dans la rue. Internet, wifi.* Lié à l'*Ocean Island Backpackers Inn*, où se fait le *check-in* (voir plus haut), ce lieu enchantera ceux qui sont à la recherche de tranquillité et d'intimité. Cette maison en bois (1907), entièrement restaurée, a été divisée en 3 apparts loués à la journée, lumineux et spacieux. Chacun dispose d'une cuisine complète. On aime particulièrement les nos 2 et 3, qui donnent sur une terrasse en bois et sur l'adorable petit jardin, à l'arrière. Lave-linge. Bref, un excellent rapport qualité-prix.

Marketa's *(plan général B2,* ***30****) : 239 Superior St. ☎ 250-384-9844. ● marketas.com ● Doubles avec ou sans sdb 85-155 $. Petit déj compris.* Marketa, c'est le nom de la proprio, une artiste tchèque qui a fait son nid à Victoria. Ses toiles ornent les couloirs. Les chambres du 1er étage, plus chères, sont vraiment réussies avec leur mobilier en bois, leur lustre, parquet, cheminée et jacuzzi. Celles du rez-de-chaussée, avec salle de bains partagée, sont plus ordinaires. Celles du sous-sol, simples et moins lumineuses, disposent de leur propre salle de bains et ouvrent sur le jardin. Petit salon cosy pour les hôtes et agréable véranda pour un copieux petit déj, préparé à votre goût.

De plus chic à très chic

Albion Manor *(plan général B2,* ***33****) : 224 Superior St. ☎ 250-389-0012 ou 1-877-389-0012. ● albionmanor.com ● Env 150-200 $ pour 2 pers (dès 110 $ hors saison). Petit déj inclus. Internet, wifi.* Des rêves de grandeur ? Filez droit chez Don et Fernando. Leur vénérable demeure (1882) aujourd'hui classée fut jadis un cadeau de mariage... voilà qui fait rêver ! Entre le lit à baldaquin belge en acajou et celui du gouverneur du Wisconsin, les amateurs d'antiquités seront comblés. Objets d'art et d'artisanat du monde entier côtoient les œuvres délirantes de Fernando – vous verrez ce qu'on veut dire en franchissant le seuil... Beaucoup de classe et de charme, de personnalité et de gentillesse aussi. Certaines chambres possèdent un jacuzzi ou une kitchenette et un balcon, voire une terrasse. Notre adresse préférée à Victoria. *Gay-friendly.*

Ashcroft House *(plan général B3,* ***32****) : 670 Battery St. ☎ 250-385-4632 ou 1-866-385-4632. ● ashcrofthousebandb.com ● Doubles 150-190 $; compter 50 $ de moins hors saison. Petit déj compris. Internet, wifi.* À 1 bloc seulement de la mer et du Beacon Hill Park. Ici aussi, une maison bien cossue de 1898 avec un long balcon, précédée d'un carré de gazon planté de poiriers. 4 chambres très confortables et fort bien décorées, dans les tons beige et bordeaux, vert ou bleu ; ainsi qu'une suite superbe complétée d'une kitchenette et d'une cheminée électrique. Toutes ont leur propre salle de bains, DVD. Véranda avec jeux et gros fauteuils pour se détendre, collections de jolis bibelots un peu partout, un côté très *British*. Excellent accueil. Tous les avis sont unanimes : les *scones* du petit déj sont épatants !

Andersen House *(plan général B2,* **34***) : 301 Kingston St. ☎ 250-388-4565 ou 1-877-264-9988. • andersenhouse.com • Résa impérative, jusqu'à 2 mois à l'avance en été. Env 175-195 $. Pas de petit déj malheureusement.* Last minute specials *sur Internet.* Cher mais exceptionnel ! Demeure victorienne de 1891, splendidement restaurée dans un style contemporain : façade colorée, véranda, hauts plafonds, cheminées (électriques), décor de stuc, beau mobilier, et on en passe. Magnifiques (le mot n'est pas trop fort) chambres, très confortables, toutes avec entrée indépendante. La suite dispose de 2 chambres, d'un coin salon et d'un vaste balcon donnant sur le jardin, à l'arrière. Les 2 autres ont chacune un double jacuzzi. Des toiles d'artistes contemporains habillent les pièces. Enfants à partir de 12 ans seulement. Aux dernières nouvelles, la maison était en vente...

Humboldt House *(zoom C2,* **28***) : 867 Humboldt St. ☎ 250-383-0152 ou 1-888-383-0327. • humboldthouse.com • Central, juste après la grande St Anne's Academy. Doubles 245-295 $ de mi-juin à sept ; dès 130 $ sinon.* Certes, les prix ne sont pas accessibles à toutes les bourses, mais leur site internet propose parfois de bonnes promos. La vieille maison victorienne abrite 6 chambres et suites bonbonnières, toutes avec cheminée (à bois !), jacuzzi (pour 2 !) et fleurs fraîches. Notre préférée : la *Mikado,* avec son décor japonisant très classe. Spéciale lune de miel : la *Celebration Room* avec son ciel de lit en dentelle blanche froufroufante (faut aimer...). Champagne et chocolats vous attendent à votre arrivée. Quant au petit déj, il est servi dans la chambre pour mieux profiter de ce *love nest* élu le plus romantique de Victoria par *« Best Places to Kiss in the Northwest ».*

VICTORIA

Où manger ?

Le saviez-vous ? Victoria est la ville où le nombre de restos par habitant est le plus élevé d'Amérique du Nord... avec San Francisco !

Très bon marché, sur le pouce

Hernande'z *(zoom C2,* **44***) : entrée par le 735 Yates St, au début de la galerie marchande. Tlj sf dim 11h30-21h. Env 5-8 $.* Difficile d'imaginer trouver une perle au milieu de cette petite galerie commerçante sans âme. Pourtant, cette *cantina* colorée, inspirée des marchés de rue latinos, est une trouvaille. Tacos et tortillas sont maison et les garnitures sont à la fois copieuses, ultrafraîches et savoureuses, pour un rapport qualité-prix imbattable.

Bon marché

Barb's Place *(plan général A2,* **41***) : Fisherman's Wharf, 310 Erie St (nom de rue sur le ponton flottant). ☎ 250-384-6515. Au bout de Superior St. Si vous n'êtes pas motorisé, le* Victoria Harbour Ferry *(voir « Adresses et infos utiles ») vous y conduira. Tlj mars-oct 11h-21h (selon coucher du soleil), si la météo le permet.* Fish & chips *10-15 $. Halibut* (flétan) éventuellement empaqueté dans du journal comme dans le temps, huîtres, *seafood chowder, fish burger,* moules et palourdes à manger dehors sur de grosses tables prises d'assaut aux beaux jours, ou à même le ponton. Profitez-en pour flâner dans le coquet village de *houseboats*. Très populaire le week-end. Un endroit romantique pour les routards peu fortunés.

Red Fish Blue Fish *(zoom B2,* **49***) : 1006 Wharf St, sur le* pier. *☎ 250-298-6877. Tlj 11h-18h.* Fish & chips *10-11 $ une part ; 15-17 $ pour 2.* Ne cherchez pas un resto... mais plutôt un container ! Celui-ci a fini de voyager sur les cargos et a été transformé en débit de poisson frites, avec vue sur le port, tout de même, en souvenir du bon vieux temps... Ultracopieux : une portion peut suffire pour 2 si vous n'êtes pas gros mangeurs. Autres spécialités : les burgers aux coquilles Saint-Jacques (si, si) et les *tacones,* sortes de tacos en forme de cônes garnis de poisson. Quelques tables avec tabourets pour se caler au soleil, face aux bateaux. Attention aux mouettes affamées et préparez-vous à faire la queue, c'est une institution !

James Bay Tea Room and Restaurant *(plan général B3,* ***42****) : 332 Menzies St, angle Superior St. ☎ 250-382-8282. Derrière le parlement. Tlj 7h (8h dim)-17h. Breakfast* special *avec œufs, patates et boisson dès 6,50 $. Thé quotidien env 11 $;* high tea *env 19 $.* Petite maison blanche au toit pentu. À l'intérieur, décor chargé et kitsch à souhait mais amusant, des portraits de la famille royale et de Churchill au petit bonnet en crochet sur les théières en passant par les dentelles aux fenêtres. Contrairement aux usages, on y prend le petit déj et l'*afternoon tea* toute la journée ! À part ça, salades, burgers et plats anglais traditionnels : *beef and kidney pot pie (tourte au bœuf et rognons), welsh rarebit, kippers & eggs* (harengs fumés). Bons gâteaux : énormes *scones, sherry triffle,* cheese-cakes.

The Pink Bicycle *(zoom C2,* ***52****) : 1008 Blanshard St. ☎ 250-384-1008. Tlj sf dim 11h30-21h. Burgers 12-15 $.* Un *burger joint* version gourmet, qui décline le plat national nord-américain à toutes les sauces et avec des produits locaux : bison, thon, agneau, *veggie...* Bien insister sur la cuisson si vous le voulez vraiment saignant. Également une poignée de salades et la soupe du jour. Salle toute simple, style basique Ikea égayé de quelques reproductions de Mucha (!). La bicyclette rose (et non bleue) est bien en devanture. Clientèle jeune.

John's Place *(zoom C2,* ***40****) : 723 Pandora Ave. ☎ 250-389-0711. Lun-ven 7h-21h, sam 8h-21h, dim 8h-21h. Plat midi dès 8-10 $, quelques* special dinners *un peu plus cher.* Décor à l'américaine, murs en bois clair, banquette de moleskine, vieilles affiches et photos très *Sixties* aux murs. Service décontracté et souriant. La cuisine est copieuse et très abordable : plats style *comfy food,* auxquels participent, bien sûr, les bons vieux hamburgers. Un endroit très populaire pour le petit déj et le brunch.

Lotus Pond *(zoom B2,* ***55****) : 617 Johnson St. ☎ 250-380-9293. Mar-sam 11h-15h, 17h-21h ; dim 12h-15h, 17h-20h30. Lunchs* specials *6-8 $; buffet tlj le midi. Plats carte 9-15 $.* Ce resto applique à la lettre les principes bouddhistes. Pas de viande au menu, donc, mais du faux poulet, du faux bœuf et même des faux fruits de mer à base de soja... Goûtez, vous ne verrez pas la différence, garanti ! L'ail, l'oignon, le poireau... sont également bannis. Pourtant, la carte fourmille de bons petits plats pas chers : rouleaux de printemps et gâteaux de navet pour commencer, légumes sautés aux noix de cajou, tofu épicé rissolé, etc. Et hop, vous avez mangé végétarien sans même vous en rendre compte. Toujours plein de monde.

Noodle Box *(zoom B2,* ***51****) : 812 Douglas St. ☎ 250-384-1314. Tlj 11h (12h w-e)-21h. Une autre adresse au 626 Fisgard St. Plats 11-15 $.* Cette cafét façon *noodle bar* attire un monde fou le midi. On choisit au tableau, puis on commande à la caisse une *noodle box* (boîte en carton) avec un grand choix de nouilles de tous les horizons asiatiques : *teriyaki box* à la japonaise, *chow mein* thaï aux cacahuètes, *jungle curry* cambodgien, etc. La qualité varie un peu selon les cuisiniers, que l'on voit s'activer juste derrière, au-dessus des woks, mais c'est bon, copieux et pas très cher. N'oubliez pas de préciser si vous voulez votre plat plus ou moins épicé. Musique un peu envahissante.

Solstice Café *(zoom B2,* ***56****) : 529 Pandora St. ☎ 250-475-0477. Lun-ven 7h30-19h (21h certains soirs), sam 9h30-17h, dim 11-17h. Une poignée de plats moins de 10 $.* Une escale bio, *fair trade* (commerce équitable) et New Age dans le coin de Chinatown, presque en face de l'étroite Fan Tan Alley. Grande salle confortable veillée par un totem, mur de brique égayé par les œuvres d'artistes locaux, gros fauteuils dépareillés et, au fond, un patio pour les beaux jours, où grignoter un muffin, une pâtisserie ou un sandwich. Certains soirs, musique live, poésie, slam... *(cover de 5 à 10 $).*

Prix moyens

|●| ***Rebar Modern Food*** *(zoom B2,* ***57****) : 50 Bastion Sq. ☎ 250-361-9223. Tlj 8h30-21h (22h ven-sam ; 15h30 dim). Salade env 12-13 $; plats 11-18 $. Brunch le w-e.* Ce sympathique resto en entresol est un favori des habitants de Victoria. Dans les assiettes, posées sur des toiles cirées bariolées, une cuisine fusion au goût du jour, tendance *organic* : burger au saumon, curries et beaucoup de légumes. Bon choix de desserts également (jeter un coup d'œil dans la vitrine). Tout est frais, sain et bon, servi par une équipe jeune et souriante, et dégusté sur fond de musiques bien choisies. À accompagner d'un jus de légumes ou de fruits frais.

|●| 🍷 ***Spinnakers*** *(plan général A2,* ***47****) : 308 Catherine St. ☎ 250-386-2739. Tlj 11h-23h. Plats 10-18 $ midi et soir. Spinnakers* est une véritable institution à Victoria auprès des amateurs de voile. À la fois une brasserie (au sens premier du terme !), un pub et un resto, il domine les flots face aux côtes américaines et au port de Victoria. On peut y venir pour le *tea time* goûter les pâtisseries maison. Le midi ou le soir, place à une cuisine de pub améliorée, fort bien réalisée, avec des produits locaux uniquement : herbes aromatiques du jardin, poisson fumé sur place, vinaigre de malt et moutarde maison... *Chowder* très réussi. Bien aussi pour boire un verre, vu l'impressionnant choix de bières (maison) à la pression. À l'étage, grande salle chaleureuse et petite terrasse. Fait aussi *guesthouse.*

|●| ***Milestones*** *(zoom B2,* ***43****) : 812 Wharf St, sous l'office de tourisme, face au port. ☎ 250-381-2244. Lun-ven dès 11h ; 10h sam ; 9h dim (pour le petit déj). Le soir, plats 13-21 $; un peu moins cher le midi.* Resto d'une petite chaîne canadienne, apprécié surtout pour sa terrasse au bord de l'eau. On peut aussi manger dans la grande salle à l'étage : déco chic et épurée, dans des tons bruns, beiges et gris. La nuit tombée, le parlement illuminé scintille superbement en vis-à-vis. Carte longue comme le bras, mais cuisine sans génie. *Bis repetita,* on vient ici pour la vue.

|●| ***Don Mee*** *(zoom B2,* ***46****) : 538 Fisgard St. Au 1er étage. ☎ 250-383-1032. Tlj 11h (10h w-e)-22h. Le midi,* dim sum *env 10 $; sinon, plats 10-20 $.* Ce resto chinois établi il y a plus de 80 ans est réputé pour ses copieux *dim sum* le midi. Les chefs en préparent chaque jour entre 60 et 80 variétés ! Les petits chariots *(carts)* virevoltent entre les tables, dans une salle sans grande intimité néanmoins. Arriver de bonne heure, car nombre de douceurs partent vite, comme ces *clams* parfumés, les petits poulpes frits, les *spare ribs...* à accompagner d'un thé. Attention, difficile parfois de se faire comprendre... Également des plats à la carte : cuisine cantonaise et du Sichuan principalement. Beaucoup de familles chinoises, c'est bon signe !

|●| ***Pagliacci's*** *(zoom B2,* ***45****) : 1011 Broad St, petite rue entre Government, Douglas et Fort St. ☎ 250-386-1662. Tlj 11h30-22h (23h ven-sam). Musique live dim-mer. Brunch dim 10h-15h. Plats env 10-13 $ le midi (sandwichs et pâtes principalement) ; 10-30 $ le soir. Formules* half plate, *déjà copieuses, 9-11 $.* Déco jeune et assez new-yorkaise : tables à touche-touche mais beaux volumes, photos et tableaux partout. L'été, c'est souvent complet (arriver tôt, les réservations sont impossibles !). Atmosphère animée, bruyante même, et lumière tamisée. Bonne cuisine italienne à la sauce nord-américaine, très abordable. Les plats (pas mal de pâtes) portent des noms inspirés de films ou d'acteurs. On regrette juste l'irrégularité du service.

|●| ***Café Mexico*** *(zoom B2,* ***48****) : 1425 Store St. Autre entrée par le 1er étage de Market Sq. ☎ 250-386-1425. Tlj 11h-22h. Plats 12-18 $.* La déco bariolée et acidulée, évoquant un village mexicain, est plutôt festive avec les sombreros accrochés au plafond et la musique *south-of-the-border.*

Ambiance au diapason, toujours conviviale voire survoltée. Ceux qui préfèrent la tranquillité trouveront quelques recoins un peu plus sereins... si toutefois il y a de la place. Côté cuisine, saveurs mexicaines honnêtes, version américanisée.

Plus chic

|●| ***Zambri's*** *(zoom C2,* ***50****) : 820 Yates St, angle Blanshard. Tlj midi et soir jusque tard. Brunch dim 10h30-14h30. Plats 28-30 $ (moins cher le soir) ; pizzas et pâtes 15-18 $.* Le resto italien qui crée le buzz actuellement, aussi bien pour son décor chic et tendance, à mi-chemin entre le baroque et le design, que pour sa cuisine de trattoria, travaillée avec des produits locaux. Les plats sont assez chers le soir mais on peut s'en tirer à meilleur compte avec les pizzas ou les *primi* (pâtes). Pour accompagner tout ça, vins de la Botte ou de BC et bières microbrassées localement.

|●| ***Camille's*** *(zoom B2,* ***54****) : 45 Bastion Sq, à l'angle de Langley St. ☎ 250-381-3433. Salle en sous-sol. Mar-sam à partir de 17h30. Résa conseillée. Plats 25-32 $.* Un des restos chic de Victoria, tenu par un intégriste des produits locaux ! Cuisine côte ouest très fine et grande sélection de vins régionaux, pas encore trop chers. Ne paie pas de mine comme ça, disons très classique, mais a été élu le « meilleur endroit de la ville pour un 1er rendez-vous »... c'est dire ! Le seul risque, c'est qu'un groupe débarqué d'un navire de croisière n'envahisse les lieux...

|●| ***Pescatores*** *(zoom B2,* ***53****) : 614 Humboldt St, près du croisement avec Government. ☎ 250-385-4512. Tlj 11h30 (11h w-e)-23h. Résa très conseillée. Le soir, plats 28-30 $; le midi, 14-18 $.* Vous êtes ici dans l'un des restos de poisson et fruits de mer les plus appréciés de la ville. Murs ocre, doux ballet des grands ventilos, aquarium, voilà pour le décor. Côté cuisine, c'est la note italienne qui domine. Toute la *seafood* est « *ocean friendly* », les vins sont de Colombie-Britannique et les bières microbrassées. Desserts très réussis. On peut également dîner au bar.

Où prendre l'*afternoon tea* ? Où acheter de merveilleux chocolats ?

☕ ***The Fairmont Empress*** *(zoom B2,* ***60****) : 721 Government St. ☎ 250-384-8111 ou 389-2727 (résas pour le* tea-room, *indispensables en saison).* High tea *env 58 $!* Tout le charme d'une gracieuse dame née au début du XXe s. Splendide *Tea Lobby* aux grandes colonnes corinthiennes, où l'on vient siroter son *afternoon tea (tlj 11h30-18h, 17h hors saison)* en dégustant petits-fours et sandwichs salés et sucrés rangés sur un plateau d'argent. La tenue correcte exigée n'est pas trop contraignante (ça passe en jean !) et l'expérience est vraiment super, malgré son prix élevé. Le *empress blend,* mélange de thés d'Assam, de Ceylan et du Kenya, servi dans de la porcelaine anglaise imprimée à l'origine pour le roi George V, est tout simplement extra. On vous en offrira même une boîte au moment de partir ! Touche américaine : si vous calez, on vous proposera un *doggy bag...* Service stylé. Essayez de jeter un œil aux 2 salles plus rarement utilisées : la *Harbour Side,* derrière la cheminée du *Tea Lobby* et la *Library* à l'entrée de l'hôtel.

☕ ***James Bay Tea Room and Restaurant*** *(plan général B3,* ***42****) :* voir « Où manger ? ».

☕ ***White Heather*** *(hors plan général par D2,* ***61****) : 1885 Oak Bay Ave, à l'angle de Davie St. ☎ 250-595-8020. À l'entrée d'Oak Bay Village. Du centre de Victoria, prendre Fort St, puis Oak Bay Ave à droite. Tlj sf dim-lun 10h-17h. Résa conseillée. Formules thés 16-20 $* (giant tea for two *46 $).* Plus *British* encore que Victoria, *Oak Bay* est un quartier d'irréductibles à 10 mn de voiture à peine. Ici on s'enorgueillit de perpétuer la tradition de l'*afternoon tea,* comme au *White Heather,* un salon de thé tenu par une aimable Écossaise. Dans une petite salle aux murs vert tendre, on prend le *wee tea,* ou « petit thé », ou encore le *not so wee tea,* déjà fort copieux. Pour les affamés, il y a encore le *big muckle giant tea for two* ! Le thé est servi dans des tasses en porcelaine fleurie dépareillée et tout, ou presque, est fait maison. Fabuleux.

Rogers' *(zoom B2,* ***62****) : 913 Government St.* ☎ *250-881-8771 ou 1-800-663-2220. Tlj 9h30-20h.* À la fin du XIXe s, parce qu'il avait des difficultés à faire venir ses friandises de San Francisco, l'épicier Charles W. « Candy » Rogers décida, un jour, de les fabriquer lui-même ; notamment les célèbres *Victoria creams* (gros chocolats fourrés de crème aromatisée), commandés depuis par la Maison-Blanche et la famille royale d'Angleterre. En entrant, vous serez saisi par l'odeur puissante du cacao. Amateurs d'originalité, essayez les *ice wine truffles*. Dur, vraiment, après une dégustation, de résister à la tentation de s'offrir une boîte... On peut aussi acheter à l'unité pour se faire un petit plaisir immédiat.

Où boire un verre ? Où sortir ?

La plupart des bars et des clubs se situent dans d'anciens entrepôts ou magasins rénovés. Bien que répétitif, le résultat est plutôt sympa, avec de hauts plafonds et une certaine ambiance. Cela étant, Victoria n'a rien d'une mecque de la vie nocturne. Les boîtes ferment en général vers 2h (les bars un peu plus tôt) et un petit droit d'entrée est souvent demandé. Arriver de bonne heure (entre 21h et 22h) pour éviter les longues files d'attente. À cette heure, l'entrée est parfois gratuite.

Les bars

🍸 🍽 **Canoe** *(zoom B2,* ***74****) : 450 Swift St.* ☎ *250-361-1940. Tlj 11h30-minuit (1h jeu-sam).* Face au *Inner Harbour,* dans une usine électrique datant de la fin du XIXe s reconvertie en vaste pub-microbrasserie-resto. Superbe exemple d'architecture industrielle réhabilitée : façade en brique classée, charpente en bois, beaux volumes, canoës suspendus et lustres en cristal. Un mélange d'hier et d'aujourd'hui. Plusieurs terrasses sur différents niveaux avec vue sur la petite marina, pour écluser une bibine maison ou un verre de vin du coin.

🍸 🍽 **Spinnakers** *(plan général A2,* ***47****) : 308 Catherine St.* ☎ *250-386-2739.* Situé de l'autre côté du port, un pub-resto-brasserie où l'on vient autant pour manger que pour le bon choix de bières à la pression. Une vraie institution auprès des régatiers et des bobos du coin. Voir aussi « Où manger ? ».

🍸 ♪ ☕ **Swans** *(zoom B2,* ***72****) : 506 Pandora St, à l'angle de Store St.* ☎ *250-361-3310. Tlj 7h-2h (minuit dim). Concerts en tt genre, ts les soirs (pas de* cover*).* Bel exemple de restauration d'un ancien magasin de 1913 ; murs en brique rouge et décoration *First Nations* (masques et tissus). Quelques jeunes, mais plutôt une clientèle de quadras. Très animé le week-end. En été, patio agréable et fleuri, réservé au resto. Possibilité d'y manger matin, midi et soir. Bon *halibut and chips.* Au bar, bières brassées sur place et vins locaux. *Liquor store* attenante (sur Pandora).

🍸 ♫ **The Sticky Wicket** *(zoom B2,* ***71****) : 919 Douglas St, à l'angle de Courtney St.* ☎ *250-383-7137. Tlj 11h30-2h. Cover dès 3 $ lorsqu'il y a des groupes.* Ici encore, ça déménage ! Les 7 salles, réparties sur plusieurs étages, cumulent près de 84 m de bars... C'est avant tout un pub à l'anglaise, avec cabine téléphonique rouge dans la rue, riche décor d'acajou sculpté et de glaces gravées, et jeux de fléchettes dans la *games room.* Souvenirs sportifs et écrans de télé partout. Tout au fond, petite piste de danse blindée de monde (du vendredi au samedi seulement). Et sur le toit, grande terrasse animée par un DJ où, l'été, on joue au beach-volley !

🍸 ♪ **The Cambie** *(plan général A1,* ***75****) : 856 Esquimalt Rd.* ☎ *250-382-7161.* Live music *ven-dim soir (petite* cover*). Dim à 15h, c'est gratuit.* Spécialiste du *country and western,* royaume des santiags et des chapeaux de cow-boy. Groupes rock *Eighties,* tournois de billard et de poker, c'est l'Amérique à l'ancienne, poussière incluse. Clientèle logiquement plus âgée. Grand choix de bières, bon marché. Pour les motorisés qui se sentent proches de cet univers.

Les boîtes

🍸 ♫ ***Club 9one9*** *(zoom B2,* ***70****) : 919 Douglas St.* ☎ *250-383-7137.* • *club9one9.ca* • *Jeu-sam et* special events *(défilés de mode, groupes, etc.).* C'est la plus grande discothèque de l'île. La piste de danse est illuminée et les 3 bars n'ont aucun répit pour abreuver la foule compacte qui s'éclate sur la piste. Le week-end, ambiance de folie. Patience pour déposer son manteau au vestiaire...

🍸 ♫ ***Rehab*** *(zoom B1,* ***76****) : 502 Discovery St.* ☎ *250-388-3000.* • *rehabtheclub.com* • *Tlj 21h-2h. Pas de cover avt 22h.* Les allergiques au top 40 et au hip-hop danseront ici sur des rythmes plus alternatifs. Techno et house le lundi, metal et grunge le mardi, *retro night* le mercredi *(Seventies, Nineties)*, etc. Avec une sono de 1 600 watts, croyez-nous, ça débouche bien les oreilles. À moins que ce ne soit le contraire...

🍸 ♫ ***Lucky Bar*** *(zoom B2,* ***73****) : 517 Yates St.* ☎ *250-382-5825.* • *luckybar.ca* • *Tlj à partir de 20h-22h selon jour.* Cover *5-16 $.* L'un des endroits les plus fréquentés de Victoria. Salle tout en longueur avec une petite scène au fond. Il y en a pour tous les goûts : rock, house et transe (week-end plutôt), hip-hop, techno, top 40... et pop anglaise le mercredi soir. La variété se retrouve dans la foule : punks et costard-cravate viennent s'éclater dans une ambiance assez bon enfant. Certains soirs, projections de films ou, même, lectures de poésie !

Achats

Munro's Books *(zoom B2,* ***103****) : 1108 Government St. En face du centre commercial* Bay Centre. Les habitants de Victoria affectionnent cette librairie aux rayonnages en bois, installée dans l'ancienne banque royale du Canada. Outre des bouquins en français (y compris pour les enfants), vous y trouverez de beaux livres sur l'île de Vancouver ainsi que sur la culture amérindienne. Grand choix de guides régionaux et *outdoors.*

Christmas Village *(zoom B2,* ***101****) : 1323 Government St.* Tout pour décorer un sapin de Noël, classé par thème. On vous laisse le plaisir de découvrir, mais poussez bien jusqu'au fond du magasin et montez à l'étage pour en prendre vraiment plein les mirettes ! Certains sujets sont d'un kitsch absolu mais d'autres, dans la tradition des jouets d'autrefois, sont ravissants. Tout est cher par contre.

Mountain Equipment Co-op *(MEC ; zoom B2,* ***100****) : 1450 Government St.* Le Décathlon national, spécialisé *outdoor* et réputé pour la qualité-solidité de ses articles. Voir texte à Vancouver ville.

Chinatown Fan Tan Trading *(zoom B2,* ***102****) : 551 Fisgard St.* Un trésor de chinoiseries dans un couloir, qui finit sur *Fan Tan Alley.* On y oublierait presque l'heure... Dans un recoin, reconstitution d'un comptoir de paiement de clandé !

À voir

Royal BC Museum *(zoom B2) : 675 Belleville St.* ☎ *250-356-7226 ou 1-888-447-7977.* • *royalbcmuseum.bc.ca* • *Dans le centre. Tlj 10h-17h (22h ven-sam en juil-août). Entrée : 14,50 $; 9 $ pour les 6-18 ans. Billet valable tte la journée. Visites guidées gratuites, voir programme du jour. Possibilité de ticket combiné avec l'****IMAX****, situé dans le même bâtiment (env 23 $, 17,50 $ 6-18 ans).*

Ce riche musée, à ne pas manquer, existe depuis 1866. Il a quitté le *Parliament Building* pour ce bâtiment bétonné en 1968. Il retrace l'évolution du milieu physique et l'histoire humaine de l'île à travers, notamment, des dioramas géants. Didactiques et vivants, les commentaires résument bien les épreuves successives qu'ont subies les premiers peuples *(First Nations).*

– *1er étage (2nd Floor) :* dédié à l'histoire naturelle. On adore la section où le travail des conservateurs du musée est présenté à travers l'ambiance d'un labo de spécialiste : botaniste, paléontologue, ornithologue... On enchaîne avec les dioramas du littoral et de la forêt côtière, avec les *Douglas firs,* les *Sitka spruces,* les *Western*

red cedars et tous les géants de la forêt. Faune et flore sont mis en scène de façon très réaliste, dans un grand souci de pédagogie. On entend même les cris des animaux ! Un peu plus loin, les fans de Jules Verne apprécieront l'ambiance *Vingt mille lieues sous les mers* de la section aquatique.
– *2e étage (3rd Floor)* : la première partie est consacrée à la culture amérindienne *(First Peoples)*. Artisanat, techniques de pêche et de chasse, tissages, rituels, cosmogonie, le tout sur fond de très grandes photos anciennes, avec de beaux portraits. L'arrivée des colons blancs et ses conséquences (lois, maladies...) sont évoquées. Suivent de magnifiques vêtements de cérémonie *kwakiutl* (tout au fond dans un recoin, ne les ratez pas) et, au centre, un splendide ensemble de masques à têtes d'animaux et de totems. La demeure du chef *Jonathan Hunt* a été intégralement remontée sur place. Enfin, objets d'art sculptés ou ciselés dans l'argilite (minerai carbonifère) dans lequel les Haïdas ont créé un art tout à fait original.
Une autre section très *lifestyle* évoque les différentes communautés de Colombie-Britannique à travers le siècle passé *(Century Hall)*. Des costumes et des photos – anciennes et récentes –, un colt par-ci, une paire de skis par-là, des nœuds pap' des années 1930, de superbes paniers amérindiens, de vieux croquenots et une veste de trappeur à la Davy Crockett, des articles d'électroménager et des souvenirs régionaux... Un inventaire à la Prévert pour une vision d'ensemble intimiste, très réussie, du melting-pot régional.
La dernière partie de l'étage abrite la remarquable reconstitution d'une petite ville de l'Ouest canadien (1870-1920). Avec tous les bruitages d'ambiance, on s'y croirait ! Boutiques, saloon, hôtel, gare, cinéma, pharmacie, imprimerie, Chinatown, on se retrouve plongé en plein *Lucky Luke* ! S'y ajoutent une conserverie de poisson, une scierie, une mine d'or et son moulin à eau, une ferme, etc. Pour finir, section sur les explorateurs et autres aventuriers, la colonisation... On monte même à bord du *Discovery*, le navire de George Vancouver, partiellement reconstitué.
– Le musée abrite, au rez-de-chaussée, l'***IMAX*** de Victoria *(tlj 10h-20h)*, lié au célèbre *National Geographic*, qui produit les films. Projections toutes les heures à heure fixe.
Café et *gift shop*.
– Attenant au musée, jardin avec de très beaux totems, le ***Thunderbird Park***. À ne pas manquer.

Helmcken House *(zoom B2)* **:** *10 Elliott St Sq. ☎ 250-361-3699. À côté du Royal BC Museum. Ouv en été slt, et encore à des dates précises (vérifier sur • royalbcmuseum.bc.ca •). Entrée comprise dans le ticket pour le Royal British Columbia Museum, ou sur donation.* La plus vieille maison de Victoria (1852) à être restée sur son site d'origine ! Le Dr Helmcken, chirurgien de son état, fut l'un des artisans du rattachement de la Colombie-Britannique au Canada. Vous verrez sa chambre, les objets domestiques d'époque, la cuisine, les malles du grenier et, surtout, son impressionnant attirail médical. En face, l'école est l'un des plus anciens bâtiments à l'ouest du Canada.

Parliament Building *(zoom B2)* **:** *☎ 250-387-3046. Lun-ven 9h-17h, w-e 9h-19h. Visites guidées fréquentes en été. Généralement 1-2 visites/j. en français. Durée : env 30 mn. Entrée gratuite.*
L'édifice, d'une belle allure générale (surtout de loin !), est d'une architecture des plus classique, caractéristique des constructions symétriques et austères de la fin du XIXe s, avec des réminiscences de styles roman, victorien et Renaissance italienne. Les 33 dômes de cuivre réveillent un peu l'ensemble. L'été, quelques acteurs costumés font revivre des scènes d'époque. La visite permet d'approcher, à l'étage, la salle du Parlement, siège d'une bien étrange coutume. La tradition veut en effet que, juste après sa nomination, le président de la Chambre s'enfuie en courant... avant d'être rattrapé et ramené « de force » par deux parlementaires ! Un souvenir des temps où, au royaume d'Angleterre, il ne faisait pas bon être speaker... au risque de déplaire au roi et voir sa tête s'envoler à coup de hache !

À la fin de la visite, le guide vous montrera le vitrail du jubilé de la reine Victoria. Réalisé par un membre du clergé, il n'avait pas eu le temps d'être vu par la famille royale avant les cérémonies. Il fut donc présenté mais immédiatement refusé. On y voit le soleil se coucher sous le drapeau de Sa Majesté. *Shocking !* Le soleil ne se couche jamais sur l'Empire britannique. On renversa donc le symbole.

VANCOU-VERT

Au sommet du dôme central, on a placé George Vancouver, qui fut le premier à naviguer intégralement autour de l'île en 1792. La statue de cuivre de l'illustre marin s'oxyda et tourna au vert, comme toute toiture de cuivre qui se respecte. Mais les habitants de Victoria s'offusquèrent qu'on pût le présenter de cette couleur : « A-t-on déjà vu un marin avoir le mal de mer ? », disait-on alors. La statue fut recouverte d'or. Éclairé de quelque 3 600 loupiotes la nuit, le bâtiment ressemble au magasin Harrod's *de Londres !*

The Fairmont Empress Hotel *(zoom B2,* ***60****)* **:** *721 Government St, en plein centre. ☎ 250-384-8111. Visite guidée tlj à 10h ; 10,50 $ (avec dégustation de thé 50 $!).* Construit en 1908 par la *Canadian Pacific Railways,* au temps des certitudes engendrées par la conquête ferroviaire, cet établissement très victorien est un peu le pendant du château Frontenac (Québec) à l'ouest du continent, un des symboles de la ville. Bâti sur un marais boueux, l'hôtel repose sur des centaines de piles en bois allant jusqu'au fond rocheux. Si vous en avez les moyens, allez donc y prendre le *high tea* à l'ancienne, une vraie expérience culturelle (voir « Où prendre l'*afternoon tea* ? »), à moins d'opter pour un drink dans l'ambiance coloniale du *Bengal Lounge.* À ses pieds s'étale le port de plaisance, avec beaucoup d'animation sur les quais.

Undersea Gardens *(zoom B2)* **:** *490 Belleville St. ☎ 250-382-5717. • pacificunderseagardens.com • À côté du Wax Museum. Mai-juin, tlj 9h-17h (19h jeu-dim) ; juil-début sept, tlj 9h-20h ; début sept-avr, tlj 10h-16h (17h le w-e). Entrée : 12 $; 8,75 $ pour les 12-17 ans et 6 $ pour les 5-11 ans.* Le billet est un peu cher, mais petits et grands pourront ainsi rencontrer la faune sous-marine du coin sans devoir patauger dans une eau à 8 °C... La plate-forme flottante est en partie immergée, façon bateau à fond de verre, avec les poissons, murènes et pieuvres géantes en semi-liberté tout autour. Toutes les heures, un plongeur nourrit les pensionnaires pour mieux pouvoir les présenter.

Emily Carr House *(plan général B3)* **:** *207 Government St, entre Simcoe et Toronto. ☎ 250-383-5843. • emilycarr.com • Ouv mai-sept, mar-sam 11h-16h. Entrée : 6,75 $; réduc.* C'est dans cette adorable maison victorienne, au milieu d'un grand jardin, que naquit en 1871 Emily Carr, la plus célèbre peintre de Colombie-Britannique. Vous visiterez sa chambre à coucher, la salle à manger avec ses objets familiers, et vous l'entendrez expliquer ce qu'était un *Sunday dinner* à la maison. Au cours du processus de restauration de la maison, on a redécouvert le papier peint d'origine, vieux de 130 ans. Expos d'artistes contemporains.

Chinatown *(zoom B2)* **:** rendez-vous à la belle porte chinoise (la « porte de l'Intérêt-Harmonieux »), à l'angle de Fisgard et Government Street. Le Chinatown de Victoria est le deuxième plus ancienne d'Amérique. Longtemps appelée la « cité interdite » à cause des trafics qui s'y déroulaient, des fumeries d'opium, salles de jeu clandestines, ruelles coupe-gorge. De faux murs et des passages secrets permettaient aux voyous et aux gangs d'échapper à la police. Arpenter la *Fan Tan Alley* (entre Pandora et Fisgard) pour s'en convaincre. Elle fut l'une des plus dangereuses. Aujourd'hui, elle n'est plus considérée que comme la ruelle la plus étroite du Canada.

Fisherman's Wharf *(plan général A2)* **:** *dans le quartier de James Bay, tt au bout de Superior St. Accessible à pied depuis le centre ou avec le* Victoria Harbour Ferry *(voir « Adresses et infos utiles »).* On aime bien l'ambiance de ce pittoresque petit village de *houseboats* (maisons flottantes) alignés le long de trois quais seulement. Profitez-en pour aller croquer dans un des *fish & chips* les plus populaires de Victoria : *Barb's Place* (voir « Où manger ? »).

Maritime Museum of British Columbia *(zoom B2,* ***91****)* **:** *28 Bastion Sq. ☎ 250-385-4222. • mmbc.bc.ca • Entre Yates, Fort, Wharf et Langley St. Tlj 10h-17h. Entrée : 12 $; 5 $ pour les 5-12 ans.*
Abrité dans la première *BC Provincial Court House* (de 1899), reconstituée au 2e étage.
– *Rez-de-chaussée :* assez classique, avec une section sur les premiers explorateurs, très belles maquettes, instruments de bord, canons, scaphandre, salle des machines, etc. On y voit le *Tilikum,* une sorte de grosse barque de 12 m transformée pour un voyage au long cours dans le Pacifique sud en 1901-1904. Son skippeur, journaliste, avait pour but de promouvoir la région.
– *1er étage :* on y accède par le plus vieil ascenseur à cage ouverte encore en état de marche d'Amérique... Sonnez juste le liftier pour qu'il vous accompagne ! Salles consacrées aux grands steamers de la *Canadian Pacific BC Coast* et à son alter ego moderne, *BC Ferries,* qui possède l'une des plus importantes flottes au monde. Belles maquettes, là encore. Une section se penche sur la marine de guerre canadienne.

VICTORIA

Art Gallery of Greater Victoria *(plan général C2)* **:** *1040 Moss St. ☎ 250-384-4171. • aggv.bc.ca • Lun-sam 10h-17h (21h jeu) ; dim et vac 12h-17h. Entrée : 13 $; réduc.* Le musée présente en permanence une trentaine d'œuvres d'Emily Carr, différentes au gré des expos. Petite collection permanente de peintures, céramiques et meubles européens. Cela mis à part, le reste du musée est entièrement occupé par des expositions temporaires, souvent de qualité. Thèmes très variés : grands peintres, installations vidéo, textiles, etc.

Craigdarroch Castle *(plan général D2)* **:** *1050 Crescent St. ☎ 250-592-5323. • thecastle.ca • Bus nos 11 ou 14. De mi-juin à début sept, 9h-19h ; le reste de l'année, 10h-16h30. Fermé 1er janv, Noël et 26 déc. Entrée : 13,75 $; réduc. Brochure en français à l'accueil.* Issu d'une famille d'exploitants charbonniers anglais, Robert Dunsmuir édifia un véritable empire en Colombie-Britannique dans la seconde moitié du XIXe s. À son palmarès : mines, scieries, chemin de fer, transports de marchandises. Décrié pour les conditions de travail très dures imposées à ses employés, il ne s'en fit pas moins bâtir ce grandiloquent « château » en pierre – plutôt une vaste demeure sur quatre étages, qu'il n'eut même pas le temps de voir terminée avant de passer l'arme à gauche. Intérieur plaqué de chêne blanc américain, mobilier victorien, minicolonnes corinthiennes dans le salon, vitraux, plafonds peints à fresque, trophées de chasse... le luxe tapageur des lieux contraste un peu avec la chambre de la bonne, entraperçue à la descente de l'escalier.

Si vous avez une voiture, descendez Douglas Street vers le sud, jusqu'à ***Dallas Road*** (la route côtière). Enfilades de belles demeures classiques ou modernes devant lesquelles de charmants parterres de fleurs sont aménagés. Divers beaux points de vue sur la baie, comme ceux de ***Clover Point*** et ***Trafalgar Point.*** Face à vous se détachent les sommets enneigés des monts Olympic, aux États-Unis. Balade très agréable en fin de journée. Poursuivez jusqu'à ***Oak Bay*** et sa petite marina. Le quartier cultive avec nostalgie son anglophilie.

À faire

– ***Balade en mer à la rencontre des orques :*** il existe deux ou trois colonies de *killer whales* autour de Victoria, que les bateaux d'excursion trouvent généralement sans trop chercher, entre avril et octobre. L'excursion, proposée par une multitude d'agences dont vous trouverez les prospectus à l'office de tourisme, dure 3h et coûte entre 90 et 100 $ par personne. Bateaux traditionnels ou Zodiac. *Ocean Explorations* (☎ *250-383-6722 ; • oceanexplorations.com •*) propose un tarif spécial à 75 $ pour les étudiants et ceux qui viennent des *hostels*. Peut être tentant si, comme nous, vous fûtes jadis impressionné par le film *Orca*. Des excursions moins « usines » sont possibles depuis Telegraph Cove (nord de l'île). Et pour voir les autres espèces de baleines (grises, à bosse, à fanons), il vaut mieux aller à Tofino, sur la côte ouest.

– ***Kayak :*** plusieurs compagnies proposent des balades de 3h à 1 semaine dans les environs de Victoria ou plus loin sur la côte ouest. On peut aussi simplement louer un kayak auprès du *West Shore Rowing & Paddling Centre* pour faire un tour du port *(2005 Sooke Rd ; ☎ 250-380-4669 ; • gorowandpaddle.org/centres/west_shore.php •)*. Aussi auprès de *Victoria Kayak,* dans le port intérieur *(950 Wharf St ; ☎ 250-216-5646 ; • victoriakayak.com •). Compter environ 25 $ pour 2h ou 40 $ la journée complète en monoplace.*

DANS LES ENVIRONS DE VICTORIA

VICTORIA

🔭🔭 ✿ ***Butchart Gardens :*** *800 Benvenuto Ave,* ***Brentwood Bay.*** *☎ 250-652-5256 ou 1-866-652-4422. • butchartgardens.com • À 20 km au nord de Victoria. Prendre la Hwy 17 ; au bout d'une quinzaine de km, tourner à gauche dans Keating X Rd ; c'est tt droit, à env 5 km. Attention, si vous venez du nord (Swartz Bay), ce n'est pas indiqué ! Bus n° 75 de Victoria ou navette* Grayline *4 fois/j. env 8 $. Tlj 9h-22h en été ; dernière entrée 1h avt. L'heure de fermeture varie selon le mois (ferme à 15h30 en janv-fév). Entrée : 19-30 $ selon saison ; réduc. Si on revient le lendemain : 3,50 $ slt.* Il s'agit là, avec le *Royal BC Museum,* de l'attraction de Victoria la plus populaire auprès des visiteurs. Nés en 1904 de la désaffectation d'une carrière de pierre à chaux, ces 22 ha de jardins très léchés, superbement fleuris et aménagés raviront les routards jardiniers, en particulier au printemps, lorsque la floraison atteint son apogée. Cela dit, entre le prix de l'entrée très élevé et les hordes de visiteurs qui se pressent constamment sur les sentiers aménagés, l'expérience tient un peu du parc d'attractions. D'ailleurs, de fin juin à fin août, tous les samedis soir, le parc s'embrase d'un joli feu d'artifice ! Prévoir au moins 1h pour faire le tour.

🔭 ***Sooke :*** l'*East Sooke Regional Park* peut faire l'objet d'une jolie excursion d'une journée au départ de Victoria. Accessible en voiture (environ 40 mn), le parc ne se découvre qu'à pied, le long d'un sentier bien balisé, d'environ 15 km, qui longe la côte. Au programme, forêt humide, petites criques et plages vierges. Le *Sooke Harbor,* formé de quelques pontons, vaut aussi un arrêt. Idéal pour lancer sa canne à pêche ou pique-niquer dans l'une des petites criques avoisinantes.

LA ROUTE VERS PORT RENFREW

⛱ ***China Beach :*** *à 32 km de Sooke.* Superbe plage sauvage, ourlée de pins de Douglas. Marche de 20 mn en forêt pour y accéder. 10 km avant, la *French Beach* est moins pittoresque. Les non-motorisés contacteront Nicky Fast, via l'*Ocean Island Backpackers Inn,* qui propose un service de transport par navette. *Contact : ☎ 250-886-8305. • getaroundtravel@gmail.com •*

➢ Au départ de China Beach, le ***Juan de Fuca Trail*** : environ 35 km de randonnée jusqu'au sud de Port Renfrew. Des randos possibles aussi à la journée. Sur le trajet, six *campsites* et plusieurs ponts suspendus.
Si le temps ne vous manque guère, rejoignez Port Renfrew, où d'autres randos vous attendent, ainsi que les plus grands pins de Douglas du Canada...

PETIT TOUR DANS L'ÎLE DE VANCOUVER

Si vous restez plusieurs jours sur l'île, partez vers Tofino, la route à elle seule vaut vraiment le voyage. Des paysages de montagne à couper le souffle et, à l'arrivée, le superbe parc national du Pacific Rim. L'île s'étend sur 500 km, alors prévoyez du temps pour couvrir les distances, d'autant que la vitesse autorisée sur autoroute n'est que de 100 km/h... Voici les principales distances à parcourir :

Victoria → Nanaimo	117 km	1h30
Victoria → Port Alberni	199 km	3h
Victoria → Tofino	325 km	4h30 à 5h
Victoria → Campbell River	270 km	4h
Victoria → Port Hardy	505 km	7h
Campbell River → Gold River	89 km	1h30

CHEMAINUS

4 500 hab.

À 1h de route au nord de Victoria, la bourgade s'ancre sur le rivage du détroit de Géorgie, face aux Gulf Islands. Chemainus, c'est l'histoire d'un village de bûcherons qui a tenté de résister au déclin de l'industrie du bois en lançant, en 1980, un vaste programme de revitalisation. Les vieux bâtiments ont été restaurés et l'histoire de la ville peinte sur leurs murs. Depuis, le festival des *murals* est né... Aujourd'hui, cela donne une quarantaine de peintures réalisées par de nombreux artistes nord-américains, éparpillées dans tout le village, et qui illustrent pour la plupart des scènes de la vie locale et industrielle passée. Pour n'en manquer aucune, suivez les pas peints en jaune dans les rues... On aime ou pas !

MONNAIE DE SINGE

Fort du succès de ses fresques murales, la petite ville de Chemainus s'enorgueillit depuis 2010 de fabriquer ses propres dollars, dont les dessins reprennent les thèmes des fameux murs peints. Cette monnaie locale (le CH$), unique sur l'île de Vancouver, s'achète et s'utilise uniquement sur place.

Arriver – Quitter

Greyhound : *arrêt de bus à la station-service* MacBrides, *9616 Chemainus Rd.* ☎ *250-246-3341 ou 1-800-661-8747.* • *greyhound.ca* •

➢ ***Victoria :*** 4 bus/j. Dans l'autre sens, 3 slt. Trajet : env 1h30.

➢ ***Nanaimo :*** 3 bus/j. dans les 2 sens. Trajet : 40 mn. Correspondance 1 bus/j. pour Campbell River et Port Hardy.

Adresse utile

Chemainus Visitor Centre : *9796 Willow St (et Cypress).* ☎ *250-246-3944. Tlj 9h-17h.* Compétent et efficace. Vous aidera à réserver un hébergement et met même une ligne de téléphone à disposition pour cela si les employés n'ont pas le temps de vous aider. Un dépliant (payant) détaille sur un plan les différentes fresques murales.

Où dormir ?

Camping

Chemainus Garden Holiday Resort : *3042 River Rd, au sud de la ville. En venant de Victoria, emprunter River Rd sur la droite. ☎ 250-246-3569. • chemainusgarden.com • Tente 25-30 $.* RV *30-45 $. 2 cabins env 125 $. Wifi.* Un camping de compétition, parfaitement aménagé, équipé et entretenu. Espaces verts paysagers, mares où barbotent grenouilles et canards, pêche et plage pour les enfants, café-resto avec terrasse en bois donnant sur la piscine-jacuzzi. Ils organisent même des mariages, c'est vous dire. Vraiment super pour les familles.

B & B

Castle Cove Inn : *10121 Chemainus Rd. ☎ 250-246-2052. • castlecoveinn.com • À 1,5 km au nord de Chemainus. Doubles 100-200 $.* Posée sur le littoral, entourée d'arbres, la grande maison blanche victorienne abrite 3 belles chambres : la *Wine Cellar,* la plus chic, avec jacuzzi panoramique, vue à 180° sur l'océan et tonneaux de vin en déco ; la *Coach House,* plus classique, elle aussi avec jacuzzi et baies vitrées (mais plus en retrait) ; et la *King's Attic,* en version pigeonnier, un peu plus étroite mais agréablement perchée à la hauteur des chants d'oiseaux. Et quelle vue ! Notre préférée, sans conteste. Pas de petit déj, mais frigo, micro-ondes et café dans chaque chambre permettent de se débrouiller. Cuisine à disposition sur la terrasse extérieure.

Où manger ?

Willow Street Café : *9749 Willow St. ☎ 250-246-2434. Tlj 8h30-17h. Sandwichs et autres petits plats env 10 $.* Charmante petite salle avec parquet, lambris et meubles en bois, bercée par le manège des ventilos. Très agréable pour une pause le midi, d'autant qu'il y a aussi une terrasse. On vous conseille le *smoked salmon and cream cheese bagel* (alias *lox bagel*). Délectable ! Plein de pâtisseries aussi.

NANAIMO

78 000 hab.

Deuxième ville de l'île après Victoria, Nanaimo n'est pourtant pas très touristique. Plutôt une ville-étape, si vous devez y passer la nuit à l'arrivée du ferry. Les plongeurs ne négligeront toutefois pas ses fonds marins (jadis portés aux nues par le commandant Cousteau !) et pourront aussi y découvrir... le plus grand récif artificiel au monde. Plongée mise à part, on s'y ennuie vite...

Arriver – Quitter

Greyhound : *1 N Terminal Ave. ☎ 250-753-4371 ou 1-800-661-8747. Près de l'hôtel* Howard Johnson.

➢ ***Vers Vancouver :*** 8 bus/j. Trajet : env 3h.

➢ ***Vers Victoria :*** 5-6 bus/j., dont 4 via Chemainus. Trajet : 2h20.

➢ ***Vers Campbell River et Port Hardy :*** 4 bus/j. pour Campbell River, dont 2 poursuivent leur route jusqu'à Port Hardy. Respectivement 2h30-3h et 7h.

➢ ***Vers Port Alberni, Ucluelet et Tofino :*** 2 bus/j. avec *Tofino Bus.* Un 3e ne dessert que Port Alberni, le soir. Plus de 4h de trajet pour Tofino.

BC Ferries : *☎ 1-888-223-3779. • bcferries.com •* 2 options pour rejoindre Vancouver : via Horseshoe Bay ou Tsawwassen.

➢ ***Nanaimo-Horseshoe Bay :*** départs ttes les 30 mn-2h, 6h30-21h. Slt 8 ferries/j. en hiver. Traversée : 1h40.

➢ ***Nanaimo-Tsawwassen :*** ttes les 2h30, 5h15-22h45, sf dim lorsque certains départs matinaux n'ont pas lieu.

En hiver, dernier ferry plus tôt. La traversée dure 2h30.

Adresses utiles

Visitor Center : *point info dans le Conference Center qui abrite aussi le Nanaimo Museum, 101 Gordon St, en plein centre. Mai-déc slt, tlj 9h-18h (hors saison : lun-sam 9h-17h, dim 10h-16h). Également un autre bureau plus grand à env 5 km de la ville mais bien indiqué, au 2290 Bowen Rd.* ☎ *250-756-0106 ou 1-800-663-7337.* • *tourismnanaimo.com* • *Mêmes horaires, mais tte l'année.*

Location de voitures : Budget, *33 S Terminal Ave (la route principale).* ☎ *250-753-6611 ou 760-7368.* • *bcbudget.com* • *Lun-sam 8h-17h30, dim et j. fériés 9h-17h.* **National,** *1602 Northfield Rd.* ☎ *250-758-3509.* **Rent-a-Wreck,** *227 Terminal Ave.* ☎ *250-753-6461 ou 1-888-296-8888.* • *rent-a-wreck.ca* •

Où dormir ?

Camping

Living Forest Campground & RV Park : *6 Maki Rd.* ☎ *250-755-1755.* • *livingforest.com* • *À 4 km au sud de Nanaimo vers Victoria. Tentes 26-30 $ pour 2 pers ; camping-cars 28-41 $. Wifi.* Camping de 300 sites éparpillés dans 20 ha d'une belle forêt, en retrait du rivage. Un endroit comme on en rêve, avec le chant des oiseaux pour se réveiller. Les tentes se regroupent à l'embouchure de la rivière. Douches (chaudes) un peu loin peut-être, mais la balade est sympa. Très bien équipé : laverie, sentiers, jeux pour enfants, location de canoës et de kayaks.

Auberges de jeunesse

Hostelling International-Painted Turtle Guesthouse : *121 Bastion St (à l'angle de Commercial St, la rue principale du centre).* ☎ *250-753-4432 ou 1-866-309-4432.* • *paintedturtle.ca* • *Lits en dortoir 22-26 $. Doubles privées 55-85 $ ou familiales 70-100 $ (sdb partagée). Internet, wifi.* Idéalement située dans la partie ancienne de Nanaimo, une AJ-*guesthouse* 4 étoiles, tant pour la déco que pour l'accueil, tout aussi soigné. Tout est neuf, joli et de bon goût, d'une propreté irréprochable. À l'étage, le salon-*lounge* avec cuisine ouverte rappelle le dernier catalogue Ikea. Tons blanc, chocolat et bois blond. Dortoirs et chambres privées sont tout aussi clairs et lumineux, assortis de salles de bains rutilantes. Un sans-faute à ces prix-là.

Nicol Street Hostel : *65 Nicol St (route principale, la 19A).* ☎ *250-753-1188.* • *nanaimohostel.com* • *Lit en dortoir 20 $; double 50 $; cottage avec sdb (pour 3 pers) 60 $; on peut aussi y planter sa tente pour 10 $. Internet.* Maisonnette en bois blanc et vert à l'entrée du centre-ville. Voir, à droite en entrant dans le jardin, le mur couvert des inscriptions de ceux qui sont passés par ici ! L'ensemble est simple, plutôt coquet et convivial, avec des petits plus comme cette cuisine où traînent parfois des victuailles et le salon TV avec films à dispo. À l'arrière, petit carré de gazon avec vue sur le port, pour planter la tente (sanitaires avec eau chaude).

Bon marché à prix moyens

Painted Turtle Guesthouse : *voir ci-dessus.*

Où manger ?

Pirate Chips : *1 Commercial St (la rue principale du* Downtown*).* ☎ *250-753-2447. Ouv 11h30-21h (22h jeu, 3h ven-sam).* Fish & chips *dès 10 $, cornet de frites énorme 5 $.* Ici on ne fait pas dans la finesse, le sol colle dès l'entrée, et les frites sont déclinées à toutes les sauces : curry, ail-mayo, *chipotle* (ça arrache) et même poutine québécoise pour les amateurs... À grignoter sur place, vraiment sur le pouce, entre les filets et la déco pirate, ou à emporter dans un cornet en papier journal. Bon chili aussi. Le rendez-vous des jeunes et des petits budgets.

The Modern Café : *221 Commercial St (rue principale).* ☎ *250-754-*

5022. Tlj 11h-23h (minuit ven-sam). Plats 12-17 $. Special lunchs 7-13 $. Grande salle tout en longueur, avec box intimes en bois patiné, murs de brique, éclairages tamisés et tonalités d'aujourd'hui (chocolat, aubergine). Bref, une déco... moderne, en accord avec la cuisine, bien dans le goût du jour elle aussi. *Seafood chowder* réputé, salades fraîches et créatives, tout est très bon et joliment présenté. Plats de pâtes énormes, même en demi-portions. *Live music* certains soirs.

Lighthouse Bistro & Pub : *50 Anchor Way (sur le Waterfront). ☎ 250-754-3212. Ouv midi et soir (brunch dim). Plats 10-12 $ le midi. Sandwichs et burgers 11-15 $, plats 15-22 $.* Cette grosse maison moderne en forme de phare, construite sur pilotis sur le port de Nanaimo, fait à la fois resto et terminal des *seaplanes* ! De la grande salle qui surplombe la marina, ouverte de tous côtés sur l'eau, on ne se lasse pas du spectacle des hydravions. Carte variée et cuisine honnête, mais c'est surtout pour l'emplacement qu'on vient.

À voir

Nanaimo Museum : *100 Museum Way (entre Gordon et Commercial St), dans le centre. ☎ 250-753-1821. • nanaimomuseum.ca • Mar-sam 10h-17h. Entrée : 2 $.* Petit musée intéressant sur la ville et la région. Sections sur l'industrie minière (la première activité de Nanaimo) et les *First Nations*. On apprend aussi qu'il y eut plusieurs Chinatown à Nanaimo, le dernier ayant brûlé en 1960. L'occasion d'une rétrospective sur l'immigration à Nanaimo.

DANS LES ENVIRONS DE NANAIMO

Parksville : petite ville balnéaire familiale qui s'éveille quelques jours, début août, lors d'un fameux concours... de châteaux de sable. La ville devient alors méconnaissable, les étrangers affluent et la bière coule à flots. Une année, Parksville connut même un record de 30 000 visiteurs ! Pour ceux qui désirent faire étape ici, quelques petits hôtels le long de la rue principale.

MacMillan Provincial Park : ce parc, traversé par la route reliant Parksville à Port Alberni (peu avant d'y parvenir), possède une étonnante section dénommée **Cathedral Grove.** Il s'agit ni plus ni moins du dernier vestige de la célèbre forêt qui couvrait l'île il y a plus de 1 000 ans. Au parking, venant de Nanaimo, deux sentiers. Côté gauche de la route, l'arbre le plus vieux aurait environ 800 ans ! Une grande partie de cette forêt brûla il y a trois siècles, mais lui en réchappa. Le *Douglas fir* (type de pins) y domine, ainsi que le *Western red cedar.* Ce sont les plus grands et les plus vieux arbres du Canada.

Ces arbres géants semblent ne reposer que sur des racines aériennes. L'explication est simple : pour bénéficier de plus de lumière, les graines s'implantent sur des troncs morts *(nurse log),* en hauteur, les racines du nouvel arbre enserrant progressivement le vieux tronc jusqu'à ce qu'il pourrisse et disparaisse complètement. Résultat : cette extraordinaire impression de géants suspendus dans le ciel. Plusieurs arbres immenses arrachés par la tempête (notamment en 1997) servent ainsi de « nids » à la nouvelle génération, qui y trouve tous les éléments nécessaires à sa croissance. Étonnant et complexe écosystème où l'on rencontre aussi la *Devil's Club,* de son nom latin *Oplopanax horridus* (« arme abominable »), nommée de la sorte à cause de ses épines vénéneuses. Cette plante possède des feuilles très larges qui lui permettent de capter au maximum la faible lumière filtrant entre les branches de ses gigantesques voisins. Beau spectacle quand les rayons du soleil jouent avec les lichens et les mousses en filaments qui pendent des branches. Quelques animaux : le célèbre *woodpecker* (pivert), l'écureuil, le cerf. Sentiers de promenade aménagés (de 15 à 30 mn). Vraiment superbe !

PORT ALBERNI

17 800 hab.

Passage obligé entre Victoria et Tofino, Port Alberni est l'une des portes d'accès au parc national Pacific Rim, particulièrement pour ceux qui envisagent d'explorer l'archipel isolé des Broken Islands ou de randonner le long du fameux *West Coast Trail.* La majeure partie des visiteurs préfère toutefois rejoindre directement la section la plus accessible du parc, à Ucluelet et Tofino. Inutile d'y perdre trop de temps comme on dit poliment... La route jusqu'à la côte ouest est magnifique, et il vous faudra environ 2h pour la rejoindre.

Arriver – Quitter

Tofino Bus : *4541 Margaret St. ☎ 1-866-986-3466 ou 250-725-2871. • tofinobus.com •*

➢ ***Vers Nanaimo et Victoria :*** 3 bus/j. Trajet : env 1h30 pour Nanaimo et 2h de plus pour Victoria. Possibilité de prolonger jusqu'à Vancouver. Compter 24 $ et 45 $ pour Victoria.

➢ ***Vers Ucluelet et Tofino :*** 2 bus/j. Trajet : env 2h. Tarif : 25 $ et 28 $.

Alberni Marine Transport : *5425 Argyle St. ☎ 250-723-8313 ou 1-800-663-7192. • ladyrosemarine.com •* Le ferry *Lady Rose,* qui transporte courrier et marchandises, dessert Bamfield tte l'année et Ucluelet juin-sept, avec escale dans les îles du Broken Group. La compagnie y gère le *Sechart Lodge,* qui intéressera les amateurs de kayak. On peut y louer des embarcations à partir de 40 $/j. et y prendre une douche et, pour les plus fortunés, y dormir. De là, un service de *water taxi* est aussi proposé.

➢ ***Vers Bamfield :*** mar, jeu, sam, plus dim juil-août, à 8h ; retour de Bamfield le jour même à 13h30. Aller : 35 $; réduc.

➢ ***Vers Ucluelet*** *(via Broken Group)* ***:*** juin-sept, lun, mer et ven à 8h ; retour d'Ucluelet à 14h. Aller : 30 $ pour les îles, 37 $ pour Ucluelet ; réduc.

Adresse utile

Visitor Center : *à l'entrée de la ville en venant de l'est. ☎ 250-724-6535. • avcoc.com • Lun-ven 9h-17h, w-e 10h-16h.*

Où dormir ?

Fat Salmon Backpackers : *3250 3rd Ave. ☎ 250-723-6924. • fatsalmonbackpackers.com • Bus nos 1 ou 3 depuis le terminal de bus ; sinon, 30 mn à pied env. Mai-sept slt. Lit en dortoir 25 $ (4-10 places). Internet, wifi.* Venu de Nouvelle-Zélande, Chris est tombé amoureux de ce coin paumé de l'île de Vancouver et a décidé d'y rester. Sa petite AJ est *roots* mais sympa, dans une maison en bois colorée, bien située pour ceux qui prennent le ferry *Lady Rose* le lendemain (à 5 mn à pied). Uniquement des dortoirs simples, aux murs peints de couleurs vives. Petite cuisine, thé et café gratuits... sans compter toutes les infos que Chris et sa femme Char vous donneront pour vous convaincre qu'il y a plein de choses sympas à faire dans le coin. En septembre-octobre, ils proposent même d'aller nager avec les saumons au moment où ils remontent la rivière !

Où manger ?

Clam Bucket : *4479 Victoria Quay. ☎ 250-723-1315. Lun-jeu 11h-21h, ven-sam 11h-22h, dim 12h-21h. Plats 10-20 $.* C'est la bonne adresse de Port Alberni et une halte toute trouvée pour se restaurer sur la route de Pacific Rim. Ceux qui sont à l'AJ et sans véhicule ne viendront pas jusque-là, c'est trop loin pour eux. Terrasse couverte ou salle dans l'air du temps avec alcôves rouges. Spécialité de *seafood* : *fish & chips,* huîtres de Fanny Bay (mais frites...), moules, *clam buckets* (paniers de palourdes), etc. Pour les carnivores, burgers tradis ou version poulet, pâtes, salades.

À faire

Sproat Lake : étiré le long de la *Pacific Rim Highway* (Highway 4), à l'ouest de Port Alberni, le lac offre de jolis paysages de montagne. Baignade agréable en août : l'eau peut alors atteindre 22 °C. Si, si, croyez-nous ! Le parc provincial attenant est sillonné de sentiers. Plus marrant : les Canadair stationnés sur le plan d'eau sont les plus gros au monde ; ils peuvent embarquer jusqu'à 27 t d'eau à chaque passage !

DANS LES ENVIRONS DE PORT ALBERNI

WEST COAST TRAIL

Le *West Coast Trail* est une superbe randonnée pédestre de 75 km longeant la côte ouest de l'île de Vancouver, entre les villages de ***Bamfield*** (au nord) et de ***Port Renfrew*** (au sud). Cette section de côte fait partie intégrante du parc national Pacific Rim (voir plus loin). Le trajet prend 5 à 7 jours, en pleine nature, loin de toute civilisation. Plutôt aisée dans sa partie nord-ouest, la randonnée devient nettement plus ardue dans sa partie sud-est, entrecoupée de nombreuses échelles, traversées de gués et de rivières sur des « bacs à câbles ». L'humidité est constante, même à la belle saison (300 jours de pluie par an !), les rochers glissants (on déplore une centaine de blessés graves par an), les évacuations quasi impossibles, mais le lieu est magique. Paysages très diversifiés, couchers de soleil inoubliables, soirées au coin du feu dans des endroits que peu d'hommes ont foulés... Et ces plages désertes, à perte de vue, où l'on croise ours et loups... La pêche est autorisée (avec permis), mais le ramassage des coquillages interdit, en raison d'empoisonnements passés.
À l'origine, ce sentier fut tracé pour permettre aux naufragés de rejoindre la civilisation. Surnommée « le cimetière du Pacifique », cette côte traîtresse, semée d'écueils et souvent plongée dans la brume, a en effet vu un très grand nombre de navires se fracasser sur les rochers avant l'installation des premiers phares, à la fin du XIXe s. Malgré cela, en 1906, le *Valencia* sombra à son tour, emportant avec lui quelque 133 passagers... Des postes de sauvetage furent alors créés et six abris contenant des provisions installés le long du West Coast Trail.
ATTENTION : en raison du succès de la randonnée et des problèmes de pollution et de dégradation du sol que cela entraîne, les autorités du parc ont limité le nombre de randonneurs quotidiens. Du coup, il est vivement conseillé de réserver sa place (et ce 2 ou 3 mois à l'avance !) entre le 15 juin et le 15 septembre (pic de fréquentation du sentier). Le reste de la saison (du 1er mai au 15 juin et du 15 au 30 septembre), les réservations ne fonctionnent pas, mais il n'y a, en principe, aucun problème pour obtenir une place.

Comment y aller ?

En voiture

Selon que l'on part du nord ou du sud...
➢ ***Du point de départ nord :*** de Port Alberni à Bamfield, 100 km de route non bitumée. Env 2h. Possibilité d'aller de Port Alberni à Bamfield par le ferry qui descend l'Alberni Inlet. Durée : 4h. Voir plus haut « Port Alberni. Arriver - Quitter ».
➢ ***Du point de départ sud :*** de Victoria à Port Renfrew, 120 km de route goudronnée. Au moins 2h. On peut aussi passer par Lake Cowichan, puis faire la route jusqu'à Port Renfrew par une route non bitumée.

En bus

➢ De mai à sept, le ***West Coast Trail Express*** relie quotidiennement Victoria à Port Renfrew (60 $) et Bamfield via Nanaimo et Port Alberni (95 $). De mai à mi-juin et la 2de quinzaine de sept, départ slt les jours impairs. Départ à 6h15 (pour les 2 destinations) de la gare routière de Victoria *(700 Douglas St).* Durée du voyage : env 2h pour Port Renfrew et 6h pour Bamfield. Retour de Port Renfrew à 17h et de Bamfield à 12h45. *Résa quasi impérative, surtout en plein été : ☎ 250-477-8700 ou 1-888-999-2288. • trailbus.com •* Établissez d'abord votre itinéraire avec les rangers et téléphonez ensuite à la compagnie de bus en fonction du jour de sortie prévu.

Infos pratiques

2 centres d'info *(mai-début oct, tlj 9h-17h) sont situés aux extrémités du sentier :*
– ***Au nord :*** *à 5 km de Bamfield, à Pachena Bay, chez les rangers. ☎ 250-728-3234.*
– ***Au sud :*** *à Gordon River (près de Port Renfrew). ☎ 250-647-5434.*

■ ***Park Administration Office :*** *2185 Ocean Terrace Rd. ☎ 250-726-3500. • pc.gc.ca/pacificrim • Dans la section nord du parc national Pacific Rim, à côté du* Wickanninish Interpretive Center. *Lun-ven 8h-16h. À défaut, on peut s'adresser au* Wickanninish Interpretive Center *ou à l'office de tourisme d'Ucluelet.*

■ ***Super Natural BC :*** *☎ 250-387-1642 ou 1-800-435-5622.* Pour réserver votre place sur le *trail.* Si vous passez outre, prévoyez, en été, 1 à 3 jours d'attente avant qu'une place se libère (peut-être).

■ ***Nitinat Lake Water Taxi :*** *☎ 250-745-3509.* Ceux qui ne disposent pas d'au moins 5 jours peuvent envisager de quitter le sentier à Nitinat (le seul point autorisé sur le parcours) en recourant aux services des bateliers amérindiens. Cher.

■ ***Infos et photos :*** *• westcoasttrailbc.com •*

Si vous comptez entreprendre cette randonnée, il vous faudra faire le plein de nourriture (de préférence ailleurs qu'à Bamfield ou Port Renfrew), ainsi qu'une halte au centre d'info de Pachena Bay ou Gordon River. Il est obligatoire d'y suivre une séance d'orientation (durée 1h30) avant le départ. Elles sont organisées 3 fois par jour (à priori à 9h30, 13h et 15h30). Là, on vous donnera toutes sortes de consignes et d'infos, ainsi qu'un guide et un livret avec les horaires des marées... avant de vous demander environ 130 $, correspondant au montant du permis et de 5 jours de camping et de parking. S'ajoutent à cela 30 $ pour les traversiers permettant de passer d'une rive à l'autre de la Gordon River et de la Nitinat. L'un et l'autre sont gérés par les Amérindiens.

N'oubliez pas non plus d'acheter la carte *Map of the West Coast Trail.* Indispensable ! Elle vous indique les sites de camping, les sources, les dangers, etc. Évitez de partir seul. Cette randonnée est déconseillée aux enfants de moins de 12 ans et interdite au-dessous de 6 ans.

– ***Un ouvrage utile :*** *Hiking the West Coast Trail,* de Tim Leadem. 6 étapes décrites et visualisées sur une carte.

Planter sa tente

Des sites de camping sont indiqués tout au long du parcours et sur la carte. Ils sont en général proches d'une petite rivière. Eau potable, mais mieux vaut la purifier ou la faire bouillir. Feux autorisés sur les plages uniquement. Apportez une longue cordelette pour suspendre votre nourriture dans un sac fermé et en hauteur, hors de portée des ours. Mettez-y aussi vos produits de toilette : les plantigrades raffolent du dentifrice ! Certains sites disposent de boîtes métalliques à cet effet. Au moment de quitter les lieux, emportez avec vous TOUTES vos ordures.

UCLUELET

1 500 hab.

La route depuis Port Alberni, qui serpente à travers forêts, vallées et lacs, est splendide. Ucluelet (prononcer « You-clou-let ») est un mot indien voulant dire

« port sûr », mais tous les habitués l'appellent Ukee (« Youki »)... Longtemps liée à l'industrie de la pêche, la bourgade se tourne désormais vers le tourisme. Certes, on n'y trouve pas la même ambiance qu'à Tofino, plus développée, mais le coin est plutôt joli. On peut se balader le long du *Wild Pacific Trail*, un charmant sentier d'une quinzaine de kilomètres qui épouse la côte déchiquetée et sauvage de la péninsule à son extrémité. Embruns garantis.

Arriver – Quitter

Tofino Bus : Murray's Grocery, *1738 Peninsula Rd. ☎ 250-726-4337 ou 1-866-986-3466. • tofinobus.com •*
➢ ***De/vers Nanaimo :*** 2 bus/j. via ***Port Alberni.*** Compter 3h20 de trajet. Correspondance *Greyhound* pour Vancouver et Victoria.

Alberni Marine Transport : *☎ 250-723-8313 ou 1-800-663-7192. • ladyrosemarine.com •*
➢ ***Vers Port Alberni*** *(via Broken Group)* ***:*** de juin à mi-sept, lun, mer et ven à 14h. Trajet : 5h. Aller : 37 $.

Seaway Express : *☎ 250-726-5353 ou 1-877-726-7002.*
➢ ***Vers Bamfield*** *(via Broken Group)* ***:*** de juin à mi-oct, 2/j. à 9h et 15h. Retour à 11h et 17h. Fonctionne également en mai, ven-lun, avec départs réduits. Tarif : env 40 $. Une super balade, très pratique pour rejoindre le début du *West Coast Trail.*

Adresses utiles

Visitor Center : *Whiskey Dock, au bout de Main St, dans une maison en bois peinte en vert, sur le port. ☎ 250-726-4641. • ucluelet.travel • Début juin-fin août, lun-ven 9h-16h30.* Infos sur les possibilités de pêche et de visites des îles voisines, dont Broken Group Islands. On vous aidera à trouver une chambre si tout semble complet.

Ukee Bikes : *1559 Imperial Lane. ☎ 250-726-2453. • ukeebikes.com • Loc de vélos 5 $/h ou 30 $/j.*
– ***Leçons de surf : Ukee Surf School,*** *☎ 250-726-3878. • ucluelet.travel • Env 80 $ pour 3h de cours.*

Où dormir ?

Étant donné l'affluence en juillet-août, la résa est hautement conseillée à cette période.

Campings

Wya Point Campground : *un peu après l'embranchement vers Ucluelet depuis la Hwy 4, côté droit de la route. Bureau d'accueil en face du* Pacific Rim Visitor Center, *à l'intersection des routes Port Alberni-Ucluelet-Tofino. ☎ 250-726-3401. • wyapoint.com • Emplacements tente 30 $ ou 50 $ sur la plage (35-60 $ le w-e).* Flambant neuf, voici un petit camping de compét' situé en bord de plage au milieu d'immenses conifères. Les sites sont bien séparés les uns des autres et protégés par une superbe nature. Également des yourtes pour 5 personnes : *120-240 $ selon confort et saison.*

Ucluelet Campground : *260 Seaplane Base Rd, à l'entrée du village, à gauche. ☎ 250-726-4355. • ucluelet campground.com • Mars-sept. Tentes 22-37 $; camping-cars 28-41 $.* Joliment situé en bordure du bras de mer, face au port. Les sites pour tentes F, G et H sont les mieux placés, avec leur petit carré de gazon qui borde le rivage. Pour plus d'intimité, préférer les emplacements bien ombragés, en retrait.

Surf Junction Campground : *juste après l'embranchement vers Ucluelet depuis la Hwy 4. ☎ 250-726-7214 ou 1-877-922-6722. • surfjunction.com • Avr-oct en fonction de la météo. Emplacement pour tente et 4 pers 30-35 $; camping-cars 32-40 $.* Loin de tout, sauf de la plage et des vagues... Les sites se dispersent dans un pan de forêt brut de décoffrage, où traînent souvent les ours. Laissez la nourriture dans la voiture ou, si vous êtes à pied ou à vélo, à l'accueil ! Le petit plus : sauna et jacuzzi près de l'entrée. *Coffee shop* à l'accueil. Loue planches et *wetsuits* aux clients du camping.

Bon marché

C & N Backpackers : *2081 Peninsula Rd. ☎ 250-726-7416 ou 1-888-434-6060. • cnnbackpackers.com • Un*

L'ÎLE DE VANCOUVER

peu avt d'arriver au village, sur la gauche. De Pâques à mi-oct. Lit dès 25 $, draps et serviettes compris ; double 65 $ (sdb partagée). Internet. Dans une grande maison posée en retrait du littoral, une AJ de rêve, rénovée avec goût dans des tons beige-gris-taupe et, surtout, d'une propreté décapante ! 2 dortoirs pour 12 personnes et 3 chambres privées (pour 3 ou 4), confortables, clairs et lumineux, avec une vue agréable de partout. Grand salon-salle à manger-cuisine, convivial et donnant sur la terrasse en bois à l'arrière qui se prolonge par un grand jardin dévalant en pente douce vers la mer.

Surfs Inn Guesthouse & Backpacker's Lodge : *1874 Peninsula Rd. ☎ 250-726-4426. • surfsinn.ca • Lit simple en dortoir 28 $; lit double toujours en dortoir (pour 2, donc !) 49 $. Chambre privée 75 $; selon taille, bungalows dès 140 $ et jusqu'à 260 $ pour 7 pers. Wifi.* Parfaitement tenue par Mike et Nicole, cette *guesthouse* récente et pimpante offre tout un choix d'hébergements, du lit en dortoir à la cabane en bois de luxe dans la forêt. Jolis espaces communs, intérieur en bois clair, une AJ 4 étoiles là encore ! Cuisine et salon TV, barbecue. On peut même louer un surf *(35 $ par jour)* et une combi au même prix (pas inutile !) pour aller taquiner les vagues.

L'ÎLE DE VANCOUVER

De prix moyens à plus chic

Canadian Princess : *1943 Peninsula Rd, à l'entrée du village. ☎ 250-726-7771 ou 1-800-663-7090. • canadianprincess.com • De juin à mi-sept. Doubles 70-140 $ sur le bateau, 120-230 $ dans la partie motel.* Vous dormirez à bord du *Canadian Princess*, un bateau à la retraite avec un grand salon et un pont où se promener. Les cabines sont petites (2 ou 4 lits superposés) et sans salle de bains privée mais authentiques et assez cosy. Fait aussi bar-resto. Sinon, le motel à côté dépend de la même direction et propose des chambres plus chères mais sympas, surtout celles du rez-de-chaussée avec mezzanine et charpente apparente, parfaites pour les familles. Il existe des formules comprenant une ou plusieurs nuits combinées à des excursions de pêche en mer – saumon chinook et flétan de juin à septembre, flétan dès mai. On pourra même vous le fumer avant votre départ !

Ebb Tide B & B : *967 Peninsula Rd. ☎ 250-726-2802 ou 1-888-400-0322. • ebbtidespringcove.com • Passé le village, près de la pointe de la péninsule. Doubles env 100-160 $ avec excellent petit déj. Wifi.* Superbement située face à la mer, dans un cadre boisé, la maison abrite 3 belles chambres très confortables et spacieuses (pour 2 ou 4 personnes), toutes avec entrée privée, salle de bains, frigo, DVD et surtout... une très belle vue. Grande terrasse en bois avec ce même paysage de carte postale en ligne de mire.

Pacific Rim Motel : *1755 Peninsula Rd. ☎ 250-726-7728 ou 1-800-810-0031. • pacificrimmotel.com • En été, 140-150 $ pour 2 (20 $ de plus avec kitchenette). Wifi.* Au cœur du village, un motel sans histoires. Bon accueil et chambres confortables et spacieuses mais impersonnelles.

Little Beach Resort : *1187 Peninsula Rd, au bout du village. ☎ 250-726-4202 ou 1-877-726-4202. • littlebeachresort.com • Chambre env 120 $ en été ; suite 160 $. Wifi.* Ne vous laissez pas abuser par le nom : il s'agit d'une sorte de motel amélioré, aux chambres réparties dans de petites unités en bois, chacune avec terrasse, micro-ondes et frigo. Les suites pour 4 avec kitchenette ont notre préférence pour leur touche canadienne, même si celles avec jacuzzi sont censées être plus « luxe ». Vue sur l'océan de l'autre côté de la rue. Une bonne petite adresse.

West Coast Motel : *279 Hemlock St. ☎ 250-726-7732. • westcoastmotel.com • Pour 2, 80-200 $; suite à 2 chambres 280 $ pour 4 pers. Wifi.* Voici pour une fois un motel pas standardisé qui propose à peu près tous les styles de chambres, pour tous les goûts et presque tous les prix. Avec frigo ou kitchenette, douche ou bains, balcon sur le port ou non, etc. Un côté dépareillé assez sympathique. La mignonne petite cabane verte se loue aussi, par contre il faut la réserver longtemps à l'avance !

Mais le plus inattendu, c'est l'énorme salle de fitness, avec aussi piscine et sauna. Coin barbecue pour la convivialité, laverie pour le confort.

Et aussi ***Surfs Inn Guesthouse*** : pour leurs cottages en bois à la fois cosy et parfaitement équipés, voir plus haut.

Très chic

Water's Edge Resort : *1971 Harbour Dr. ☎ 250-726-4625 ou 1-800-979-9303. • watersedgeresort.ca • Prendre à gauche à l'entrée du village devant* Ucluelet Campground, *puis continuer sur Harbour Dr. En été, double env 210 $, compter 300 $ pour 4 pers (2 chambres). Min 2 nuits en juil-août. Internet, wifi.* Isolé sur une petite presqu'île d'Ucluelet, un ensemble de maisons en bois bleu-gris abritant chacune quelques très jolies suites de 1 ou 2 chambres avec salon, cuisine, cheminée et balcon donnant sur la baie. Déco chic et sobre : murs blancs et bois. Parfait pour une petite retraite romantique.

The Cabins at Terrace Beach : *1090 Peninsula Rd. ☎ 250-726-2101 ou 1-866-438-4373. • thecabins.ca • Pour 2, à partir de 250 $.* Pour ceux qui peuvent se le permettre, voici la version contemporaine et luxe de « ma cabane au Canada ». Une vingtaine de petites unités en bois de cèdre bien intégrées dans leur environnement naturel. Beaux volumes, mezzanine et matériaux haut de gamme côté déco intérieure. Cuisine high-tech, jacuzzi, terrasse avec barbecue. Un sentier descend rapidement vers une jolie plage de sable fin où l'on peut se baigner l'été.

Encore plus chic

Black Rock Resort : *596 Marine Dr. ☎ 250-726-4800 ou 1-877-762-5011. • blackrockresort.com • Doubles standard dès 300-350 $ en hte saison...* Construit sur un éperon rocheux, ce tout nouveau *resort* de luxe est le pendant du *Wickaninnish Inn* de Tofino (voir plus loin). Architecture moderne tout en pierre, bois, verre et acier, bien intégrée dans ce paysage exceptionnel. L'entrée est spectaculaire, avec vue plongeante sur la côte déchiquetée du Pacifique. Depuis les immenses baies vitrées, la mer est partout, et le *Wild Pacific Trail* passe juste en contrebas. Dans les chambres, toutes avec balcon-terrasse et kitchenette, c'est la grande classe, dominante anthracite, salle de bains design, immense douche à l'italienne. Bon resto (*Fetch,* voir « Où manger ? Où boire un verre ? ») et *lounge* avec un bar en forme de vague.

Où manger ? Où boire un verre ?

Bon marché

Ukee Dogs : *1576 Imperial Lane (angle de Fraser). ☎ 250-726-2103. Lun-ven slt, 8h30-15h30 (sam aussi en été). Moins de 8 $. Cash slt.* Dans le Village Square Shops, le coin qui bouge à Ucluelet, un ancien garage reconverti en petit café-resto bobo et alternatif. Grandes tablées dehors comme dedans pour démarrer la journée ou grignoter un bout : hot dogs variés mais aussi *pies*, pizzas, *cinnamon buns* et cookies. On aime beaucoup l'ambiance et le mur peint avec Bob Marley, Marilyn, Elvis et Kermit la Grenouille !

De bon marché à prix moyens

Matterson House : *1682 Peninsula Rd, après le* Pacific Rim Motel. *☎ 250-726-2200. Tlj sf lun à partir de 11h et 17h ; petit déj ven-dim à partir de 9h. Hamburgers 8-10 $; pâtes env 15 $; viande, poisson ou* seafood *20-30 $; le midi, pas plus de 10 $.* Au centre du village, sur la route principale, voici le meilleur resto familial d'Ucluelet, dans une croquignolette petite maison jaune en bois qui date de 1931. On s'y régale. La salle, chaleureuse, n'est vraiment pas grande (résa judicieuse les soirs d'été), mais elle se double d'une très jolie terrasse à l'arrière donnant sur un vrai gazon anglais.

The Blue Room : *1627 Peninsula Rd. ☎ 250-726-4464. Tlj 7h-16h (21h ou 22h en hte saison). Breakfast*

L'ÎLE DE VANCOUVER

10-15 $. L'arrêt petit déj par excellence lorsque *Matterson House* est fermé, en semaine. Omelettes, *eggs* Benedict, *pancakes* et aussi des options un peu plus *light*. Plus tard apparaissent pâtes, burgers, viandes et poissons, bref une carte variée mais bon... rien d'extraordinaire non plus.

|●| 🍷 ***Eagle's Nest Pub :*** *1990 Bay St. Descendre la rue entre le* Thornton Motel *et le* Pacific Rim Motel, *c'est tt en bas à gauche. Tlj 11h-1h (minuit dim) ; cuisine jusqu'à 22h. Plats env 11-18 $.* Plus un bar qu'un resto, mais une chaleureuse ambiance où l'on vient jouer au billard devant les grands matchs TV. Cuisine de pub un peu irrégulière, proposant sandwichs, burgers et plats du genre *beef stew* et *fish & chips.* Choix de bières à la pression. Vue sur le port et les montagnes alentour.

Plus chic

|●| ***Norwoods :*** *1714 Peninsula Rd.* ☎ *250-726-7001. Ouv pour le dîner slt. Résas possibles slt 18h-19h. Plat env 30 $. Petites portions 10-15 $.* Certains disent que c'est le resto le plus réputé du Canada. Dans une atmosphère décontractée, on y savoure une cuisine innovante et inspirée par les voyages du chef en Europe et en Asie, présentée entre autres sous la forme de petites assiettes à partager avec sa tablée. Pour chaque plat, une suggestion de verre de vin assorti. Bien sûr, ingrédients locaux et d'une fraîcheur à toute épreuve, sélectionnés avec rigueur chez les producteurs, fermiers et pêcheurs du coin. Les herbes sont même cultivées sur place dans le petit jardin à l'arrière.

|●| ***Fetch :*** *596 Marine Dr.* ☎ *250-726-4800 ou 1-877-762-5011. Ouv du mat au soir. Le midi, plats 10-14 $, le soir 27-30 $.* C'est le resto du *Black Rock Resort* (voir « Où dormir ? »), étonnamment raisonnable le midi pour un cadre aussi exceptionnel. Vaste salle design cosy où dominent le noir, le gris et le bois, qui se prolonge par une grande terrasse ouverte à 180° sur le Pacifique. Cuisine locale, tendance bio.

Manifestation

– ***Pacific Rim Whale Festival :*** *une grosse sem en mars.* • *pacificrimwhalefestival.com* • Parades et petits spectacles divers.

TOFINO

1 700 hab.

Véritable petit coin de paradis situé à 4h30 de route de Victoria et 3h de Nanaimo, ce petit port de pêche niché dans le *Clayoquot Sound* s'amarre aux portes du parc national de Pacific Rim. Il possède de charmantes *coves* (petites baies) où les jours semblent trop courts. Plus touristique qu'Ucluelet pour son caractère péninsulaire, tout au bout des plages de Tonquin et MacKenzie. Son climat tempéré lui permet d'attirer les voyageurs tout au long de l'année, en particulier les jeunes, qui en ont fait un spot de surf très recherché.

Arriver – Quitter

En bus

🚌 ***Tofino Bus Terminal*** *(plan A1) : 346 Campbell St.* ☎ *250-725-2871 ou 1-866-986-3466.* • *tofinobus.com* • *Loc de vélos sur place (env 25 $/j.).*

➢ ***De/vers Nanaimo :*** 2 bus/j. via ***Port Alberni.*** Compter 4h de trajet. Correspondance *Greyhound* pour Vancouver.

➢ ***De/vers Victoria :*** 1 bus tlj avec le *Victoria Express.* Compter 6h de route.

➢ ***De/vers Ucluelet :*** 4 bus/j. de Tofino en été, avec le *Beach Bus*. 2 d'entre eux desservent ttes les plages en chemin et l'aéroport. D'Ucluelet, 3 bus/j. Tarif : 15 $ l'aller.

En *water taxi*

Tofino Water Taxi *(plan A1, **1**) : ☎ 250-725-8844 ou 1-866-794-2537. • tofinowatertaxi.com •* Navettes quotidiennes vers Meares Island (balades dans la *rainforest* ou ascension de Lone Cone Mountain 30 et 39 $ A/R), ainsi que vers Vargas Island, aux plages désertes (39 $). On peut même s'y faire déposer pour camper en tte liberté.

Adresses utiles

Visitor Centre : *1426 Pacific Rim Hwy. ☎ 250-725-3414. • tourism tofino.com • À 6 km avt Tofino. Tlj 9h-17h. Fermé Noël-1er janv.* Si vous n'avez rien réservé, ils sauront vous orienter vers les logements encore disponibles.

Visitor Centre *(plan B2) : 455 Campbell St. ☎ 250-725-3414. Autre bureau au centre-ville, nettement plus pratique pour les non-motorisés. Tlj 9h-17h au moins.*

Poste *(plan A1) : angle Campbell et 1st St. Lun-ven 8h30-17h30, sam 9h-13h.*

@ Tofino Pharmacy *(plan B1, **2**) : Campbell St. Tlj 9h30-21h. 3 ordis en libre-service ; moins cher que dans les cafés en face.*

Budget Rent-a-Car : *1850 Pacific Rim Hwy, à l'aéroport. ☎ 250-725-2060 ou 1-888-368-7368.*

Où dormir ?

Très conseillé de réserver en été car il y a beaucoup de monde pour un potentiel de logements quand même limité, malgré la construction constante de nouveaux hôtels. Les prix indiqués sont ceux de la haute saison. Comme vous pourrez le constater, ils sont nettement plus élevés qu'ailleurs.

Campings

Outre l'aire de camping de Greenpoint, dans le parc national Pacific Rim (entre Tofino et Ucluelet), et celle de l'aéroport (voir plus loin « Le parc national Pacific Rim. Où dormir ? Où manger ? »), on trouve un camping tout près de Tofino qui accepte les tentes et un autre, plus loin, accessible uniquement en bateau, pour les aventuriers.

Bella Pacifica Campground *(hors plan par B2, **10**) : 400 Mackenzie Beach, env 2 km avt Tofino. ☎ 250-725-3400. • bellapacifica.com • Résa indispensable. 2 nuits min. Selon emplacement, compter 40-50 $ en plein été. Résa 10 $ en plus.* Site sauvage, en bordure d'une plage superbe. On plante sa tente face à l'océan, ou plus en retrait, sous les sapins, si toutes les places sont déjà prises. Choisissez bien, certains emplacements sont un peu étroits. Table en bois et *fire pit* sur chaque, laverie, douches chaudes payantes.

Hot Springs Cove Campground : *à env 1h30 de bateau (27 miles) au nord-ouest de Tofino. Borde le Maquinna Provincial Marine Park, où se trouvent les sources chaudes. Compter 20 $.* Camping géré par la tribu Hesquiat, pour ceux qui cherchent l'aventure et l'isolement.

Bon marché

Whalers on the Point Guesthouse *(plan A1, **11**) : 81 West St. ☎ 250-725-3443. • tofinohostel.com • Tt au bout du village, au bord de l'océan. Réception 7h-23h. Résa obligatoire. Dortoir 25-35 $ la nuit ; chambres pour 2 pers 55-90 $. Min 2 nuits juin-sept (ou surcharge éventuelle). Internet, wifi.* Une AJ très conviviale, avec de superbes espaces communs et une belle cheminée en pierre, du parquet et des canapés pour se détendre face à l'océan. Cuisine bien équipée et nickel, patio avec barbecue, salon avec plein de jeux, laverie, sauna... Les chambres familiales (pour 5, avec toilettes et lavabo, seule la douche est à l'extérieur) sont d'un très bon rapport qualité-prix. Une adresse en or !

Tofino Travellers Guesthouse

*(plan A1, **12**) : 213 Main St. ☎ 250-725-2338. • tofinotravellersguesthouse.com • Dortoir env 30 $ selon saison ; chambres doubles jusqu'à 95 $ en été, dès 65 $ en hiver. Petit déj inclus. Internet, wifi.* Encore une super adresse, qui tient plus du *B & B* que de l'AJ, avec 1 seul dortoir de 4 lits et 2 chambres doubles (dont 1 avec salle de bains privée). Le tout vient d'être rénové de pied en cap, avec une dominante de bois de récup'. Grande cuisine (admirez les poignées de porte en bois flotté), salon avec cheminée, très cosy tout ça. Un excellent rapport qualité-prix doublé d'un accueil aux petits oignons du jeune propriétaire qui organise de temps à autre des *crab nights* pour ses hôtes.

Tofino Trek Inn *(plan A1, **26**) : 71 Main St. ☎ 250-725-2791. • tofinotrekinn.com • Dortoirs 25-35 $ selon saison ; doubles 90-95 $ en été, dès 65 $ en hiver. Petit déj inclus dans ts les cas (avec pain frais). Wifi, Internet.* Même ambiance confidentielle et chaleureuse qu'à la Tofino Travellers Guesthouse avec un petit dortoir de 3 lits et 2 chambres privées (avec sdb partagées) dans une petite maison bleue posée au centre du village. Salon et cuisine à dispo. Excellent accueil du jeune proprio, Joe, qui se met en quatre pour ses clients et n'hésite pas à venir les chercher à l'arrêt du bus. Possibilité aussi de louer la maison entière pour une bande de copains.

C & N Backpackers Inn *(plan A1, **25**) : 241 Campbell St, tt au bout du village. ☎ 250-725-2288 ou 1-888-434-6060. Chambre privée slt, 65 $.* « C'est une maison bleue... on y vient à pied, on ne frappe pas »... mais on retire ses chaussures à l'entrée ! Face à la baie, voici une petite AJ tranquille et bien tenue, à l'image de sa grande sœur de Ucluelet (voir plus haut).

De prix moyens à plus chic

Paddler's Inn *(plan A1, **18**) : 320 Main St. ☎ 250-725-4222. • tofinopaddlersinn.com • En été, doubles 80-90 $ selon vue, encore moins cher hors saison.* Cette maison en bois datant des années 1920 fut le 1er hôtel de Tofino. La proprio actuelle l'a complètement rénovée pour en faire une charmante petite *guesthouse*, toute simple mais d'un rapport qualité-prix imbattable. 5 chambres à l'étage de la boutique de kayak qui se partagent une salle de bains et une grande cuisine avec vue sur la mer. Fraîches, lumineuses et mignonnettes avec leurs murs en bois gris perle, elles sont impeccablement tenues et très prisées par les kayakistes qui peuvent partir en excursion juste en bas.

Eco-Lodge at Tofino Botanical Gardens *(hors plan par B2, **13**) : 1084 Pacific Rim Hwy. ☎ 250-725-1220. • tofinobotanicalgardens.com • À 2 km de Tofino. Double 145 $ (75 $ en hiver) ; pour 4, 190 $ petit déj inclus.* Les lieux, attenants au jardin botanique (lire plus loin « À voir. À faire »), sont conçus avant tout pour accueillir des étudiants en biologie mais restent ouverts à tous. On adore l'esprit cool et écolo qui règne ici. Pour une fois, pas de Bible dans la commode mais la *Théorie de l'évolution* de Darwin... Différents types de chambres, agréables et colorées, parfaitement tenues. Grand salon-salle à manger bien cosy (cheminée, tapis en kilim, plancher et poutres), ouvrant sur une cuisine tout équipée. Vraiment une adresse où il fait bon vivre.

Sauna House Bed & Breakfast *(hors plan par B2, **14**) : 1286 Lynn Rd. ☎ 250-725-2113. • saunahouse.net • Accès par la route du* Wickaninnish Inn, *4 km avt le village. Min 2-3 nuits en été. Double 120 $; dès 65 $ hors saison. Petit déj déposé à votre porte.* Enfouie dans la forêt, à 100 m de la plage de Chesterman, la maison abrite une chambre au confort un peu bohême *(Birdlovers Loft)*, perchée à l'étage façon pigeonnier, avec un puits de lumière au-dessus du lit et du bois clair partout. Dans le fouillis du jardin, juste derrière, on trouve également la *Sauna House*, avec *deck* en cèdre et... véritable sauna finlandais. Dans les 2 cas, frigo et micro-ondes à disposition.

Tides Inn Bed & Breakfast *(plan A2, **15**) : 160 Arnet Rd. ☎ 250-725-3765. • tidesinntofino.com • De la poste, descendre 1st St, puis tourner à droite dans Arnet St ; c'est presque au bout. Fermé parfois déc-fév. Résa conseillée. Min*

TOFINO

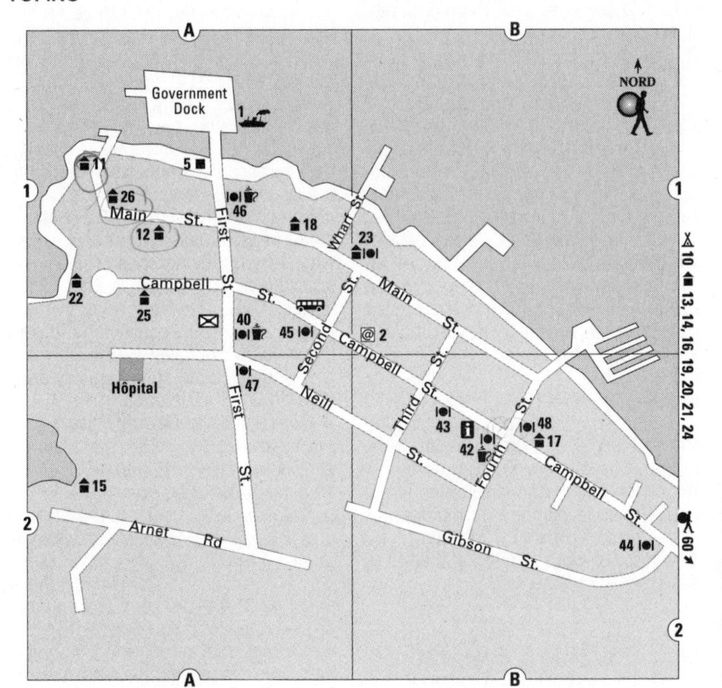

■ Adresses utiles

- Visitor Centre
- 1 Tofino Water Taxi
- @ 2 Tofino Pharmacy

Où dormir ?

- **10** Bella Pacifica Campground
- **11** Whalers on the Point Guesthouse
- **12** Tofino Travellers Guesthouse
- **13** Eco-Lodge at Tofino Botanical Gardens
- **14** Sauna House Bed & Breakfast
- **15** Tides Inn Bed & Breakfast
- **16** Sandsend Cottage
- **17** Tofino Motel
- **18** Paddler's Inn
- **19** Red Crow on the Oceanfront
- **20** Ocean Village Beach Resort
- **21** Middle Beach Lodge
- **22** Duffin Cove Resort
- **23** The Inn at Tough City
- **24** Wickaninnish Inn
- **25** C & N Backpackers Inn
- **26** Tofino Trek Inn

Où manger ?

- **23** The Inn at Tough City
- **40** The Common Loaf
- **42** Tuff Beans
- **43** Big Daddy's Fish Fry
- **44** Shelter
- **45** The Schooner
- **46** Sea Shanty
- **47** So Bo
- **48** Spotted Bear Bistro

À voir. À faire

- **5** Tofino Air
- **60** Tofino Botanical Gardens

2 nuits en saison. Pour 2, 140-160 $. Jolie maison avec une superbe vue sur la baie. Ne manque qu'un dauphin joueur qui y ferait des pirouettes pour les hôtes ! Chambres très confortables, 2 avec balcon tourné vers le large, une autre avec cheminée et *steambath.* Toutes ont un frigo et une vue. *Seaside deck* pour admirer le paysage et *hot tub* dans le jardin pour se relaxer. Beau petit déj. Accueil très sympa.

Sandsend Cottage *(hors plan par B2, **16**) : 1230 Lynn Rd. ☎ 250-725-2272. Proche de la* Sauna House. *Doubles 145-160 $. Excellent petit déj inclus.* Lui aussi dissimulé dans la végétation, près de la plage de Chesterman, le *B & B* abrite 3 chambres très confortables, d'une propreté impeccable, avec salle de bains et entrée privée, cheminée (poêle dans la plus petite), terrasse, TV, frigo et micro-ondes. La proprio, Elaine, est très à cheval sur les détails, sa maison est tirée à 4 épingles !

Tofino Motel *(plan B2, **17**) : 542 Campbell St. ☎ 250-725-2055. • tofinomotel.com • Doubles 145-185 $ en été ; moitié moins cher hors saison. Wifi.* Petit motel bleu au bord de la route principale. Les chambres, standardisées mais bien finies, donnent toutes sur la mer. Chacune dispose d'un balcon et d'un frigo. Propose également des *family suites* pour 4, avec 2 chambres séparées et cuisine.

De plus chic à très chic

The Inn at Tough City *(plan A-B1, **23**) : 350 Main St. ☎ 250-725-2021 ou 1-877-725-2021. • toughcity.com • Doubles 170-230 $ en plein été (dès 100 $ hors saison).* Au cœur de Tofino, dans une belle maison en brique et bois au charme patiné non par les ans mais par l'habile travail des proprios-décorateurs, également collectionneurs. La demeure a moins de 15 ans d'âge, pourtant elle diffuse une atmosphère vintage particulièrement réussie. 8 chambres tout confort et aménagées avec goût : parquet, mobilier et objets de déco chinés, murs de couleurs, vitraux à l'ancienne... Certaines ont une vue fantastique sur l'eau. Excellent *sushi bar* au rez-de-chaussée (voir plus loin « Où manger ? ») et un resto italien en projet.

Red Crow on the Oceanfront *(hors plan par B2, **19**) : un peu avt d'arriver à Tofino, juste après le jardin botanique (tt petit chemin, ouvrez les yeux !). ☎ 250-725-2275. • tofinoredcrow.com • Min 2-3 nuits pour les chambres selon saison et 5 nuits pour le cottage en été. Pour 2, 195 $ (110 $ hors saison). Petit déj 10 $, servi dans les chambres. Cottage 235 $ (130 $ hors saison). Wifi.* Situation exceptionnelle, au bord de la lagune de Tofino, que l'on peut s'amuser à voir se vider et se remplir au gré des marées ! Des canoës sont d'ailleurs à disposition. Repos assuré. On peut même se détendre dans un *hot tub* en pleine végétation dominant tout le paysage. Propose 2 chambres plaisantes et spacieuses (lit *king size*), parquetées et lambrissées, avec accès direct à la plage. Un peu à l'écart dans le parc (sans vue mer), une jolie maisonnette tout équipée avec cheminée et barbecue. Un *B & B* vraiment à part !

Ocean Village Beach Resort *(hors plan par B2, **20**) : 555 Hellesen Dr. ☎ 250-725-3755 ou 1-866-725-3755. • oceanvillageresort.com • À 3 km avt l'entrée de Tofino. Résa impérative, le plus longtemps possible à l'avance. Duplex 170-200 $ selon saison ; cottages 1-2 chambres 180-340 $.* Sur la plage de Makenzie, spacieux cottages en cèdre, en forme de carène de navire renversée, pouvant loger 4 à 6 personnes. Tous ont vue sur les flots, mais les mieux sont ceux en front de mer (avec volume cathédrale). Intérieur simple mais très confortable, avec cuisine équipée, mais ni TV ni téléphone : vous êtes là pour écouter le rythme du ressac ! D'ailleurs, les proprios ont fait installer un vaste barbecue au milieu du complexe, histoire d'encourager la vie au grand air. Piscine d'eau de mer, jacuzzi et laverie. Accueillant avec les familles.

Middle Beach Lodge *(hors plan par B2, **21**) : 400 MacKenzie Beach Rd. ☎ 250-725-2900 ou 1-866-725-2900. • middlebeach.com • Entrer dans le* Bella Pacifica Campground *et prendre à droite, c'est au bout du chemin. Pour 2, 140-450 $. Copieux petit déj inclus.* Un *lodge* très chic et entièrement tourné vers la mer, niché entre la forêt et la plage. Déco style « Côté Ouest » : les clés sont accrochées à des leurres et le fameux ciré jaune et les bottes de marin sont à emprunter à l'entrée de l'hôtel ! Un peu partout, de très beaux objets marins patinés par le temps, du mobilier chiné avec goût. 2 types de chambres : des classiques dans les bâtiments principaux (réservées aux adultes) ou bien des *cabins*, plus chères mais vraiment super agréables, avec 1 ou 2 chambres (la 2de en mezzanine), poêle ou cheminée, et même jacuzzi pour certaines. Vraiment un excellent choix.

Duffin Cove Resort *(plan A1, **22**) : 215 Campbell St, tt au bout du village. ☎ 250-725-3448 ou 1-888-629-2903. • duffin-cove-resort.com • Env 165-235 $ pour un studio avec sdb et kitchenette ;* cabins *et suites (1-2 chambres) 210-365 $.* Aménagement simple mais très confortable dans ce *resort* familial à taille humaine. Ici, c'est le cadre qui prime : les bungalows se fondent dans la nature, à deux pas du centre de Tofino, la plupart avec vue sur l'anse (accès privé). Imaginez les couchers de soleil... Côté aménagement et confort, rien n'est standardisé, il y a un peu de tout, à presque tous les prix. Si vous êtes en fonds, offrez-vous le charme d'une *cabin* des années 1950, le point de vue sur la plage est imprenable.

The Innchanter : *Hot Springs Cove. ☎ 250-670-1149. • innchanter.com • Avr-oct slt. Compter 160 $/pers l'été. Petit déj et dîner inclus, mais pas le transport...* On rejoint les lieux en bateau-taxi ou en hydravion ! Fatigué de tourner autour du monde, Shaun a ouvert ce *B & B* pas comme les autres dans un vieux bateau (26 m) des années 1920, ancré face au quai de l'île. On y trouve 6 chambres chaleureuses, très colorées, de sorte à compenser la faible luminosité entrant par le hublot. Elles partagent 2 salles de bains. Les conditions étant ce qu'elles sont, la pression d'eau est faible, alors lavez-vous les cheveux avant de venir ! À bord encore : un salon avec cheminée (à bois), une salle à manger et un salon-bibliothèque (fort bien achalandée). Vous pourrez emprunter le canoë pour rejoindre la berge et vous promener jusqu'aux sources chaudes après le départ des touristes en excursion. Seuls les enfants qui savent nager sont acceptés !

Encore plus chic

Wickaninnish Inn *(hors plan par B2, **24**) : 500 Osprey Lane, env 4 km avt le village, sur la gauche. ☎ 250-725-3100 ou 1-800-333-4604. • wickinn.com • Chambres à partir de 500 $ de mi-juin à sept ; dès 320 $ en hiver (et encore un peu plus cher le w-e...).* Le grand, grand jeu pour cet établissement membre de la chaîne *Relais & Châteaux* ! Déco épurée, tout en bois, inspirée et relevée de photos en noir et blanc des alentours : quel goût ! En fait, on vous l'indique au cas où vous passeriez par ici en hiver... lorsque les tarifs sont tout juste abordables et que, justement, les vagues se brisant sur les rochers par grande tempête offrent un fabuleux spectacle depuis les chambres et même de la baignoire, qui jouit aussi de la vue panoramique.

Où manger ?

Bon marché et spécial petit déjeuner

The Common Loaf *(plan A1, **40**) : 180 1st St, au bout du village, presque en face de la poste. ☎ 250-725-3915. Tlj 8h-18h. Tt max 6 $. Cash* only. *Wifi.* Petit snack-boulangerie à l'ambiance décontractée, dans une jolie maison avec rotonde en bois rouge et vert pistache. Aussi agréable pour le petit déj que pour un lunch *healthy* ou un bon café, à l'intérieur ou en terrasse. Muffins à la canneberge et aux bleuets, *cinnamon buns, scones,* muesli maison, paninis, soupe du jour et plein de pains exquis. Le tout tendance bio.

Tuff Beans *(plan B2, **42**) : 151 Campbell St. ☎ 250-725-2739. Tlj 7h-19h. Petit déj et plat autour de 10 $. Internet et wifi.* Le petit *coffee shop* local, rendez-vous des jeunes et des surfeurs. Bien servi, bon et pas trop cher. Idéal pour démarrer la journée en douceur ou plus tard, pour engloutir un bagel au saumon ou un *wrap* crevettes-avocat après une balade en mer. Terrasse en bois devant.

Big Daddy's Fish Fry *(plan B2, **43**) : Campbell St. ☎ 250-725-4415. Tlj 11h-19h30 au moins (22h30 en été).* Fish & chips *dès 12 $. Cash slt.* Petit snack où le *fish & chips* est roi. On s'installe en terrasse, sous les parasols.

Propose aussi moules, *chowders* et des burgers, au saumon, au *halibut* et même aux huîtres.

De prix moyens à plus chic

🍽 ***The Inn at Tough City*** *(plan A-B1, **23**) : 350 Main St. ☎ 250-725-2021. Ouv le soir slt. Plats 15-20 $.* Deux totems montent la garde devant cette maison cossue qui semble dater des origines du village mais n'a pourtant qu'une quinzaine d'années ! Une adresse assez étonnante, à la fois *guesthouse* de charme (voir « Où dormir ? ») et resto, réputé pour ses sushis, sashimis et autres *rolls* d'une belle fraîcheur. La salle, prolongée par une terrasse en bois avec vue imprenable sur la mer, est décorée par les minicollections vintage des proprios : affiches, vinyles, couvertures de *comics,* petites voitures, avions suspendus au plafond... un vrai festival !

🍽 ***Shelter*** *(plan B2, **44**) : 601 Campbell St (angle Gibson). ☎ 250-725-3353. Tlj 11h-minuit. Plats 10-18 $ le midi ; 25-35 $ le soir (avec des options moins chères genre burgers, moules et small plates).* Le resto à la mode de Tofino. Sa grande salle en bois diffuse une ambiance très *lounge,* avec d'un côté le bar et, de l'autre, le resto, séparés par les cuisines ouvertes où s'affaire un bataillon de cuistots. Installez-vous sous l'immense ventilo, autour des tables basses, voire, si la place est libre, dans les grands fauteuils en cuir qui font face à la cheminée. Excellents produits locaux (saumon sauvage, moules, huîtres, flétan, légumes bio...) joliment mis en scène. Bonnes bières locales, par contre les vins du coin sont un peu chers. Terrasse pour les beaux jours. Accueil vraiment sympa et service très pro.

🍽 ***So Bo*** *(plan A2, **47**) : 311 Neill St. ☎ 250-725-2341. Tlj au déj, ainsi que le soir 17h-21h. Le midi, plats max 15 $; le soir, plutôt 20-30 $ (pizza 15 $).* So Bo pour *sophisticated bohemian,* puisque telle est la définition qu'Artie et Lisa donnent de leur cuisine. Eux qui proposaient hier quelques plats à emporter dans leur camion sont aujourd'hui à la tête d'un resto « locavore » qui s'est taillé une jolie réputation dans le secteur, à juste titre. On s'attable au bar, dans une salle au décor sans chichis ou en terrasse. Vaste cuisine ouverte, qui offre le spectacle de son effervescence. À la carte : moules, huîtres et Saint-Jacques de Quadra Island, crevettes sauvages d'Ucluelet, poisson fumé à Tofino, viandes et fromages des fermes voisines. Bref, que du local, travaillé avec inspiration et joliment présenté.

🍽 ***Spotted Bear Bistro*** *(plan B2, **48**) : à l'angle de 4th et Campbell St. ☎ 250-725-2215. Tlj 17h30-21h. Brunch dim 9h-13h. Plats 26-30 $ (pâtes, pizzas et petites portions moins chères) ; brunchs 10-16 $.* Encore une table plébiscitant les produits du cru et de saison à tendance bio, cuisinés à la sauce fusion. Saumon sauvage, *halibut,* canard, tout est local. À l'heure du brunch, le *syrup* et les *baked beans* sont maison, bacon, saucisses et *corned beef* itou. Attention, c'est tout petit et pris d'assaut.

🍽 ***The Schooner*** *(plan A1, **45**) : 331 Campbell St. ☎ 250-725-3444. Ts les soirs slt, jusque tard. Plats 10-15 $ le midi ; 25-30 $ le soir. Lounge menu moins cher : plats 10-16 $.* Attenant au motel du même nom, le resto occupe une belle maison rouge, à deux pas du port. Pendant la Seconde Guerre mondiale, c'était un hôpital militaire qui fut ensuite transporté par barge jusqu'ici. Concurrent du *Shelter,* mais dans un style plus traditionnel : décor en bois avec des cartes marines aux murs et une proue de navire devant les cuisines. Ici, la spécialité, c'est le *Mate's plate,* assortiment de grosses crevettes, coquilles Saint-Jacques, huîtres et poissons grillés. On a aussi aimé le *seafood chowder*. En dessert, délicieuse *pecan pie* aux framboises. Si quelque chose disparaît de votre assiette, ne blâmez pas votre voisin : c'est peut-être un coup de Morris, le gentil fantôme qui hante les lieux ! Un spécialiste du *chowder* de son vivant...

🍽 ☕ ***Sea Shanty*** *(plan A1, **46**) : à l'angle de 1st et Main St. ☎ 250-725-2902. Tlj 8h-21h. Fermé en hiver. Plats 11-15 $ le midi ; 15-25 $ en moyenne le soir.* Face au port, une terrasse agréable d'où l'on peut observer les hydravions et la vue sur le *Clayoquot Sound.* Bons produits de la mer locaux, mais la cuisine n'est pas très fine. Parmi les plats pas trop chers, burgers au poisson, salades, *fish & chips.* Au final, plus pour la vue que pour l'assiette...

À voir. À faire

Tofino Botanical Gardens *(hors plan par B2,* ***60****) : 1084 Pacific Rim Hwy, à l'entrée de la ville. ☎ 250-725-1220. • tbgf.org • Tlj 9h jusqu'à la tombée de la nuit. Entrée : 10 $; réduc ; gratuit pour les moins de 12 ans.* Un petit jardin botanique planté d'espèces typiques des *rainforests,* tout sauf léché mais charmant et surtout intéressant pour son concept écolo. Les parterres sont sillonnés de sentiers calmes entrecoupés de *boardwalks* en bois, menant jusqu'au bord de la mer. Ici et là, quelques sculptures en bois flotté. Ne manquez pas de faire une halte au mignon *Darwin's Café,* qui sert des petits plats mettant en scène les légumes et plantes aromatiques du jardin. On peut aussi loger dans la propriété (voir « Où dormir ? »).

➢ ***Excursion à Hot Springs Cove :*** *les excursions en bateau durent 5h à 7h et coûtent de 100 à 120 $.* Plusieurs opérateurs proposent de rejoindre l'île de Maquinna et son parc provincial en bateau ou en hydravion. Du quai, une balade de 30 mn (2 km) mène à travers la forêt jusqu'à des petits bassins alimentés par une source chaude. Ceux-ci sont toutefois peu profonds, et la foule qui s'y presse en milieu de journée empêche parfois même de tremper un orteil... Le plus intéressant est peut-être la balade en elle-même, au cours de laquelle on croise aigles chauves et mammifères marins. Certaines compagnies proposent le retour en hydravion. Autre option : passer la nuit sur place, au camping ou à bord de l'*Innchanter* (voir « Où dormir ? De plus chic à très chic »).

– ***Observer les ours noirs :*** *entre mai et septembre (après, les ours noirs entament leur hibernation).* La sortie en mer s'effectue à marée basse, à des horaires par conséquent variables. Car les plantigrades arpentent les rivages du *Clayoquot Sound* pour se nourrir : ils retournent les cailloux en quête de crabes. On compte environ 12 000 ours noirs sur toute l'île de Vancouver. Vous apprendrez à distinguer les femelles des mâles à leur taille et leur tête plus allongée. Avec un peu de chance, vous rencontrerez, en début d'été, une femelle accompagnée de ses tout jeunes oursons, si ceux-ci ne se sont pas réfugiés dans les arbres à l'arrivée de l'embarcation, d'où l'on peut les admirer de très près. Moment exceptionnel ! La plupart des compagnies de *whale watching* alignées le long de la rue principale proposent aussi l'observation des ours noirs. Nous recommandons ***Jamie's*** pour son sérieux, qui a également un bureau à Ucluelet (voir coordonnées ci-dessous). Compter 80 $ pour une excursion de 2h à 2h30 (réduc enfant). Horaires de départs en fonction des marées.

– ***Rencontrer les baleines :*** il s'agit surtout des baleines grises qui migrent de la Basse-Californie mexicaine jusqu'en Alaska. Les plus faibles et les plus jeunes, qui n'ont pas la force de faire tout le périple, s'installent environ 9 mois dans le *Clayoquot Sound,* entre mars et octobre-novembre. Pendant cette période, vous êtes presque assuré à 100 % d'en voir, d'autant que les différentes compagnies se communiquent par radio les endroits où elles ont été repérées. Ne rêvez pas trop : on ne les voit pas jaillir hors de l'eau et replonger... On en voit le dos ou la queue. L'excursion dure environ 2h30 ou 3h et se fait soit en Zodiac, soit en bateau couvert. On a préféré le Zodiac, meilleur moyen d'apprécier l'environnement et le magnifique paysage. Groupe de huit personnes maximum. Ça mouille, mais, rassurez-vous, on enfile avant d'embarquer une grosse combinaison d'astronaute, à l'épreuve du froid et de l'eau. À noter qu'en route vous verrez aussi des lions de mer, des phoques et des aigles dits chauves, à cause de leur tête blanche (pygargues). *Compter entre 70 et 100 $. Les agences proposent généralement 2-3 départs/j. (mat, début et fin d'ap-m). Résa conseillée en pleine saison.* En dehors de la pleine saison, demandez combien de participants sont nécessaires pour que le bateau parte. Faute de participants suffisamment nombreux, il peut arriver qu'on vous propose une autre sortie (observation des ours, par exemple) à la place. Parmi les compagnies les moins chères, nous avons noté *Whales Ecotours (☎ 250-725-2132 ou 1-888-474-2288 ; • tofinowhalecentre.com •).* Autre compagnie très sérieuse : ***Jamie's,*** *☎ 1-800-667-9913 ou 250-725-3919. • jamies.com • Bureau au 601 Campbell St, en face du resto* Shelter *(mars-oct).*

– ***Observer les lions de mer :*** *en août et septembre,* quelque 2 500 otaries et lions de mer se regroupent dans le *Barkley Sound,* sur l'île Wouwer (Broken Group Islands). Excursion proposée encore par *Jamie's Whaling Station (606 Campbell St ; ☎ 250-725-3919 ou 1-800-667-9913 ; • jamies.com •).*

– ***Surfer :*** Long Beach compte parmi les sites les plus prisés par les surfeurs canadiens. Si l'apprentissage de la glisse vous tente, vous pourrez louer une planche et une combinaison très épaisse, par exemple chez *Live to Surf (1180 Pacific Rim Hwy ; ☎ 250-725-4464 ; • livetosurf.com •). La planche vous coûtera 20 à 25 $, la combi 20 $. Certains comptent les gants à part (5 $).* On vous fournira généralement les galeries pour transporter la planche sur la voiture, ainsi qu'une carte des spots et des recommandations de sécurité. Bon, cela dit, vu la température de l'eau, mieux vaut apprendre à Hawaii... Surtout pour les passionnés.

– ***Pêcher un saumon*** à Tofino est assurément un grand souvenir pour tout pêcheur fier de l'être, mais ça revient très cher *(env 100 $/h !).* Minimum de 5 ou 6h en général, avec un départ tôt le matin. La plupart des *outfitters* (guides) ont leur « bureau » sur la rue principale.

– Possibilité aussi de faire un tour en ***kayak*** le long de la côte et autour des îles avec un guide. Nombreuses options, de quelques heures vers Meares Island à 1 semaine entière dans les Broken Islands Group, au large d'Ucluelet. Là encore, plusieurs agences, notamment *Majestic Ocean Kayaking (basé à Ucluelet ; ☎ 1-800-889-7644 ; • oceankayaking.com •).*

– ***Survol en hydravion :*** *proposé par* **Tofino Air** *(plan A1,* **5***), installé sur le port, au pied du resto* Sea Shanty. *☎ 250-725-4454 ou 1-866-486-3247. Compter env 200 $ pour 20 mn de vol et 2 pers ; si on est seul, possibilité de se grouper avec 2 autres pour 85 $/pers. Propose aussi un A/R abordable pour les sources chaudes 155 $; 4 départs/j. en plein été. Pour un survol des glaciers, il faut compter 45 mn de vol et 450 $ env.*

LE PARC NATIONAL PACIFIC RIM

Il comprend en fait trois secteurs distincts : la bande côtière entre Ucluelet et Tofino *(Long Beach),* la plus accessible ; les *Broken Group Islands,* à l'est d'Ucluelet ; et le fameux *West Coast Trail,* accessible uniquement aux randonneurs, entre Bamfield et Port Renfrew (voir plus haut « Dans les environs de Port Alberni »). Ensemble, ces trois parties offrent un superbe échantillon de la forêt pluviale, des plages vierges et de la faune de l'île. *Long Beach* et *Clayoquot Sound* ont été classés non sans mal « Réserves de la biosphère » par l'Unesco en 2001.

Adresse et infos utiles

ℹ ***Centre d'information :*** *à l'intersection des routes Ucluelet-Tofino-Port Alberni. ☎ 250-726-4212. • pc.gc.ca/pacificrim • Tlj 9h-17h (19h en hte saison).* Riche source d'informations, excellente documentation en français et très bon accueil. Bureau de la chambre de commerce dans le même bâtiment, infos sur Ucluelet, Tofino et même Port Alberni. ☎ *250-726-4600.* ● *pacificrim visitor.ca* ● Peut vous aider à trouver un hébergement s'il n'y a pas trop de monde.

🚌 ***Tofino Beach Bus :*** *entre Tofino et Ucluelet, 4 bus/j. de mi-mai à oct, dont 2 s'arrêtent aux différents sentiers de randonnée et plages du parc. Tarif : 15 $.*

Où camper ? Où manger ?

La plupart des hébergements et restaurants se regroupent à Tofino et Ucluelet. Voici les seules alternatives dans le parc.

⛺ ***Greenpoint Campground :*** *dans le parc, 20 km avt Tofino. Résas :* ☎ *514-335-4813 ou 1-877-737-3783.* ● *pccam ping.ca* ● *De mi-mars à mi-oct. Séjour 1 sem max. Site accessible en voiture env 24 $; accessible à pied slt* (walk-in) *18 $.* Splendide ! Le camping s'étire sur les hauteurs de Long Beach, dans une forêt pluviale profonde aux arbres couverts de lichens – presque inquiétante par gros temps. Pas de résa possible pour les sites *walk-in,* ça laisse une chance de trouver de la place même en plein été, à condition d'arriver avant 10h ou 11h. Inconvénient (de taille) : pas de douches, mais on en trouve à Tofino.

⛺ ***Long Beach Golf Course Campground :*** *1850 Pacific Rim Hwy, 14 km avt Tofino.* ☎ *250-725-3314.* ● *long beachgolfcourse.com* ● *Mai-sept, tente 30 $.* En 2nd choix seulement, le terrain s'étendant près du golf et... contre l'aéroport. Certes, les vols ne sont pas trop fréquents, mais on ne peut pas dire que tous les emplacements bénéficient d'une grande sérénité ! Sinon, jolis sites boisés avec table et barbecue. Douches gratuites. Minigolf en plus du grand...

🍴 ***Wickaninnish Restaurant :*** *à mi-chemin entre Ucluelet et Tofino, dans le parc national de Pacific Rim, contre le* Wickaninnish Interpretive Center. ☎ *250-726-7706. Tlj 11h-22h en saison. Plats env 12-16 $ le midi ; 18-35 $ le soir. Parking gratuit pour les clients du resto.* On vous conseille de venir ici avant le coucher du soleil pour vous promener le long de l'immense plage, puis manger des fruits de mer. Le tout en regardant le soleil enflammer le Pacifique à travers les immenses baies vitrées... Enfin, s'il y a du soleil !

À voir. À faire

Wickaninnish Interpretive Centre : *à 13 km d'Ucluelet et 28 km de Tofino, sur la plage du même nom.* ☎ *250-726-3500. De mi-mars à mi-oct, tlj 10h-18h. Entrée gratuite.* Tout sur la faune, la vie sous-marine locale et le *West Coast Trail.* Belle section sur la chasse traditionnelle à la baleine ; remarquez ces étonnants flotteurs géants faits d'une peau de phoque retournée ! Audiovisuels toutes les heures *(de 11h à 17h)* et expos. Propose des balades guidées le long de l'océan, dans la forêt humide, ou avec un guide amérindien.

➢ ***Balade au cœur de la « Rain Forest » :*** deux sentiers en boucle d'un peu plus de 1 km chacun, situés de part et d'autre de la route Tofino-Ucluelet (à mi-chemin entre les deux), offrent un excellent aperçu de la forêt pluviale qu'on trouve dans toute cette partie de l'île. On traverse une forêt de cèdres rouges, considérés comme l'arbre de vie par les *First Nations.* La promenade, aménagée sur des passerelles en bois, est jalonnée de panneaux explicatifs en français. S'il fait beau, la lumière filtre doucement à travers les lichens et la mousse filandreuse des pins... sublime ! Pensez aux jumelles : beaucoup d'oiseaux.

➢ ***Schooner Trail :*** *sentier indiqué env 12 km avt Tofino. Env 2 km A/R.* Une chouette balade à travers la forêt de cèdres avant d'atteindre *Schooner Cove,* une plage d'où se dévoile un superbe panorama sur *Long Beach.* Face à vous, un îlot boisé que l'on ne peut atteindre qu'à marée basse.

➢ ***Nuu-Chah-Nulth Trail :*** *relie la plage de Wickaninnish à la baie Florencia.* Long de 2,5 km, ce sentier est le plus long du parc. Au fil du trajet, des panneaux explicatifs mettent en scène la culture des Nuu-chah-nulth-aht, les tribus amérindiennes qui occupent traditionnellement la région. Totem.

➢ ***Balade le long de l'océan :*** pour une grande balade le long de la plage d'accès facile, allez vous promener sur Chesterman Beach. Parking à l'orée de Lynn Road, une petite rue qui part à gauche depuis la voie d'accès menant au très chic *Wickaninnish Inn* (4 km avant Tofino). La côte est ici bordée de belles villas largement espacées, perdues dans la végétation. Si on descend vers le sud, on atteint finalement Frank Island, accessible uniquement à marée basse. Environnement sauvage et superbe à souhait. Un moment calme, simple et pur.

CAMPBELL RIVER

29 000 hab.

À 5h de route de Victoria, on est encore seulement à la moitié de l'île. Pour arriver là, il faut être poussé soit par le démon de la pêche, soit par celui de la marche. Campbell River est en effet reconnue comme capitale de la pêche au saumon, alors tous à vos cannes !... Avis aux amateurs, les cinq espèces du Pacifique frétillent dans les eaux des environs : *chinook, pink, chum, coho* et *sockeye*. En ligne de mire : le *tyee,* une bestiole d'au moins 30 livres. Et pour ceux qui sont plus « randos », le parc provincial de Strathcona, à 30 mn de là, est l'un des plus sauvages de l'île et offre de superbes balades.

Arriver – Quitter

🚌 ***Greyhound :*** *509 13th Ave, à l'angle de Cedar St.* ☎ *250-287-7151 ou 1-800-661-8747.* • *greyhound.ca* • Dans le centre, à 300 m des ferries pour Quadra Island.

➢ ***Vers Nanaimo et Victoria :*** 3 bus/j., mat, midi et soir. Trajet : env 6h.

➢ ***Vers Port Hardy :*** 1 bus/j., via Port McNeill. Env 3h30 de trajet.

Adresse utile

ℹ ***Visitor Centre :*** *1235 Shoppers Row.* ☎ *250-830-0411.* • *visitorcentre.ca* • *Juil-août, tlj 9h-18h ; le reste de l'année, lun-ven 9h-17h et sam ou dim 10h-16h (sam et dim en sept).* Internet (moyennant petite donation).

Où dormir ?

De prix moyens à plus chic

🏠 ***Haig-Brown House :*** *2250 Campbell River Rd.* ☎ *250-286-6646.* • *haigbrown.bc.ca* • *De la Hwy 19, prendre la 19A vers l'ouest direction Gold River ; c'est à 200 m sur la droite. Mai-oct slt. Double 100 $ (sdb partagée), petit déj inclus.* Aujourd'hui classée, la vieille maison en bois (1923) de l'écologiste et écrivain Roderick Haig-Brown, très réputé localement pour ses écrits sur l'art de la pêche à la mouche, s'ancre au milieu d'un joli jardin, contre la rivière Campbell. Une atmosphère de maison de campagne figée dans le temps. Demandez à voir sa bibliothèque, avec tous ses souvenirs de pêche. L'été venu, on trouve ici 3 chambres simples mais charmantes, dans des tons blanc, vert ou turquoise. Le reste de l'année, la demeure est occupée par des écrivains en résidence en quête d'inspiration. Le cadre serait idyllique si l'on n'entendait pas autant le trafic sur la grand-route.

🏠 ***Anchor Inn & Suites :*** *261 Island Hwy.* ☎ *250-286-1131 ou 1-800-663-7227.* • *anchorinn.ca* • *Doubles env 100-120 $ en été, chambres à thème 220-290 $ (certaines pour 4). Internet, wifi.* Grosse bâtisse moderne et sans charme face à la mer. Toutes les chambres ont d'ailleurs un petit balcon avec vue. Bon confort classique (frigo, micro-ondes), même si un peu daté.

Le must, ce sont les 5 suites thématiques avec jacuzzi, beaucoup plus chères évidemment, mais tellement inattendues dans un motel ! La *Western* est délirante avec le lit des parents dans une charrette (allez hue !) et ceux des enfants dans une cellule de prison digne de Lucky Luke ! Mais on a aussi un faible pour le lit rond lové dans un igloo de l'*Arctic Room...* Piscine, salle de sport et resto sur place.

🏠 ***Heron's Landing :*** *492 S Island Hwy. ☎ 250-923-2848. • heronslandinghotel.com • Doubles 115-140 $, petit déj inclus. Internet, wifi.* Pas trop loin du centre-ville à pied, voici un hôtel récemment rénové de pied en cap. Les chambres sont fraîches et cosy, dans les tons beige et bleu-gris, et élégamment arrangées avec du mobilier européen façon ancien. Petit balcon, frigo et micro-ondes.

🏠 ***Passage View Motel :*** *517 Island Hwy. ☎ 250-286-1156 ou 1-877-286-1156. • passageviewmotel.com • Double 100 $, avec ou sans kitchenette. Wifi.* Motel en bois gris et bleu situé entre la mer et une avenue très passante, à 10 mn à pied du centre de Campbell River. Les chambres, un peu vieillottes mais propres, spacieuses et confortables, ont surtout une belle vue sur le Discovery Passage.

Très chic

🏠 ***Dolphins Resort :*** *4125 Discovery Dr (à 10 mn en voiture au au nord du centre-ville). ☎ 250-287-3066 ou 1-800-891-0287. • dolphinsresort.com • Pour 2, dès 230 $, petit déj inclus. Internet, wifi.* Un rêve de cabane au Canada ! Les 13 maisonnettes appartenant à ce qui était au départ un *fishing resort* sont dispersées dans un très beau jardin surplombant la mer. Les plus anciennes (datant des années 1940) sont les plus charmantes, mais même les modernes sont dans le ton. Dedans comme dehors, tout est en bois, avec du mobilier chiné, des dessus-de-lit en quilt... De tailles différentes, elles ont toutes cuisine, cheminée ou poêle à bois, jacuzzi extérieur et vue partielle ou totale sur la mer. La plage s'étire en contrebas, avec même une petite partie en sable fin. Le petit déj est servi dans l'adorable *Anglers Room* où l'on peut d'ailleurs aussi dîner.

Où manger ? Où boire un verre ?

🍽 ***Riptide Marine Pub :*** *1340 Island Hwy. ☎ 250-830-0044. Pas facile à trouver : en venant du sud, après les ferries, continuer sur la Hwy 19A puis juste après le resto Zeller's, entrer à droite dans le centre commercial. Le resto est tt au fond, dans une grosse bâtisse grise façon entrepôt. Tlj 11h-23h en général. Plats 12-20 $ pour la plupart.* Ce gros resto bien planqué est un des favoris des locaux. Salle énorme aux volumes de cathédrale, cheminée centrale, mezzanine et terrasse couverte donnant sur la marina. Bonne ambiance de pub avec fléchettes, billard et moquette à fleurs très british. La carte, longue comme le bras, devrait mettre tout le monde d'accord : salades, burgers, sandwichs, pizzas, *seafood,* pâtes, grillades, *specials* du jour et même des sushis. On a beaucoup apprécié les (énormes) moules de Quadra Island mais tout est bon et bien présenté, bref une adresse fort agréable.

🍽 ***Cheddar & C :*** *1090 Shoppers Row, au centre-ville. ☎ 250-830-0244. Tlj 10h-17h30.* Une sorte d'épicerie fine-traiteur, avec un grand choix de plats cuisinés et de fromages français, espagnols, australiens et locaux (chèvres bio) – dont la proprio vous parlera avec amour. Allez donc grignoter ça dans le parc d'Ostler, à 3 mn de là, au pied des totems à tête d'aigle et face à la mer.

🍽 🍸 ***Patty's Lighthouse :*** *Discovery Harbour Marina. G Dock ; derrière Zellers, centre commercial sur la Hwy 19A. ☎ 250-287-3957. En saison slt, tlj 8h30-21h. Env 20-25 $.* Petit resto et bar flottant, où l'on mange dans un phare miniature très coquet. *Seafood* à l'honneur, avec d'énormes plateaux de fruits de mer pour 4 ou 6 personnes, des moules, des coques, des Saint-Jacques ou encore des gambas. Évitez le reste, aux mélanges trop ambitieux à notre goût. Pendant le repas, vous apercevrez probablement près du ponton l'un des phoques qui hantent les lieux. Peut-être Lucile vous observera-t-elle avant de venir gober sa tête de saumon...

Où manger sur la route de Telegraph Cove ?

The Cable Cookhouse : *à Sayward. Sur la 19, prendre à droite Sayward Junction, passer le pont en bois, c'est un peu plus loin côté gauche de la route. ☎ 250-282-3433. Tlj sf lun 10h-19h. Plats 8-17 $.* Cette maison originale, car entièrement recouverte de câbles servant à l'exploitation du bois, est l'œuvre d'un seul homme, Glen Duncan, qui mit 3 ans pour la construire. Depuis 1970, on y sert une savoureuse cuisine familiale, dans un décor dédié aux bûcherons. Saumon sauvage décliné de plusieurs façons, sandwichs et burgers (sur du pain maison), soupe épaisse, *cinnamon buns* de compétition... Également de très bons petit déj. Bref, une institution locale à ne pas rater sur la route entre Campbell River et Telegraph Cove.

À voir. À faire

Discovery Pier : premier pont de ce type construit au Canada, destiné à pêcher le saumon. Il s'avance dans la mer. *Accès gratuit, 3 $/h pour louer le matériel de pêche sur place et 7 $ pour la carte.* Vous pourrez même participer au concours du plus gros saumon (le pari est lancé !). Le record s'établit à 50 livres. Un Français de Merlebach l'a presque égalé en 2003 avec un *tyee* de 46,5 livres ! Excellents *wraps* à la gargote sur le *pier.*

Maritime Heritage Centre : *en face, sur le quai. En été, tlj 10h-15h30 (oct-avr, lun-ven 12h-15h). Entrée : 5 $.* Pas grand-chose à offrir. On y voit surtout un bateau de pêche (le *BCP 45*) au saumon connu pour avoir figuré sur l'ancien billet canadien de 5 $...

DANS LES ENVIRONS DE CAMPBELL RIVER

Quadra Island : *ferry ttes les heures env, 6h40-22h30 (23h30 ven-sam) ; retour 6h15-22h (23h ven-sam). La traversée dure tt juste 10 mn. Compter 9 $/pers A/R ; 21 $ avec une voiture. Rens* BC Ferries *: ☎ 1-888-223-3779. • bcferries.com •* La plus grande des Discovery Islands (2 700 habitants), aux côtes très découpées. On y trouve trois villages, dont un habité par la *First Nation* Kwakwak'awakw... Entraînez-vous à prononcer avant d'y aller ! Côtes sauvages, *rainforest,* aigles, loutres... un joli coin de nature pour ceux qui ont envie de se perdre un peu. Beaucoup de possibilités de tours organisés (pêche, balades à la rencontre des baleines et des ours, kayak, etc.). Infos : *• quadraisland.ca •*

Heron Guest House Hostel & B & B : *646 Maple Rd. ☎ 250-285-3876. • heronguesthouse.com • Lit en dortoir 29 $/pers, 55 $ pour 2 ; doubles 80-135 $. Petit déj en option, 6-12 $.* Face à la mer, à Heriot Bay, sur la côte centre-orientale de l'île. Tout le monde trouvera chaussure à son pied ici : du *Loft Room* mansardé qui fait office de dortoir, accessible par une échelle, au *Fancy Room* avec jacuzzi en passant par la *Boat House* en version *beach shack* poétique... Le nez dans les arbres, les yeux dans la mer et une douche sur la terrasse !

Cortes Island : *on prononce « Cortez ». La traversée s'effectue depuis Quadra Island, 6/j. (5/j. dim), 9h-18h45 ; retour 7h50-17h50 env. Trajet de 45 mn. Passage env 10 $/pers ; 24 $ pour une voiture.* Plus sauvage que la précédente, on s'y rend pour la balade ou faire de la voile dans le *Desolation Sound*. Des adresses d'hébergement disponibles à l'office de tourisme de Campbell River.

Elk Falls Provincial Park : *à 5 km de Campbell River, sur la route de Strathcona et Gold River. Bien guetter le panneau « Elk Falls » côté droit de la route, puis tourner à droite donc et juste après le pont du barrage, prendre la direction* Elk Falls Picnic Campground *(voie de droite). Parking en contrebas.* Petite balade sympa (10 mn) à travers la forêt pluviale jusqu'à une grande chute d'eau se déversant dans une gorge étroite. Suivre le chemin jusqu'au point de vue, sans s'aventurer sur les rochers à cause des lâchers d'eau du barrage en amont (une sirène les annonce, en principe). Grand et agréable terrain de camping *(Quinsam Campground)* en aval de la route. Pas de douches, mais on peut pêcher directement depuis certains sites. Maximum quatre saumons par jour en saison ! *Emplacement : 16 $.*

Strathcona Provincial Park : *à 46 km de Campbell River. Accessible en voiture slt.* Le plus grand et le plus vieux parc de l'île, avec ses lacs, ses glaciers, un point culminant à 2 200 m, ses forêts et les *Della Falls* (les plus hautes chutes du Canada, 440 m, mais à plusieurs jours de marche). Ce parc demeure parfaitement sauvage. On y trouve un superbe *lodge* (voir ci-dessous).

Point information : *sur la route qui longe Buttle Lake, 300 m après le carrefour pour Gold River. Ouv de mi-juin à début sept, ven 15h-20h, sam 10h-18h, dim 10h-17h. Également des rens sur le parc sur • strathconapark.org •*

Buttle Lake Campground : *au bord du lac, 600 m après l'embranchement, direction Gold River. Résas auprès de* Discover Camping *: ☎ 1-800-689-9025. Emplacement 15 $.* Très bien placé, beaucoup de fraîcheur et sérénité assurée. Jeux pour enfants, mais pas de douches, juste un point d'eau. Une partie des sites en *first come, first served.*

Strathcona Park Lodge : *à 40 km de Campbell River, 6 km avt l'entrée du parc. ☎ 250-286-3122. • strathcona.bc.ca • Des petits chalets disséminés le long du lac, avec des chambres simples mais confortables 122-165 $ avec sdb privée ; chalets 175-495 $ pour 13 pers max, très intéressant pour un petit groupe. Possibilité de forfaits (repas, activités, etc.).* Superbe panorama sur le lac, qui est aussi source d'eau potable. Lorsque Jim Boulding hérita de cette terre, il pensa faire fortune comme son père en coupant tout. Puis il se ravisa et décida d'y construire un *lodge* pour que les gens puissent découvrir la nature. C'était il y a 50 ans. On peut louer des kayaks, escalader les glaciers, partir à la découverte de la faune, etc. Attention, les restos du *lodge* ferment tôt.

➢ Plan des **randos** disponible au *Strathcona Park Lodge* et à l'office de tourisme de Campbell River si le point info n'est pas ouvert. Deux secteurs bien distincts : *Paradise Meadows,* accessible par la Strathcona Pkwy avant Campbell River, où l'on trouve le réseau de promenades et d'activités le plus développé. Également une vingtaine de balades sur le *Buttle Lake Corridor* (l'autre secteur), de 10 mn à 10h de marche. Ne soyez pas effrayé par les durées annoncées : pour les *Lupin Falls,* elle est estimée à 15 mn ; nous avons compté 5 mn de marche, 5 autres pour la photo souvenir et les 5 dernières pour le retour... Une jolie balade, du reste, depuis le bord du lac Buttle, à travers la forêt de pins de Douglas, nettement plus clairsemée que la forêt humide à l'ouest de l'île, jusqu'à une belle cascade. Plus à l'ouest, sur la route de Gold River, on traverse une vallée où l'on croise souvent des wapitis. Gardez l'œil ouvert !

Les explorateurs férus d'histoire pousseront plus à l'ouest de Campbell River, jusqu'à ***Gold River*** (village moderne de bûcherons, sans intérêt), puis poursuivront la route vers ***Muchalat Inlet.*** Un bateau les conduira là où le capitaine Cook débarqua pour la première fois.

TELEGRAPH COVE

10 hab.

Situé à 20 km à l'est de Port McNeill, ce village isolé fut établi en 1911, alors que l'on y installait une station de télégraphe. Il se consacra ensuite à la salaison de saumons, exportés vers le Japon. L'activité nécessita de fabriquer des caissettes en bois pour leur transport. On y ouvrit alors une scierie ! Elle existe encore aujourd'hui. Pour certains, il s'agit du plus joli village de l'île avec sa douzaine de maisons colorées sur pilotis. Une vraie carte postale. L'impression de bout du monde serait totale si la vue n'était pas dénaturée par une construction récente de mauvais aloi et un alignement compact de camping-cars... Telegraph Cove est aussi un départ d'excursion pour rencontrer les orques dans un environnement à nul autre pareil. Nombre de circuits en kayak, en campant sur de petites îles, retiendront les amoureux de nature à l'état brut.

Où dormir ? Où manger ?

Hidden Cove Lodge : *à Hidden Cove, env 8 km avt* Telegraph Cove Resort *; emprunter sur 2,5 km la piste indiquée à gauche. ☎ 250-956-3916. • hiddencovelodge.com • Mai-sept. Double dès 175 $. Petit déj compris.* Charmant *lodge* au bord de l'eau, dans une crique très sauvage. Ici, ours noirs et ratons-laveurs se promènent dans le jardin et les orques viennent faire un saut devant le ponton, la saison venue. Les 8 chambres sont assez simples mais confortables, avec salle de bains. Également 3 *cabins* et cottages. Repos et dépaysement assurés. Possibilité de dîner en prévenant le matin.

Telegraph Cove Resort : *☎ 250-928-3131 ou 1-800-200-4665. • telegraphcoveresort.com • Mai-sept. Camping dans la forêt en retrait du village : 27 $ pour 2 adultes avec tente ; 30-32 $ en camping-car. Pour un séjour plus confortable,* cabins *sur pilotis avec sdb pour 2-9 pers : dès 115 $ pour 2, 250 $ pour 6.* L'unique hébergement de Telegraph Cove. Ces maisonnettes datent de l'établissement du village et s'égrènent tout au long du quai. En fait, ce sont elles qui forment le village historique et dans lesquelles vous dormirez ! Sur chacune, une plaque relate son histoire. L'aménagement diffère selon les maisons et les tarifs mais reste simple et rustique dans l'ensemble (ni TV ni téléphone mais kitchenette). Le paysage serait idyllique si la vue n'était pas gâchée par les camping-cars en ligne de mire... Les campeurs ont aussi la possibilité de planter leur tente à 10 mn à pied, dans un environnement sauvage à souhait, au cœur de la forêt moussue (douches, laverie). Dans le village même, au bout du ponton (juste avant le *Whale Center*), un très bon resto pour ceux qui n'auraient pas envie de faire leur popote, le ***Killer Whale Café,*** ouvert du breakfast au dîner. Pas donné le soir mais très bon poisson bien cuisiné *(plats 25-27 $, le midi env 10-15 $).* Le samedi soir, barbecue de saumon sur le ponton. Également un café, un pub et un *General Store* pour les petites courses et le matériel de pêche. Petite balade sympa vers Bauza Cove, une crique sauvage accessible au fond du camping (5 mn à pied).

À voir. À faire

Killer Whale Interpretive Centre : *au bout du ponton. ☎ 250-928-3129. • killerwhalecentre.org • Ouv de mai à mi-oct : juil-août, 8h-18h ; début et fin de saison, 9h-17h. Entrée sur donation : 3 $.* Intéressantes explications sur les baleines et leurs légendes. Impressionnant squelette de 20 m d'un rorqual « embouti » par un navire de croisière et d'autres cétacés.

– **Découvrir les orques :** *avec* Stubbs Island Whale Watching, *juste avt le* Whale Interpretive Center. ☎ *250-928-3185 ou 1-800-665-3066.* • *stubbs-island.com* • *2 sorties en mer d'env 3h30, à 9h et 13h (faites-vous confirmer les horaires), de mi-mai à mi-oct. Résa obligatoire auprès de Jim et Mary Borrowman, qui furent longtemps les seuls à vivre à l'année à Telegraph Cove. Env 95 $ mi-juil à mi-août, 85 $ sinon ; réduc jusqu'à 12 ans.* Quelque 200 orques reviennent chaque année au mois de juin dans les eaux du *Johnstone Strait* et de la *Robson Bight Ecological Reserve.* Croyez-le ou non, il semble que ce soit pour se gratter le ventre sur les galets à l'embouchure de la rivière Tsitika ! Vous aurez 90 % de chances d'en voir en plein été et en automne, mais n'y comptez pas trop avant la fin juin. En revanche, aigles chauves, lions de mer et phoques sont toujours au rendez-vous. Souvent aussi, des dauphins et baleines (Minke ou à bosse).

– **Voir les grizzlys :** *avec* Tide Rip Tours. ☎ *250-339-5320 ou 1-888-643-9319.* • *tiderip.com* • De mi-mai à septembre, Howard organise des sorties de quelques heures pour aller observer les ours noirs des environs et des excursions à la journée pour aller taquiner les grizzlys de l'autre côté du détroit de Johnstone. Au printemps et en été, on va les voir se nourrir de crabes et de coquillages le long des plages *(290 $)* et, de mi-août à octobre, pêcher le saumon *(300 $).* Il est bien rare que l'on ne rencontre pas plusieurs animaux – à ce prix-là, direz-vous... Pas d'enfants de moins de 12 ans.

– **Faire du kayak :** *avec* North Island Kayak, ☎ *250-928-3114 ou 1-877-949-7707.* • *kayakbc.ca* • *De mi-mai à sept, tlj. À partir de 55 $ pour une sortie de 2h. Loc pour les plus expérimentés 90 $ pour 2 j. ; 240 $/sem.* Des excursions avec guide de quelques heures à quelques jours, aux abords du *Johnstone Strait* et sur les îles de l'archipel de *Broughton.* Génial pour ceux qui aiment la solitude et les rencontres avec les ours. On peut aussi contacter le *Paddler's Inn (• paddlersinn.ca •),* un *wilderness kayaking lodge* partagé entre sites de camping, AJ flottante et deux *cabins* en bois plutôt rustiques. On rejoint les lieux en *water taxi* depuis Port McNeill ou en hydravion.

– **Pêche au saumon ou au halibut :** *rens à l'accueil du* Telegraph Cove Resort.

CORMORANT ISLAND

1 275 hab.

Patrie des Namgis, l'île, longue de 4 km sur 1 km, abrite la plus ancienne communauté des îles du Nord. Né dans les années 1865-1870 autour d'une usine de conditionnement de saumon, le petit village d'*Alert Bay,* aux maisons en bois joliment colorées, s'étire tout au long du littoral, face à la « grande île » de Vancouver. Le cadre est superbe, mais c'est avant tout pour voir certains des plus beaux totems de Colombie-Britannique que l'on vient ici. On y trouve même le plus grand du monde ! En juin, pour *Sports Day,* les costumes traditionnels et les masques sortent des placards. Superbe.

Arriver – Quitter

BC Ferries : ☎ *1-888-223-3779.* • *bcferries.com* • Au départ de Port McNeill, 5-6 passages/j. dans chaque sens ; aller 8h45-21h25 ; retour 6h45 (9h40 dim)-20h20. Compter 8,50 $/pers et près de 20 $ pour une voiture A/R. La traversée dure 45 mn.

Quitter Cormorant et Vancouver Islands par le nord

➢ **Port Hardy-Prince Rupert :** en ferry, avec le *Northern Adventure.* Le terminal est situé à Bear Cove, à 8 km du village (taxi ou navette pour les non-motorisés). ☎ *250-949-7622* *ou 1-888-427-3901. • bcferries.com • Le bateau (1 départ ts les 2 j.) part très tôt le mat, vers 7h30. Impératif de se présenter au moins 1h30 avt, au risque de voir sa résa annulée. Prévoir donc 1 nuit à Port Hardy. En été, résa indispensable. En très haute saison, compter 180 $ par passager et 410 $ pour une voiture standard. Cabine dès 90 $.* Compter 15h de voyage (507 km) particulièrement agréable le long du célèbre *Inside Passage.* Une vraie croisière ! L'itinéraire, ainsi nommé car il permet de remonter vers le nord à l'abri des tempêtes derrière un paravent de grosses îles littorales, est emprunté non seulement par les ferries, mais aussi par les bateaux de commerce et de pêche. Dans le Grenville Channel, le passage se réduit à 400 m de large – alors même que les eaux atteignent près de 500 m de profondeur ! Les montagnes se dressent à plus de 1 000 m, leurs sommets enneigés jusqu'en été. Dans les airs planent les pygargues, dans l'eau croisent orques et baleines, sur les falaises glissent, par endroits, de spectaculaires chutes d'eau.

Quarterdeck Inn : *6555 Hardy Bay Rd. ☎ 250-902-0455 ou 1-877-902-0459. • quarterdeckresort.net • Double env 150 $ en été.* Un bon choix pour passer la nuit avant d'embarquer le lendemain. Chambres de motel améliorées, spacieuses, avec kitchenette, face à une marina. Suites avec cheminée et jacuzzi. Pub et resto sur place.

Où dormir à Cormorant Island ?

Oceanview Cabins : *☎ 250-974-5457 ou 1-877-974-5457. • oceanview cabins.ca • Doubles 110-125 $. Petit déj compris. Wifi.* Les 14 bungalows s'alignent sur un terrain en pente, à la pointe est de l'île, à 30 mn de marche du quai du ferry (5 mn en voiture). Très confortables pour le prix, avec 1 ou 2 chambres et un salon-cuisine (TV écran plat), cheminée électrique, couette en plumes...

À voir

U'Mista Cultural Society Centre : *au bout de Front St, à gauche en descendant du ferry. • umista.ca • Tlj 9h-17h mai-sept, mar-sam slt sinon. Entrée : 8 $.* Le centre s'est donné une mission : rapatrier tous les objets de cérémonie dispersés dans des collections privées et des musées après leur saisie en 1921 – époque à laquelle les potlatchs (festins cérémoniels) avaient été interdits par les autorités canadiennes. Une partie des objets retrouvés est exposée dans le musée qui accueille aussi des expos temporaires. À côté se dressent plusieurs totems plus ou moins anciens. Les plus vénérables, « morts » lors de tempêtes hivernales, sont regroupés sous un toit protecteur.

Namgis Burial Ground : *sur Front St, à droite en descendant du ferry.* Les totems funéraires sont splendides, mais on ne les regarde que depuis la route : il est interdit de pénétrer dans l'enclos. Les plus anciens ont un siècle.

Le plus grand totem du Canada : *sur les hauteurs, au-dessus du centre culturel et de l'hôpital, contre la* Big House *– une salle communautaire ornée de peintures.* Réalisé en 1972, le totem mesure près de 53 m ! Il est si haut qu'il a dû être amarré à l'aide de filins. Le plus haut, oui, mais pas le plus beau...

DE PRINCE RUPERT À PRINCE GEORGE

Nombreux sont ceux qui, débarquant du ferry, repartent dès le lendemain par la route en direction de Prince George (720 km). En ligne de mire : les Rocheuses. Tous, immanquablement, regrettent de ne pas avoir prévu le temps de

musarder en chemin... Le début du parcours, très beau, longe la large Skeena River, dominée par les montagnes. L'immensité du fleuve et des paysages, la fraîcheur de l'air, le néant humain dessinent déjà un nord sauvage et puissant, qui appelle à mettre le cap sur l'Alaska et le Yukon. Qu'on se laisse tenter ou que l'on reprenne sagement le chemin de Prince George, l'itinéraire traverse le fantastique pays K'San, pays des totems, étendu tout autour de la bourgade de Hazelton. Où que vous alliez, pensez toujours à faire le plein, car c'est le grand désert, et les stations-service sont espacées de 100 km et plus ! Évitez de dormir à Prince George, une grande ville industrielle (et ça se sent !). Les étapes les plus agréables sont Hazelton, Smithers et Fort Saint James pour son lac.

PRINCE RUPERT

12 800 hab.

Ville-étape obligée – le ferry arrivant très tard et partant très tôt –, Prince Rupert s'ancre près de l'embouchure de la grande rivière Skeena, aussi large qu'un fleuve amazonien. Ce n'est pas une très belle ville, mais elle possède un superbe musée et sait se montrer attachante. En contrebas du centre, sur les quais, le miniquartier de Cow Bay Road est sympa avec ses quelques maisons anciennes retapées. Et puis, où ailleurs vous ferez-vous arrêter par la police, toutes sirènes dehors, pour vous entendre demander si vous avez besoin d'aide pour trouver votre chemin ?

UN PROJET QUI TOMBE À L'EAU

Prince Rupert a bien failli connaître un grand destin... L'histoire remonte au début du XXe s, lorsque Charles Melville Hays, un magnat local du bois, rêva d'en faire la concurrente de Vancouver. Il finança la construction du chemin de fer (toujours présent) et, en 1912, se rendit en Angleterre pour discuter avec des partenaires financiers. Manque de chance, au retour, il sombra avec le Titanic, *et l'avenir doré de Prince Rupert avec lui...*

Arriver – Quitter

Greyhound : *815 W 1st Ave. ☎ 250-624-5090 ou 1-800-661-8747. • greyhound.ca •*

➢ ***Vers Prince George :*** 1-2 bus/j. à 10h45 et/ou 21h. Correspondance pour Vancouver (24h de trajet en tt) ou Whitehorse au Yukon (pas de bus direct).

BC Ferries : *☎ 1-877-223-8778. L'embarcadère est à 3 km du centre.* N'oubliez pas, si vous êtes motorisé, de réserver et de payer votre billet pour que la résa soit valable. En été, les ferries sont le plus souvent complets.

➢ ***Vers Port Hardy :*** 1 bateau ts les 2 j. Voir plus haut « Quitter Vancouver Island par le nord ».

➢ ***Vers Skidegate (îles de la Reine-Charlotte) :*** 4-6 bateaux/sem (sf mar), la plupart 11h-17h30. Retour de Skidegate pour la plupart à 23h, arrivée vers 7h30-7h45.

Alaska Marine Highway System : *☎ 907-465-3941, 250-627-1744 ou 1-800-642-0066. • dot.state.ak.us/amhs •* Assure 3-5 passages/sem en été entre Prince Rupert et Ketchikan (6h de traversée), au sud de l'Alaska. Mais rien n'interdit de rester à bord jusqu'à Juneau (29h), puis de continuer sur un autre bateau vers Valdez, d'où l'on rejoint Anchorage, la principale ville de l'Alaska. Compter 54 $ pour Ketchikan et 141 $ pour Juneau pour un passager ; voiture 61 $ et 179 $ respectivement.

Via Rail : *☎ 250-627-7589 ou 1-888-842-7245.* 3 départs/sem pour Prince George, mer, ven et dim à 8h. Le trajet dure 12h env. Correspondance possible pour Jasper.

Adresse utile

Visitor Centre : *100 W 1st Ave. ☎ 250-624-5637 ou 1-800-667-1994. • tourismprincerupert.com • De mi-juin à fin août, tlj 9h-20h ; horaires réduits le reste de l'année.* Ceux qui vont vers le nord y trouveront toutes les brochures utiles. Internet gratuit (max 15 mn).

Où dormir ?

Bon marché

Pioneer Hostel : *167 3rd Ave. ☎ 250-624-2334 ou 1-888-794-9998. • pioneerhostel.com • Lit en dortoir 25-30 $; chambres privées 52-80 $.* Dans une maison grise d'un autre siècle, une AJ proprette et sympa, avec 13 chambres privées et un dortoir de 8 lits pour filles et garçons, partageant des sanitaires communs. Salon, barbecue dans le jardin à l'arrière. On viendra vous chercher gratuitement au port si vous prévenez à l'avance. Location de vélos.

Black Rooster Roadhouse : *501 6th Ave. ☎ 1-866-371-5337. • blackrooster.ca • Lit en dortoir à partir de 25 $; chambres privées 55-85 $ avec sdb partagée ou privée. Internet.* Une (bonne) alternative à l'adresse précédente, bien tenue et propre, quoique moins conviviale. Dortoirs à 2 lits superposés au rez-de-chaussée et à 8 lits au sous-sol. Chambres privées avec petit frigo et TV écran plat pour les plus chères. Cuisine commune, machines à laver, table de ping-pong. Proprios polonais !

Ocean View Hotel : *950 W 1st Ave. ☎ 250-624-6117. • oceanviewhotel.ca • Doubles 45-85 $.* Un vénérable centenaire (1907) en bois beige, où flotte encore un rien d'ambiance *fronteer.* Entièrement rénové, l'hôtel abrite des petites chambres modestes mais confortables, d'un rapport qualité-prix exceptionnel. Celles avec salle de bains privée, frigo et vue mer (65 $) ont notre préférence. Mais peut-être craquerez-vous pour l'une des 2 *jacuzzi rooms* de l'étage, les plus chères – disons plutôt les moins bon marché. Évitez, à contrario, les chambres du sous-sol, logiquement plus sombres.

De prix moyens à plus chic

Eagle Bluff B & B : *201 Cow Bay Rd. ☎ 250-627-4955 ou 1-800-833-1550. Dans le quartier restauré de Cow Bay Rd. Doubles 85-100 $.* Immanquable, la maison rouge et blanc s'ancre à même le ponton, avançant sur la mer, à tel point qu'elle craque la nuit lorsque souffle le vent et bougent les vagues. On y trouve 7 chambres avec salle de bains privée ou non, plutôt simples mais confortables. Les moins chères sont petites, mais, à contrario, la grande *Lighthouse Room,* à l'étage, est vaste et bénéficie d'une très belle vue grâce à ses 2 baies vitrées, y compris depuis la vieille baignoire à pattes ! Cuisine commune.

Inn on the Harbour : *720 1st Ave. ☎ 250-624-9107 ou 1-800-663-8155. • innontheharbour.com • Doubles 110-145 $ en été ; familiale 175 $ pour 6 pers. Petit déj inclus.* Ce motel offrant un très bon niveau de confort a l'avantage d'être situé face à la mer. Le prix des chambres dépend essentiellement de la vue. Accueil pro.

Crest Motor Hotel : *222 W 1st Ave. ☎ 250-624-6771 ou 1-800-663-8150. • cresthotel.bc.ca • Doubles 160-190 $; suites plus chères avec bain bouillonnant.* Beaucoup plus *Hotel* que *Motor* ! Le meilleur choix en ville, avec de belles chambres aux lits moelleux dominant pour moitié la mer (bien qu'elles ne soient pas très grandes). À dispo, des jumelles pour observer les mouvements des bateaux, un parapluie (pas inutile !), des peignoirs et... un joli petit canard jaune pour prendre son bain en bonne compagnie ! Bref, un hôtel d'apparence standardisée mais, en fait, plein d'imagination. Salle de sport, jacuzzi extérieur et resto de fruits de mer localement réputé. Pas assez de places au parking.

Où manger ?

🍽 ***Cowpuccino's :*** *25 Cow Bay Rd. ☎ 250-627-1395. Tlj 7h-21h30 (18h dim).* *Coffee house* installée dans une mignonne maison en bois, dans le quartier restauré de Cow Bay Road. Parfait pour un petit déj : gros muffins, *cinnamon rolls,* granola, tout est fait maison. Bagels au saumon et soupes pour le midi. Pour rigoler, demandez donc un *sex in a pan* à la serveuse...

À voir. À faire

Museum of Northern British Columbia : *100 W 1st Ave. ☎ 250-624-3207. • museumofnorthernbc.com • Tlj 9h-20h en été (17h dim) ; lun-sam 9h-17h hors saison. Entrée : 5 $; réduc. Visites guidées à thème.* Ce beau musée explore les 5 000 ans d'occupation humaine du territoire, et plus particulièrement l'histoire des communautés amérindiennes. On y découvre de superbes objets très bien mis en scène : mortiers et récipients en pierre sculptée, masques de cérémonie, vannerie, cuillères de festin (pour les faims de loup !), grandes boîtes peintes, etc. Parmi les pièces les plus étonnantes, une cape de cérémonie ornée de becs de macareux et des couvre-chefs de chamans en griffes de grizzly ! Également une section sur l'époque des pionniers.

– ***Rencontrer les ours :*** *avec* Palmerville Adventures, *☎ 250-624-8243. • palmerville.bc.ca •* Avez-vous jamais rêvé de sauter dans un hydravion pour aller voir les grizzlys en pleine nature ? Un saut de puce (45 km) et vous amerrissez aux portes du seul sanctuaire qui leur est entièrement dédié au Canada. Balades de 3h (3 par jour) ou mini-expéditions de 3 jours, avec nuit en « gîte » sur une plate-forme flottante. Inoubliable mais hors de prix : 480 $ la balade de 3h, près de 1 600 $ les 3 jours. Une balade en Zodiac de 2h est également proposée pour 280 $.

L'OURS NOIR QUI ÉTAIT BLANC

*Ancrée le long de l'*Inside Passage, *la grande île Princess Royal abrite un animal unique en son genre : une sous-espèce d'ours noir (ours Kermode) dont le pelage varie du brun au blanc en passant par le gris, le blond et le doré ! Une même mère peut ainsi avoir des oursons de différentes couleurs. On estime à environ 10 % le nombre d'ours dont le pelage est blanc sur l'île. Leur survie est directement menacée par l'exploitation forestière.*

HAZELTON

290 hab.

Fondée dans la seconde moitié du XIXe s par les pionniers, la bourgade fut, durant presque 30 ans (1886-1913), le terminus des bateaux à aubes remontant la rivière Skeena. De là, le ravitaillement était acheminé vers les mines, fermes et hameaux dispersés. Le train prit le relais en 1914, amenant une nouvelle vague de colons. Le vieux centre a conservé intact son visage de l'époque : décor de western avec ses bicoques en bois aux toits de bardeaux, ses deux cafés, une pizzeria en forme de bateau à aubes et un petit musée. Mignon comme tout. Si vous êtes dans le coin au début du mois de juin, allez donc voir le rodéo de Kispiox.

Adresse utile

Visitor Centre : *4070 9th Ave, à New Hazelton. ☎ 250-842-6571. • hazeltonstourism.ca • Le long de la Hwy 16, au carrefour de la Hwy 52 menant à Historic Hazelton. Ouv de mi-mai à mi-sept : juil-août, tlj 8h-20h ; les autres mois, tlj sf lun-mar 8h-17h.*

Où dormir ?

Dawn Chorus Guesthouse : *dans la Kispiox Valley. ☎ 250-842-6401. • iwoodfish.com/DawnChorus.html • Prendre la route de Kispiox avt d'arriver à Old Hazelton ; dépasser Kispiox et continuer sur 13,8 km ; repérer le panneau « Mykiss Fine Woodcarving », à gauche. Double 125 $. Petit déj en self-service inclus.* Todd, un ébéniste, et sa femme Kathy proposent un cottage en bois indépendant en pleine nature, avec 2 chambres, kitchenette, salon avec poêle et salle de bains. Idéal pour s'oublier 1 ou 2 jours et explorer la région. Dans le frigo, œufs frais et autres victuailles pour le petit déj. Dîner possible sur résa. À l'automne, Todd se fait guide de pêche : si vous rêvez de truite arc-en-ciel en taille XXL...

Où dormir à Smithers, sur la route de Prince George ?

Chez Josette B & B : *4259 McCabe Rd. ☎ 250-847-8743. • josettecp@bulkley.net • bcnorth.ca • À la sortie est de Smithers, passé le pont sur la rivière Bulkley, prendre à gauche Old Babine Lake Rd, direction* Driftwood Lodge *; après 4,7 km, tourner à gauche dans McCabe Rd (une piste), sur 2,8 km. Double 85 $.* Installée depuis une trentaine d'années au Canada, Josette, d'origine française, a longtemps vécu aux îles de la Reine-Charlotte avant d'acheter une cinquantaine d'hectares de forêt vierge aux portes de Smithers. 3 ours y vivent, sans compter d'innombrables orignaux et daims ! Elle propose 2 chambres, l'une avec salle de bains privée (de l'autre côté du couloir), la 2de, à l'étage, partageant une 2de salle d'eau avec elle, décorée sur des notes indiennes. Josette a beaucoup combattu aux côtés des tribus de la région pour sauvegarder forêts et biens culturels, et adore discuter de ses expériences.

À voir

'Ksan Historical Village : *à l'entrée de Old Hazelton. ☎ 250-842-5544 ou 1-877-842-5518. • ksan.org • Avr-sept, tlj 9h-17h ; le reste de l'année, lun-ven 9h30-16h30. L'hiver, seuls le musée et la boutique restent ouv. Entrée générale : 2 $. 3 des maisons ne peuvent être visitées qu'avec un guide, entrée supplémentaire : 10 $; réduc.* Fondé il y a un demi-siècle autour d'un premier musée, le centre culturel reconstitue un minivillage gitxsan des années 1800. Les quelques bâtiments, aux façades peintes, regroupent maisons communes, atelier de sculpture créé pour permettre de préserver cet art ancestral, boutique d'artisanat et totems. Les trois maisons les plus intéressantes, accessibles seulement avec un guide, illustrent différents pans de la culture gitxsan : vie quotidienne avant l'arrivée des Occidentaux *(Frog House),* tradition du *yukw* (potlatch) dans la *Wolf House,* vêtements de cérémonie et instruments de musique dans la *Fireweed House.* Le musée, qui est inclus dans l'entrée générale, expose des objets amérindiens, tant cérémoniels qu'utilitaires : masques, capes, boîtes peintes, coiffes de chamans en griffes de grizzlys, etc. En été, on peut goûter des plats traditionnels à l'*Eagle House.*

DANS LES ENVIRONS DE HAZELTON

Pas moins d'une cinquantaine de ***totems*** se dressent encore dans huit villages amérindiens de la région de Hazelton !

Cedarvale Kitwanga : à l'embranchement des routes de Prince Rupert (Hwy 16) et de l'Alaska (Hwy 37), à 43 km à l'ouest de Hazelton. Juste après avoir franchi le pont, sur la Hwy 37, tournez dans la 1re petite rue à droite. Vous verrez d'abord l'adorable petite église Saint Paul's en bois, avec son clocher en bardeaux et, 100 m plus loin, côté rivière, un ensemble d'une douzaine de totems patinés par le temps et les éléments. Un 13e, plus ancien, se dresse environ 300 m plus loin.

Kitwange : dans le village même, on peut voir une colline pyramidale recouverte d'herbe : le site abrita jusqu'au XIXe s un hameau fortifié gitwangak. Depuis ce bastion, un chef puissant, Nekt, mena de nombreuses attaques sur les tribus voisines. Les représailles ne tardèrent pas. Deux sièges ne parvinrent pourtant pas à le faire plier : il repoussa les assaillants à l'aide de troncs hérissés de pointes affûtées. Lui-même était réputé invincible, grâce à son gourdin magique « dont-un-seul-coup-suffit » et, surtout, son armure en peau de grizzli doublée d'ardoise ! Malin !

***Gitanyow** (Kitwancool) : à 23 km au nord, sur la route de l'Alaska (Hwy 37). Droit d'entrée : 5 $, incluant le droit de photographier et le musée.* Voici le plus beau regroupement de totems de tout le pays : ils sont une vingtaine, dressés au cœur du hameau, sur le bord d'une rivière. Un petit musée *(fermé dimanche)* a été construit à côté.

FORT SAINT JAMES

Petit village situé près du superbe lac Stuart. On y verra surtout le fort. En juillet-août, des comédiens font revivre la vie d'antan.

Où dormir ?

***Stuart Lodge :** 5 km après Fort Saint James. ☎ 250-996-7917. • stuartlodge.ca • Doubles 76-100 $.* 5 *cabins* en bois sombre donnant sur le lac (dont 3 accolées), pouvant accueillir 5 personnes max. Chaque bungalow dispose d'une cuisine, d'une salle de bains et de la TV. Gerhard, qui est charmant, pourra vous prêter un canoë ou vous louer un bateau à moteur.

À voir

***Le fort :** ☎ 250-996-7191. • pc.gc.ca/james • Juin-fin sept, tlj 9h-17h. Entrée : 7,80 $; réduc.* Cet ancien poste de traite, fondé en 1806, a été restauré dans son état de 1896, lorsque la Compagnie de la baie d'Hudson y commerçait.

LES PARCS DE COLOMBIE-BRITANNIQUE

Si votre temps est limité et que vous hésitez entre les parcs de l'Alberta et ceux de Colombie-Britannique, n'hésitez plus : Jasper et Banff sont incontournables, avec les plus beaux paysages, les lacs les plus intenses, et grouillent littéralement de faune ; ce qui est un peu moins vrai côté BC. À contrario, les amoureux des espaces moins parcourus y trouveront leur compte.

LE PARC PROVINCIAL DU MONT ROBSON

Avec ses 3 954 m, le mont Robson est le point culminant des Rocheuses canadiennes. Une montagne massive et superbe lorsqu'elle ne se perd pas dans les nuages. Le parc, créé dès 1913, est plutôt moins fréquenté que les autres, bien qu'il soit attenant au Jasper National Park (Alberta).

Arriver – Quitter

Mieux vaut être motorisé ! Valemount est desservi par *Greyhound* et par le train, mais le parc est encore à 35 km...

Greyhound : *1455 5th Ave. ☎ 250-566-4318. • greyhound.ca •*

➢ ***Vers Vancouver :*** 2 bus/j., l'un au milieu de la nuit, l'autre vers 12h. Trajet : 10h env.

➢ ***Vers Jasper et Edmonton :*** 3 bus/j., dont 2 au milieu de la nuit, le 3e dans l'ap-m. Tarif : 26 $.

➢ ***Vers Prince George :*** 1-2 bus/j. Compter 52 $.

Via Rail : *Main St et Dogwood Ave. ☎ 1-888-842-7245. • viarail.ca •* Le train s'arrête uniquement sur demande, 48h à l'avance !

➢ ***Vers Vancouver :*** lun, jeu et sam vers 16h30. Arrivée le lendemain un peu avt 8h. Trajet : 15h.

➢ ***Vers Jasper et Edmonton :*** lun, mer et sam vers 7h50. Un peu plus de 2h d'un beau trajet dans les montagnes jusqu'à Jasper ; pour Edmonton, compter 8h40.

➢ ***Vers Prince George :*** changement obligatoire à Jasper.

Adresses utiles

Visitor Centre : *au pied du mont Robson. ☎ 250-566-4325 en basse saison. • env.gov.bc.ca/bcparks • De début mai à mi-oct, 8h-17h (19h de mi-juin à début sept).* C'est là que vous devrez vous faire enregistrer si vous voulez camper près du lac Berg. Les ours viennent parfois traîner autour, alléchés par les odeurs de pique-nique. En été, organise des programmes d'information différents chaque soir (vers 19h30).

Visitor Centre : *735 Cranberry Lake Rd, à* ***Valemount.*** *☎ 250-566-4846. • valemount.org • Ouv de mai à mi-juin, tlj 10h-20h ; de mi-juin à début sept, 8h-21h ; le reste de sept, 10h-17h.* Organise des séances d'info gratuites sur le saumon, le long de la rivière Thomson, plusieurs fois par semaine en été.

Où dormir ?

Peu de choix à l'intérieur du parc ; si vous ne trouvez rien, rabattez-vous éventuellement sur Tête Jaune, une bourgade à 20 km à l'ouest, Valemount (34 km) ou McBride (78 km). Mieux encore, installez-vous à Jasper (84 km), aux paysages autrement plus enlevés que dans la vallée. En tout état de cause, évitez le *Canoe Mountain Lodge* à Valemount.

Campings

Robson Meadows et Robson River : *ces 2 campings sont situés à proximité immédiate du* Visitor Centre *du parc. Résas possibles pour le* Robson Meadows *slt : ☎ 1-800-689-9025. • discovercamping.ca • Env 21 $ le site, 4 pers max. Pas de CB sur place.* 125 places dans le 1er, une vingtaine dans le 2nd sur la base du *first come, first served,* qui est longé par les eaux émeraude de la rivière Fraser. Sites avec table et barbecue semés entre les épinettes, plutôt agréables. Douches et w-c. Bon point de départ de randonnées. On trouve un 3e camping dans le parc, à Lucerne, 10 km avant l'Alberta. Un poil moins cher : 16 $. 2 sites joliment situés face au lac de Yellowhead (nos 16 et 18), les autres sous les pins.

Robson Shadows Campground :

5 km avt l'entrée ouest du parc, sur la Hwy 16. ☎ *250-566-4821 ou 1-888-566-4821.* • *mountrobsonlodge.com* • *De mi-mai à mi-oct. Env 15-18 $ avec douche ; 8 $ de plus pour le bois.* Camping simple mais agréable pour son bel environnement boisé et sa situation au bord de la rivière Fraser. Les sites les plus chers sont situés contre le cours d'eau. Tous ont table et barbecue. Minisnack et possibilité de faire du rafting facile ou trépidant avec *Mount Robson Whitewater Rafting* (voir « À faire »). Les groupes qui s'inscrivent bénéficient même de 1 nuit de camping gratuite ! Ambiance sympa.

⛺ Pour camper près du ***lac Berg,*** ou le long du chemin, où plusieurs sites ont été aménagés, il faut se faire enregistrer au *Visitor Centre. Résas possibles :* ☎ *1-800-689-9025. Tarif : 10 $/pers.* Les deux tiers des emplacements ne sont pas réservés : se présenter au plus tôt la veille à 12h.

Cabins

🏠 ***Mount Robson Lodge :*** *même endroit, mêmes coordonnées et mêmes services que le* Robson Shadows Campground. *De mi-mai à sept. Env 79-149 $ pour 2 pers.* Une vingtaine de bungalows en bois entièrement équipés, avec 1 ou 2 lits. Pas le grand luxe, mais vue extra sur le mont Robson.

🏠 ***Mount Robson Mountain River Lodge :*** *2 km avt l'entrée ouest du parc.* ☎ *250-566-9899 ou 1-888-566-9899.* • *mtrobson.com* • *Tte l'année. Résa conseillée. Chambres en* B & B *99-135 $; chalets tt équipés 125-180 $.* Un cadre paisible en pleine forêt, en surplomb du torrent de Swift Current. Les chambres en *B & B* sont joliment décorées. Les n°s 1 et 2 ont une vue sur la rivière (minimum 2 nuits) ; la n° 4 est moins chère car sa salle de bains, bien que privée, est sur le palier. Chalets avec kitchenette, terrasse, TV et panorama sur le mont Robson. Alentours un peu fouillis...

À Valemount

🏠 ***Teepee Meadows Cottage :*** *545 Jack Adams Rd.* ☎ *250-566-9875.* • *teepeemeadows.com* • *À 3 km à l'ouest de Valemount par Pine Rd, qui part à la hauteur du* Visitor Centre. *Double 80 $; 10 $/pers supplémentaire.* 1 seul et unique cottage en bois, tenu par un couple franco-allemand, qui peut accueillir jusqu'à 10 personnes. 2 chambres à 2 lits et 3 lits superposés, salle de bains, cuisine... parfait pour les grandes familles ou les petits groupes. Tout autour, des hectares de nature vierge.

Où manger ?

🍽 ***Café Mount Robson :*** *à côté du* Visitor Centre. *Ouv de mai à mi-oct 8h-17h (7h-18h juil-août). Env 8-10 $.* Self-service agréable et bien tenu. Sandwichs et boissons à emporter, ou plats chauds à consommer sur place sur les quelques tables de pique-nique.

🍽 ***Kiwa Coffeehouse :*** *à* ***Valemount.*** *Lun-ven 6h-17h, sam 8h-17h, dim 10h-15h.* Le meilleur choix dans le genre pour un petit déj et un en-cas le midi : granola, bagels, *scones* tout frais, sandwichs, *wraps* à grignoter affalé sur un canapé ou en consultant ses messages internet. Accueil sympa.

🍽 ***Caribou Grill :*** *1002 5th Ave, à* ***Valemount.*** ☎ *250-566-8244. Tlj 16h30-22h. Fermé de mi-oct à déc. Plats 14-37 $.* Pour un dîner chic, le *Caribou* a tout ce qu'il faut : un cadre de chalet chaleureux aux énormes rondins, saupoudré d'une déco western pas envahissante, un service sympa, des plats copieux et d'excellentes viandes. Vous pourrez même y commander du caribou si vous avez fait sauter la banque !

À faire

➢ Passer d'abord au *Visitor Centre* : en début de saison, certains chemins peuvent être fermés pour cause d'avalanche ou d'enneigement. Pas moins de 6 balades partent de là. La plus longue, la *Moose River Route,* s'étire sur 105 km jusqu'à

Jasper ! La plus courue, néanmoins, consiste à monter vers les lacs qui entourent le mont Robson. Pour le ***lac Kinney,*** 2h à 2h30 suffisent pour faire l'aller-retour. La vue est magnifique. En revanche, le ***lac Berg*** est à 21 km. Quelques portions du chemin sont un peu rudes pour un citadin, mais la nature superbe fait vite oublier les petites douleurs musculaires et le poids du sac à dos. Le paysage montagneux est grandiose, riche de sous-bois très denses, de torrents franchis par des ponts suspendus, de cascades jaillissant d'à-pics impressionnants, de moraines... pour enfin arriver au lac Berg avec ses glaciers dont des morceaux se détachent parfois, donnant au lac sa coloration turquoise. On peut y camper.

■ ***Robson Helimagic :*** *à* ***Valemount.*** *☎ 250-566-4700 ou 1-877-454-4700. • robsonhelimagic.com • Si vous êtes paresseux et riche, vous pouvez toujours vous faire déposer en hélicoptère près du lac lun et ven, ainsi que les mar qui suivent un long w-e (env 230 $/pers si vous êtes 4 min). Départ de l'héliport à 5 km au nord de Valemount.* Les survols de la vallée, très courts, n'ont aucun intérêt : les belles montagnes sont plus loin. Propose aussi des journées d'héliski, avec 4 descentes (et remontées...). Très cher.

■ ***Mount Robson Whitewater Rafting :*** *situé au* Mount Robson Mountain River Lodge. *☎ 250-566-4879 ou 1-888-566-7238. • mountrobsonwhitewater.com • Descentes plus ou moins mouvementées de la Fraser River en 2h30-3h : env 90 $.*

LES PARCS DE COLOMBIE-BRITANNIQUE

LE PARC PROVINCIAL DE WELLS GRAY

Situé à 40 km au nord de Clearwater et de la route 5, ce parc provincial (accès gratuit), aux paysages moins spectaculaires que ceux des Rocheuses, n'est pas très fréquenté. Du coup, on a des chances d'y faire de belles rencontres (beaucoup d'ours noirs) ; et possibilité de dizaines de randonnées, y compris à cheval, à VTT et en canoë, avec en prime les plus belles chutes de Colombie-Britannique.

Arriver – Quitter

Greyhound : *à l'angle de la Hwy 5 et de la route menant au parc. ☎ 250-674-3100 ou 1-800-661-8747. • greyhound.ca •* Une fois là, reste à rejoindre le parc...

➢ ***Vers Vancouver :*** 2 bus/j., l'un de nuit, l'autre dans l'ap-m. Trajet : 7-8h.

➢ ***Vers Valemount :*** 2 bus/j., l'un au milieu de la nuit, l'autre en début d'ap-m. Durée : 2h30 env.

Adresse utile

ℹ ***Clearwater-Wells Gray Park Info-center :*** *425 E Yellowhead Hwy, à* ***Clearwater,*** *à 40 km de l'entrée du parc. ☎ 250-674-2646. • clearwaterbcchamber.com • Juil-sept, tlj 9h-18h ; mai-juin et oct, 10h-16h.* Comme d'habitude, toutes les infos possibles sur le parc et sa région. Peut réserver hébergements et activités. Internet.

Où dormir ?

La formule la plus originale, ce sont les ranchs, souvent tenus par des germanophones. En général, ils disposent à la fois de *cabins* et d'emplacements de camping. Toutes les adresses qui suivent sont sur la route du parc de Wells Gray. Mais attention : pour manger, il n'y a que les restos des *lodges,* hors de prix et pas forcément bons pour autant...

Dans le parc de Wells Gray

Il existe 3 ***campings*** *dans le parc accessibles en voiture. De mai à mi-oct* *env. Rens au bureau d'accueil du parc à Clearwater. ☎ 250-674-2646. Emplacement env 25 $.* Celui de **Clearwater Lake,** tout au bout de la route (non revêtue), est le mieux : très beau cadre de forêt, dans une sérénité totale. C'est le seul qui dispose de douches. En tout état de cause, apportez vos provisions... ou votre canne à pêche !

À l'extérieur

De bon marché à plus chic

Trophy Mountain Buffalo Ranch : *à 19 km de Clearwater. ☎ 250-674-3095. • buffaloranch.ca • De mi-mai à début oct en fonction de l'enneigement. Camping 18 $ pour 2 pers, douche et bois inclus ; camping-car 22 $. Chambres 75-105 $. Plats 24-34 $. Petit déj en supplément 8 $, servi sur la terrasse, un œil sur les bisons d'élevage, avt la longue balade à cheval !* Les chambres ne sont pas très grandes mais sympas, tout en bois et très bien tenues, dans un style rustique un peu chic. Chacune porte un nom d'animal. À notre avis, le meilleur rapport qualité-prix aux abords du parc. Resto sur place, avec de la viande de bison, bien sûr ! Sorties à cheval.

Wells Gray Ranch et camping : *à 27 km de Clearwater. ☎ 250-674-2792 ou 1-866-467-4346. • wellsgrayranch.com • De mi-mai à début oct. Camping ou lit dans le tipi 20 $, douche et bois inclus. Chambres doubles 75-160 $. Petit déj 13 $.* Ambiance western affirmée : même la réceptionniste est coiffée d'un chapeau de cowboy ! Les chambres se répartissent dans plusieurs maisonnettes en rondins de cèdre donnant sur un enclos où galopent les chevaux ; bucolique quoique manquant un peu d'intimité. Les plus chères ont 2 grands lits. Chauffe-eau un peu juste et propreté moyenne, cela dit. Le camping est coincé derrière les écuries... Repas dans le *Black Horse Saloon,* cher mais de qualité (quand il y a un cuistot !). Observation de la faune, balades à cheval et en canoë si vous en avez les moyens.

Nakiska Ranch : *5944 Clearwater Valley Rd, à 30 km de Clearwater. ☎ 250-674-3655 ou 1-800-704-4841. Résa conseillée. Env 105 $ la chambre ; 125-230 $ le bungalow avec cuisine et cheminée. Petit déj suisse... 18 $, ouille !* Complètement entourée de montagnes, la vraie petite maison dans la prairie, au balcon fleuri de géraniums, le confort et le charme en plus. 3 chambres avec salle de bains privée et frigo dans la maison principale, ou bungalows en rondins magnifiques, tous avec kitchenette. Voici réglé le problème du resto... Tenu par des Suisses-Allemands. Très coquet.

Helmcken Falls Lodge : *peu avt l'entrée du parc. ☎ 250-674-3657. • helmckenfalls.com • De mai à mi-oct et Noël-mars. Tente 10 $; camping-car 15 $. Chambre double 145 $;* deluxe *180 $.* Un peu l'arnaque quand même : seulement 2 chambres en rondins, situées dans le chalet d'époque ; les autres sont plutôt de type motel, avec vue sur le golf. Salle à manger avec terrasse agréable, mais cuisine pas terrible et franchement hors de prix pour ce que c'est. En revanche, le camping en contrebas du *lodge,* en bordure du golf, avec gazon épais et vue sur les montagnes enneigées, est le plus chouette des campings situés hors du parc. Douche chaude.

Où manger ?

Aucune adresse sur la route du parc de Wells Gray en dehors des restos (moyens et hors de prix) des trois *lodges.* La dernière épicerie est celle de la station-service en face du bureau d'information, à Clearwater. Prix pas indiqués et, là encore, bonjour la note...

Bon marché

Flour Meadow Bakery & Cafe : *à Clearwater, prendre la route qui mène au Wells Gray Park ; la* coffee house *est 400 m plus loin, sur la droite. ☎ 250-674-3654. Tlj 7h-16h (8h-16h w-e) ; horaires réduits hors saison.* On y trouve muffins, pâtisseries, bagels, cookies et toutes sortes de pains. Idéal pour le petit déj ou le pique-nique. Le midi, salades, soupes, *wraps* et sandwichs frais et légers. À emporter ou à déguster sur place ; terrasse agréable aux beaux jours.

Old Caboose : *260 Park Dr, sur le bord de la Hwy 5, face à la route du parc de Wells Gray. ☎ 250-674-2945. Tlj 7h-21h (22h ven-sam). Petits déj 6-9 $; repas du midi ou plat du soir 10-12 $.* Une adresse économique appréciée des locaux. Salle de *diner* proprette.

De prix moyens à plus chic

The Painted Turtle : *361 Ridge Dr, au Dutch Lake Resort & RV Park. ☎ 250-674-3351 ou 3560. Mai-sept, tlj 17h-21h. Plats 19-32 $.* De loin le cadre le plus agréable pour manger à Clearwater, face aux eaux du Dutch Lake. On s'étonne presque de trouver cet endroit plutôt chic dans un parc à caravanes... Les amateurs de viande rouge seront aux anges, les autres opteront pour un bon saumon grillé, une truite ou des *pierogi* (sortes de raviolis russes).

Aux abords du parc, **Trophy Mountain Buffalo Ranch, Helmcken Falls Lodge** et **Wells Gray Ranch** *proposent ts des repas à plat unique ou buffets à thème, le soir, à des prix prohibitifs (26-33 $).* C'est cher, beaucoup trop cher, mais ça évite un aller-retour jusqu'à Clearwater. À choisir, notre préférence irait plutôt au *Buffalo Ranch,* qui donne l'occasion de goûter à la viande de bison. Sinon, le *Helmcken Falls Lodge* offre un choix de plats basiques à la carte : chili, lasagnes, burgers. Mais eux aussi sont hors de prix. Mieux vaut pique-niquer !

À voir. À faire

L'entrée du parc (gratuite) se situe à une quarantaine de kilomètres de Clearwater. Une fois à l'intérieur, vous pouvez encore avancer avec votre véhicule sur un certain nombre de routes non goudronnées, notamment jusqu'au lac. Des dizaines de sentiers de randonnée vous invitent à la marche. À vous de choisir. Quelques sites à ne pas manquer :

Spahat Falls : *les plus proches de Clearwater, à 10 km.* Hautes de 75 m. Très jolies, elles se jettent dans un canyon.

Helmcken Falls : encore plus hautes, 145 m ! La rivière Murtle plonge dans un profond canyon. À voir le soir de préférence, la lumière est superbe !

Bailey's Chute : *fin août-sept.* On peut y voir des saumons de 15 kg tenter en vain de franchir ces rapides. Magique.

Le lac Clearwater : *tt au bout de la route.* Immense, il s'étire sur 28 km de long. Vous pouvez y louer un canoë et passer une ou plusieurs nuits sur les campements établis au bord du lac (souvent sur des plages). Retour à la nature très apaisant et dépaysement garanti. Sinon, balade en bateau jusqu'aux *Rainbow Falls.* Magnifique mais un peu long (6h30).

■ **Clearwater Lake Tours :** *☎ 250-674-2121. • clearwaterlaketours.com • Env 120 $ pour l'excursion à Rainbow Falls ; 95 $ pour une balade de 4h sur la rivière avec repas et baignade. Loc de canoës et kayaks 50 $/j.* On peut même louer du matériel de camping à des prix très raisonnables et recourir à leur service de *water taxi* pour se faire déposer à l'autre bout du lac avec son embarcation, avant de revenir en ramant tranquillement.

LES PARCS NATIONAUX DU MONT-REVELSTOKE ET DES GLACIERS

Ces deux parcs font partie de la chaîne Columbia, qui diffère, d'un point de vue géologique, des Rocheuses se dressant juste à l'est. Les paysages sont superbes, mais les randonnées assez difficiles dans le parc des Glaciers. Elles sont un peu plus abordables dans le parc du Mont-Revelstoke où, l'été venu, les fleurs sauvages recouvrent les alpages de mille couleurs chatoyantes.

REVELSTOKE *(7 500 hab.)*

Revelstoke (la ville) constitue une étape agréable sur la route des Rocheuses, qui passe par les parcs du Mont-Revelstoke et des Glaciers. L'histoire de la ville est étroitement associée à celle de la *Canadian Pacific Railways* – le musée principal lui est d'ailleurs dédié. Le percement de la voie, à la fin du XIXe s, fut une vraie épopée ! Le chemin de fer fait encore tourner la ville, grâce aux innombrables trains de marchandises (plus de passagers), les autres activités étant liées au tourisme et à la production du barrage hydroélectrique. Depuis l'inauguration, en 2007, du *Revelstoke Mountain Resort,* un colossal investissement de 1 milliard de dollars, la ville s'est aussi muée en station de ski. On vient du monde entier y pratiquer la motoneige : il faut dire que les sommets du coin reçoivent jusqu'à 30 m de neige ! Comme à Whistler, les prix de l'immobilier se sont envolés, les belles berlines ont débarqué et la population a notablement changé.
Revelstoke se targue d'être une ville centenaire : autour de Victoria Road, une vingtaine de maisons du début XXe s ont été restaurées. Bon, même si ça manque de patine pour l'œil d'un Européen, le quartier dégage tout de même un certain charme. Et puis le cadre naturel est magnifique.

Arriver – Quitter

Greyhound : *Fraser Dr, à l'entrée de la ville, le long de la Transcanadienne, contre les motels* Sandman *et* Canyon Motor Inn. ☎ *250-837-5874 ou 1-800-661-8747.* • *greyhound.ca* • Le bus local n° 2 vous permettra de rejoindre le centre.
➢ ***Vers Banff et Calgary :*** 4 bus/j., 3h20-23h15. Trajet : env 7h pour Calgary.
➢ ***Vers Kamloops et Vancouver :*** 4 bus/j., 4h35-23h55. Trajet : 8h30-10h.

Adresses utiles

Visitor Centre : *110 MacKenzie Ave.* ☎ *250-837-3522. Ouv mai-fin sept : fin juin-fin août, tlj 9h-21h30 ; le reste du temps, 9h-17h ou 18h.* Très compétent.
Parcs Canada : *301B W 3rd St.* ☎ *250-837-7500.* • *pc.gc.ca/revelstoke* • *Lun-ven (sf j. fériés) 7h30-12h, 13h-16h30.* Il existe un autre bureau dans le parc des Glaciers, mais celui-ci est moins sollicité, donc plus disponible.
Chambre de commerce : *204 Campbell Ave (angle 1st Ave), en centre-ville.* ☎ *250-837-5345 ou 1-800-487-1493.* • *seerevelstoke.com* • *ou* • *revelstokechamber.com* • *Lun-ven 8h30-12h, 13h-16h30.* Seul point d'info en hiver.
✉ **Poste :** *301A W 3rd St. Lun-ven 8h30-17h.*
@ **Internet :** *au* Visitor Centre *et à la chambre de commerce (un peu moins cher dans le 2nd cas).*

Où dormir ?

Camping

KOA : *5 km à l'est de Revelstoke, sur la Hwy 1.* ☎ *250-837-2085.* • *revelstokekoa.com* • *Camping et tipis de mi-juin ou fin juin à début sept slt. Compter*

LES PARCS DE COLOMBIE-BRITANNIQUE

30 $ pour une tente, mais on y va surtout pour les tipis, 45-47 $ pour 2. Dès 65 $ pour un minibungalow « rustique » (éparpillés autour du terrain de camping) ; chalets avec kitchenette 130-160 $. Pancakes *et café 5 $ le mat.* Un grand nombre d'options donc, dans ce camping bien équipé (épicerie bien approvisionnée, piscine en été, laverie, billard...), même s'il a un peu vieilli. Douches chaudes gratuites et beau tapis d'herbe, ombragé, pour planter la tente. L'inconvénient principal est toutefois de taille : les trains de marchandises passent juste en contrebas et freinent souvent bruyamment dans la descente. Dommage.

Bon marché

Poppi's Place : *313 1st St. ☎ 250-837-9192. • poppis.ca • Compter 70 $ en été ; 85 $ en hiver. Internet, wifi.* À mi-chemin de l'AJ et de la *guesthouse,* la maison abrite juste 5 petites chambres très clean, dont 1 aménagée en dortoir. Simple mais sympa, avec une grande peinture murale dans chacune. Salle de bains commune au rez-de-chaussée. Cuisine, salon et salle de jeux où trône un étrange *bubble hockey* – version canadienne du baby-foot, qui fait des bruits de flipper ! Laverie, thé et café, tout est gratuit, même l'accès à la piscine du village ! Une super adresse, d'autant que Poppi est adorable.

Same Sun Hostel : *400 W 2nd St (angle Boyle Ave, près du centre). ☎ 250-837-4050 ou 1-877-562-2783. • samesun.com • Réception fermée 12h-14h. CB et pièce d'identité avec photo pour s'inscrire. Compter 25 $/pers en dortoirs de 4 ou 6 ; double 62 $, taxes comprises. Internet, wifi.* L'hiver, forfaits ski + logement. L'ensemble est correct, sans plus, mais devrait être rénové. Cuisines équipées, laverie. Ambiance résolument jeune.

De prix moyens à plus chic

7 acres B & B : *2286 Big Eddy Rd. ☎ 250-837-3195 ou 1-877-737-3195. • 7acres.ca • À l'ouest de la ville. Passé le pont sur la rivière Columbia, prendre à gauche la 23 Sud pdt 700 m, puis tourner à droite dans Big Eddy Rd. Double 95 $ sans taxes.* B & B aux 3 chambres bien tenues, plutôt confortables (toutes avec salle de bains privée) mais sans charme particulier. Les lits sont néanmoins confortables. Grand jardin bien tondu à l'arrière. Hôtes prévenants et bon gros petit déjeuner pour démarrer la journée.

Inn on the River : *523 W 3rd St. ☎ 250-837-3262 ou 1-888-826-5555. • innontheriverbc.com • Pour 2 pers, 150-250 $; pas de petit déj.* Posée près du centre, sur la berge de la rivière Columbia, cette maison en bois toute mignonnette abrite juste 2 belles suites, une au rez-de-chaussée avec kitchenette, l'autre à l'étage avec 2 chambres, 2 salles de bains et une cheminée à gaz. Panorama imprenable sur la rivière et les montagnes depuis la terrasse et le jacuzzi !

MacPherson Lodge B & B : *2135 Clough Rd. ☎ 250-837-7041 ou 1-888-875-4924. • macphersonlodge.com • Faire 7 km sur la Hwy 23 au sud de la Hwy 1, tourner à gauche (bien fléché), c'est le 1er chalet à gauche. Chambres juin-sept slt ; cottage tte l'année mais 5 nuits min. Résa conseillée en hte saison. Dès 130 $, petit déj compris.* Un joli *B & B* perdu en pleine nature, à quelques encablures des pistes de ski. Belle atmosphère de chalet, avec 3 belles chambres à l'étage, spacieuses et tout confort, donnant sur un balcon commun... de chaque côté ! Le cottage séparé est adorable et superbement équipé, avec cuisine et cheminée au bois. Sauna et jacuzzi dans le jardin, mais ils ne fonctionnent qu'en hiver.

Où manger ?

Bon marché

Modern Bakeshop & Café : *212 MacKenzie Ave. ☎ 250-837-6886. Lun-sam 8h-17h.* Jolie boulangerie-café présentant d'alléchantes vitrines et une salle coquette ornée de grandes et belles photos de voyage, où déguster de bons paninis, des sandwichs frais et variés, et de doux desserts (le crumble aux fruits rouges et la tarte fraise-

rhubarbe nous ont laissé d'excellents souvenirs). Limonade maison.

|●| ***The Nomad Food C :*** *à l'entrée de la ville, sur Victoria Rd (angle Wright St). ☎ 250-837-4211. Tlj 11h-21h (22h w-e) en juil-août. Ferme 30 mn-1h plus tôt le reste de l'année. Fermé mar en hiver. Bon gros vrai burger autour de 10 $ avec frites et boisson, ou solo 6 $.* Jeunes, vieux, toute la ville s'y retrouve ! Aussi un grand choix de *wraps,* paninis, *fish & chips*... bref, un fast-food avec du goût. Les amateurs de poutine seront comblés.

|●| ***Main Street Café :*** *317 MacKenzie Ave. ☎ 250-837-6888. Tlj 7h-16h env. Moins de 10 $.* On y entre comme chez grand-mère : la maisonnette aux 2 petites salles chaleureuses voit s'empiler chaque matin les habitués. Très grand choix de cafés aromatisés, muffins frais à la cannelle et fruits de saison, petit déj classique... On dit même qu'un homme d'affaires des environs prenait régulièrement son avion privé pour venir y prendre son petit déj ! Lait de soja pour les allergiques. Très bien aussi pour le déjeuner : copieuses salades, *wraps,* bons desserts, le tout à déguster sur une terrasse bien exposée en saison.

De prix moyens à plus chic

|●| ***Woolsey Creek Café :*** *600 W 2nd St. ☎ 250-837-5500. Tlj à partir de 17h. Plats 7-18 $.* Deux Québécoises, Sophie et Sylvie, qui adorent Revelstoke, tiennent ce café-resto et proposent une cuisine fine et saine dans un cadre coloré. C'est tout de même la santé dans la joie, avec de la bière pression, des vins et de la musique du monde, parfois live. On y est bien... Agréable terrasse aux beaux jours. Excellente adresse.

|●| ***Kawakubo :*** *109 E 1st St. ☎ 250-837-2467. Mar-ven 12h-14h et tlj à partir de 18h (17h sam). Menus à base de sushis 10-17 $.* Le nouveau visage de Revelstoke qui se « yuppifie ». Ce *sushi bar* animé par un authentique cuisinier japonais, qui œuvre sous vos yeux, ne déçoit pas. Les sushis sont bons, très bons, le cadre épuré en noir et rouge gentiment élégant, la musique agréable et l'accueil tout simplement extra. Quand est-ce qu'on y retourne ?

|●| ***The One-Twelve Restaurant & Lounge :*** *dans le* Regent Inn, *112 E 1st St. ☎ 250-837-2107. Lun-sam 11h30-14h, 17h30-21h. Plats 20-31 $ le soir ; env 12-15 $ le midi.* Le resto le plus chic de la ville, particulièrement recommandé pour ses viandes. On se restaure dans une salle aux boiseries sombres et cirées, où dansent les ombres des flammes crépitant dans la cheminée. Musique jazz, parfois live.

Où boire un verre ?

🍸 ***River City Pub :*** *pub du* Regent Inn. *☎ 250-837-2107. Tlj 11h30-1h30. Night-club jeu-sam soir.* Très chaleureux, avec son long bar en chêne, ses boiseries et ses fauteuils club. Plusieurs alcôves et recoins ont été aménagés dans la salle immense pour créer une certaine intimité. Billard. DJ le jeudi, parfois aussi vendredi et samedi s'il n'y a pas de musique live. On peut aussi manger en descendant une *Mount Begbie,* brassée localement.

À voir. À faire à Revelstoke et dans les environs

Railway Museum : *à Revelstoke, le long de la voie ferrée, c'est-à-dire au 719 W Track St. ☎ 250-837-6060. • railwaymuseum.com • Mars-oct, 9h-17h (20h juil-août) ; fermé mer en mars-avr, plus jeu en mars. Entrée : 10 $; réduc. Dépliant en français.* Le musée incontournable de Revelstoke, consacré à la passionnante histoire de ces hommes qui arrachèrent à la montagne, parfois au prix de leur vie, le droit d'y glisser leurs rails. Panneaux illustrés de vieilles photos retraçant la construction du chemin de fer, maquettes, reconstitutions de scènes d'époque. Ici un ancien extincteur en cuivre, là le gros coffre-fort de la compagnie... Et hop, tout le monde à bord pour jeter un coup d'œil ! L'un des musées du Chemin de fer les plus intéressants de l'Ouest canadien.

– ***Sky Trek Adventure Park :*** *à 30 km à l'ouest de Revelstoke. ☎ 250-944-9744. • skytrekadventurepark.com • De mi-mai à Thanksgiving 10h-18h (19h juil-août). Compter 37 $; 32 $ pour les 9-15 ans.* La forêt n'abrite pas que des animaux et des sentiers de randonnée ! Pour preuve, ce parcours dans les arbres tout beau tout neuf, où l'encadrement n'est pas un vain mot. Sensations garanties à quelque 15 m de hauteur pour la partie la plus haute. Différents niveaux, de quoi satisfaire tous les goûts. Tyroliennes, marches suspendues, skate fixé sur un câble... Brrr... on a presque aussi peur après coup !

LE PARC NATIONAL DU MONT-REVELSTOKE

L'incroyable quantité de neige qui s'abat chaque année sur la région (25 à 30 m sur les sommets, 6 m à Revelstoke, record du Canada) lui vaut de bénéficier d'un microclimat. C'est ainsi que l'on y trouve la seule forêt humide de l'intérieur des terres. Pas aussi humide qu'à Pacific Rim, bien sûr, mais tout de même. Les biologistes la nomment « forêt de neige ». Joli, non ?

Où dormir ?

Camping

⛺ 🏠 ***Canyon Hot Springs :*** *entre le parc du Mont-Revelstoke et le parc des Glaciers, à 35 km de Revelstoke, sur la Hwy 1. ☎ 250-837-2420. • canyonhotsprings.com • De mi-mai à fin sept en fonction de la météo. Compter 32 $ pour 2 en camping ; 39-42 $ en camping-car ; chalets dès 115 $ avec accès aux bassins.* Dans un beau cadre forestier, très agréable avec ses 2 piscines d'eau naturellement chaude, dans lesquelles on peut aussi barboter sans camper (environ 8,50 $, 12,50 $ si vous ne campez pas). Cafét ouverte pour le petit déj et le dîner en juillet-août, douches (payantes en plus) et laverie. L'endroit est sympa et très bien tenu, mais tout de même un peu cher.

À faire

Une dizaine de sentiers dans le parc. Il y en a pour tous les goûts : courtes promenades et randonnées en terrain escarpé. Pour de plus amples renseignements, procurez-vous les publications *En liberté dans les monts Columbia (2 $)* et *Le Sommet* – un journal gratuit édité par le parc national.

🚶🚶 ***La promenade des Prés-dans-le-Ciel :*** *à 1,5 km de la sortie de Revelstoke, direction Golden, suivre la route en lacet baptisée Meadows in the Sky Parkway. Entrée du parc : env 8 $; réduc. Inutile de payer si la route n'est pas ouv jusqu'au bout, vous ne verriez presque rien !* Le ruban de goudron serpente sur 26 km, offrant au passage de jolis panoramas sur la vallée. Du parking terminal, une navette mène au sommet (2 km), que l'on peut aussi rejoindre à pied. Superbe débauche de fleurs sauvages en été et vue magnifique à 360° sur les montagnes Monashee et Selkirk. Les randonneurs d'un jour gagneront le lac Eva (6 km) et les plus aguerris opteront pour le lac Jade (9 km, sentier plus ardu).

🚶 ***La promenade du Chou-Puant :*** *à 27 km à l'est de Revelstoke.* Une passerelle s'avance au-dessus d'une zone marécageuse où prospère le chou puant. Ceux qui viendront à l'aurore en juin auront des chances d'y surprendre des ours en train de s'en faire un festin.

🚶 ***La promenade des Cèdres-Géants :*** *quelques km plus avt la précédente.* Jolie et courte balade (500 m) à travers une superbe forêt de... cèdres géants. Ah, vous aviez deviné ? Sachez quand même, pour votre gouverne, que ces arbres représentent une vraie fortune pour les compagnies forestières : près de 50 000 $ l'unité une fois débités... Alors profitez bien de ceux-là, ils ne risquent plus rien (sauf les tempêtes).

VERS LE PARC NATIONAL DES GLACIERS

Adresse utile

🅘 ***Rogers Pass Discovery Center :*** *à 72 km de Golden et 69 km de Revelstoke, au milieu du parc des Glaciers, là où l'on passe du fuseau horaire du Pacifique à celui des Rocheuses. ☎ 250-837-7500. • pc.gc.ca • Bureau secondaire de celui de Parcs Canada à Revelstoke. De mi-juin à fin août, tlj 7h30-20h ; de mai à mi-juin et sept-début oct, 8h30-16h30 ; le reste de l'année, 7h-17h (sf oct-début nov).* Carte des sentiers et infos sur les campings dans *Le Sommet*, journal gratuit disponible en français. Pour plus de détails sur les randos, on peut se procurer le fascicule *En liberté dans les monts Columbia* (2 $) à la boutique. Belle expo sur l'histoire et la faune du parc et plusieurs films courts (toutes les 30 mn).

Où dormir ?

Le mieux est d'élire domicile dans les environs de Revelstoke ou près de Golden.

⛺ *Dans le parc, il existe 2* ***campings*** *: près du ruisseau Loop, à 5 km, à l'ouest de Rogers Pass ; et à Illecillewaet, 2 km plus loin. Fin juin ou début juil-fin sept, en fonction de la fonte des neiges. Aucune résa : 1er arrivé, 1er servi. Env 22 $.* Confort rudimentaire dans un cadre alpin froid et relativement peu arboré. Pas de douche, mais des w-c et l'eau courante. N'oubliez pas votre petite laine !

LE PARC NATIONAL DE YOHO

En poursuivant son chemin vers les Rocheuses par la Transcanadienne (Highway 1 East), on tombe bientôt sur *Golden*, une ville laide et sans intérêt mais située à proximité de cinq parcs nationaux : Mount Revelstoke, Glacier, Yoho, Kootenay (les quatre en Colombie-Britannique) et Banff (en Alberta). Rien que ça !

Première escale : Yoho, un parc petit par la taille mais grand par l'intérêt. Son nom signifie « crainte » ou « respect » en langue cree, et c'est vrai qu'il en impose, avec ses 28 pics de plus de 3 000 m. Au beau milieu du parc, à 55 km à l'est de Golden, l'adorable petit village de Field peut constituer une étape très agréable. Né en 1884 avec l'arrivée du chemin de fer, il a vécu au rythme des mines des monts Stephen et Field jusqu'à leur fermeture en 1958. Il compte aujourd'hui 250 habitants, qui travaillent dans le tourisme ou pour le parc national. Près de la moitié de ses mignonnes maisons de bois ont été transformées en *B & B* ou en *guesthouses* !

Attention, si vous arrivez de l'ouest de la Colombie-Britannique, Golden, Yoho et Kootenay sont déjà à l'heure des Rocheuses, soit 1h en avance par rapport au reste de la province. Ne vous laissez pas surprendre.

Adresses utiles

🅘 ***Visitor's Information Centre de Golden :*** *111 Golden Upper Donald Rd, à la sortie de Golden en direction de Field. ☎ 1-800-435-5622. • hellobc.com • Fin juin-fin août, tlj 9h-20h ; hors saison, jusqu'à 16h ou 17h.* Centre provincial, où l'on trouve beaucoup d'infos touristiques.

Kicking Horse Country Chamber of Commerce : *500 N 10th Ave. ☎ 250-344-7125 ou 1-800-622-4653. • goldenchamber.bc.ca • goldenbritishcolumbia.com • En été, lun-sam 10h-17h ; hors saison, fermé sam.* À contacter en priorité pour les infos locales.

Centre d'accueil de Field : *juste en bord de Transcanadienne, à l'entrée du village. ☎ 250-343-6783. • pc.gc.ca • De mi-juin à début sept, tlj 9h-19h ; sinon, 9h-17h (16h fin sept-fin avr). Entrée dans le parc : 9,80 $/j. par pers.* Infos sur le parc, la météo et l'état des sentiers, mais aussi sur l'Alberta.

Où dormir ?

À Golden et dans ses environs

Nombreuses adresses de charme, chacune dans son écrin de montagnes, autour de Golden. Dans la ville même, pléthore de motels de standings différents.

Bon marché

Caribou Hostel & Campground : *Blaeberry Valley, à 14 km au nord de Golden (route du parc des Glaciers). ☎ 250-344-4870. • cariboumountainadventures.ca • Impératif d'être motorisé. Camping 20 $, douche et bois inclus ; lit en dortoir 25 $; apparts dès 75 $ pour 2.* L'adresse bon marché à tout faire, située dans un joli coin de nature, avec la forêt tout autour. On plante la tente sur l'herbe tendre ou on s'installe dans la mini-AJ, toute neuve toute belle, avec son mobilier en bois clair. 1 seul dortoir de 6 lits, une grande cuisine et un salon-salle à manger. L'appart, avec cuisine, salle de bains, chambre et futon, est d'un excellent rapport qualité-prix. L'un des meilleurs de toute la province !

Kicking Horse Hostel : *518 Station St. ☎ 250-344-5071. • kickinghorsehostel.com • Lit en dortoir 25 $.* La petite maison en bois pourrait être charmante si elle n'était pas coincée dans une rue en cul-de-sac, contre la ligne de chemin de fer (où passent beaucoup de trains de marchandises)... Seulement 12 lits en dortoirs, cuisine et salon. L'ensemble pourrait être un peu mieux entretenu.

De prix moyens à plus chic

Blaeberry Mountain Lodge : *1680 Moberly School Rd ; bifurcation à 9,5 km de Golden en allant vers le parc national des Glaciers. ☎ 250-344-5296. • blaeberrymountainlodge.bc.ca • Fermé en nov. Chambres dès 105 $; 135-155 $ dans des petits chalets indépendants ; cottages 300-400 $.* Une mare, des balançoires, des chevaux en liberté dans la prairie, le tout dans un magnifique cirque de montagnes au bout du monde. Les 2 *cabins*, un peu patinées, disposent d'une chambre, cuisine, salle de bains et 2 lits en mezzanine pour les enfants. Le cottage, le plus récent, est superbe, en énormes rondins de cèdre ; il peut être loué pour 6 ou pour 4 personnes – dans ce cas, une pièce reste fermée. Poêles à vrai bois ! Renate loue des VTT et son mari Rainer organise des sorties en raft, canoë et à cheval. Vraiment idéal pour décompresser...

Hillside Lodge & Chalets : *à 14,5 km de Golden en allant vers le parc national des Glaciers. ☎ 250-344-7281. • hillsidechalets.com • Parfois fermé en nov. Env 140 $ en* B & B *dans le* lodge *; 145-260 $ pour les chalets 2-4 pers.* 4 jolies chambres spacieuses et impeccables, avec balcon, dans un gros chalet en pleine nature, et 7 chalets tout équipés semés de loin en loin dans la forêt (beaucoup d'intimité). Ces derniers ont tous un poêle à bois qui ronronne doucement. Le cadre est magnifique, avec la rivière Blaeberry en contrebas et la chaîne de montagnes tout autour. Possibilité de prendre le petit déj et le dîner, sur demande. Un endroit vraiment très agréable, tenu par un couple allemand.

Kicking Horse Canyon B & B : *644 Lapp Rd. ☎ 250-344-6848. • kickinghorsecanyonbb.com • À la sortie de Golden, direction est. Prendre à gauche au niveau du* Golden Village Inn, *puis tt de suite à droite, sur Lafontaine Rd ; bien indiqué ; le B & B est à 2,5 km. Doubles 110-125 $. Réduc de 10 % si on reste 3 j. ou plus.* Sur les hauteurs de Golden, en pleine forêt, un chalet coquet avec une belle vue sur les Rockies. On y trouve 5 chambres, dont 1 immense au sous-sol avec son propre sauna. La plus jolie : *Eagle's Nest*, avec salle de bains privée, balcon et vue panoramique. Les 3 autres, moins chères, se partagent 2 salles d'eau. Déco un peu chargée, mais accueil charmant de Jeannie et Jerry, et copieux petit déjeuner canadien. Encore une bonne adresse.

Dans le parc de Yoho et à Field

CAMPINGS

⛺ *5* **campings** *rudimentaires sont aménagés dans le parc de Yoho. Terrains ouv mai-fin juin selon leur situation ; ferment début sept-début oct. Le seul possédant des douches est celui de* **Kicking Horse,** *situé à 4 km à l'est de Field sur la route des Takakkaw Falls. Aucune résa possible. Env 27 $ la nuit. Pour les autres, le prix oscille 18-22 $. À cela s'ajoute le « permis de feu » pour ceux qui auraient des saucisses à griller : env 9 $. Rien que ça...*

⛺ *Il y a également* **30 places de camping** *près du lac O'Hara. Résa indispensable (ouv 3 mois à l'avance) : ☎ 250-343-6433. Compter 10 $/pers ; ajouter les droits de résa : env 12 $.* Les sites sont très convoités : vous ne trouverez rien si vous n'avez pas réservé le plus tôt possible.

AUBERGE DE JEUNESSE, B & B *ET* GUESTHOUSES

En plein milieu du parc, le petit village de Field en compte une vingtaine. Plus souvent des appartements que des chambres, plus chers qu'à Golden mais intéressants à plusieurs, et dans un cadre autrement plus sympathique. Seul inconvénient : les trains de marchandises qui passent, passent et repassent tout contre le bourg... Liste des hébergements disponible au bureau d'information. Réservation plus que conseillée en été.

Bon marché

🏠 ***Fireweed Hostel :*** *313 Stephen Ave. ☎ 250-343-6999 ou 1-877-343-6999. • fireweedhostel.com • Camping 15 $/pers, douche incluse ; lits en dortoir 30-40 $.* Le prix est un peu élevé pour une AJ, mais c'est une AJ de luxe ! On y trouve 4 dortoirs de 4 lits impeccablement tenus, chacun avec une couette en plumes. Grand salon commun avec cheminée à bois, super cuisine ultramoderne, le tout d'une propreté irréprochable. Barbecue sur la terrasse avec belle vue sur les montagnes. En revanche, on ne conseille pas forcément le camping : il y a bien du gazon mais en pente, et les trains passent à 20 m tout juste !

Prix moyens

🏠 ***Coyote's Den Guesthouse :*** *213 2nd Ave. ☎ 250-343-6034. • bbcanada.com/9307.html • Mai-fin oct ; longs séjours slt le reste de l'année (et plus de petit déj). Une des moins chères : 120 $ la nuit, sans taxes, petit déj inclus.* Chambres simples dans un chalet tenu par Hélène, une Québécoise, en haut du village – un peu plus loin du train... Tout l'étage est réservé au *B & B*, la proprio loge au sous-sol – pour une fois que c'est dans ce sens-là ! Accès libre à la cuisine et barbecue à disposition. Pas d'enfants au-dessous de 12 ans en été.

🏠 ***Mount Stephen Guesthouse :*** *304 Kicking Horse Ave. ☎ 250-343-6441. • mountstephen.com • Pour 2, 140 $ la nuitée en été, taxes incluses. Min 2 nuits (7 en été).* Le proprio de l'AJ loue 2 apparts bien aménagés, avec cuisine et salle de bains, au sous-sol de cette maison. Pour une indépendance complète. Petit jardin avec barbecue à l'arrière.

🏠 ***Alpenglow Guesthouse :*** *306 Kicking Horse Ave. ☎ 250-343-6356. • alpenglow@redshift.bc.ca • Env 140 $ pour 2, sans petit déj.* Dans une belle maison en bois entourée d'un magnifique jardin fleuri, un grand appartement bien équipé, au sous-sol, mais lumineux et agréable tout de même. Tout en bois. Accueil avec quelques mots de français.

LODGES

Plus chic

■ ***Kicking Horse Lodge :*** *☎ 250-343-6303. ● trufflepigs.com ● Doubles 165-175 $; 200 $ avec kitchenette.* En bois gris-bleu, tout au bout du village, c'est le seul hôtel de Field, impossible de passer à côté. On y trouve 14 chambres agréables, avec parquet et bonnes grosses couettes. Les salles de bains sont un peu petites. Resto ouvert le soir, lui aussi un peu trop cher.

Coups de folie

■ |●| ***Cathedral Mountain Lodge :*** *à 5 km à l'est de Field, sur la route des Takakkaw Falls. ☎ 250-343-6443 ou 1-866-619-6442. ● cathedralmountain.com ● De mi-mai à début oct. Doubles 225-625 $. Bon petit déj et prêt d'un canoë sur le lac Moraine (Banff) inclus. Nombreux forfaits et promos, comme la 4e nuit gratuite (voir Internet).* Ouvert en 1958 en lieu et place d'un ancien camp de mineurs, le *lodge* a été entièrement remodelé en 2005. Il offre désormais une trentaine de *log cabins* très confortables et chaleureuses, pour 2 à 4 personnes, toutes avec poêle ou cheminée, terrasse, baignoire, édredons et oreillers en plumes... Bref, tout ce qu'il faut pour un séjour en amoureux. Ni TV ni téléphone. Le resto *(tlj 17h30-21h ; hors-d'œuvre 9-12 $, plats 24-38 $)* offre une belle cuisine inventive, qui met en vedette les produits locaux, bio et/ou issus du commerce équitable. On a adoré le parfait au chocolat en dessert, à déguster avec du sel rose d'Oregon ou de la gelée de pin ! Terminez le repas avec un bon thé, sur le canapé, face à la cheminée qui crépite.

■ Il existe un *lodge* magique, le **Lake O'Hara Lodge** : *☎ 250-343-6418. ● lakeohara.com ● Résa très à l'avance conseillée. Pour 2 pers, 580-835 $, transferts, repas et thé servis dans l'ap-m inclus ; séjour de 2 nuits min.* Le *lodge,* fondé en 1926, est situé sur l'un des plus beaux lacs des Rocheuses, à l'accès sévèrement réglementé (on ne peut s'y rendre que grâce à une navette, lire « À voir. À faire » un peu plus loin). Chambres plutôt simples, avec salles de bains partagées, dans le *lodge* même ; chalets douillets et jolis, en gros rondins, avec douche ou baignoire, dans un cadre de rêve. Cela dit, les prix sont exorbitants !

Où manger ?

À Golden

|●| ***Cedar House Restaurant :*** *735 Hefti Rd, à 5,5 km du centre en direction de Radium (Hwy 95). ☎ 250-344-4679. Tlj 17h-22h. Résa conseillée. Plats 25-35 $.* Cuisine fine tendance *world food,* appuyée sur un usage marqué des produits bio. Une vingtaine de sortes de salades, légumes, herbes aromatiques, baies et fleurs comestibles sont cultivées sur la propriété même ! Idem pour les viandes et poissons : produits de qualité, locaux autant que possible. On dîne au choix dans la salle de ce joli chalet, à l'élégant intérieur bordeaux, ou sur la terrasse, avec vue (en partie cachée) sur... devinez quoi ? Les montagnes, pardi ! Très bonne adresse.

|●| ***Bacchus books and café :*** *409 N 9th Ave. ☎ 250-344-5600. En face du* 7 Eleven, *juste avt le pont quand on vient de Revelstoke. Lun-sam 9h-17h30, dim 10h-16h.* Une librairie-café sur 2 niveaux, nichée dans une étroite maisonnette. Un escalier qui craque vous mène au 1er étage, où quelques tables sont disposées au milieu des rayonnages de bouquins hétéroclites proposés à la vente (quelques-uns en français) et de magazines alternatifs. Que se mettre sous la dent ? Quelques bagels (sucrés ou salés), *wraps,* paninis, la soupe du jour, petites salades... Goûtez à l'étonnant muffin courgette-chocolat s'il y en a, c'est délicieux ! Une étape parfaite pour avaler un morceau dans un cadre sympathique sur fond de bonne musique. Quelques tables dehors pour bouquiner au bord de l'eau si le temps le permet.

À Field

|●| ***Truffle Pigs Café :*** *au* Kicking Horse Lodge. *☎ 250-343-6303. Tlj 11h30-15h, 17h30-21h (lounge 23h). Plats env 10 $ le midi ; 12-28 $ le soir.* Dommage qu'il se donne des airs un peu prétentieux, car le cadre est sympa et la cuisine assez réussie. Salades et sandwichs frais (burger végétarien ou de bison, bagel au saumon fumé sauvage...) le midi, plats plus élaborés le soir. Gardez de la place pour les desserts, ils sont excellents. On dirait même plus : offrez-vous un dîner rien qu'avec des desserts !

|●| ***Cathedral Mountain Lodge :*** *à 5 km à l'est de Field, sur la route des Takakkaw Falls. ☎ 250-343-6443 ou 1-866-619-6442. De mi-mai à début oct.* Voir plus haut « Où dormir ? *Lodges.* Coups de folie ».

À voir. À faire

Les chutes de Takakkaw : l'attraction principale du parc de Yoho (si on excepte le gisement géologique du *Burgess Shale* pour les amateurs), mais la route n'est ouverte que de fin juin à début octobre. Bouillonnements et rebondissements sur 380 m. Prévoyez un pull ou un K-way si vous voulez les voir de près : c'est la saucée ! Point de départ de randonnées.

Natural Bridge : *à 3 km de Field, sur la route du lac Émeraude.* Un pont en pierre formé par l'érosion enjambe la Kicking Horse River. Dommage qu'un pont en béton ait été construit pour mieux l'admirer !

Emerald Lake : *à 11 km à l'ouest de Field.* Un très beau lac dans un cadre enchanteur, les monts enneigés de Wapta et Carnaron en arrière-plan. Un bémol, le *lodge* qui a élu domicile sur l'îlot le plus proche : tous les groupes s'y pressent. On peut faire le tour du plan d'eau à pied (5,2 km) ou louer un canoë si l'on préfère faire travailler les bras et reposer les jambes.

O'Hara Lake : paysage grandiose, mais accès réglementé. *Une navette fait la liaison de mi-juin à oct, sur résa slt (☎ 250-343-6433) ; 4 départs/j. Env 15 $; réduc enfants.* Sinon, vous pouvez faire l'aller (12 km) à pattes et revenir sans frais par la navette de 14h30, 16h30 ou 18h30.

Randonnées

➢ ***Les hoodoos :*** *départ du sentier au* Hoodoo Creek Campground. Les *hoodoos,* ce sont des cheminées de fées, ces étonnantes concrétions en forme de doigts d'E.T. chapeautées d'une pierre protectrice. Le sentier (3,2 km aller-retour) n'est pas très long mais raide (455 m de dénivelée) et peu ombragé.

➢ ***Sherbrooke Lake :*** *départ du site de pique-nique du lac Wapta.* Une balade simple et pas trop ardue de 6,2 km aller-retour jusqu'au lac, d'où l'on découvre un impressionnant panorama sur les Rocheuses. Plein de fleurs en juillet.

– Et si vous avez envie de voir un ours, inutile de vous enfoncer dans les bois avec un pot de miel sous le bras... Le meilleur endroit pour en apercevoir, c'est simplement le long de la voie ferrée. Ours noirs et grizzlys viennent y ramasser les grains tombés des wagons de céréales !

LE PARC NATIONAL DE KOOTENAY

Une belle route encaissée traverse le parc de Kootenay, la vallée Vermilion, puis la vallée Kootenay. À l'entrée sud du parc, côté Radium Hot Springs,

d'imposantes falaises abritent des mouflons d'Amérique, souvent visibles depuis la route. On y a aussi croisé des chèvres des montagnes Rocheuses, à l'épaisse toison blanche. Peu d'adresses dans le parc, le gros village à côté est *Radium Hot Springs* : connu aussi pour ses piscines d'eau chaude naturelle, mais pas de quoi fouetter un chat, comparées à celles de Jasper.

Adresses utiles

Visitor Center : *7556 E Main St, à Radium Hot Springs. Abrite à la fois le bureau des infos locales et celui du parc national de Kootenay. Respectivement ☎ 250-347-9331 et 250-347-9505. • pc.gc.ca/kootenay • Entrée du parc : 9,80 $/j. par pers. En été, 9h-19h ; le reste de l'année, 9h-17h (bureau du parc fermé en hiver). Accès Internet (sur donation). Kiosque d'info aussi dans le parc, à* **Vermilion Crossing.** *☎ 403-762-9196. Fin juin-début sept, tlj 9h30-19h ; sinon, 10h30-18h. Accès Internet satellite, un peu plus cher.*

Où dormir ?

Dans le parc

Il existe 3 **campings** *dans le parc de Kootenay. Le seul équipé de douches est celui de* **Redstreak,** *à Radium Hot Springs. C'est aussi le seul qui peut être réservé. ☎ 1-877-737-3783. • pccamping.ca • Mai-début oct. Env 27 $ pour une tente, 38 $ pour un camping-car.*

Kootenay Park Lodge : *sur la Hwy 93, au beau milieu du parc, à Vermilion Crossing. ☎ 403-762-9196 ou 283-7482 sf en été. • kootenayparklodge.com • Selon confort, 130-190 $.* En pleine nature : l'accueil n'a même pas le téléphone ! *Heritage cabins* plutôt rustiques pour les premiers prix, pour jouer aux trappeurs. La plupart sont peu à peu remplacées par des bungalows plus modernes équipés de kitchenette et d'une cheminée (à gaz). Resto et snack à côté, ainsi qu'un petit point information. Excellent accueil en français de la proprio, d'origine hollandaise.

À Radium Hot Springs

De bon marché à plus chic

Misty River Lodge : *5036 Hwy 93. ☎ 250-347-9912. • radiumhostel.bc.ca • À 1 km du centre, sur le bord de la route de Banff. Dortoir 25 $ pour les membres* Hostelling International *et étudiants ; 27 $ sinon. Doubles 67-85 $ avec ou sans sdb ; familiale 5 pers max 115 $, ttes taxes incluses.* Bicoque à mi-chemin entre l'AJ et la *guesthouse*. Pas le grand luxe, mais un excellent rapport qualité-prix, avec plein d'options possibles et toujours un accès à une cuisine. Barbecue sur la terrasse pour faire connaissance autour d'un burger. Les accueillants proprios, Geoff et Gaby, sont francophiles. Vieux vélos en prêt pour descendre en ville (et remonter !).

Crystal Springs Motel : *4852 Radium Blvd. ☎ 250-347-9759 ou 1-800-347-9759. • crystalspringsmotel.bc.ca • Dès 85 $ en hte saison pour 1 lit ; 105 $ pour 2 lits, tarif valable pour 4.* Plus calme que les autres motels car en retrait de la route principale. Un excellent rapport qualité-prix, avec des chambres super propres et claires, toutes avec frigo et TV câblée. Quelques-unes sont même décorées de plantes. Accueil adorable de la propriétaire, d'origine coréenne.

Chalet Europe : *5063 Madson Rd, à 500 m de la route 93, en montant une côte abrupte. ☎ 250-347-9305 ou 1-888-428-9998. • chaleteurope.com • Env 130-190 $ selon vue. Petit déj inclus.* Chambres spacieuses et confortables, récemment rénovées, avec kitchenette, cheminée, AC et balcon pour profiter du soleil couchant. Vaste panorama sur la vallée. Prêt de DVD. Accueil dynamique.

Où manger ?

Restos et snack à *Vermilion Crossing* et près des sources thermales ; sinon, plus de choix à Radium Hot Springs. On y trouve beaucoup de restos allemands ou autrichiens et même un hongrois perché sur la colline *(Citadella)* !

|●| ***Back Country Jacks :*** *7555 W Main St, pratiquement en face du bureau d'info.* ☎ *250-347-0097. En été, tlj 11h30-23h ; hors saison, 16h-22h (21h dim). Midi 8-13 $. Buffets à volonté certains soirs : poulet mer, steak ven,* ribs *sam.* Tenue décontractée de rigueur. On vient ici pour l'ambiance western et pour mordre à pleines dents dans un gros steak juteux. Les habitués se connaissent comme s'ils s'étaient réchauffés tout l'hiver au comptoir, et on ne doit pas être loin de la vérité. Terrasse avec parasols pour les beaux jours.

|●| ***La Cabina Ristorante :*** *resto du* Prestige Inn, *sur la rue principale, au croisement des routes 95 et 93.* ☎ *250-347-2340. Tlj 7h-23h. Plats 15-22 $.* Resto italien apprécié des locaux pour une sortie un peu chic. Carte élaborée et prix encore raisonnables. Petite terrasse.

À voir. À faire

➢ **Paint Pots** *(ou « pots de peinture ») : 20 km avt Castle Junction (parc de Banff) en venant de Radium Hot Springs.* Petite balade de 30 à 40 mn aller-retour. Des sources minérales saturées en oxydes ferreux sourdent de trois petits bassins aux eaux vertes et donnent au sol sa couleur rouge ocre. Ces pots de peinture naturels furent longtemps exploités par les Amérindiens pour leurs peintures de guerre ou la décoration des tipis, puis les pionniers ont pris le relais, à grande échelle, comme toujours. L'exploitation du site a été arrêtée quand Kootenay est devenu parc national, en 1920. Des couleurs impressionnantes. Observez bien, il y a des porcs-épics dans le coin !

🚶 ***Les sources thermales Radium :*** *Hwy 93, à 2 km de Radium Hot Springs.* ☎ *250-347-9485 ou 1-800-767-1611. De mi-mai à mi-oct, tlj 9h-23h ; horaires réduits hors saison. Compter 6,30 $; réduc. Prévoir une pièce de 1 $ pour la consigne. Maillots de bain et serviettes loués sur place.* Vous pouvez venir faire trempette dans ces bassins d'eau de source, pas désagréables même s'ils ont un peu un air de piscine municipale (améliorée). Un bassin « froid » à 30 °C *(tlj 13h-20h)* et un autre à 40 °C, moins profond, avec un recoin où le mercure grimpe jusqu'à 44 °C !

DANS LES ENVIRONS DE KOOTENAY

🚶 ***Lussier River Hot Springs :*** *de Radium, prendre la 93/95 vers le sud jusqu'à Canal Flats (61 km), puis 4,5 km de plus jusqu'à l'embranchement pour le Whiteswan Lake Provincial Park ; de là, une piste mène aux sources chaudes en 17 km.* Un lieu peu connu des touristes mais très apprécié des habitants du coin, qui y viennent en masse le week-end en été. On s'y trempe dans trois bassins insérés entre les rochers, un chaud et deux plus frais en contrebas, où l'eau se mélange à celle de la rivière. Plusieurs campings dans le parc voisin si vous voulez rester.

🚶🚶 🐞 ***Fort Steele Heritage Town :*** *9851 Hwy 93/95, à 126 km au sud de Radium et 16 km au nord-est de Cranbrook.* ☎ *250-417-6000 ou 426-7352. • fortsteele.ca • Ouv tte l'année, avec animations mai-oct. Mai-juin, 9h30-17h ; juil-août, 9h30-18h30 ; de sept à mi-oct, 9h30-17h ; le reste de l'année, 10h-16h. Entrée : 5 $ ou donation selon saison ; réduc.* Pass Steele of a Deal *: 25 $ pour 2 j. consécutifs et accès à de nombreuses activités.* Cap sur la conquête de l'Ouest ! Passez la porte et plongez dans l'ambiance d'une bourgade de pionniers des années 1890-1920, une vraie ville fantôme méticuleusement restaurée avec son hôtel de ville, ses églises, son école, son cinéma, son dentiste, ses boutiques, son château d'eau, ses enclos à bétail, ses petits jardins... Des dizaines de volontaires habillés en costume d'époque donnent vie aux lieux. Les enfants adorent, les adultes aussi. Et quand vient le moment de grimper à bord de l'authentique train à vapeur *(6 $)*, on se demande qui est le plus pressé...

LA VALLÉE DE L'OKANAGAN

Cette vallée est sans doute la seule de Colombie-Britannique où il n'y a pas de forêts à perte de vue. Avec ses lacs et ses vergers, l'Okanagan est la deuxième région fruitière du Canada. On y trouve des vignobles et, près d'Osoyoos, un désert de poche. Le climat étant sec et chaud, on se baigne dans les lacs. De juin à octobre, ceux qui cherchent un petit job pourront y faire la cueillette, en compagnie de plein d'autres jeunes venus du monde entier. Si Kelowna est la capitale de la vallée de l'Okanagan, Osoyoos est la ville la plus agréable pour un séjour. On peut aussi choisir de se perdre dans les vignes et vergers.

OSOYOOS

Son nom amérindien signifie « l'endroit où deux lacs se rejoignent ». Située à 3 km de la frontière américaine (ouverte 24h/24), cette petite ville, bien que 100 % canadienne, a quelque chose d'une bourgade du sud-ouest des États-Unis. Son environnement très sec, sa chaleur, son soleil attirent un nombre croissant de retraités. Et même si ce n'est pas encore Sun City (en Arizona), les condominiums (immeubles résidentiels) ont bel et bien fleuri. Depuis les années 1920, on y cultive pommes, cerises, pêches, abricots, vignes, vendus le long des routes en saison. Sachez enfin qu'on s'y baigne et que vous ne trouverez pas, en Colombie-Britannique, d'eau plus chaude. Alors, profitez-en !

Arriver – Quitter

Greyhound : *arrêt devant l'office de tourisme. ☎ 250-495-7252 ou 1-800-661-8747. • greyhound.ca •*

➢ **Vers Kelowna :** 2 bus/j., à l'aube et en milieu de journée, avec arrêt à Penticton. Trajet : 2h45. Bien long pour 135 km.

➢ **Vers Vancouver :** 2 bus/j., à l'aube (vers 6h50) et vers 12h45, via Penticton, le parc de Manning et Hope. Trajet : 8h50. Correspondances pour les États-Unis (rien de direct).

Adresse utile

Visitor Centre : *9912 Hwy 3, à l'entrée de la ville (à l'intersection de la route 97). Abrite à la fois un centre d'info provincial et local. Respectivement : ☎ 250-495-5070 ou 1-888-676-9667, et 250-495-3366. • destinationosoyoos.com • Le 1er tlj 8h-18h en juil-août, 9h-17h le reste de l'année ; le 2nd, lun-ven 9h-16h30.*

Où dormir ?

Beaucoup de motels se sont établis près du lac, mais étant donné le prix du mètre carré et l'étroitesse de la plupart des parcelles, presque toutes leurs chambres donnent sur les parkings. Nous vous avons trouvé quelques exceptions.

Sandy Beach : *6706 Ponderosa Dr. ☎ 250-495-6931 ou 1-866-495-6931. • sandybeachmotel.com • Au bord du lac, de l'autre côté du pont en venant du nord. Résa très conseillée. En hte saison, 180-300 $ pour 2.* Tenu par un monsieur sympathique, un des rares motels (chic) dont la plupart des bâtiments donnent sur la plage. Leurs murs blanchis à la chaux, leurs rosiers grimpants et leurs toits rouges leur donnent des airs de petites villas espagnoles. Chambres impeccables et bien arrangées. De plus, Internet, tennis, canoë et kayak gratuits !

Chez Christiane : *5807 89th St. ☎ 250-495-4314. • bbcanada.com/chezchristiane • À 200 m de la plage et 1 km*

LA VALLÉE DE L'OKANAGAN

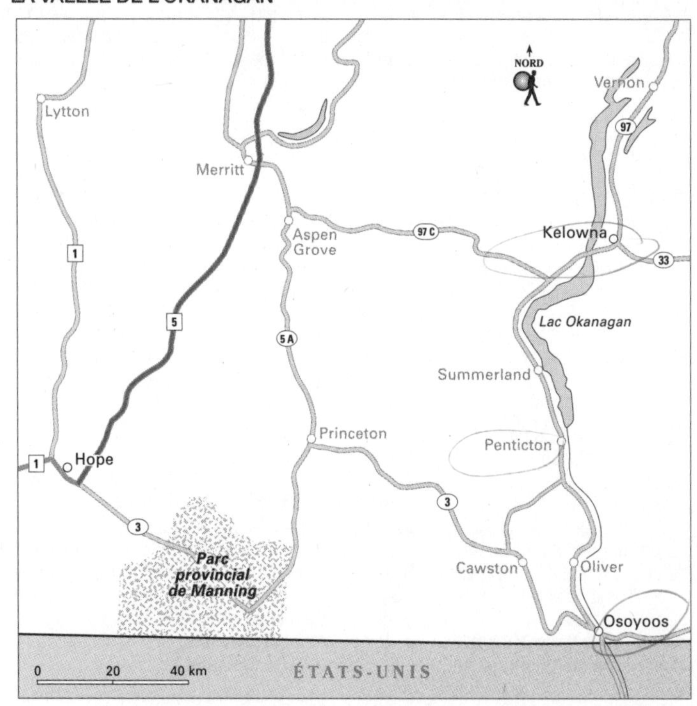

au sud de Main St par la 87e Rue. De mi-avr à mi-oct. 3 chambres partageant 2 sdb, 105-115 $ pour 2. Bon petit déj inclus. *B & B* tenu par un accueillant couple de Français retraités qui ont passé 40 ans de leur vie au Canada. On aime bien la grande chambre du rez-de-jardin donnant sur le carré de gazon. L'autre, baptisée la « Parisienne », est veillée par la *Joconde* ! Les enfants de moins de 12 ans ne sont pas les bienvenus, dommage.

Où manger ?

🍴 ***Dolci Deli & Catering :*** *8710 Main St. ☎ 250-495-6807. Lun-ven 7h-16h, sam 7h-14h (tlj en juil-août).* La meilleure adresse du coin pour un petit déj si vous avez envie de commencer la journée par une crêpe au Nutella et à la banane ! Cafés issus du commerce équitable, servis avec un croquant aux amandes. Les propriétaires, allemands, font aussi épicerie fine européenne (fromages, produits italiens). Le midi, bon choix de sandwichs très abordables et quelques salades. Patio à l'arrière.

🍴 ***Campo Marina :*** *5907 Hwy 93. ☎ 250-495-7650. Le soir slt, à partir de 17h. Ne prend pas de résas. Plats 9-22 $.* Un jour qu'il passait par Osoyoos, Michele tombe en panne. 10 mn plus tard, le destin s'installe à sa table : apprenant qu'il est chef, on lui offre un restaurant sur un plateau d'argent en échange d'un repas quotidien ! Le voilà installé à Osoyoos. C'était en 1994. Depuis, il régale les visiteurs de ses *linguini alla marinara,* de ses lasagnes et de ses *cotolette con marsala. Italia mia !* Toujours beaucoup de monde, venez tôt.

🍴 ***Wildfire Grill :*** *8526 Main St. ☎ 250-495-2215. Cuisine jusqu'à 21h. Plats env 8-14 $ le midi ; 15-25 $ le soir.*

Endroit réputé, et c'est vrai qu'on y mange bien. Cuisine aux influences multiples, avec une prépondérance de viandes et de touches cajuns. Le midi, sandwichs, salades et plats de pâtes surtout. Service un peu lent, en revanche. Salle de resto jaune, élégante avec, à côté, un coin café plus *casual.* Patio à demi couvert à l'arrière. Vins locaux.

À voir

***Osoyoos Museum :** en contrebas de Main St, au bord du lac. ☎ 250-495-2582. • osoyoosmuseum.ca • Mar-ven 10h-14h, plus lun en juin ; juil-août, tlj 10h-16h. Entrée : 5 $.* Certainement l'un des meilleurs de ces petits musées que l'on rencontre dans toutes les villes du Canada. Un sympathique capharnaüm avec, pêle-mêle, une défense de mastodonte, une vieille maison en bois de 1892, un missile *Falcon,* une collection de papillons, un canoë amérindien, des machines à laver à l'air de barriques, un drapeau nazi pris à Berlin par des soldats du coin, une cahute où le whisky était distillé clandestinement, ou encore un patient en train de se faire torturer par son dentiste. Un vrai bonheur ! Ne lancez pas la conservatrice sur les robes des miss Osoyoos version *Fifties,* vous ne pourriez plus l'arrêter...

***Nk'Mip Desert Cultural Centre :** 1000 Rancher Creek Rd. ☎ 250-495-7901 ou 1-888-495-8555. • nkmipdesert.com • Prendre la Hwy 3 et, 1,5 km après le pont, 45th St sur la gauche ; c'est tt au bout. Juil-août, tlj 9h30-20h ; horaires réduits le reste de l'année avec visites guidées à 10h et 13h. Entrée : 12 $; réduc.* Tout aussi incongru que cela puisse paraître, la zone désertique qui entoure la ville est un prolongement du désert du Sonora mexicain ! Deux centres concurrents, dont celui-ci, situé sur le territoire des Syilx, tentent de préserver cet écosystème unique et de le faire découvrir aux touristes. La visite guidée, lorsqu'elle est disponible, apporte un réel plus : difficile, autrement, de repérer les *rattlesnakes* (serpents à sonnette) lovés sous les buissons. Le centre se double d'une exposition sur la culture syilx, avec quelques habitats reconstitués. Un peu cher tout de même.

***Desert Centre :** à 3 km au nord d'Osoyoos, sur 146th Ave (qui part de la Hwy 97). ☎ 250-495-2470 ou 1-877-899-0897. • desert.org • De mi-avr à mi-mai et de mi-sept à début oct, 10h-14h ; de mi-mai à mi-sept, 9h30-16h30. Entrée : 7 $; réduc. Visites guidées à 10h, 12h et 14h (durée 1h).* Ce centre écologique fait partie de la *Osoyoos Desert Society.* On progresse sur des petites passerelles en bois, afin de ne pas abîmer ce fragile environnement.

KELOWNA

En arrivant du nord, la première impression est épouvantable. Sur des kilomètres, les motels succèdent aux centres commerciaux. Ce n'est que lorsqu'on quitte la *highway* que Kelowna apparaît comme une ville plus humaine, voire charmante par endroits, avec des villas au bord du lac. Aux alentours, les vignobles pullulent : une douzaine sur Kelowna, une centaine au-delà. Beaucoup n'ont été plantés que dans les années 1980-1990. Attention, pas de dégustation si vous n'avez pas 19 ans !

Arriver – Quitter

***Greyhound :** 2366 Leckie Rd. ☎ 250-860-1906 ou 1-800-661-8747. • greyhound.ca •*

➢ ***Vers Osoyoos :*** 1 bus direct/j., vers 8h15 le mat. Trajet : 2h30. Un autre vers 10h via Penticton, avec longue attente.

➢ ***Vers Vancouver :*** 6 bus/j., 8h-23h15. Trajet : 5h20-6h30. Seuls 4 font escale à Hope.

➢ ***Vers Kamloops :*** 3 bus/j., vers 9h, 14h et 18h45. Trajet : 2h45-3h40.

Adresse utile

***Visitor Info :** 544 Harvey Ave (prolongement de la Hwy 97).* ☎ *250-861-*

1515 ou 1-800-663-4345. • tourismkelowna.com • Mai-sept, tlj 8h-19h ; sinon, lun-ven 9h-17h, w-e 10h-15h.

Où dormir ?

Kelowna International Hostel : *2343 Pandosy St. ☎ 250-763-6024. • kelowna-hostel.bc.ca • Au sud du centre. Descendre Pandosy St sur 1,5 km. Lit en dortoir 20 $, draps, serviette, café et* pancakes *inclus, et* free pasta *lun ! Également 2 doubles 50 $. Internet.* Pour les petits budgets, et aussi pour les autres, un endroit sympa où loger. Couloirs ornés de fresques, terrasse surélevée avec barbecue et salon bigarré avec des cartes géographiques aux murs et des guitares à disposition. Très convivial ! De plus, personnel jeune et international. Cuisine, laverie et collection de DVD. Une très chouette AJ, pour le dire en un mot, dynamique, vivante, colorée, bien tenue et bien équipée ! On peut même y travailler contre 1 nuit gratuite. Seul bémol : les sirènes des ambulances de l'hôpital voisin.

Same Sun Hostel : *245 Harvey St. ☎ 250-763-9814 ou 1-877-972-6378. • samesun.ca • En plein centre... voire carrément presque sur l'autoroute au moment où elle entre en ville ! Lit en dortoir 4-10 pers 28 $; chambre privée 80 $. CB et pièce d'identité requises. Internet.* Plus impersonnelle que la *KIH* mais pratique et bien équipée. L'ambiance plaira aux fêtards et déplaira à ceux qui recherchent le calme. On compte une salle de bains partagée pour 2 chambres. Immense cuisine, ping-pong, billard, salon TV, jardinet avec terrasse et quelques chaises longues à l'arrière, *lockers,* il ne manque rien. Cela dit, la propreté pourrait être un peu plus... propre. Et puis, le bruit de l'avenue est assourdissant. Demandez une chambre ou un *dorm* le plus en arrière possible.

The Prestige Hotel : *1675 Abbott St. ☎ 250-860-7900 ou 1-877-737-8443. • prestigehotelsandresorts.com • Dans le centre, à l'orée du pont de l'autoroute. En été, doubles à partir de 140 $.* On ne peut pas dire que la proximité de l'avenue soit extraordinaire, mais l'insonorisation est correcte et l'intérieur nettement plus classieux que l'extérieur ne le laisse supposer. Certaines chambres sont même carrément originales. À partir de 250 $, vous pourrez choisir une déco égyptienne, africaine, méditerranéenne... Toutes avec jacuzzi et TV écran plat. Les classiques sont elles aussi bien finies et confortables.

Eldorado : *500 Cook Rd. ☎ 250-763-7500 ou 1-866-608-7500. • hoteleldoradokelowna.com • À 10 mn en voiture au sud du centre. Dès 180 $ pour 2 en été.* Si vous devez faire une entorse à votre budget, autant que ce soit ici car les chambres, décorées dans des tons harmonieux et aménagées de mobilier d'époque, sont vraiment jolies. On peut aussi venir y manger, sur le ponton face à la marina *(plats 15-20 $ le midi, dès 20 $ le soir, et 25-30 $ pour le brunch du dim).* On se croirait sur un lac italien !

Où manger ? Où boire un verre ?

Kelly O'Bryan's : *262 Bernard Ave, en plein centre. ☎ 250-861-1338. Tlj 11h-minuit. Plat env 10 $ le midi ; 14-38 $ le soir ;* special pint, burger & fries *9 $. Repas offert si c'est votre anniversaire !* Grande maison d'angle face au parc et aux quais, dans le coin le plus vivant de Kelowna, scindée entre le resto au rez-de-chaussée et le pub *(Carlos)* à l'étage. En bas, vaste salle aux murs de brique, banquettes et ventilos au plafond. Personnel en kilt, sympa et dynamique ! Même la moquette est couleur tartan ! On viendra plus pour l'ambiance que pour la cuisine, pas mauvaise mais pas mémorable non plus. La carte des alcools tient de l'encyclopédie. L'autre carte, celle des plats, est pleine de devinettes. Allez, on vous aide : la 2e réponse, c'est rivière. Les autres, on cherche encore, écrivez-nous !

Doc Willoughby's Pub : *353 Bernard Ave. ☎ 250-868-8288. À deux pas du précédent (idéal pour faire la tournée des bars !). Tlj 11h-minuit.* Les jeunes de Kelowna aiment bien s'y retrouver le soir autour d'une pinte. Petite terrasse fleurie sur la rue, bondée aux beaux jours. Cuisine de pub qui n'a rien de gastronomique mais qui est copieuse.

LE PARC PROVINCIAL DE MANNING

Ce parc, un peu comme celui de Wells Gray, n'a pas la beauté spectaculaire de ceux des Rocheuses, mais il se prête merveilleusement à toutes sortes d'activités et, en particulier, à la randonnée. C'est d'ailleurs d'ici que part le *Pacific Crest Trail,* une petite marche de 3 860 km qui relie Manning à... Mexico ! Si jamais l'envie vous en prend, prévoyez 6 mois pour suivre ces anciens chemins tracés par les Amérindiens et les trappeurs, plus tard développés par le service américain des forêts.

Adresses utiles

i *Centre d'information du parc :* *au milieu du parc, à 100 m de la Hwy 3, non loin du* lodge *(voir « Où dormir ? »).* ☎ *250-840-8870. Ouv slt l'été, tlj 8h30-16h30.* Une carte lumineuse y indique toutes les randonnées possibles.

■ ***Location de chevaux :*** *au* Corral Horse, *derrière le* lodge. ☎ *250-840-8844.*

■ ***Location de VTT, de kayaks et de canoës :*** *au* lodge.

Où dormir ?

Le plus agréable des 4 ***campings*** *aménagés à l'intérieur du parc est celui qui se trouve près du* ***lac Lightning****. Résa possible, moyennant 6 $, au* ☎ *1-800-689-9025. Emplacement 24 $. Ajoutez à cela une dizaine de campings non aménagés (5 $/pers).*

Outre les campings, il n'existe que 1 seul lodge *dans le parc, le* ***Manning Park Resort*** *:* ☎ *250-840-8822 ou 1-800-330-3321.* • *manningpark.com* • *Tarifs prohibitifs : 150-180 $... par pers !*

Si aucune de ces 2 solutions ne vous tente (ou si tout est complet), allez à Hope, à 45 mn en voiture, qui possède une bonne infrastructure « motelière ».

À voir. À faire

Même si vous ne faites que passer par Manning, allez au moins voir le ***Lightning Lake,*** un superbe lac émeraude où l'on voit les truites sauter, puis montez vers *Cascade Lookout* pour la vue.

➢ Les plus belles ***randonnées,*** au milieu des prairies d'altitude, partent de ce sommet situé à 1 960 m.

– En hiver, possibilité de ***skier*** sur les quelques pistes proches du parc. Se renseigner au *lodge.*

HOPE

Cernée de toutes parts par des versants abrupts et verdoyants, cette grosse bourgade a de quoi surprendre par son cadre naturel. Ça tombe bien, vous risquez d'y dormir car elle se trouve idéalement placée à l'entrée des gorges de la rivière Fraser, un grand centre de rafting où les hôtels sont rares, et non loin du parc de Manning, où il n'existe qu'un *lodge* cher. Tant qu'à faire, ce sera aussi l'occasion de voir les sculptures de bois taillées à la tronçonneuse qui égaient un peu les rues de la ville. Et pour les fans de *Rambo,* de marcher sur les traces du héros, car c'est ici que fut tourné le premier volet de la trilogie...

Arriver – Quitter

🚌 ***Greyhound :*** *800 3rd Ave, à l'angle de Fort St. ☎ 250-869-5522 ou 1-800-661-8747. • greyhound.ca •* Le terminus est situé devant une laverie. Pratique si vous avez de la lessive en retard !
➢ ***Vers Vancouver :*** 6 bus/j., 9h-18h. 8 bus/j. dans l'autre sens, 6h15-18h45.

Adresse utile

ℹ ***Office de tourisme :*** *919 Water Ave. ☎ 604-869-2021. Près de la rivière Fraser. En été, tlj 8h-18h ; horaires plus restreints le reste de l'année. Abrite le Hope Museum.*

Où dormir ?

Windsor Motel : *778 3rd Ave. ☎ 604-869-9944 ou 1-888-588-9944. • bcwindsormotel.com • Doubles en hte saison 62-80 $; suites avec kitchenette, idéales pour une famille ou des amis, 120-150 $.* Chambres impeccables et bon marché, avec grosse TV, frigo, micro-ondes, machine à café... Celles du 1er étage, avec balcon, donnent sur les montagnes. Accueil par un gentil monsieur coréen. Un excellent choix.

Skagit Motor Inn : *655 3rd Ave. ☎ 604-869-5220 ou 1-888-869-5228. • skagit.ca • Compter 100-110 $ pour 2 pers (1-2 lits) ; 10 $ de plus avec une kitchenette.* Les chambres s'articulent autour d'une vaste cour plantée de conifères. Frigo et micro-ondes dans chacune. Les suites familiales sont gigantesques. Rien à redire sur l'ensemble, impeccablement tenu. Piscine (couverte), jacuzzi et laverie. Quartier très calme.

L'ALBERTA

L'Alberta, c'est le pays des cow-boys des Prairies, avec – non loin des grandes cités modernes d'Edmonton et de Calgary – de vastes ranchs dans lesquels les Albertains élèvent toujours leur bétail. Du coup, on mange ici de l'excellente viande de bœuf. C'est aussi le pays des producteurs de pétrole (Calgary est le siège de l'industrie pétrolière canadienne), ce qui assure la prospérité exceptionnelle de cette province. La généreuse nature canadienne s'exprime sans limite dans l'Alberta. Ici, certains lacs sont turquoise, même sous la pluie, grâce à la farine de roche issue de la fonte des glaciers en juin. Ici encore se dressent les imposantes Rocheuses (frontière naturelle avec la Colombie-Britannique), cette mer de montagnes aux pics acérés qui étonna les premiers explorateurs. C'est dans cette région que s'étendent les plus beaux parcs nationaux du Canada : Banff et Jasper. Les paysages sont restés tels qu'ils étaient lors de l'arrivée des premiers Européens.

CALGARY

1 070 000 hab.

Pour le monde entier, Calgary est la ville des J.O. d'hiver de 1988. Pour les Canadiens, elle évoque le *Stampede,* le plus grand rodéo du monde. Pendant 10 jours, chaque année en juillet, c'est la folie. Barmen, businessmen, caissières de supermarché, tout le monde porte la tenue du cow-boy : jeans, stetson et boots... Super ambiance dans les rues de la ville qui se grise et se dégrise. Mais Calgary est aussi l'une des portes d'entrée vers les Rocheuses.

Ceux d'entre vous que la foule et le rodéo rebutent peuvent aller se relaxer directement dans les montagnes...

– ***Conseil :*** automobilistes, sachez que radars et contrôles de police sont fréquents autour de Calgary, et les amendes peuvent être salées. On vous aura prévenus...

UN PEU D'HISTOIRE

L'histoire de la ville résume parfaitement son atmosphère actuelle. Elle connut trois booms successifs. Ce fut tout d'abord l'établissement de la police montée en 1875, au beau milieu des Prairies. Le colonel Brisebois, commandant du fort, lui donna sans complexe son propre nom. Après avoir régné pendant quelque temps en tyran dans ce fort isolé, il fut destitué, et le nouveau commandant de police rebaptisa l'endroit « Calgary » – ce qui signifie, en écossais, « l'eau limpide ». La deuxième étape est due à l'arrivée du chemin de fer, en 1883, qui y draina des centaines de colons poussés toujours plus à l'ouest, vers une hypothétique terre promise. Puis la découverte, en 1914, de gisements de pétrole sonna le glas du petit village pour laisser la place à une ville qui, depuis, a connu un essor économique considérable. Aujourd'hui, plusieurs centaines de compagnies pétrolières (86 % des producteurs du pays) possèdent des bureaux dans les gratte-ciel qui champignonnent au centre de Calgary, transformant le *Downtown* en véritable « City pétrolière ».

LE *STAMPEDE*

La deuxième semaine de juillet et durant 10 jours *(en 2012, pour le 100e anniversaire, 6-15 juil ; en 2013, 5-14 juil),* c'est le plus beau moment de l'année pour des dizaines de milliers de Canadiens et d'Américains fans de rodéo, ainsi que pour les nombreux touristes présents à cette occasion. Les festivités ont lieu dans les rues, notamment sur 8th Avenue avec, le jour d'ouverture, une fabuleuse parade de cow-boys, d'Indiens de différentes tribus, de majorettes, de la police montée, etc. Le rodéo lui-même a lieu au Stampede Park.

Le festival remonte à 1912 : le succès de l'industrie du blé menaçant l'avenir de l'élevage, on créa le *Stampede* comme un hommage aux derniers cow-boys. C'était bien vite les enterrer, l'élevage a finalement continué de prospérer, et cette fête en est devenue la formidable vitrine.

À l'intérieur de l'enceinte, on peut voir trois grands types de compétitions qui se déroulent l'après-midi (de 13h30 à 17h en général) et dès 19h30. L'après-midi, c'est l'heure du rodéo : le cavalier chevauche une monture furieuse pendant au moins... 8 s, une main levée.

EN LUI SERRANT LE KIKI !

Non, les chevaux ne sont pas sauvages. On les excite juste « un peu » en serrant très fort une lanière glissée au niveau du bas des reins. Cela leur compresse si fort les parties génitales que ça les rend complètement dingues. Essayez, messieurs, vous verrez ! Pour calmer le cheval après la compétition, on relâche la tension. Il redevient doux comme un agneau... ou presque.

Le deuxième point fort est le *calf roping* (l'après-midi toujours), où il s'agit pour le cow-boy d'attraper un veau au lasso, puis de sauter de son cheval, retourner le veau et lui lier trois pattes en moins de 10 s. Le troisième moment est la course du *chuck-wagon* (le soir), rappelant la chevauchée des pionniers dans des roulottes bringuebalantes. Cela consiste à charger une roulotte (tirée par quatre chevaux) d'ustensiles divers, à décrire une boucle sur la piste, puis à s'élancer à toute allure sur le circuit. Spectaculaire, cette course est aussi très dangereuse.

– Stampede Park (plan C3) : vente des billets sur place ou sur Internet. Compter 20-86 $ pour les rodéos d'ap-m et 35-105 $ pour les courses de chuck-wagons *du soir. Pour plus d'infos : ☎ 403-261-0101 ou 1-800-661-1260. • calgarystampede.com • On peut s'y rendre par* C-Train.

Arriver – Quitter

Depuis/vers l'aéroport

➢ ***En bus :*** pas de bus direct, mais on peut prendre le bus n° 100 depuis l'aéroport (départ ttes les 20 mn de la plate-forme n° 20, accessible de la zone D du hall des arrivées) jusqu'à la station *McKnight/Weswinds* du *C-Train,* et, de là, prendre le *C-Train* pour *Downtown.* Coût : 2,75 $ (demander un *transfer* au chauffeur). Plus cher mais moins fastidieux, l'*Allied Airport Shuttle,* direct et qui vous dépose à votre hôtel. Départ env ttes les 30 mn, 24h/24. *Pour le retour, résas au ☎ 403-299-9555. • airportshuttlecalgary.ca •* Env 15 $ le trajet.

➢ ***En voiture :*** bien indiqué, il suffit de suivre les panneaux « Barlow Trail North/City-centre » à la sortie de l'aéroport, et de sortir à Memorial Dr. Là, prenez vers l'ouest pour vous retrouver à *Downtown* sur 4th Ave SE. Trajet : env 20 mn.

➢ ***En taxi :*** compter 45 $.

En bus

🚌 ***Bus Greyhound*** *(plan A2) : 850 SW Greyhound Way, à la hauteur de 16th St SW. ☎ 403-263-1234 ou 1-800-661-8747. • greyhound.ca •*

➢ ***Vers Canmore, Banff, Lake Louise et Vancouver :*** 4 bus/j. Prévoir respectivement 1h15, 1h45, 2h30 et env 14h de route.

➢ ***Vers l'est (Winnipeg, Toronto et Montréal) :*** on vous conseille plutôt l'avion, à moins de vouloir visiter la Saskatchewan et le Manitoba. Sinon, 2 départs/j. pour Montréal, mais avec changements en cours de route. Compter près de 2,5 j. de trajet jusqu'à Montréal.

➢ Pour visiter les ***Rockies,*** on vous conseille de louer une voiture, soit à Cal-

■ Adresses utiles

- ℹ Tourist Information
- **1** Consulat des États-Unis
- **2** Alliance française
- @ **3** Cyberspace
- **4** Mission Medical Clinic
- **5** Budget
- **7** Supermaché Safeway
- **8** Community Natural Foods

Où dormir ?

- **10** HI Calgary City Center
- **11** Wicked Hostels
- **12** Calgary City View B & B
- **13** A Good Knight B & B
- **14** River Lee & River Wynde B & B
- **15** Centro Motel
- **16** Sandman Hotel
- **17** Hotel Arts

Où manger ?

- **30** Nellies Cosmic Café
- **31** 1886 Buffalo Café
- **32** Fat City Frank
- **33** Higher Ground
- **34** The Coup
- **35** Silver Dragon
- **36** Buzzards
- **37** Milestone's
- **38** Earl's
- **39** Farm
- **40** Piq Niq Café
- **41** River Café
- **42** Saltlik
- **43** Teatro

Où boire un verre ? Où écouter de la musique ? Où sortir ?

- **40** Piq Niq Café & Beat Niq Social Club
- **50** Melrose Café & Bar
- **51** The Rose and Crown
- **52** Ming
- **53** The Ship & Anchor Pub
- **54** The Broken City
- **55** 355 Mansion After Dark
- **56** The Whiskey Saloon
- **57** Road House
- **58** The Ranchman's

Achats

- **89** Riley & McCormick
- **90** Mountain Equipment Co-op

CALGARY

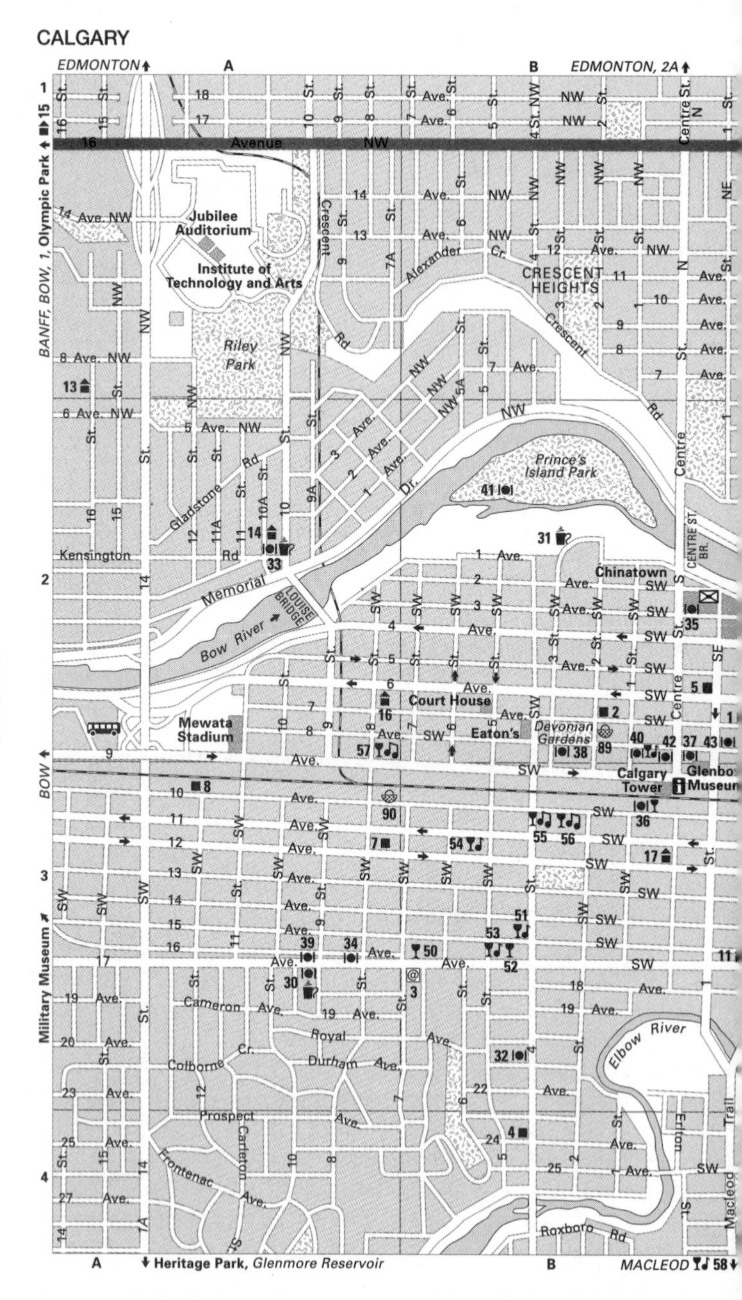
EDMONTON
EDMONTON, 2A
BANFF, BOW, 1, Olympic Park
BOW
Military Museum
Heritage Park, Glenmore Reservoir
MACLEOD 58
16 Avenue NW
Jubilee Auditorium
Institute of Technology and Arts
Riley Park
CRESCENT HEIGHTS
Prince's Island Park
Chinatown
Court House
Mewata Stadium
Eaton's
Devonian Gardens
Calgary Tower
Glenbow Museum
Bow River
LOUISE BRIDGE
CENTRE ST. BR.
Memorial Dr.
Kensington Rd
Gladstone Rd
Alexander Cr.
Crescent Rd
Elbow River
Cameron Ave.
Royal Ave.
Colborne Cr.
Durham Ave.
Prospect Ave.
Carleton St.
Frontenac Ave.
Roxboro Rd
Macleod Trail

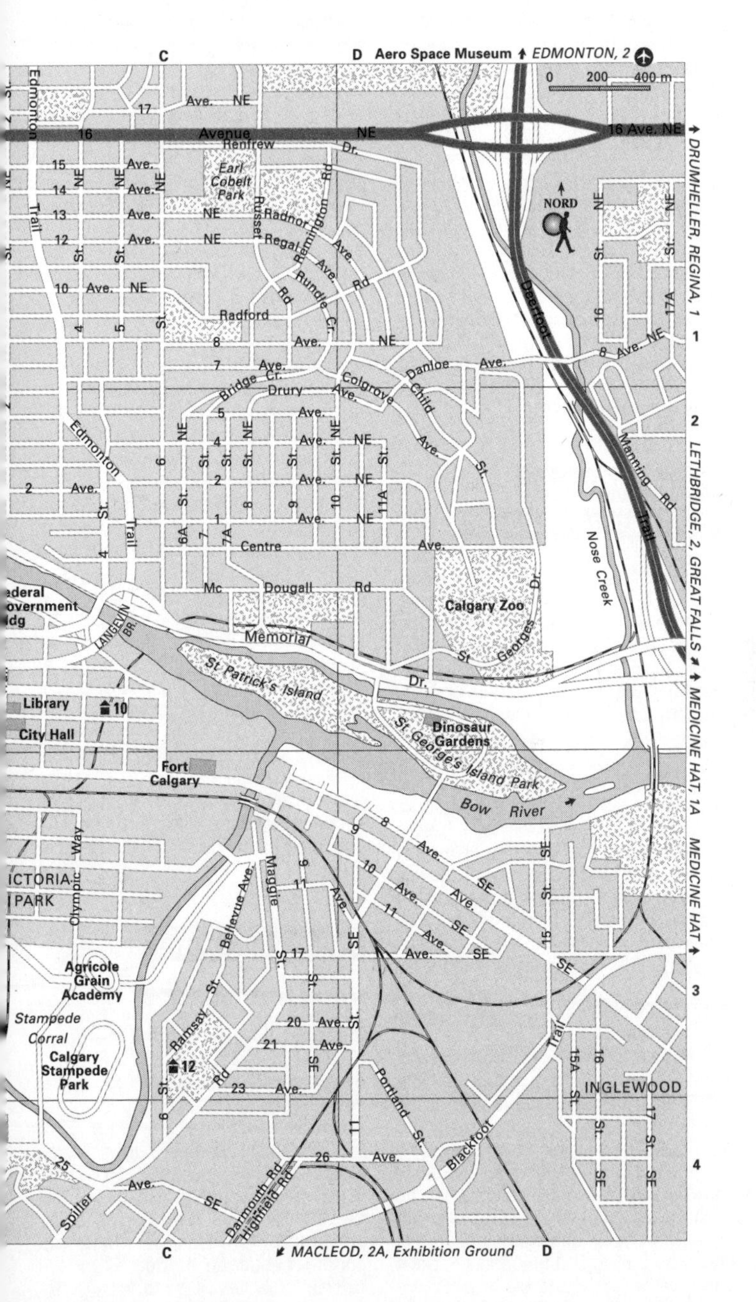
Aero Space Museum
EDMONTON, 2
DRUMHELLER, REGINA, 1
LETHBRIDGE, 2, GREAT FALLS
MEDICINE HAT, 1A
MEDICINE HAT
MACLEOD, 2A, Exhibition Ground
NORD
Earl Cobelt Park
Calgary Zoo
St Patrick's Island
Dinosaur Gardens
St George's Island Park
Bow River
Nose Creek
Library
City Hall
Fort Calgary
Agricole Grain Academy
Stampede Corral
Calgary Stampede Park
INGLEWOOD
Deerfoot Trail
Memorial Dr.
Edmonton Trail
Blackfoot Trail

gary, soit sur place (agences à Banff et Jasper). Il serait dommage, en effet, de ne pas pouvoir circuler librement dans les parcs.

En train

– Pas de liaison régulière de train entre Calgary, Banff et Vancouver. La seule ligne régulière pour voyageurs relie Toronto, Winnipeg, Edmonton, Jasper et Vancouver. Seul le *Rocky Mountaineer,* affrété spécialement pour les touristes mai-sept, assure la liaison entre Calgary et Vancouver via Banff et Kamloops. Spectaculaire mais très cher. *Rens : ☎ 1-877-460-3200 ou • rockymountaineer.com •*

Orientation et transports urbains

Il est très facile de s'orienter à Calgary une fois que l'on a compris le système. La ville est divisée en quatre quadrants : nord-est, sud-est, sud-ouest et nord-ouest. La rivière Bow, prolongée par Memorial Drive, sépare le nord du sud, et Center Street l'ouest de l'est. La numérotation des rues et des avenues s'effectue à partir de ces lignes de démarcation. Ainsi 7th Avenue SW est tout simplement la 7e avenue vers le sud à partir de Bow River, située à l'ouest de Center Street. Pour repérer une adresse exacte dans une rue ou une avenue, il vous suffit de laisser tomber les deux derniers chiffres de l'adresse pour trouver la rue ou avenue la plus proche. Ainsi le 456 de 3rd Avenue se trouve non loin de 4th Street, et le 2345 de 13th Street est à proximité de 23rd Avenue.

C-Train : une sorte de tramway fonctionnant de 6h à minuit (24h/24 pendant le *Stampede*). 2 lignes en forme de Y. Le train qui va vers le sud (en passant par le Stampede Park) s'appelle *Somerset,* celui qui va vers le nord-ouest *Crowfoot* et celui qui va vers le nord-est *McKnight.* Rapide et pratique. Même prix que les bus *(2,75 $ le trajet ou 8,75 $/j.)* et gratuit sur le trajet de 7th Ave dans les 12 blocs du *Downtown (entre 10th St SW et 3rd St SE).* Attention, les billets s'achètent aux distributeurs automatiques sur le quai et il faut avoir l'appoint.

Bus : pas vraiment faciles à utiliser si vous n'êtes que de passage, bien qu'il existe une carte du réseau bien faite avec toutes les lignes, la *Calgary Transit Map* (disponible à l'office de tourisme). *Rens : ☎ 403-262-1000. • calgarytransit.com •*

– Le plus pratique pour circuler reste bien sûr la ***voiture,*** mais, en centre-ville, se pose le problème du parking, assez voire très cher si vous vous garez le long des rues *(où le stationnement est en outre limité à 1h ou 2h).* Le mieux, si vous souhaitez explorer un peu *Downtown,* est de chercher un petit parking offrant un *flat rate* (forfait) de 5 à 10 $ pour la journée (plutôt qu'un parking clos qui fonctionne à l'heure, beaucoup plus cher), ou, mieux, de laisser la voiture au parking de votre hôtel (si celui-ci n'est pas trop excentré). Si vous vous garez le long d'une rue, sachez qu'il faut, pour prendre un ticket à l'horodateur, introduire le numéro de la zone de stationnement (indiqué clairement sur une plaque au-dessus du trottoir) et celui de sa plaque d'immatriculation, avant d'introduire l'argent *(2 à 5 $ de l'heure).*

– Un réseau de passerelles, le « + 15 » (mètres au-dessus du sol), relie la plupart des sites touristiques, commerces et hôtels du centre-ville. On s'y perd un peu, mais au moins, on est au chaud et au sec !

Adresses utiles

Infos touristiques

Tourist Information à l'aéroport : *☎ 403-735-1234. Tlj 6h-23h.* Pas mal de brochures, dont le plan de la ville. Fait aussi consignes à bagages.

Tourist Information *(plan B3) : 101 SW 9th Ave, dans la Calgary Tower. ☎ 403-750-2362 ou 1-800-661-1678. • visitcalgary.com • Juin-août, lun-ven 9h-19h, w-e 9h-17h ; en hiver, lun-ven 9h-17h.* Bonnes infos et, là encore, beaucoup de doc. Prenez le dépliant *Calgary Attractions,* il offre des réductions pour diverses visites.

Internet gratuit aussi, limité à 30 mn.

■ ***Chambre économique de l'Alberta :*** *2303 SW 4th St, bureau 801. ☎ 1-888-414-6123. ● lecdea.ca ●* La CEA promeut les activités économiques et touristiques des francophones de l'Alberta. Utile pour ceux qui sont fâchés avec l'anglais, puisqu'elle publie un guide gratuit de l'Alberta en français (à commander sur Internet ou par téléphone). La CEA aide aussi à trouver des offres d'emploi temporaire ou permanent pour les francophones.

■ ***Consulat des États-Unis*** *(plan B2,* ***1****) : 615 SE MacLeod Trail, bureau 1000. ☎ 403-266-8962. Accueil 8h30-12h.*

■ ***Alliance française*** *(plan B2,* ***2****) : 206 SW 7th Ave, au 2e étage du Herald Building. ☎ 403-245-5662. ● afcalgary.ca ● Lun-jeu 9h30-13h, 14h-18h30 ; ven 9h-13h30 ; sam 8h30-13h. Horaires restreints juil-août.*

Argent, change

■ ***Banques et distributeurs :*** *nombreux sur Stephen Ave (8th Ave SW), notamment aux angles avec 2nd et 3rd St.*

■ ***Change :*** *plusieurs* ***Money Mart*** *dans le centre, par exemple au 250 SW 7th Ave (lun-ven 8h-20h, sam 10h-17h, dim 11h-16h). Au sud du centre, on en trouve un, entre autres, au 1405 SW 17th Ave (lun-ven 6h-12h, sam 7h-11h, dim 9h-21h).*

Internet

@ ***Internet : Cyberspace*** *(plan B3,* ***3****), 725B SW 17th Ave (au sous-sol du Subway). ☎ 403-802-6168. Lun-ven 9h-21h, w-e 11h-21h.* Vaste et confortable. On peut aussi surfer gratuitement (30 mn) à l'***office de tourisme.***

Santé, urgences

■ ***Mission Medical Clinic*** *(plan B4,* ***4****) : 2303 SW 4th St. ☎ 403-229-1700. Lun-sam 9h-19h.* La plus proche de *Downtown.* Pharmacie à côté.

■ ***Urgences :*** *☎ 911, comme partout.*

Transports

■ ***Location de voitures : Budget*** *(plan B2,* ***5****), à l'aéroport et dans le centre, 140 SE 6th Ave. ☎ 403-226-1550 ou 1-800-267-0505. ● budgetcalgary.com ●* ***Thrifty Car Rental,*** *à l'aéroport (☎ 403-221-1961) et au 118 SE 5th Ave (☎ 403-262-4400). ● thrifty.com ●*

■ ***Location de mobile homes :*** 3 compagnies se partagent le marché de la location à Calgary.

– ***Canadream Campers :*** *2510 NE 27th St. ☎ 403-291-1000 ou 1-800-461-7368. ● canadream.com ●*

– ***Fraserway RV :*** *536 SE Kingsview Way, à Airdrie. ☎ 1-800-661-2441. ● fraserway.com ●*

– ***All West RV :*** *Bay 1, 925 Veterans Blvd, Airdrie. ☎ 403-948-3378 ou 1-888-736-8787. ● allwestrv.ca ●*

Achats, divers

■ ***Supermarché Safeway*** *(plan A3,* ***7****) : entre 11th et 12th Ave SW, au croisement avec 8th St. Tlj 8h-23h.* Grand supermarché, l'un des rares en centre-ville. *Pharmacie à l'intérieur, tlj 9h-21h (18h w-e).*

■ ***Community Natural Foods*** *(plan A3,* ***8****) : 1304 SW 10th Ave. ☎ 403-229-2383. Lun-ven 9h-21h, sam 9h-19h, dim 10h-19h.* Depuis 1977, une valeur sûre de l'alimentation bio (ou sans OGM) de Calgary. Un excellent endroit aussi pour faire des provisions d'aliments déshydratés (ou autres) avant d'aller camper dans les Rocheuses.

■ ***Radio de langue française :*** Radio-Canada, 103.9 FM ; sa chaîne culturelle est sur 89.7 FM.

Où dormir ?

Sans surprise, le centre-ville compte surtout des hôtels de chaîne, chers et impersonnels. On y trouve néanmoins aussi les 2 *hostels* de la ville (l'un officiel, l'autre privé) et, un petit peu excentrés, une poignée de *B & B* (liste complète disponible à l'office de tourisme ou sur *● bbalberta.com ●*).

Les prix fluctuent selon la saison, mais aussi selon les festivals... Pour le *Stampede,* pensez à réserver vos nuits très à l'avance, et sachez que tous les hébergements, même les AJ, exigent alors un supplément.

Camping

Calgary West Campground : *221 SW 101st St. ☎ 403-288-0411 ou 1-888-562-0842. • calgarycampground.com • Sur la Hwy 1, vers Banff, sortie env 2 km après le Canada Olympic Park. De mi-avr à mi-oct. Env 32 $ l'emplacement, 13 $ de plus avec l'électricité.* Un camping bien équipé, avec laverie, piscine, minigolf, etc., le tout dans un site verdoyant et étagé. Dommage que la *highway* passe à 200 m. Pendant le *Stampede,* navette spéciale matin et soir ; le reste du temps, la *Calgary Shuttle* dessert le centre-ville.

Bon marché

HI Calgary City Center *(plan C2,* ***10****) : 520 SE 7th Ave. ☎ 403-269-8239 ou 1-866-762-4122. • hihostels.ca • 2 blocs à l'est du City Hall, et C-Train* (Downtown Line) *juste à côté. Nuit 32,50 $ (un peu moins en hiver). Internet, wifi.* Un peu perdue au milieu de parkings et de terrains vagues (quartier pas très engageant le soir), une longue maison en bois dotée d'une centaine de lits répartis en dortoirs de 6 places. Grande cuisine lumineuse, laverie et salle de jeux (billard) en sous-sol. Épicerie tout près. Propre. Programme des animations en ville affiché au tableau. Location de vélos. Un bon lieu de passage.

Wicked Hostels *(plan B-C3,* ***11****) : 1505 SE MacLeod Trail. ☎ 403-265-8777 ou 1-877-889-8777. • wickedhostel.com • Dortoirs 4-8 lits 30,50-34,50 $/pers, double 81 $. Parking gratuit. Internet, wifi.* Ensemble un peu désordonné et sans grand charme mais convivial et plutôt bien tenu. Dortoirs un peu exigus mais convenables (bonne literie) et, surtout, l'*hostel* propose plein de petits « plus » : du petit déj inclus (à composer soi-même dans la cuisine) au prêt de vélos en passant par la laverie gratuite. Même les appels vers la France (lignes fixes) sont offerts ! Enfin, Jeff, le jeune et dynamique patron, organise un tas d'activités (sorties le soir, etc.) pour ses hôtes, auxquelles il participe le plus souvent. Au final, cela fait quelques bonnes raisons de poser son sac ici !

De prix moyens à plus chic

Calgary City View B & B *(plan C3,* ***12****) : 2300 SE 6th St. ☎ 403-237-0454. • calgarycityview.com • Résa conseillée. Compter 115 $ pour 2 en été. Internet, wifi.* Tenue par Micheline, une Québécoise, cette sympathique maison tout en bois abrite 3 chambres d'hôtes à la déco un peu chargée mais douillettes et confortables, avec TV, salle de bains et, pour 2 d'entre elles, un balcon. Le petit déj, copieux, se prend dans une véranda qui donne sur le *Stampede Park* et *Downtown.* Agréable.

A Good Knight B & B *(plan A1,* ***13****) : 1728 NW 7th Ave. ☎ 403-270-7628 ou 1-800-261-4954. • agoodknight.com • En été, doubles 99-175 $ selon taille. Internet, wifi.* Dans un quartier résidentiel très calme, à 15 mn du centre en bus (n° 9) et pas très loin de la station *Jubilee* du *C-Train.* 3 chambres impeccables avec salle de bains. Un vrai petit nid douillet, comportant une grande collection d'oursons en peluche et de théières. Maison climatisée. Petit détail : les chaussures ne peuvent franchir le palier.

River Lee & River Wynde B & B *(plan A2,* ***14****) : 218-220 NW 10A St. ☎ 403-270-8448. • riverlee.ca • riverwynde.ca • Doubles 110-150 $, suites 175-195 $. Internet, wifi.* Notre coup de cœur à Calgary ! Il s'agit de 2 maisons (l'une rouge, l'autre bleue) proposant ensemble 8 chambres (dont 2 suites), hyper soignées et bien arrangées, bref, vraiment agréables ! Notre préférence va à la *Forest Room,* dans les tons verts, avec un balcon donnant sur la rue. Ou encore à la *Fall Suite,* avec salle de bains en ardoises et cuisine américaine. Mais elles sont toutes bien, et tout confort, avec TV-DVD, lits douillets, pantoufles, panier contenant serviettes et shampooing... De plus, les hôtes, Deanne et Diana, savent recevoir ! En prime, prêt de vélos et accès gratuit à la salle de fitness voisine. Ravissante cour-jardin où poussent les légumes utilisés pour le petit déj. Une super adresse.

Centro Motel *(hors plan par A1,* ***15****) :*

4540 NW 16th Ave. ☎ 403-288-6658. • *centromotel.com* • *À env 7 km au nord-ouest du* Downtown. *Doubles 100-115 $, avec le petit déj. Internet, wifi.* Peut-être le seul « boutique-motel » de la province. Un concept nouveau en effet : des chambres de style contemporain, élégantes et confortables, dans un motel ! Excentré, certes, mais, si vous êtes motorisé, c'est une bon choix. Le motel est situé au bord d'une route passante mais les chambres, dotées d'un *queen,* d'un *king* ou de 2 lits doubles, sont bien insonorisées.

Sandman Hotel *(plan A2,* ***16****) : 888 SW 7th Ave. ☎ 403-237-8626 ou 1-800-726-3626.* • *sandmanhotels.com* • *Doubles à partir de 100 $ le w-e et 140 $ en sem. Internet, wifi.* À défaut de charme, ce maillon de la chaîne a l'intérêt d'être idéalement situé à des prix encore abordables. Chambres à la déco standardisée mais confortables, piscine, salle de fitness. Bar au 2e étage et resto au rez-de-chaussée. *C-Train* devant la porte de l'hôtel. Parking souterrain payant mais pas cher.

Hotel Arts *(plan B3,* ***17****) : 119 SW 12th Ave. ☎ 403-266-4611 ou 1-800-661-9378.* • *hotelarts.ca* • *Doubles à partir de 140 $ le w-e et 170 $ en sem. Réduc selon disponibilités. Internet, wifi.* Un bien beau boutique-hôtel à la déco tendance, proposant des chambres très bien finies à dominante brun-gris, avec moquette épaisse et élégant mobilier design. Beaucoup de style dans le *lobby* aussi, et belle piscine à ciel ouvert dans le patio. Possède 2 restos. Tarifs encore raisonnables pour la qualité.

Où manger ?

Calgary est une ville assez cosmopolite, où l'on peut goûter à pas mal de cuisines. La 4th Street, la 8th Avenue (aussi connue sous le nom de Stephen Avenue) et la 17th Avenue regorgent de restos et bistrots. Explorez également le quartier Kensington *(plan A2),* aussi B.C.B.G. que son homonyme londonien, où l'on trouve une alternance de cafés branchés et de sandwicheries.

Spécial petit déj

Beaucoup de choix sur Stephen Avenue (8th Avenue) dans sa section piétonne (le Mall) et sur 17th Avenue.

Nellies Cosmic Café *(plan A3,* ***30****) : 1001 SW 17th Ave. ☎ 403-806-2377. Lun-mar 7h-16h30, mer-ven 7h-20h, w-e 7h30-20h. Compter 7,50-12,50 $.* Décor de cuisine des années 1950, avec un tas d'affiches et de bibelots sur les murs. S'il fait beau, on peut aussi s'installer à l'agréable terrasse colorée donnant sur la rue. Dans l'assiette, excellents *all-day breakfasts* (essayez le *Nellie's Bennies* !), mais aussi des salades et sandwichs. D'autres adresses en ville.

1886 Buffalo Café *(plan B2,* ***31****) : 187 SW Barclay Parade. ☎ 403-269-9255. Lun-ven 6h-15h, w-e 7h-15h. Petits déj 10-12 $.* Facile à repérer, c'est la petite maison blanche en bois avec une enseigne de bison. À l'intérieur, nappes à carreaux et collection d'horloges et de billets de banque. Une adresse très prisée des travailleurs du *Downtown* qui viennent y prendre leur petit déj avant d'aller au boulot. Pas mal de formules : *huevos rancheros, kenny's special, breakfast burrito...* En sortant, on est calé pour une bonne partie de la journée !

Plus simples, le **Good Earth Café** (juste en face du *1886 Buffalo Café*) ou le **Second Cup** (dans l'*Eaton Center* ; *plan B2*), qui servent de bons cafés dès le matin avec le traditionnel assortiment de *rolls, scones* et muffins si typiques des pays anglo-saxons.

Très bon marché

La spécialité calgarienne des fauchés, ce sont les *Vietnamese subs,* de longs sandwichs fourrés de viande en sauce et herbes asiatiques à environ 6 $. On en trouve çà et là, en particulier dans le mini-Chinatown. Dans le même coin, nombreux *take-out* du monde entier : grec, thaï, japonais, indien...

Fat City Frank *(plan B3,* ***32****) : 2015 SW 4th St. ☎ 403-229-3641. Lun-sam 11h-20h, dim 12h-17h. Max 7,50 $.* Pour les amateurs de « chiens chauds », mais pas seulement, car les hot dogs servis ici sont savoureux, en plus d'être originaux : préparés avec des saucisses sans aucun additif (il y a même, en option, la saucisse de bison), on choisit entre le hot dog ukrainien, italien, allemand, mexicain, chilien, Coney Island... en tout, une douzaine de hot dogs différents, à accompagner par exemple d'une bonne limonade maison. Salle à la déco *Fifties* avec des photos plein les murs à la gloire du... hot dog. Sympathique !

Higher Ground *(plan A2, **33**) : 1126 NW Kensington Rd. ☎ 403-270-3780. Dim-jeu 7h-23h, ven-sam 8h-minuit. Petits plats 5-10 $.* On est un peu les uns sur les autres dans cette grande salle aux petites tables rondes, mais l'ambiance n'en est que meilleure ! Clientèle hétéroclite venue déguster un *specialty coffee* (essayez le *nut'n'honey,* génial !), un thé, une soupe, salade ou sandwich tendance bio, ou encore l'une de leurs suggestions en soirée. Journaux et livres à dispo. Fait aussi bar à vins, et propose un menu végétarien (3 services) le mercredi soir. Bien aussi pour le petit déj.

CALGARY

De bon marché à prix moyens

The Coup *(plan A3, **34**) : 924B SW 17th Ave. ☎ 403-541-1041. Mar-ven 11h30-15h, 17h-22h ; w-e 9h-15h, 17h-22h30 (21h dim). Plats 12-16 $.* Un excellent resto végétarien et bio qui convaincra même les plus carnassiers. Beaucoup de créativité, de couleurs et de saveurs dans les plats, copieux et joliment présentés. Salle à la déco épurée et petit bout de terrasse sur la rue. Très agréable.

Silver Dragon *(plan B2, **35**) : 106 SE 3rd Ave (angle Center St). ☎ 403-264-5326. Lun-jeu 10h-23h30, ven-sam 9h30-1h, dim 9h-22h. Plats env 12-18 $.* Resto chinois situé dans le minuscule Chinatown. Vaste salle propre et colorée à l'étage, atmosphère familiale et bruyante. Les plats sont variés et copieux et, le midi, la formule *dim sum* a beaucoup de succès, les chariots passent de table en table et on picore selon son appétit.

Buzzards *(plan B3, **36**) : 140 SW 10th Ave. ☎ 403-264-6959. Tlj sf dim 11h-23h (2h pour le bar). Burgers et sandwichs 12-16 $; plats 15-25 $.* D'un côté le resto, de l'autre un pub (le *Bottlescrew Bill*) avec des rangées de bouteilles qui ornent les murs. On peut manger partout, installez-vous donc plutôt au pub, le cadre y est plus chaleureux. Bons burgers et pas moins de... 258 sortes de bières, d'un peu partout dans le monde, y compris Laos et Liban ! Atmosphère rugissante, une institution à Calgary.

Milestone's *(plan B2, **37**) : 107 SW 8th Ave. ☎ 403-410-9521. Tlj midi et soir. Plats 12-30 $.* Une adresse très populaire. Carte très variée affichant des plats à tous les prix, de la salade thaïe au saumon du Pacifique en passant par les steaks et *ribs.* Le tout accompagné de petites surprises sur le rebord de l'assiette. À déguster dans une salle avec des box, de style un peu *Seventies,* ou en terrasse sur la rue piétonne.

Earl's *(plan B2, **38**) : 315 SW 8th Ave (Stephen Ave Mall). ☎ 403-265-3275. Lun-jeu 11h-minuit, ven-sam 11h-1h, dim 11h-22h. Plats divers 10-20 $; viandes 20-30 $.* Une chaîne très appréciée dans l'Ouest canadien. Décor élégant et ambiance animée. On trouve un peu de tout à la carte, dans un style efficace, très « nord-américain ».

Plus chic

Farm *(plan A3, **39**) : 1017 SW 16st St. ☎ 403-229-0900. Tlj 11h30-22h. Compter env 30 $ pour manger.* Tenu par Janice, qui aime la bonne chère. Le cadre, simple, comme à la maison, n'a rien de tapageur, mais qu'est-ce que la cuisine est bonne ! Portions pas énormes (commander un accompagnement paraît sage) mais tout est réalisé avec brio, inventivité et... d'excellents produits (locaux surtout). Exemple : le *spring creek cheek beef,* à tomber par terre ! Également des assiettes de fromage et de charcuterie, à déguster avec un vin bio ou une bière de ferme. Et en dessert, ne manquez pas les cookies maison, savoureux. L'un de nos meilleurs souvenirs culinaires au Canada, rien que ça !

Piq Niq Café *(plan B2, **40**) : 811 SW*

1st St. ☎ 403-263-1650. Fermé dim, lun soir et sam midi. Plats 12-18 $ le midi ; env 25-30 $ le soir. Les proprios, amoureux de la France et de sa cuisine, ont donné une véritable *French touch* à leur bistrot, pour la déco comme pour la cuisine. Grosses salades (le midi), confit de canard, tartare de bœuf : on s'y régale. Du jeudi au samedi soir, on peut aussi descendre dans le club de jazz pour écouter des groupes de tous les pays (voir « Où boire un verre ? Où écouter de la musique ? Où sortir ? »).

|●| ***River Café*** *(plan B2,* ***41****) : dans Prince's Island Park ; à gauche après le pont quand on vient du sud. ☎ 403-261-7670. Lun-ven 11h-23h, w-e 10h-23h. Fermé en janv. Brunch le w-e. Plats lunch 18-24 $; le soir, 35-50 $.* Au cœur du parc, un des buts de promenade favoris des habitants de Calgary. Décor très chouette, dans un ancien hangar à bateaux désormais rustico-chic. Sinon, il y a la terrasse, très agréable, donnant sur *Downtown.* Pas donné du tout, mais la cuisine régionale, au feu de bois, est excellente.

|●| ***Saltlik*** *(plan B2,* ***42****) : 101 SW 8th Ave. ☎ 403-537-1160. Lun-ven 11h30-23h, sam 17h-23h, dim 17h-22h. Plats 20-35 $.* Chaîne tendance chic de l'Ouest, déco réussie (longues banquettes en cuir, grosse cheminée...), avec lumières tamisées et un brouhaha créant une atmosphère des plus chaleureuse. Viandes succulentes et combinaison de saveurs insolites, on se régale. Et une carte des vins bien fournie pour arroser le tout. Autre adresse à Banff.

|●| ***Teatro*** *(plan B2,* ***43****) : 200 SE 8th Ave. ☎ 403-290-1012. Fermé sam midi et dim midi. Plats 15-25 $ le midi ; plutôt 25-40 $ le soir.* Très chic, une salle haute de plafond dans une ancienne banque. Au centre, une cuisine ouverte où s'activent le chef et son équipe. Un des italiens les plus cotés de la ville, une cuisine inventive où tout est fait maison. Évidemment, cela a un prix. Microterrasse sur l'*Olympic Plaza.*

Où boire un verre ? Où sortir ?

Durant le *Stampede,* concerts de rock, jazz ou blues tous les soirs dans les pubs et même dans la rue. Se procurer les journaux gratuits *Ffwd* et *Swerve* pour des infos plus précises. La frontière entre restos et bars n'est pas franche ici ; la plupart des endroits où boire un verre proposent aussi à manger, et vice versa. De nombreux bars et restos s'égrènent le long de 17th Avenue, sur laquelle déambule une faune bigarrée et éclectique, du grunge au chic *hype.* Très bonne ambiance. Attention : au Canada, si l'on est pompette, on marche. Pas question de prendre sa voiture, sauf si l'on a envie de passer ses vacances au placard !

🍸 ***Melrose Café & Bar*** *(plan B3,* ***50****) : 730 SW 17th Ave. ☎ 403-228-3566. • melrosecalgary.com • Lun-ven 11h-2h, w-e 10h-2h.* Commence à se remplir à l'heure de l'apéro et ne désemplit pas avant une heure avancée de la soirée. Grande salle ouverte sur la rue, entourée d'écrans TV (la partie *sports bar*), mais aussi une salle de resto et une vaste terrasse « où voir et être vu » ! Régulièrement des animations musicales et des soirées spéciales.

🍸 ♩ ***The Rose and Crown*** *(plan B3,* ***51****) : 1503 SW 4th St ; à l'angle de 15th Ave. ☎ 403-244-7757. Tlj 11h-minuit (2h le w-e).* Happy hours *16h30-19h30. Concerts jeu, ven et sam soir.* Un agréable pub de chaîne, parfait pour une bière accompagnée d'un *bison sheperd's pie.* Pas moins de 32 mousses à la pression, dont une dizaine de canadiennes. Chaude ambiance dans ce bel intérieur rustique en bois, aux murs ocre, avec petits salons à l'étage pour pouvoir parler sans s'époumoner. Vaste terrasse.

🍸 ***Ming*** *(plan B3,* ***52****) : 520 SW 17th Ave. ☎ 403-229-1986. Tlj 16h-2h.* Murs rouge sang et posters de Mao, Castro, Staline, etc. pour ce bar à thème *gay-friendly* baigné de *house music*. Longue carte de cocktails aux noms de diverses célébrités : Mère Teresa, Napoléon, Trotski, Gandhi... Sympa pour terminer la soirée. Plein de bonnes choses à grignoter également. Petite terrasse.

🍸 ♩ ***The Ship & Anchor Pub*** *(plan B3,* ***53****) : 534 SW 17th Ave. ☎ 403-245-3333. • shipandanchor.com • Tlj 11h-2h.* Encore un pub à l'atmosphère classique, sombre et enfiévrée, surtout les mercredi et samedi, soirs de concerts ou d'animations. Pas beaucoup plus calme côté terrasse.

🍸 ♩ ***The Broken City*** *(plan B3, **54**) : 613 SW 11th Ave. ☎ 403-262-9976. • brokencity.ca • Tlj 11h-2h.* « *Independent and original music venue* », comme il se définit lui-même. En effet, le lieu est surtout connu pour ses concerts de qualité (du mercredi au vendredi), et pas mal de groupes y font leurs griffes. Le samedi par contre, c'est *dance club* (et c'est blindé), et le dimanche, place au karaoké. Une ambiance à savourer avec une *Cobblestone stout,* une excellente bière noire de Toronto. Possibilité aussi d'y grignoter un morceau.

🍸 ♫ ***355 Mansion After Dark*** *(plan B3, **55**) : 355 SW 10th Ave. ☎ 403-264-0202. Mar, ven, sam 21h-2h. Entrée : 10 $.* L'une de boîtes très prisées des « *kids* » (18-25 ans surtout) de Calgary. Vaste intérieur avec plusieurs bars. Côté musique, c'est surtout du *top 40 mash-up* et, certains soirs, c'est la folie furieuse !

🍸 ♫ ***The Whiskey Saloon*** *(plan B3, **56**) : 341 SW 10th Ave. ☎ 403-770-2323. Mer-sam 21h-2h. Entrée : env 10 $.* Le plus grand night-club de la ville, à deux pas du *Mansion.* Ici encore, clientèle plutôt étudiante et atmosphère de boîte, rythmée tantôt par la *old school* et le hip-hop, tantôt par l'électro-house.

🍸 ♫ ***Road House*** *(plan A2, **57**) : 840 SW 9th Ave. ☎ 403-398-7623. Jeu-dim 20h-2h. Entrée : 6 $.* On vous l'indique un peu pour clore la liste des boîtes où se rassemblent les moins de 30 ans. Salle immense, qui fait le plein, entre autres, le dimanche, jour des soirées à thème (*wrestling, schoolgirls,* bikini...). La bière coule alors à flots et les collégiennes se déhanchent sans retenue sur les socles de danse.

Pour les amateurs de country

🍸 ♩ ***The Ranchman's*** *(hors plan par B4, **58**) : 9615 S MacLeod Trail. ☎ 403-253-1100. • ranchmans.com • Env 8 km au sud du centre (côté droit de la route). Lun-sam 17h-2h.* Le nec plus ultra en matière de country à Calgary, stetson et santiags de rigueur. Piste de danse, billards et même un bison mécanique pour s'essayer au rodéo *(10 $ les 3 essais !).* Groupes en fin de semaine *(entrée : 8 $).* Lieu légendaire durant le *Stampede.* 1 100 cow-boys et cow-girls peuvent s'y amuser en même temps.

Pour les amateurs de jazz

🍸 ♩ ***Piq Niq Café & Beat Niq Social Club*** *(plan B2, **40**) : 811 SW 1st St. ☎ 403-263-1650. • beatniq.com • Jeu-sam dès 20h. Entrée : 15 $.* Un club de jazz donc, sous le resto *Piq Niq* (voir « Où manger ? »). On y écoute aussi bien des groupes locaux que des jazzmen des États-Unis, d'Europe...

Achats

Quelques ***boutiques de cow-boys*** se succèdent sur 8th Avenue SW. On y trouve ceintures, stetsons en tout genre, boots, lassos, chemises... tout ce qu'il faut pour vous faire un look « Calamity Jane ». Beaucoup de magasins (de fringues surtout) également sur 17th Avenue SW, entre 4th et 10th Street SW, et sur Kensington Road.

Riley & McCormick *(plan B2, **89**) : 220 SW 8th Ave. ☎ 1-800-661-1585. • realcowboys.com • Lun-sam 9h-18h (20h jeu-ven), dim 12h-17h.* Le repaire des vrais cow-boys avec les meilleures marques nord-américaines : *Boulet* pour les bottes, *Wrangler* pour les jeans (les choisir longs pour qu'ils couvrent bien les bottes), *Scully* pour les chemises à empiècements et poignets larges, *Montana* pour les boucles de ceinture, *Watson* pour les gants, *Stetson* pour les chapeaux. Soldes après le *Stampede.*

Mountain Equipment Co-op *(plan A3, **90**) : 830 SW 10th Ave. • mec.ca • Lun-ven 10h-21h, sam 9h-18h, dim 11h-17h.* C'est une coopérative, il faut donc payer 5 $ (vite amortis) avant d'effectuer son 1er achat (on devient alors membre à vie). Le paradis du campeur et de tous les sportifs en général (randonnée, escalade, kayak, rafting, vélo). Vente et location de matériel, et même une librairie à l'étage. Extrêmement populaire auprès des Canadiens, pour son choix immense.

À voir

À deux pas de la Calgary Tower et du Glenbow Museum (les deux attractions principales de la ville) s'étend Stephen Street (ou 8th Street) qui, avec une trentaine de bâtiments construits entre 1880 et 1930, est la rue historique de Calgary. Bien restaurée et piétonne, elle se prête évidemment à la flânerie, le long des commerces, restos et galeries d'art. L'office de tourisme distribue même un livret intitulé « Historic Downtown Calgary », décrivant par le menu les édifices qui bordent l'artère. Sinon, agréable promenade aussi à faire le long de la rivière Bow et sur Prince's Island. Très bucolique et pourtant en plein centre. On peut poursuivre la balade dans le quartier un peu bohème de Kensington *(plan A2),* sur l'autre rive de la Bow River, où les rues ont été remises au goût du jour par la communauté artiste de la ville.
– Le petit dépliant *Calgary Attractions,* disponible à l'office de tourisme, contient des coupons de réduction (pas énormes, mais c'est toujours ça) pour les musées et attractions de la ville.

Glenbow Museum *(plan B2-3) :* *130 SE 9th Ave. ☎ 403-268-4100. • glenbow.org • Lun-sam 9h-17h, dim 12h-17h. Entrée : 14 $; 9 $ 7-17 ans.* L'attraction culturelle principale de la ville. La section la plus intéressante se trouve au 3e étage, avec, entre autres, une splendide expo consacrée aux Premières Nations. Réalisée avec la participation de trois tribus des Prairies, de langue et de culture communes, les Nitsitapiisinni, plus connus sous le nom de Blackfoot, elle évoque le mode de vie de ces derniers et retrace l'histoire de la conquête de l'Ouest de leur propre point de vue. Sont exposés et commentés les traités successifs et leur non-respect par les pionniers, qui a conduit à la spoliation des terres indiennes. Ailleurs, superbe artisanat d'autres tribus, dont les kayaks inuit en peau de caribou, outils de pêche, couvertures de chevaux brodées, vêtements, etc. Et dans d'autres salles, la conquête de l'Ouest côté pionnier, objets domestiques, anciennes machines agricoles, l'aventure du pétrole, les Années folles et les années noires, celles de la guerre et de la dépression. Un témoignage indispensable et une expo vraiment bien faite, adaptée à tous les âges. On peut juste regretter qu'aucune explication en français ne soit fournie, pas même une brochure ! Montez ensuite au 4e étage, qui présente trois expos : une sur les « guerriers » de différentes époques et cultures (cotes de mailles moyenâgeuses, armures souples et ouvragées des samouraïs, chemises de guerre indiennes, armes, reconstitutions de batailles – dont celle de Crécy – en modèle réduit...) ; une autre sur les cultures de l'Afrique de l'Ouest, et une troisième sur les minéraux, superbe, qui intéressera même les profanes. Inutile de chercher un lien thématique entre ces trois expos, elles ont été constituées d'après l'énorme collection privée du « père » du musée, Eric Lafferty Harvie, qui la légua à la province en 1966. Enfin, il y a encore le 2e étage, qui abrite d'intéressantes expos temporaires d'art moderne et une section asiatique.

Calgary Tower *(plan B3) :* *à l'angle de Centre St et de 9th Ave SW. ☎ 403-266-7171. • calgarytower.com • Tlj 9h-21h (22h juin-août). Entrée : 15,50 $; réduc ; mais gratuit si on mange au resto panoramique !*
On ne peut pas la louper, c'est le symbole de la ville. Très élancée, la tour se coiffe d'une coupole rouge à l'allure spatiale, version *Sixties.* On aime ou pas. D'une hauteur de 190 m (l'équivalent de 55 étages), sa construction était une première en 1967 : le ciment a été coulé de façon continue pendant 24 jours (la *CN Tower* de Toronto a été exécutée de la même manière en 1974). L'ascenseur effectue la montée en 62 secondes ! De là-haut, le regard se perd dans l'immensité des Prairies d'un côté, tandis que de l'autre on aperçoit la ligne des Rocheuses.
Forcément, bar et resto panoramiques (d'un bon rapport qualité-prix). Si vous y mangez, l'ascension est gratuite, ce qui allège (voire annule le midi !) le prix du repas, du moins si vous comptiez de toute façon monter pour la vue...

Calgary Zoo *(plan D2) :* *prendre le* C-Train, *descendre à Zoo Station. ☎ 403-232-9300. • calgaryzoo.com • Tlj 9h-17h. Entrée : 20 $; réduc.* Une des fiertés de la ville. C'est en effet le plus grand zoo de l'Ouest canadien, avec une section pour chaque continent. On a bien aimé la partie consacrée aux Rocheuses, notamment, où les animaux jouissent de pas mal d'espace. Section sur les pingouins prévue pour 2012. Enfin, le parc « préhistorique », avec des reconstitutions grandeur nature de dinosaures, est également assez bien fait.

Fort Calgary *(plan C3) : 750 SE 9th Ave. ☎ 403-290-1875. • fortcalgary.com • Tlj 9h-17h. Entrée : 11 $; réduc.* Installé dans une réplique d'un baraquement de 1888, ce musée met en scène l'histoire de la ville depuis la construction du premier fort en 1875 (par la police montée du Nord-Ouest) jusqu'à la Seconde Guerre mondiale. Assez cher, comme souvent, mais intéressant parcours fait d'intérieurs, de commerces et d'ateliers reconstitués, du bureau de télégraphe de la *Canadian Pacific Railways* à la pharmacie des années 1930 en passant par la prison et les premiers postes sanitaires.

Devonian Gardens *(plan B2) : au 4e niveau du centre commercial entre 2nd-3rd St SW et 7th-8th Ave.* Des jardins suspendus, en serre, sur plus de 1 ha. Fermés pour rénovation, leur réouverture est prévue pour fin 2011.

Military Museum *(hors plan par A3) : 4520 SW Crowchild Trail. ☎ 403-974-2850. • themilitarymuseum.ca • À env 8 km du centre, suivre 10th Ave vers l'ouest puis prendre Crowchild Trail vers le sud. Tlj 9h-17h. Entrée : 10 $; réduc.* On ne raffole pas des musées militaires mais il faut bien admettre que, sur la question, celui-ci est assez complet. Plusieurs sections : sur les deux conflits mondiaux, les différents régiments canadiens, les forces navales et aériennes du pays. Vaut surtout le déplacement pour les reconstitutions de scènes de guerre avec mannequins grandeur nature ou à l'échelle réduite, nombreuses et réalisées avec beaucoup de minutie. Un vrai travail de fourmi !

Heritage Park *(hors plan par A4) : 1900 SW Heritage Dr. ☎ 403-268-8500. • heritagepark.ca • À une bonne dizaine de km au sud du centre, descendre par MacLeod Trail et prendre à droite sur Heritage Dr ; le parc est tt au bout. Accès possible en C-Train (arrêt à Heritage Station), puis navette de bus. De mi-mai à début sept, tlj 9h30-17h (mais les démonstrations commencent vers 10h30) ; de début sept à mi-oct, w-e 9h30-17h. Entrée : été 19,50 $; env 15 $ pour 3-17 ans et seniors.*
Vaste parc dans lequel on a reconstruit commerces et maisons du début du XXe s. Un authentique train à vapeur relie les différents points d'intérêt. On y trouve, entre autres, un saloon, une gare, une école, l'atelier du forgeron, celui de réparation des trains, le *railway turntable* et une pâtisserie excellente.
Promenades balisées couvrant trois grandes périodes : la traite des fourrures vers 1860, la colonisation de la Prairie autour de 1880 et la vie d'une petite ville de l'Ouest dans les années 1910. Des programmes estivaux invitent même les enfants à venir vivre la vie de l'époque dans une ferme du village. On y trouve aussi la première grande roue, qui appartenait à un parc d'attractions de Chicago au début du XXe s. Sans oublier le *Gasoline Alley Museum*, qui abrite une collection de véhicules anciens. Balade sur le lac à bord du *S.S. Moyie.* Apportez votre casse-croûte, les restos et cafés du parc ne sont pas donnés. Les enfants et les fans de Laura Ingalls pourront facilement y passer plusieurs heures sans s'ennuyer... Ce parc possède son jumeau à Edmonton.

Canada Olympic Park *(hors plan par A1) : sur la route de Banff, à 20 mn du centre, continuer toujours tt droit sur 16th NW, puis à gauche sur Canada Olympic Dr. ☎ 403-247-5452. • canadaolympicpark.ca •* Hall of Fame *ouv mar-jeu 10h-17h, ven 10h-20h, w-e 9h-17h. Entrée : 8 $.* Le site principal des J.O. d'hiver de 1988 est accessible au public, avec des installations suffisamment impressionnantes pour intéresser aussi les antisportifs... Calgary demeure en effet un grand centre d'entraînement des athlètes olympiques canadiens (au grand dam des Québécois, qui doivent s'y « expatrier »). Vertige assuré du haut des rampes d'élan des sauts.

L'été, on peut y pratiquer des sports... divers (si l'on peut dire), comme le VTT, le *zipline* (glisse le long d'un câble), le minigolf ou même le bobsleigh. Assez cher toutefois. L'hiver, place au ski et au snowboard. Pour couronner la visite, faire un tour au musée *Hall of Fame,* où l'on peut s'essayer virtuellement au hockey et au base-ball, ainsi qu'à d'autres sports dans plusieurs galeries, qui rassemblent aussi photos de champions, médailles et objets... divers là encore.

Aero Space Museum of Calgary *(hors plan par D1) : 4629 NE MacCall Way. ☎ 403-250-3752. • asmac.ab.ca • Près de l'aéroport. Suivre Memorial Dr vers l'est, puis remonter Deerfoot Trail North et sortir à McKnight Bd East. Avr-sept, tlj 10h-16h (horaires restreints en hiver). Entrée : 10 $; réduc.* Pour les amateurs de vieux coucous. Dans deux hangars, une vingtaine d'avions datant du début de l'aviation aux années 1960. On y trouve, entre autres, le célèbre *Sopwith Triplane* (héros de la Première Guerre mondiale), le *Vampire,* le *Lancaster* et un *DC3,* un modèle encore utilisé par *Buffalo Airways* dans les Territoires du Nord-Ouest, pour sa maniabilité !

Fêtes et manifestations

– **Carifest – Caribbean Festival :** *en principe 1 sem début juin. • carifestcalgary.com •* Sur la place Olympique, au *Shaw Millennium Skateboard Park* et un peu partout dans le centre.
– **Canada Day :** *Fête nationale, 1er juil.* Attractions diverses au zoo, au Calgary Fort, dans l'*Heritage Park* et sur *Prince's Island* : concerts, ateliers pour enfants, jeux divers. N'oubliez pas votre petit drapeau canadien...
– Bien sûr, le **Calgary Stampede** *(plan C3) : 6-15 juil 2012 (voir « Le Stampede » dans l'introduction de Calgary).*
– **Calgary Folk Festival :** *3 j. fin juil. • calgaryfolkfest.com •* Se déroule autour de *Prince's Island Park* et des rives de la Bow.
– **Calgary Reggae Festival :** *2-3 j. mi-août. • calgaryreggaefestival.com •*

CALGARY

À VOIR DANS L'EST ET LE SUD DE LA PROVINCE

Royal Tyrrell Museum of Paleontology : *à 6 km de Drumheller et 138 km de Calgary. Env 1h30 de route (vers le nord-est, par la Hwy 9). ☎ 403-823-7707 ou 1-888-440-4240. • tyrrellmuseum.com • De mi-mai à fin août, tlj 9h-21h ; le reste de l'année, mar-dim 10h-17h. Entrée : 11 $; 6 $ 7-17 ans. Audioguide en français (4 $).*
Situé dans la région des Badlands (les « mauvaises terres ») dans un cadre lunaire, voici l'un des plus beaux musées de Paléontologie au monde. Il porte le nom de Joseph Burr Tyrrell, qui découvrit les premiers restes d'un dinosaure dans la région de Drumheller en 1884. Vivante reconstitution d'animaux préhistoriques dans leur milieu naturel, suivant l'évolution de la planète depuis sa création, l'apparition des premières formes de vie, suivies de celle des dinosaures. Entre autres, le squelette entièrement reconstitué d'un tyrannosaure *Rex.* Une démarche pédagogique réussie, qui vous fera faire un vrai bond dans le passé. Les enfants pourront s'amuser et se cultiver en même temps grâce à des quiz interactifs. On peut aussi admirer les paléontologues en plein travail, dans leur atelier-labo protégé par une vitrine. Bref, on y passe facilement 2 ou 3h sans s'ennuyer.
Finir par une balade autour du musée, sur un sentier donnant sur la vallée.

Dinosaur Provincial Park : *à 250 km de Calgary vers l'est, près de la petite ville de Brooks. ☎ 403-378-4342. • dinosaurpark.ca •* Visitor Centre *(entrée : 3 $) ouv dim-jeu 8h30-17h, ven-sam 8h30-19h (horaires d'été).* Dans un désert de roches et de sable, l'un des sites fossilifères les plus riches du globe (inscrit au Patrimoine mondial par l'Unesco). Un véritable et merveilleux cimetière de dinosaures. Plusieurs sentiers balisés, dont certains mènent aux sites où des fossiles ont été mis au jour, mais on peut aussi faire des balades guidées, à réserver par téléphone. Possibilité de se restaurer et de camper sur place *(là encore, réserver son emplacement au ☎ 1-877-537-2757).*

Head Smashed-In Buffalo Jump : *à 180 km au sud de Calgary. ☎ 403-553-2731. • head-smashed-in.com • Prendre McLeod Trail vers le sud et continuer sur la Hwy 2 South. Ceux qui ont du temps peuvent emprunter la route 22 (à l'ouest de la Hwy 2 et parallèle à celle-ci), dite Cowboy Trail ; c'est plus long mais beaucoup plus pittoresque, on y découvre l'Alberta profonde. Tlj 10h-17h. Entrée : 10 $; réduc. Env 1h30 de visite. Cafét sur place.*

Une falaise de laquelle les bisons se jetaient par troupeaux entiers avant d'être achevés par les Indiens. Le site est classé à l'Unesco depuis 1981. On y a ouvert un intéressant centre d'interprétation, où vous apprendrez tout, tout, tout, sur la chasse aux bisons, à travers des panneaux explicatifs illustrés, un petit film et toutes sortes d'objets sous vitrines, dont bien sûr des os de bisons. C'est également une bonne approche de la vie des Premières Nations dans la Prairie. On commence la visite en se rendant, depuis le dernier étage du centre, au haut de la falaise, qui donne sur une plaine verdoyante... s'étendant à l'infini.

PAS FUTÉS, LES BISONS

Durant près de 6 000 ans, les Indiens des Prairies rabattirent les troupeaux de bisons vers le bord de falaises ; emportées par leur élan et saisies par la peur, les énormes bêtes s'écrasaient les unes sur les autres une dizaine de mètres plus bas, où d'autres chasseurs les attendaient pour les achever à coups de lance ou de massue. Une technique de chasse abandonnée au XIXe s au profit de la chasse à cheval.

Le fort MacLeod : *219 Jerry Potts Blvd. ☎ 403-553-4703. • nwmpmuseum.com • À 20 km à l'est du site précédent, sur la Hwy 2, à 165 km au sud de Calgary. Juil-août, tlj 9h-18h ; hors saison, tlj 9h-17h. Entrée : 10 $.* Un fort construit sur une île (à 3 km de celui-ci) en 1874 constitua le premier avant-poste vers l'ouest de la police montée du Nord-Ouest. Reconstruit ici en 1957 et aménagé en musée évoquant la vie des cavaliers, des Indiens et des pionniers de cette région, le fort est le théâtre d'une parade en musique de la police montée royale canadienne *(4 fois/j. en juil-août).*

■ **Hammerhead Scenic Tours :** *200 SE Rivervalley Crescent, Calgary. ☎ 403-590-6930. • hammerheadtours.com • Mai-oct, tours guidés de 1 journée en petits groupes (4 pers min). Head Smashed-In Buffalo Jump,* itinéraire sur la piste des dinosaures, Banff et Lake Louise... Pratique quand on n'est pas véhiculé.

WATERTON LAKES NATIONAL PARK

À 270 km au sud de Calgary, environ 100 km après *Fort MacLeod,* un paysage unique qui n'a rien à envier aux autres parcs des Rocheuses, et qui commence à attirer les blasés de Banff en quête de plus de tranquillité. Des montagnes impressionnantes, parmi les plus anciennes de la chaîne des Rocheuses, se mirent dans l'*Upper Waterton Lake.* Créé en 1932 à la frontière du Montana, aux États-Unis, c'est aujourd'hui un « parc international de la paix », les deux nations ayant décidé de laisser la frontière « ouverte » pour préserver le patrimoine naturel (enfin, attendez-vous aux mêmes contrôles de frontière qu'ailleurs pour visiter le côté américain – *Glacier Park*).

– L'entrée au parc est de 8 $/j., à payer à la guérite située sur la route reliant Pincher Creek au parc, env 8 km avt d'arriver au village de Waterton.

Adresses utiles

ℹ ***Visitor Centre :*** *un peu avt d'arriver au village de Waterton, sur la droite. ☎ 403-859-5109. • pc.gc.ca/waterton • Ouv de mi-mai à mi-oct, tlj 8h-19h de mi-juin à mi-sept, 9h-17h le reste de la saison.* Tout type d'infos sur ce qu'il y a à voir et à faire, mais aussi les possibilités de logement, etc. Prenez-y le plan du parc, très utile.

@ ***Internet :*** *au* Pearl's Café, *dans le village.*

■ ***Location de vélos :*** *au* Pat's Waterton, *dans le village.* On y trouve aussi une ***pompe à essence.***

Où dormir ? Où manger ?

Le parc compte 3 ***campings*** accessibles par la route, mais le seul avec douches est celui du village de Waterton *(résa impérative en juil-août, sur • pccamping.ca • ou au ☎ 1-877-737-3783).* Sinon, on trouve des aires de camping sauvage, au bord de certains sentiers de randonnée.

Bear Mountain Motel : *dans le village. ☎ 403-859-2366. • bearmountainmotel.com • Ouv mai-oct. Env 100 $ la double en été, 75 $ hors saison.* L'option la moins chère à Waterton. Chambres correctes et suffisamment confortables. Certaines, un peu plus chères, ont un coin cuisine. Bon accueil. Café le matin à la réception.

Northland Lodge : *en bordure du village. ☎ 403-859-2353. • northlandlodgecanada.com • Doubles à partir de 135 $, petit déj léger compris.* Une petite dizaine de chambres au look un peu ancien dans une grande maison en bois des années 1920. Les sanitaires, privés, sont un peu petits et les tarifs, à vrai dire, assez élevés, mais l'ensemble possède un certain charme et la gérante, Jeanne, est très accueillante. Muffins maison et café pris le matin au salon.

Zum's Eatery : *dans le village. ☎ 403-859-2388. Tlj 8h-21h. Compter 6-14 $ le midi, 12-20 $ le soir.* Sympa à toute heure, dans une grande salle aux tables couvertes de nappes à carreaux et murs tapissés de plaques de voitures. Un peu de tout à la carte : sandwichs, burgers, salades et, le soir, des plats un poil plus élaborés. On peut aussi y prendre le petit déj.

À faire

Hormis la route reliant Pincher Creek au village de Waterton, il y a deux routes dans le parc : celle, superbe, qui va de la route principale au *Canyon Red Rock* (magnifique petit canyon de couleur rouge), et celle qui va du village au lac *Cameron,* le long de laquelle il n'est pas rare d'apercevoir des ours en fin de journée. Compter 20 à 30 mn pour les parcourir, en voiture, l'une et l'autre.

➢ ***Randonnées :*** on vous conseille celle qui part du village vers le très beau lac *Bertha,* aux eaux turquoise. On fait le tour de ce dernier, avant de revenir sur le village. Compter environ 4h en tout. Mais la randonnée à ne pas manquer, c'est celle, d'une journée, qui relie le lac *Cameron* au village en suivant la crête des montagnes, l'une des plus belles du continent, rien que ça ! Assez éprouvante (et venteuse !) : on passe de 1 660 m, au lac Cameron, à 2 311 m au col du mont Carthew, avant de redescendre jusqu'à 1 290 m, mais les vues sur le parc (Waterton et Glacier, côté américain) sont époustouflantes ! *Pour se rendre au lac Cameron depuis le village de Waterton, un bus (compter 12 $) part ts les mat à 8h30, juil-sept. Résa conseillée, au ☎ 403-859-2605 ou sur • watertonshuttle@mac.com •*

➢ ***Balade en bateau sur l'Upper Waterton Lake :*** cher, mais en vaut la peine. Le bateau va jusqu'au bout du lac, côté américain, et revient au village de Waterton. *Infos : ☎ 403-859-2362 ou • watertoncruise.com • 4 départs/j. en saison. Compter 2h et 38 $/pers.*

EDMONTON

env 780 000 hab.

Parc national de Banff : 421 km ; Calgary : 294 km ; parc national de Jasper : 366 km ; Lake Louise : 453 km.

Edmonton, au-delà du bien et du Mall (le plus grand centre commercial d'Amérique du Nord), est surtout la capitale de l'Alberta. Si elle n'attire pas autant de monde que Calgary et son *Stampede,* elle reste néanmoins une étape agréable, en route vers Jasper par exemple. Capitale politique et centre universitaire, c'est une ville à la fois relax et vivante, qui s'anime régulièrement lors d'événements artistiques et sportifs (le fameux Grand Prix d'Edmonton) et se targue d'héberger l'un des musées les plus intéressants du Canada, le *Royal Alberta Museum.* Ville verte, Edmonton offre de belles vallées qui enjolivent son décor urbain.

Arriver – Quitter

Depuis/vers l'aéroport

✈ ***L'aéroport international d'Edmonton*** *est à 29 km du* Downtown. Env 45 mn pour rejoindre le centre.

➢ ***En minibus :*** *la navette* Sky Shuttle *vous dépose dans le centre (ou les quartiers environnants) pour 18 $.* ☎ *780-465-8515.* • *edmontonskyshuttle.com* • Ttes les 20 mn.

➢ ***En taxi :*** env 50 $ pour rejoindre le centre-ville.

En train

🚂 ***Gare VIA :*** *12360 121st St.* ☎ *1-888-842-7245.* • *viarail.ca* • *À 3 km au nord-ouest du* Downtown. Edmonton est la seule étape entre Saskatoon et Jasper.

➢ ***Vers l'est :*** départ ts les 2 j., en fin de soirée, vers Saskatoon, Winnipeg et Toronto.

➢ ***Vers l'ouest :*** départ ts les 2 j., le mat, vers Jasper (env 5h de trajet), Kamloops et Vancouver.

En bus

🚌 ***Gare routière Greyhound :*** *10324 103rd St.* ☎ *1-800-661-8747.* • *greyhound.ca* •

➢ Pour ***Jasper,*** 4 bus/j. (5h de trajet), idem pour ***Banff*** (6-7h de trajet) et env 10 bus/j. pour ***Calgary*** (3h30-4h de route).

Orientation et transports urbains

La plupart de nos adresses et centres d'intérêt se trouvent à *Downtown* ou à *Old Strathcona,* un quartier à 2-3 km au sud du *Downtown,* de l'autre côté de la *Saskatchewan River.* Comme ailleurs, les rues et avenues d'Edmonton sont désignées par des numéros. La numérotation des rues va croissant d'est en ouest et celle des avenues du sud au nord. Assez facile de s'y retrouver, sachant que *Downtown* est compris, grosso modo, entre 96th et 110th Street, et entre 99th et 104th Avenue. Old Strathcona, lui, se situe autour de la 82nd Avenue (surtout entre 109th et 103rd Street). Plan de la ville disponible dans les offices de tourisme.

– ***LRT*** *(Light Rail Transit)* **:** ligne de métro (une seule) traversant l'agglomération d'Edmonton ; du nord-est du *Downtown,* il dessert le centre-ville et traverse la rivière pour rejoindre l'université, non loin d'Old Strathcona. Trajet : 2,85 $.

– ***Bus :*** des bus circulent entre *Downtown* et Old Strathcona, ainsi qu'entre *Downtown* et West Edmonton Mall. Les directions sont inscrites sur le bus même.

– Pour les pédaleurs forcenés, l'office de tourisme donne un plan des pistes cyclables : Edmonton est une ville agréable à parcourir à vélo.

– Et comme d'hab' pour les motorisés,

le parking est cher en centre-ville. En revanche, aucun problème pour se garer du côté d'Old Strathcona, notamment dans les rues parallèles à Whyte Avenue (82nd Avenue), où en plus il ne faut pas payer.

Adresses et infos utiles

Edmonton Tourism Visitor's Information Gateway Park : *Hwy 2, 2404 SW Gateway Blvd. ☎ 780-496-8400 ou 1-800-463-4667. • edmonton.com • À env 15 km au sud du* Downtown, *bien fléché sur la Hwy 2. Lun-ven 8h30-16h30, w-e 9h-17h. Fermé dim hors saison.* Infos, cartes et autres publications gratuites.

Downtown Visitor's Information Center : *World Trade Center, 9990 Jasper Ave (angle 100th St). ☎ 780-401-7696. • edmonton.com • Lun-ven 9h-17h (et sam 9h-17h en juil-août).* Même service qu'à l'autre, avec en plus un classeur contenant des infos sur les *B & B.*

@ Internet Café Coral de Cuba : *10816 Whyte Ave (82nd Ave, à Strathcona). ☎ 780-433-3306. Lun-sam 9h-21h, dim 11h-17h.* Un café cubain avec une partie cyber.

Change : Money Mart *au 10121 101st St (lun-ven 9h-21h, sam 9h-18h, dim 11h-18h) ou 10756 Jasper Ave (ou 101st Ave), angle 108th St (ouv 24h/24), chacun à* Downtown. Change avec seulement 2 $ de commission. Service *Western Union.*

Chambre économique de l'Alberta : *8929 82nd Ave. ☎ 780-414-6125 ou 1-888-414-6123. • lecdea.ca •* Siège social de l'organisme cité à Calgary (voir « Adresses utiles » dans le chapitre sur cette ville). Infos en français sur « L'autre Belle Province ». La CEA aide aussi à trouver des offres d'emploi pour les francophones.

La Cité francophone : *8627 91st St (aussi nommée rue Marianne-Gaboury, proche de 86th Ave). ☎ 780-463-1144. • lacitefranco.ca • À l'est d'Old Strathcona.* Petit resto, poste, librairie, médecins et tous les services francophones provinciaux. En prime, accès Internet.

Alliance française : *10424 123rd St NW. ☎ 780-469-0399. • af.ca/edmonton • À l'ouest du* Downtown. *Lun 9h30-12h30, 13h30-18h30 ; mar-jeu 13h30-18h30 ; sam 9h-13h. Fermé ven et dim.*

Radio francophone : Radio-Canada, 680 AM et 101.1 FM. Chaîne musicale, 90.1 FM.

Où dormir ?

Un classeur présente des fiches très bien faites sur les *B & B* à l'office de tourisme du *Downtown.* On peut aussi consulter le site suivant : *• bbedmonton.com •*

Camping

Rainbow Valley : *à env 4 km au sud-ouest du centre. ☎ 780-434-5531 ou 1-888-434-3991. • rainbow-valley.com • Accès par Whitemud Dr W, au sud de Strathcona. De mi-avr à début oct. Compter 32-34 $ pour 2 pers.* Le camping le plus proche du centre et pourtant en pleine nature. Nous sommes dans le parc de Whitemud, traversé par une rivière sinueuse. Site bien tenu donnant sur des pentes où l'on skie l'hiver. Beaucoup d'arbres et d'espace. On entend un peu l'autoroute, mais bon !

Bon marché

Edmonton International Youth Hostel : *10647 81st Ave (à Strathcona). ☎ 780-988-6836 ou 1-877-467-8336. • hihostels.ca/edmonton • Dortoirs 29 $/pers ; 32,50 $/pers en chambre de 2 lits. Internet, wifi.* À Old Strathcona, le quartier animé le soir, dans une rue résidentielle tranquille (stationnement aisé). Bons dortoirs avec casiers de 2 à 8 lits, cuisine équipée, grand salon moquetté avec canapés, terrasse pour les fumeurs et salle de jeux (ping-pong, billard). Laverie, location de vélos. Un panneau dans le couloir fait sourire : « Paris : 7 165 km ». Personnel sympathique. Une bonne adresse.

Go Backpackers Hostel : *10209 100th Ave, à* Downtown. *☎ 780-423-4146 ou 1-877-646-7835. • gohostels.ca • Dortoirs 27-30 $, doubles 69-79 $ (serviette et savon fournis !).*

Parking. Internet, wifi. Une AJ privée dans un bâtiment moderne un peu décrépi, qui abrita successivement plusieurs hôtels. Du coup, on trouve des sanitaires dans toutes les chambres et dortoirs ! Pour le reste, petite bibliothèque, salon TV, cuisine avec vue sur la vallée, distributeurs, laverie, panneaux chargés d'infos et même un pub. Pour ceux qui veulent être au centre-ville.

Prix moyens

Gray's Haven B & B : *11115 77th Ave. ☎ 780-434-0480. • grays-haven.com • Chez Peter et Hilary Gray, pas trop loin de Strathcona. Env 100 $ pour 2. Wifi.* Élégante maison blanc et rose pâle dans un quartier résidentiel calme et vert. 2 chambres confortables avec chacune leur salle de bains. Accueil courtois et petit déj (inclus) très complet.

Days Inn : *10041 106th St (à* Downtown*). ☎ 780-423-1925 ou 1-800-267-2191. • daysinn@compusmart.ab.ca • À partir de 100 $ pour 2, parking inclus. Internet, wifi.* Un motel en centre-ville à prix assez compétitifs. Chambres pas mal et confortables. On peut prendre un petit déj pas cher au resto attenant. Fitness.

Plus chic

Matrix Hotel : *10640 100th Ave (à* Downtown*). ☎ 780-429-2861 ou 1-866-465-8150. • matrixedmonton.com • Doubles à partir de 130 $ le w-e et 150 $ la sem. Petit déj, parking, usage du* business centre *et... dégustation de vin comprise ! Internet, wifi.* Une excellente adresse dans cette catégorie. Il s'agit d'un boutique-hôtel tout récent, doté d'une réception design avec fontaine verticale et fauteuils en cuir noir. Chambres du même tonneau : tons gris, déco contemporaine, grosse moquette et très bonne literie. 2 autres adresses du même groupe, aux tarifs similaires (avec petit déj et dégustation de vin comprise là encore), à Old Strathcona : l'hôtel ***Metterra*** *(10454 Whyte Ave ; ☎ 780-465-8150 ; • metterra.com •)*, de style « boutique » aussi, et le ***Varscona*** *(8208 106th St ; ☎ 780-434-6111 ; • varscona.com •)*, ce dernier étant plus ancien que les 2 autres.

Hôtel Crowne Plaza Château Lacombe : *10111 Bellamy Hill, à* Downtown *(angle 100th Ave et 101st St). ☎ 780-428-6611. • chateaulacombe.com • Résa conseillée. Compter 100-180 $ pour 2. Internet, wifi.* Dans le centre-ville, grand hôtel aux chambres cossues à prix raisonnables. Service parfait. Parking (en sus) de pas moins de... 13 niveaux, et excellent resto, *La Ronde* (voir « Où manger ? »).

Où manger ?

Pour savoir où se sustenter dans la capitale de l'Alberta, on peut consulter le magazine *Where* distribué un peu partout. La plupart des restos et des bars se situent dans le quartier ***Old Strathcona,*** le long de l'avenue Whyte (c'est-à-dire 82nd Avenue, au sud de la rivière). Dans ce secteur branché, on trouve aussi des boutiques de fringues (tendance, donc chères), de déco, de musique... ainsi qu'un intéressant marché fermier (le samedi de 8h à 15h), dans des halles couvertes situées au 10310 83rd Avenue. Bâtiments historiques (datant de la fin du XIXe s) et événements culturels réguliers. Le bus urbain n° 9 fait la navette avec *Downtown* ; on les prend sur 109th Street. Vous pouvez aussi emprunter l'ancien tramway (se reporter à la rubrique « À voir. À faire »).

Dans Old Strathcona

De bon marché à prix moyens

Artisan Bakery Café : *10732 Whyte Ave. ☎ 780-413-8045. Ouv en sem 6h30-21h (17h lun-mar), sam 8h-22h, dim 9h-17h. Petit déj ou plats max 15 $.* Idéal au petit déj et pour un plat du jour ou un sandwich bien préparé le midi. Muffins, gâteaux et *scones* pour le quatre-heures. Aux beaux jours, quelques tables à l'extérieur.

Café Mosaics : *10844 Whyte Ave.*

EDMONTON

☎ *780-433-9702. Tlj 11h-20h (14h dim). Plat env 10 $ le midi, 15 $ le soir.* Ambiance paisible, jeune et détendue dans cet adorable petit café végétarien au décor tout coloré. Bonnes soupes et salades. Les fans de tofu seront aux anges : pour preuve, la devise du resto : « *tofu rulz* » (« le tofu est roi » !).

Chianti Cafe : *10501 Whyte Ave (angle 105th St). ☎ 780-439-9829. Tlj 11h-23h. Plats 10-22 $.* Bonne cuisine italienne servie dans une ancienne poste. Même menu midi et soir. Demi-portions disponibles. Très populaire, alors il y a souvent foule. Les lundi et mardi, toutes les pâtes sont à 9 $! Terrasse à l'arrière, sur une rue plus calme que Whyte Avenue.

Da Deo : *10548A Whyte Ave. ☎ 780-433-0930. Tlj sf mer 11h30-22h (23h le w-e). Soupes et salades 6-11 $, plats 13-18 $.* Ce *diner* à la déco très *Fifties* est enrobé de douce musique de La Nouvelle-Orléans. Clientèle jeune et cool dans ce haut lieu de la nourriture cajun. Pas toujours raffiné, mais on peut se fier au *gumbo* et à la salade pomme-avocat pour faire un repas savoureux et nourrissant.

The King & I : *8208 107th St (angle Whyte Ave). ☎ 780-433-2222. Fermé dim midi. Plats env 10 $ le midi et 15-25 $ le soir.* Des recettes en provenance du Siam, brûlantes et sans compromis. Ingrédients frais de qualité. Déco insipide, pas comme la cuisine !

À Downtown

Prix moyens

Blue Plate Diner : *10145 104th St. ☎ 780-429-0740. Lun-ven 10h-22h, sam 9h-23h, dim 9h-22h. Plats 13-18 $ (un poil moins cher le midi).* Grande salle à colonnes avec un carrelage mat au sol, de gros tuyaux au plafond et des tables en formica. À la carte, surtout des plats végétariens, bien bons et copieux, comme le *lentil and nut loaf,* une sorte de galette de lentilles et noix dans une sauce au vin avec des légumes grillés. Également quelques viandes, pour les réfractaires à la cuisine non carnée. Beaucoup de monde et d'ambiance.

Plus chic

Joeys Tomatoes : *11228 Jasper Ave (angle 113rd St). ☎ 780-420-1996. Tlj 11h-minuit (1h en fin de sem). Sandwichs, burgers, salades 13-18 $; plats 20-35 $.* Chaîne réputée pour ses excellentes grillades et sa cuisine aux saveurs internationales. Le cadre, plusieurs grandes salles à la déco sobre mais réussie, n'est pas en reste, d'autant qu'il y a aussi une vaste et super terrasse. Atmosphère rugissante et service efficace.

Lux Steak House & Bar : *10150 101st St. ☎ 780-424-0400. Lun-sam 11h30-14h, 17h-22h (23h jeu-sam) ; bar jusqu'à 1h-2h. Plats 15-20 $ au déj ; 25-50 $ au dîner. Steakhouse* et *lounge* branché appartenant à Ryan Smith, joueur de hockey qui a passé 12 saisons avec les *Edmonton Oilers.* Longue liste de cocktails. *Lux burger* à la viande de Kobe et tendre bœuf de l'Alberta. Cadre évidemment très classe.

La Ronde : *au sommet du* Crowne Plaza *(voir « Où dormir ? »). ☎ 780-420-8366. Ouv ts les soirs 17h30-22h30, ainsi que dim midi (brunch). Résa conseillée. Compter un bon 50 $ le repas.* Le resto panoramique de la ville, et qui en plus tourne (mais pas trop vite) ! Délicieuse cuisine concoctée par un chef très porté sur les ingrédients régionaux. Clientèle huppée.

Où boire un verre ?

O'Byrnes : *10616 Whyte Ave. ☎ 780-414-6766. • obyrnes.com • Tlj 11h-2h.* Pub irlandais patiné et chaleureux, l'un des incontournables d'Edmonton. Fréquenté tant par les *kids* que les mamies, avec de la musique live régulièrement et un vaste patio ouvert dès la fonte des neiges ! Excellentes bières à la pompe et bonne nourriture de pub, genre *bangers & mash* ou *beef Guinness stew.* Si vous êtes là un mardi, ne manquez pas, dès 22h, la démonstration de claquettes irlandaises !

Julio's Barrio : *10450 Whyte Ave. ☎ 780-431-0774. Tlj 12h-23h (1h ven-sam).* Un bar-resto mexicain très souvent plein et qui rassemble toutes les générations. La cuisine est excellente et la déco, une grande salle colorée ouverte sur la rue, vraiment fun. On y boit des *bulldogs,* mais rarement plus de 2 ou 3, vous comprendrez pourquoi en voyant ce que c'est. Un bel endroit.

***Delvin's :** 10507 Whyte Ave. ☎ 780-437-7489. Lun-ven 16h-2h, w-e 11h30-2h.* Pour les amateurs de cocktails à base de Martini, un bar-*lounge* à l'atmosphère tamisée, prolongé d'une terrasse tout en bois et bien sympathique à l'arrière. Avis aux quadras : la clientèle y est un peu plus âgée que dans les rades alentour. DJ le week-end.

***Black Dog Freehouse :** 10425 Whyte Ave. ☎ 780-439-1082. • blackdog.ca • Tlj 14h-2h.* Un pub bien sombre, réputé pour sa sélection de bières. Mais aussi pour son ambiance : concert acoustique gratuit le samedi et DJs les autres soirs, qui officient parfois simultanément à des étages différents, y compris sur le toit-terrasse !

Achats

***Mountain Equipment Co-op :** 12328 102nd Ave. ☎ 780-488-6614. • mec.ca • Sem 10h-19h (21h jeu-ven), sam 9h-18h, dim 11h-17h.* C'est une coopérative, il faut payer 5 $ (vite amortis) avant d'effectuer son 1er achat (on devient alors membre à vie). Le paradis du campeur et du sportif (randonnée, escalade, kayak, rafting, vélo). Vente et location de matériel pour votre séjour dans les Rocheuses.

***Track & Trail :** 10148 Whyte Ave, près de Gateway Rd. ☎ 780-432-1707 ou 1-888-432-1707. • trackntrail.ca •* Tout ce qu'il faut pour la randonnée, le camping, le ski de fond, l'escalade et autres activités de plein air.

À voir. À faire

***Royal Alberta Museum :** 12845 102nd Ave. ☎ 780-453-9100. • royalalbertamuseum.ca • Entre le centre-ville et West Edmonton Mall. Tlj 9h-17h. Entrée : 10 $.* Sans surprise, ce musée se consacre aux patrimoines culturel et naturel de la province. Trois grandes sections permanentes, la première sur les Amérindiens, avec de très intéressantes reconstitutions de scènes de chasse au bison, de vie quotidienne, etc. La deuxième est une section entomologique et minérale : superbes pierres sous vitrines et collections étonnantes d'insectes et araignées, morts (papillons et coléoptères) ou bien vivants, comme les cafards géants, les tarentules et surtout les extraordinaires *macleay's spectres* ! Enfin, la salle *Wild Alberta* présente de beaux dioramas, très lumineux, d'animaux et d'oiseaux albertains naturalisés. Également des expositions temporaires, dans une quatrième section. Certes, la muséographie est parfois un peu dépassée (à terme, le musée devrait déménager), mais cela reste un musée intéressant, surtout avant un séjour dans les parcs nationaux.

***Fort Edmonton Park :** sur la rive sud de la Saskatchewan, env 4 km à l'ouest du centre. ☎ 780-442-5311. • fortedmontonpark.ca • Accès par Whitemud Dr (fléché). Fin mai-fin juin, lun-ven 10h-16h, w-e 10h-18h ; juil-août, tlj 10h-18h, sept, w-e slt, 10h-18h. Entrée : 15,75 $; réduc.* Même type de parc qu'à Calgary, destiné à faire revivre les temps anciens de l'ouest du Canada. Et comme à Calgary, on traverse plusieurs époques. D'abord celle du commerce des fourrures, de 1795 à 1870, autour d'une réplique d'un fort de la *Hudson's Bay Company*. Puis 1885, avec la reconstitution d'une rue au temps où Edmonton ne comptait que 400 habitants : école, église, saloon, boulangerie, imprimerie, tout y est. Ensuite 1905, quand la ville devint capitale de l'Alberta, après avoir été reliée au monde moderne par le chemin de fer. On y voit notamment des intérieurs d'époque et la *Penny Arcade,* un peu l'ancêtre du Luna Park, avec des machines à pièces qui permettaient de voir des images de dames en maillot de bain... Et enfin 1920, les premières autos, le téléphone, la radio... et déjà 60 000 habitants. Sans oublier la *Midway,* la fête foraine, avec les premiers jeux de balles, de quilles (qui, paraît-il, étaient truqués pour que le client ne puisse jamais rien gagner !). Un train à vapeur passe vous prendre à l'entrée pour vous conduire dans le parc, où des animations sont assurées par des acteurs en costume d'époque.

On peut évidemment manger mais aussi dormir sur place, à l'***Hôtel Selkirk*** *(☎ 780-496-7227 ; • hotelselkirk.com •),* qui propose des chambres sympas *(env 100-120 $ pour 2),* meublées comme dans les années 1920, mais avec la clim et des salles de bains ! Cela permet de vivre une soirée dans le parc, et l'entrée est alors incluse.

Art Gallery of Alberta : *2 Winston Churchill Sq. ☎ 780-422-6223. • artgalleryalberta.com • En centre-ville, adjacent au City Hall. Mar-ven 11h-19h, w-e 10h-17h. Entrée : 12,50 $; réduc.* La plus ancienne et la plus vaste galerie d'art de la province, dans un bâtiment neuf dont les courbes évoquent celles des aurores boréales. Expos temporaires uniquement, sur trois étages, dans de beaux espaces, d'artistes albertains et canadiens surtout. À proximité, la ***bibliothèque municipale*** *(lun-ven 9h-21h, sam 9h-18h, dim 13h-17h)* a la vertu d'offrir 1h d'Internet par jour aux touristes.

Legislature Building : *angle 107th St et 98th Ave. ☎ 780-427-7362. • assembly.ab.ca • Au sud-ouest du centre-ville. Tours guidés gratuits (en anglais slt) ttes les 30-60 mn 9h-16h. Parking visiteurs (gratuit) sur 107th St, entre 98th et 99th Ave.* Le parlement albertain semble être un gros morceau d'architecture de la Vieille Europe qu'on aurait parachuté dans la Prairie. La visite, axée sur le fonctionnement des institutions, ne parlera, à notre avis, qu'à nos lecteurs intéressés par le sujet (et plutôt à l'aise en anglais).

Muttart Conservatory : *9626 96A St. ☎ 780-442-5311. • muttartconservatory.ca • Au sud-est du centre-ville. Lun-ven 10h-17h, w-e 11h-17h. Entrée : 11,50 $; réduc.* Un jardin botanique logé dans quatre grandes pyramides de verre : la tropicale, la florale, la tempérée et l'aride. Le concept est chouette, certes, mais l'entrée se paie tout de même un peu cher.

West Edmonton Mall : *8882 170th St. ☎ 780-444-5321 ou 1-800-661-8890. • westedmontonmall.com • Dans la banlieue ouest d'Edmonton ; on s'y rend facilement en bus. Lun-sam 10h-21h, dim 11h-17h.* Le plus grand centre commercial d'Amérique du Nord (jadis du monde, mais il en existe désormais de plus grands en Chine), avec une surface égale à 75 terrains de football. Outre les 800 commerces (pour la plupart prévisibles et ennuyeux) et les nombreux cafés et restos (plus de 100), le Mall comporte un parc à thème (avec la plus grande montagne russe d'intérieur au monde !), une patinoire de hockey, un parc aquatique (le *World Waterpark*) et une réplique de la caravelle de Colomb. Hormis ces quelques attractions, le reste de l'endroit fascinera surtout les amateurs de démesure américaine.

➢ ***Highlevel Street Car :*** *départs ttes les 40 mn, 11h-16h (dès 9h sam, pour voir le marché fermier de Strathcona). Prix : 4 $; réduc.* Vieux tramway réhabilité pour les touristes. Une manière originale de se balader en plein centre-ville. Le parcours de 3 km va de Strathcona (angle 103th Street et 84th Avenue) à Jasper Avenue (angle 100th Avenue et 110th Street), en passant par le High Level Bridge. Cette ligne, en service de 1913 à 1951, a retrouvé une seconde jeunesse grâce aux efforts des passionnés de la *Radial Railway Society.*

➢ ***Queen Riverboat :*** *départ des bateaux près du Low Level Bridge (accès par 98th Ave). ☎ 780-424-2628. • edmontonqueen.com • Départs slt jeu-sam à 11h, 14h, 17h30, et dim à 15h et 17h30. Croisière de 1h pour 18 $/adulte ; avec dîner, env 50 $.* Bon, ce n'est pas la Seine en bateau-mouche, mais les rives de la Saskatchewan sont sympas aussi.

Festivals

La ville d'Edmonton est réputée pour ses festivals. L'été présente un feu roulant de happenings artistiques.
– ***International Jazz Festival :*** *fin juin, pdt 10 j.* • *edmontonjazz.com* • Concerts dans une douzaine de lieux différents.
– ***International Street Performers Festival :*** *1re quinzaine de juil.* • *edmontons treetfest.com* • Jongleurs, mimes, musiciens de tous pays animent le *Downtown* pendant 10 jours.
– ***Heritage Festival :*** *3 j. fin juil-début août.* • *heritage-festival.com* • *Se déroule dans Hawrelak Park, à côté de l'université.* Musique et danses à gogo dans les pavillons de plus de 60 pays. Stands de cuisine du monde entier, artisanat...
– ***Folk Festival :*** *4 j. pdt la 2e sem d'août.* • *edmontonfolkfest.org* • Incontournable, d'une atmosphère intense qui dépasse largement le folk : tous les artistes du gospel, du blues, du bluegrass et de la *world music* d'Amérique du Nord veulent y jouer, et tous les spectateurs veulent en être les témoins. Il en résulte des foules immenses, et les prix grimpent d'année en année. Les critiques disent que c'est excessif. En tout cas, c'est à voir et à vivre.
– ***International Fringe Theatre Festival :*** *mi-août, pdt 11 j.* • *fringetheatreadven tures.ca* • Ses 1 200 pièces en font le plus grand festival de Théâtre alternatif du continent nord-américain.
– ***Blues Festival :*** *3e sem d'août.* • *bluesinternationalltd.com* •

LES ROCHEUSES

La traversée des Rocheuses est le clou d'un voyage au Canada. De Banff à Jasper, vous voici lancé sur un parcours de 300 km, sur une route magnifique bordée d'inoubliables panoramas. Il faudra consacrer plusieurs jours à cet itinéraire si vous voulez profiter pleinement des possibilités de randonnées, d'observation de la vie animale, de raft et d'excursions touristiques qu'offrent les parcs. La Highway 1 (la *Transcanadienne*), puis la 93 traversent dans leur longueur les parcs nationaux de Banff et Jasper, situés sur la partie orientale de la chaîne, en Alberta. À l'ouest de ceux-ci se trouvent les parcs Yoho et Kootenay, situés en Colombie-Britannique. Pour les rejoindre, il faut quitter la route principale. Les parcs forment une seule chaîne rocheuse, divisée administrativement en quatre parties. Au total, 20 155 km² d'espace... Il y en a pour tous les goûts : de la balade de santé de quelques heures à la randonnée de plusieurs jours. Les nombreux campings et AJ aménagés tout au long du parcours permettent aux routards de limiter les frais et de profiter au maximum des joies de la nature.
Si vous pouvez choisir vos dates de vacances, n'hésitez pas à partir en juin ou septembre : non seulement il y a beaucoup moins de monde, mais les hébergements sont moins chers. N'oubliez pas cependant que les lacs ne sont entièrement dégelés et les sentiers intégralement ouverts qu'à partir de fin juin, et que, par ailleurs, beaucoup de services ferment à partir de mi-octobre.

UN PEU DE PRÉHISTOIRE

Il y a quelque 57 millions d'années, la chaîne des Rocheuses sortait de terre, poussée par les forces de la croûte terrestre et celles des océans, tirant les masses vers le haut, les repoussant et les brisant en crêtes aiguës pour former une barrière de plus de 4 000 km, terminant sa course au nord dans le territoire du Yukon et au sud à la frontière du Mexique. Les Rocheuses ressemblent à nos Alpes avec des crêtes abruptes, des strates de roches bien dessinées, de grandes vallées boisées, des

LES ROCHEUSES

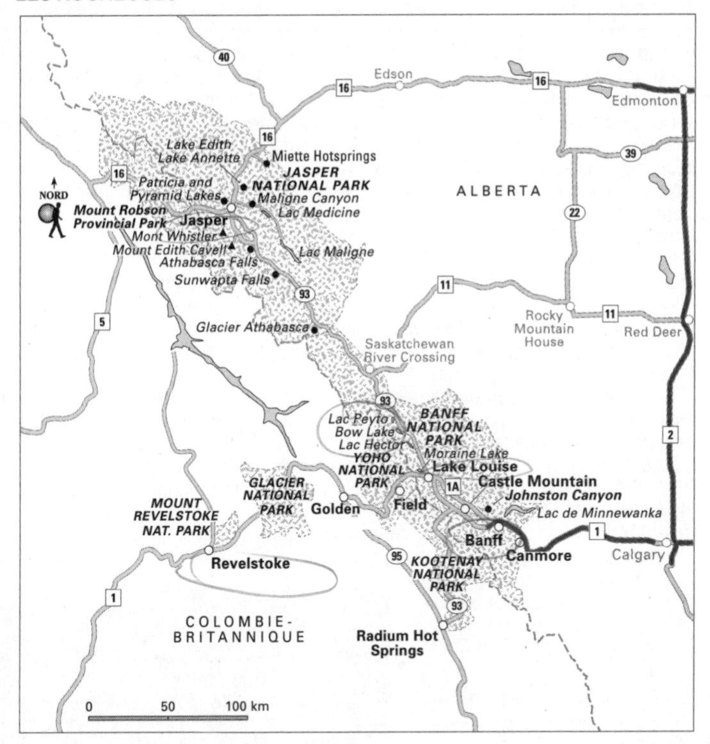

neiges éternelles et des glaciers à la langue pendante. Elles comportent aussi de vastes forêts de sapins et d'épicéas immenses, poussés très serrés grâce à l'humidité, ainsi que des lacs aux abords sauvages, genre carte postale, avec d'incroyables couleurs. Ici, la sensibilité aux couleurs et aux formes est sans cesse sollicitée. Depuis leur création, les Rocheuses ont eu à subir au moins quatre périodes glaciaires, la dernière il y a environ 10 000 ans. Elles permirent aux glaciers de conserver leur jeunesse, traçant derrière eux, après la fonte, de vastes vallées en U dans lesquelles s'écoulent cinq grands systèmes de rivières drainant avec elles les débris de l'érosion. Dans les parcs naturels, les Rocheuses sont intactes. À part les quelques petites villes, l'homme n'a jamais exploité cette région. Les paysages sont comme au premier jour, alors respectons-les.

LA FAUNE LOCALE

Attention, de nombreux gros mammifères sont tués sur les routes chaque année. Non seulement de braves bébêtes meurent, mais pas mal d'automobilistes sont également blessés ou contusionnés. Il faut donc rouler doucement, en particulier à l'aube et au crépuscule. Voici les animaux que l'on rencontre le plus souvent dans le coin.

– ***Le wapiti*** (en anglais, *elk*) **:** on le voit parfois au bord des routes secondaires, voire en ville, autour des parterres de fleurs ! Reconnaissable facilement, *wapiti* signifiant « croupe blanche ». Ce cervidé possède de grands cors ; son cou et ses pattes sont plus foncés que sa robe. Deux périodes où il n'est pas conseillé de lui mettre un Nikon sous le nez (garder au moins 30 m de distance !) : au printemps, quand les femelles défendent âprement leurs petits (gare aux sabots pointus !), et en septembre-octobre où les mâles en rut peuvent se montrer belliqueux. On en compte plusieurs milliers : vous en verrez à coup sûr durant votre séjour.

– ***L'orignal :*** l'élan du Canada, reconnaissable à ses bois plats et larges et à sa masse imposante (environ 500 kg pour les mâles et 2 m au garrot). Pas de croupe blanche. Très solitaire, on le rencontre rarement, à part dans les coins marécageux comme le lac Waterfowl et la montagne Bow. Très agressif au printemps et à l'automne, pour les mêmes bonnes raisons que le wapiti. On en dénombre de 50 à 80 maximum.

– ***Le cerf mulet :*** plus petit, plus commun, s'enhardit parfois dans les rues des villes. Reconnaissable à sa queue blanche étroite, sa croupe blanche et ses longues oreilles.

– ***Le chevreuil ou cerf de Virginie :*** reconnaissable à sa queue brune sur le dessus et blanche en dessous, qui s'agite comme un drapeau blanc en cas de frayeur. On en compte quelques centaines.

– ***Le mouflon des Rocheuses :*** visible en bord de route, souvent en petite bande. Poil court et brun pâle, croupe blanche, queue minuscule. Les nourrir est en fait un très mauvais service à leur rendre car ça les rend dépendants. On en dénombre plusieurs milliers.

– ***La chèvre de montagne*** (aussi appelée *lemenaheze,* son nom en langue amérindienne cree) ***:*** esthétique très originale avec sa longue robe blanche et sa petite tête surmontée de deux petites cornes acérées comme des dagues. Rarement visible de la route. On en compte environ un millier.

– ***Le grizzli :*** plus gros que l'ours noir et face plus plate et concave. Possède en général une fourrure de teinte cannelle, mais parfois aussi des tons tirant sur le noir. Le mâle peut dépasser les 300 kg. On en compte de 80 à 100 dans le parc.

– ***L'ours noir :*** plus petit que le grizzli (vous l'aviez deviné), on l'aperçoit aussi plus fréquemment. Face plus étroite et robe noire. Mais ce qui ne rend pas les choses faciles dans l'identification, c'est qu'elle peut virer dans les teintes brune, cannelle ou... blonde. Tout comme pour le grizzli, il ne faut jamais trop s'en approcher, surtout si vous êtes à pied : leur comportement est imprévisible et, donc, potentiellement dangereux. Procurez-vous la brochure gratuite *Les ours et les humains,* qui donne des tas de conseils utiles. Puis demandez aux rangers leurs lieux habituels de répartition (en général, là où les baies abondent).

– ***Autres animaux :*** les *coyotes,* pas très farouches et donc souvent victimes des automobilistes dans un rayon court autour de Banff. Puis les *caribous,* les *cougars,* plutôt du genre discrets et nocturnes, en plus d'être rares... Enfin, les *loups gris,* qui font l'objet de beaucoup d'attention de la part des autorités, et sont surtout implantés autour de Jasper.

POIDS PLUME...

Une curiosité : devinez combien pèse un bébé grizzli à la naissance : 3 kg... 10 kg... 30 kg ? Vous avez perdu : de 300 à 500 g seulement. Une vraie petite larve ; étonnant, non ?

QUELQUES CONSEILS

– Pour faire du camping sauvage, il faut se procurer le *Wilderness Pass (10 $/j. par pers ; gratuit pour les moins de 16 ans)* dans l'un des bureaux de *Parcs Canada.* Ils vous aideront aussi à choisir votre site, en fonction des places disponibles, et prendront connaissance de votre itinéraire pour vous retrouver plus facilement en cas de problème.

– *Les ours et les humains :* c'est une petite brochure qui vous indique comment vous comporter avec ces « poilidés ». On y trouve des consignes essentielles mais pas toujours respectées, vu que chaque année des touristes se font attaquer. Par exemple, ne pas garder de nourriture dans la tente, les ours ont l'odorat suffisamment développé pour la trouver ; ou encore, comment se comporter en cas d'attaque.
– Respectez l'environnement : ne jetez jamais vos déchets dans la nature.
– La pêche est autorisée, mais il faut acheter un permis à l'office de tourisme.
– Il n'est pas rare de voir des caribous ou des wapitis brouter en bord de route. Ne les nourrissez pas. Ils s'habituent à l'homme. Leur présence devient alors dangereuse pour la circulation.
– Le soir, il fait frais. Prévoyez un pull chaud. Dans les montagnes, il peut neiger n'importe quand, même en juillet !
– Attention aux moustiques et aux taons !

UN PEU DE LECTURE

– Si vous comptez réaliser plusieurs randonnées assez courtes (de 1 journée tout au plus) et que vous lisez l'anglais, le guide intitulé ***Walks and Easy Hikes in the Canadian Rockies,*** de Graeme Pole, présente en détail 95 randonnées courtes dans les Rocheuses canadiennes (de quelques minutes à quelques heures maximum). Ouvrage incontournable, que l'on trouve notamment au centre d'info de Banff.
– Si vous êtes plus courageux et que vous comptez réaliser des randonnées de plusieurs jours, ***The Canadian Rockies Trail Guide,*** de Brain Patton et Bart Robinson, est aussi un must. Très bien fait : cartes, descriptions précises, durée, points de repère, photos. On le trouve dans toutes les librairies. Plus de 250 balades y sont décrites, à la journée et plus. Dans le même genre, ***Classic Hikes in the Canadian Rockies,*** de Graeme Pole, est également un livre de référence. Chaque rando y est détaillée, carte à l'appui.
– Pour les réfractaires à la langue de Shakespeare, ***Randonnée pédestre dans les Rocheuses canadiennes,*** de Patrick Thivierge et Alexis de Gheldere, répond aux attentes des débutants comme aux exigences des randonneurs aguerris, avec des indications sur les niveaux de difficulté, des plans détaillés et autres renseignements pratiques.

DE CALGARY À BANFF (129 KM)

De Calgary, prendre la Highway 1 (dans le prolongement de la 16th Avenue NW) qui traverse les Rocheuses. À quelques kilomètres, on aperçoit, sur la gauche, les installations olympiques de saut à ski du Canada Olympic Park. Des larges plateaux des Prairies, on passe à un relief plus vallonné sur lequel s'étendent de grandes installations agricoles. Quelque 20 km plus loin, le paysage se transforme encore : forêts de sapins et vallons pentus. À la hauteur de Canmore, sur la gauche, on découvre les *Three Sisters,* montagne composée de trois pics. Pour beaucoup, cette première vue des Rocheuses restera un moment inoubliable.

CANMORE *(18 000 hab.)*

Construite comme ville-étape du chemin de fer, Canmore s'est développée grâce à ses gisements de charbon. Comptant seulement 3 200 âmes avant les J.O. de 1988, la ville a connu un boom sans précédent, jusqu'à multiplier sa population par cinq en 20 ans ! Conséquence : les prix immobiliers ont flambé, et se loger ici revient assez cher.

Si les alentours sont vraiment jolis, la ville elle-même n'a guère de charme. On est loin de l'esthétique bien étudiée de Banff ! Malgré ça, Canmore attire de plus en plus de touristes. Et de par son étendue, on s'y sent moins entassé qu'à Banff en juillet-août.

Adresse et infos utiles

Tourism Canmore : *907 7th Ave, face au musée. ☎ 403-678-1295. • tourismcanmore.com • Tlj 9h-17h (18h en été).* Infos sur les hébergements et activités, notamment les randos.

@ Derrière l'office de tourisme, la bibliothèque *(lun-jeu 11h-20h, ven-dim 11h-17h)* offre l'accès gratuit à ***Internet*** (30 mn).

Où dormir ?

Campings

Bow River Campground : *avt d'arriver sur Canmore (venant de Calgary), par la Hwy 1, en traversant la région Kananaskis, dans le parc provincial de Bow Valley. ☎ 403-673-2163. • bowvalleycampgrounds.com • Mai-sept. Env 23 $. On s'auto-enregistre.* Grands emplacements très espacés, dont certains bordent la jolie rivière et donnent sur les montagnes. Malheureusement, il est à proximité d'une route bruyante et du chemin de fer. Pas de douches.

Spray Lakes West Shore Campground : *à env 20 km de Canmore par la route 742, qui passe devant le Nordic Centre. ☎ 403-591-7226. Compter 23 $.* Site splendide et isolé, auquel on parvient au terme d'une longue piste caillouteuse. Camping rustique (pas de douche). Emplacements avec vue sur le lac de barrage et nombreuses possibilités de randos à pied ou à vélo.

D'autres campings assez sauvages le long de la Bow River, en allant vers le sud : ***Three Sisters*** *(ouv avr-nov)*, ***Lac des Arcs*** *(de mai à mi-sept)*, etc.

Bon marché

Hostel Bear : *1002 Bow Valley Trail. ☎ 403-678-1000 ou 1-888-678-1008. • thehostelbear.com • Entre le centre-ville et la Transcanadienne. Dortoir 30 $/pers, doubles 80-90 $. Internet, wifi.* Situation centrale pour cette auberge privée proposant pas moins de 17 dortoirs de 6 à 10 lits superposés. Amusant, ceux-ci sont dotés de rideaux pour assurer un peu d'intimité ! Chambres privées aussi. Bons matelas partout. Cuisine et salon avec billard, TV, baby-foot, un petit bar et même un bon vieux juke-box. Une adresse très sympathique.

The Alpine Club of Canada : *à env 3 km du centre. ☎ 403-678-3200. • alpineclubofcanada.ca • En arrivant de Calgary, un peu avt Canmore, prendre la route 1A vers l'est sur 1 km env ; bien fléché. Pas de navette et assez excentré, mais on peut vous prêter des vélos. Dortoir 25 $ pour les membres, 36 $ pour les autres ; 1 chambre privée pour 3 pers 75 $. Internet, wifi.* Une coquette auberge en pleine nature ; dortoirs de 4 à 7 lits dans plusieurs chalets très confortables à flanc de montagne. Cuisine et belle salle commune en bois vitrée. Très populaire auprès des groupes. Laverie. Le *Club alpin* propose aussi (et surtout) des huttes de 6 à 35 lits éparpillées dans les *Rockies* (même prix que l'*hostel*), pour jouer aux vrais trappeurs...

De prix moyens à plus chic

Pour la liste des *B & B* de Canmore : *• bbcanmore.com •*

Rocky Mountain Ski Lodge : *1711 Bow Valley Trail. ☎ 403-678-5445 ou 1-800-665-6111. • rockyski.ca • En été, à partir de 120 $ pour 2 pers. Moins cher hors saison. Internet, wifi.* Motel agencé autour d'une vaste cour-parking. Chambres plutôt agréables et confortables, avec un *queen bed* ou 2 lits doubles, avec ou sans cuisine, etc. Sauna, jacuzzi, laverie. L'une des meilleures affaires de Canmore dans cette catégorie.

Lady MacDonald Country Inn : *1201 Bow Valley Trail. ☎ 403-678-3665 ou 1-800-567-3919. • ladymacdonald.*

LES ROCHEUSES

com • Résa conseillée. Plusieurs catégories de chambres 160-250 $, petit déj inclus. Une magnifique auberge, douillette et chaleureuse comme un grand chalet de famille. Quant aux chambres, lits immenses, édredons, cheminée et fenêtres donnant sur les monts enneigés (certaines en tout cas !), parions qu'elles inspireront les romantiques... Accueil souriant et excellent petit déj.

A Room with a View B & B : *711 Larch Pl. ☎ 403-678-6624. Double 185 $.* Jean-Daniel, un menuisier très sympa, est français d'origine mais installé depuis longtemps dans la région, qu'il connaît comme sa poche. Vous avez le choix entre une chambre tout en bois clair, avec vue panoramique, 2 cheminées, buffet, frigo et machine à laver, et une autre en bois plus sombre, dotée du même confort. Les 2 chambres possèdent une terrasse tournée vers les montagnes. Jacuzzi et sauna dans le jardin, et, en prime, la garantie (contre remboursement !) que, pendant tout votre séjour au Canada, vous ne goûterez pas de meilleur petit déjeuner !

Où manger ? Où boire un verre ?

Rocky Mountain Bagel Co. : *7th Ave. ☎ 403-678-9978. Tlj 6h-18h. Bagels 5-8,50 $. Wifi.* Une cafét spécialisée dans les bagels, ces petits pains ronds troués au milieu et garnis de différentes choses. La maison a même breveté les *bagelwiches* (fallait le trouver !). L'endroit est chaleureux, on prend plaisir à s'attarder dans les fauteuils autour de la cheminée ou en terrasse, selon l'humeur du temps. Petite musique d'ambiance, journaux. On y est bien.

Zona's : *709 9th St. ☎ 403-609-2000. Tlj midi et soir. Plats 16-25 $. DJ les jeudi et samedi dès 22h30.* On aime vraiment bien ce petit resto au cadre simple mais agréable. Ambiance informelle... tout à fait à l'image de la cuisine, sans prétentions mais inventive, savoureuse et pas si chère ! Goûtez le saumon au whisky, les *ribs* au bourbon, le bison au saké ou la lasagne de poulet au lait de coco ! Le midi, petite restauration à base de brochettes. Service amical.

Crazy Weed : *1600 Railway Ave. ☎ 403-609-2530. Tlj de 11h30 au dernier client. Plats 15-17 $ le midi, 18-32 $ le soir.* Cadre contemporain et lumineux dans une grande maison avec un tas de fenêtres et les fourneaux bien en vue. Dans l'assiette, une cuisine de type fusion, unanimement saluée comme l'une des meilleures de la région. Que dire de plus ?

La table de **Chez François,** à l'*Econolodge (Bow Valley Trail ; ☎ 403-678-6111),* tenue par un sympathique couple de Québécois, jouit également d'une bonne réputation. Ouvert dès 7h pour le petit déj et jusqu'au soir pour le dîner. Catégorie « Plus chic » (150-250 $).

The Grizzly Paw : *622 Main St. ☎ 403-678-9983. Tlj 11h-minuit.* Pub très fréquenté, qui brasse ses propres bières et fait ses propres sodas. Côté cuisine en revanche, rien de renversant (burgers surtout). Animations certains soirs.

Également le pub du **Drake Inn** *(909 Railway Ave ; ☎ 403-678-5131),* connu pour son karaoké le lundi.

LES ROCHEUSES

À voir. À faire

Canmore Nordic Centre Provincial Park : *1988 Olympic Way, à quelques km du centre par la route 742.* Sur le site des épreuves de ski nordique des J.O. de 1988. Imaginez un peu : 702 km de pistes, pour VTT ou ski de fond suivant la saison ! On peut y louer des VTT, prendre des leçons de VTT ou parcourir – à VTT – les pistes du centre, le tout pour assez cher, disons-le. *Infos et résas : ☎ 403-678-6764 ou • trailsports.ab.ca •* Cadre superbe, au pied des montagnes et à côté d'un lac artificiel. Café-snack sur place.

Canmore Museum & Geoscience Centre : *902 7th Ave. ☎ 403-678-2462. • cmags.org • Lun-mar 12h-17h, mer-dim 10h-17h ; horaires réduits en hiver.*

Entrée : 5 $; réduc. Raconte, à travers quantité d'objets et de documents, l'essor de la ville suite à la découverte de gisements de charbon à la fin du XIXe s. S'ensuit un petit cour de géologie appliquée où l'on apprend que l'anthracite, exploité à Canmore, est la plus énergétique des variétés de charbon (il contient 92 à 95 % de carbone).

Balades et randos

➢ ***Grassy Lake Trail :*** *début du chemin 2 km après le Nordic Centre (voir ci-dessus).* Très joli sentier de 4 km sculpté dans les roches, menant à deux petits lacs émeraude. Compter 1h30 à 2h aller-retour.

➢ ***Goat Creek :*** *quelques km après le Nordic Centre.* Il s'agit d'un chemin à parcourir à VTT ou à ski de fond, qui va jusqu'au terrain de golf de Banff. Environ 20 km au total, mais on peut aussi faire des boucles plus courtes à partir du même point de départ.

Manifestation

– ***Canmore Folk Festival :*** *début août, 3 j. de concerts. ☎ 403-678-2524. • canmorefolkfestival.com •* Groupes du monde entier. Le lundi matin, le *Free Pancake Breakfast* clôture la fête en beauté !

LE PARC NATIONAL DE BANFF

L'achat d'une carte d'entrée *(pass)* est obligatoire à la guérite du parc ou, à défaut, au bureau d'information de Banff (voir « Parcs nationaux et provinciaux » dans « Hommes, culture et environnement » en début de guide). Si vous faites simplement la route sans vous arrêter dans le parc, dites-le et vous n'aurez rien à payer. Sachez aussi qu'il est possible de camper dans l'arrière-pays si on achète un permis (attention, le nombre de permis délivrés par jour est limité).

BANFF (8 700 hab.)

À 56 km de Lake Louise, à 128 km de Calgary et à 289 km de Jasper. La station de montagne la plus proche de Calgary. Très fréquentée (environ 3 millions de touristes par an !) et assez chic. L'activité de cette petite ville se concentre autour de la rue principale, Banff Avenue, toujours très animée l'été. Le développement de Banff au début du XXe s est dû à la découverte d'eaux sulfureuses, qui incita les autorités à créer le premier parc national du Canada. Très nombreuses possibilités de petites balades et de grandes randonnées. Il n'est pas rare qu'au petit matin, des wapitis se promènent dans les rues, dévorant paisiblement les haies de verdure des maisons et les massifs des hôtels...

Arriver – Quitter

🚌 ***Gares routières*** *(plan A1)* **:** coordonnées des compagnies dans « Adresses et infos utiles » ci-dessous.

➢ ***Depuis/vers Calgary (via Canmore) :*** 5 bus/j. avec *Greyhound* et autant avec *Brewster* (plus cher). Compter 1h30-2h30 de trajet selon bus. Également une douzaine de départs/j. avec la compagnie *Banff Airporter,*

BANFF

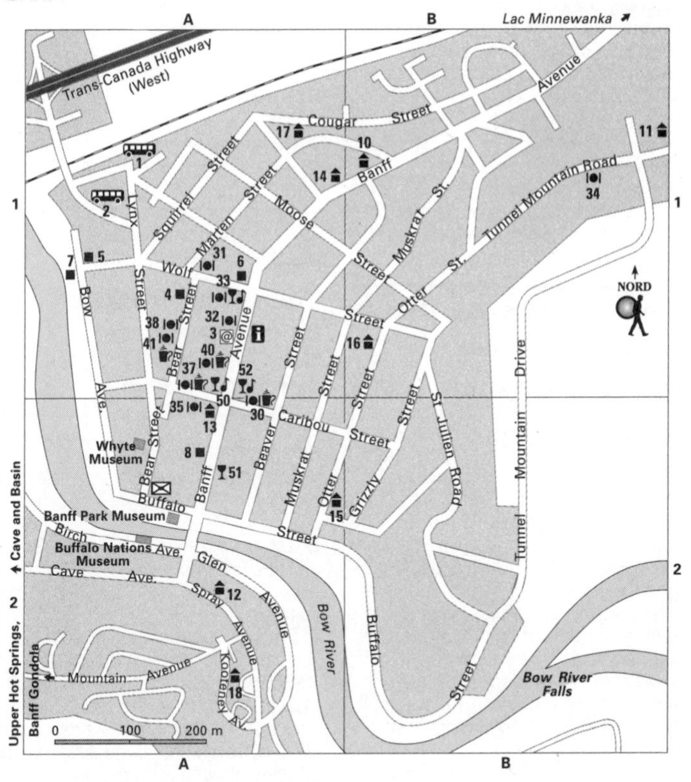

Adresses utiles

- Parcs Canada et Banff – Lake Louise Tourism Bureau
- 1 Greyhound
- 2 Brewster
- 3 Cyber Web Internet Café
- 4 Bactrax, location de vélos
- 5 Mineral Springs Hospital
- 6 Librairie Indigo Spirit
- 7 Blue Canoe
- 8 Money Mart

Où dormir ?

- 10 Samesun Backpacker Lodge
- 11 HI Banff Alpine Center
- 12 Banff « Y » Mountain Lodge
- 13 King Edward Hotel
- 14 Red Carpet Inn et High Country Inn
- 15 Tan-Y-Bryn B & B
- 16 Rocky Mountain B & B
- 17 Mountain Country B & B
- 18 Cascade Court B & B

Où manger ?

- 30 Bruno's Cafe & Grill et Sushi House
- 31 Timbers Food Company
- 32 Nourish
- 33 St Jame's Gate
- 34 Cilantro Mountain Café
- 35 The Maple Leaf
- 37 Coyotes
- 38 The Bison
- 40 Evelyn's Coffee Bar
- 41 Wild Flour Artisan Bakery

Où boire un verre ? Où écouter de la musique ?

- 33 St Jame's Gate
- 50 Wild Bill's Saloon
- 51 Tommy's
- 52 Rose and Crown

depuis et vers l'***aéroport de Calgary,*** toujours via Canmore. Assez cher là encore.

➢ ***Depuis/vers Vancouver :*** avec *Greyhound,* 4 bus/j. et env 12h de route.

➢ ***Depuis/vers Lake Louise :*** 4 bus/j. avec *Greyhound* (c'est le même bus que pour Vancouver) et 5-6 bus/j. avec *Brewster.* Env 45 mn de route.

➢ ***Depuis/vers Jasper :*** 1 bus/j. avec *Brewster,* de mai à mi-oct, en début d'ap-m depuis Banff. Trajet en 4h45.

Adresses et infos utiles

Infos touristiques

ℹ ***Parcs Canada et Banff – Lake Louise Tourism Bureau*** *(plan A1) : 224 Banff Ave. • banfflakelouise.com • En été, tlj 8h-20h ; 9h-17h le reste de l'année.* D'un côté, le bureau de tourisme de la région de Banff-Lake Louise *(☎ 403-762-8421)* ; de l'autre, les sympathiques employés de *Parcs Canada (☎ 403-762-1550)* qui vous renseignent et vous conseillent. Documentation bien utile et gratuite, notamment le petit guide-dépliant *Randonnées d'une journée dans le parc national de Banff,* ou guides de randonnées plus complets à la vente dans l'espace librairie. Liste des *B & B.* Très pratique, personnel affable et souriant.

Services, achats

✉ ***Post Office*** *(plan A2) : 204 Buffalo St ; à l'angle de Bear St. ☎ 403-762-2586. Lun-mer 8h30-17h30, jeu-ven 8h30-19h, sam 9h-17h.*

■ ***Change : Money Mart*** *au 117 Banff Ave (plan A2,* ***8****). Lun-sam 9h-21h, dim 10h-18h. Également* ***Freya's Currency Exchange,*** *dans le* Clock Tower Mall, *108 Banff Ave (presque en face du précédent). Tlj 9h-21h.* Dans ce dernier, aucune commission de change sur présentation du plan de Banff *(mobimaps),* qu'on trouve partout.

@ ***Cyber Web Internet Café*** *(plan A1,* ***3****) : 215 Banff Ave ; au sous-sol du* Sundance Mall. *☎ 403-762-9226. Tlj 9h-minuit.* Agréable, confortable et rapide, avec possibilité de boire un café.

■ ***Librairie Indigo Spirit*** *(plan A1,* ***6****) : 317 Banff Ave (dans le* Cascade Plaza*). En été, tlj 10h-21h30.* On y trouve des cartes et les principaux guides de randonnées sur les Rocheuses.

■ ***Supermarché Safeway*** *(plan A1) : à l'angle de Elk et Marten St. Tlj 8h-23h.* ***Pharmacie*** *(lun-sam 10h-18h)* à l'intérieur.

■ ***Bureau des gardiens du parc :*** *☎ 403-762-1470.* Pour toute chose à signaler (départ de feu ou autre) ou s'il vous arrive un couac en randonnée.

■ ***Radio francophone officielle du parc national Banff :*** 103.3 FM.

Transports, location de matériel

■ ***Banff Airporter :*** *☎ 1-888-449-29-01. • banffairporter.com •*

■ ***Greyhound*** *(plan A1,* ***1****) : à la gare ferroviaire. ☎ 403-762-1091 ou 1-800-661-8747. • greyhound.ca •*

■ ***Brewster*** *(plan A1,* ***2****) : 100 Gopher St. ☎ 1-877-625-4372. • brewsterbus.ca •*

■ ***Transports dans Banff : Roam*** *effectue un circuit desservant les hôtels et 1 camping (2 $) ; 6h30-23h, tte l'année.*

■ ***Bactrax, location de vélos*** *(plan A1,* ***4****) : 225 Bear St. ☎ 403-762-8177. • snowtips-bactrax.com • Tlj 8h-20h. Env 35 $/j. pour un vélo de ville, 42 $/j. pour un VTT. Réduc pour les détenteurs de la carte des AJ.* Loue aussi tentes, jumelles, duvets et sacs à dos.

■ ***Mountain Magic Equipment*** *(plan A1) : 224 Bear St. ☎ 403-762-2591. • mountainmagic.com • Jeu-sam 9h-21h, dim-mer 9h-18h.* Vente de matériel de randonnée. Loue aussi des vélos *(40 $/j.)* et du matériel d'escalade.

■ ***Soul Ski & Bike*** *(plan A1) : 203 Bear St. ☎ 403-760-1650. • soulskiandbike.com • Tlj 9h-19h.* Location de skis et de vélos (mêmes tarifs qu'ailleurs).

Santé

■ ***Urgences :*** *☎ 911.*

■ ***Mineral Springs Hospital*** *(plan A1,* ***5****) : à l'angle de Bow Ave et de Wolf St. ☎ 403-762-2222.*

Où dormir ?

Quelle que soit l'adresse, réservation indispensable en juillet-août.

PLANS ET CARTES EN COULEURS

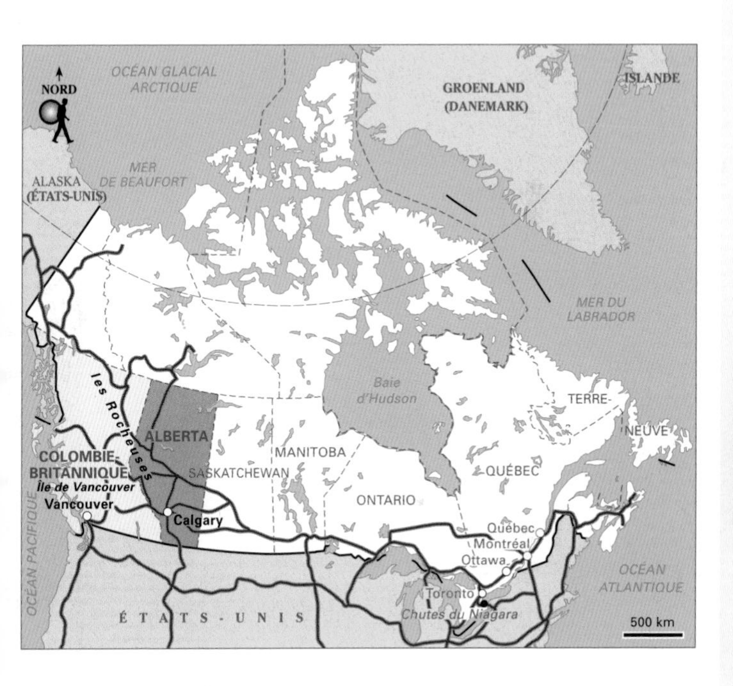

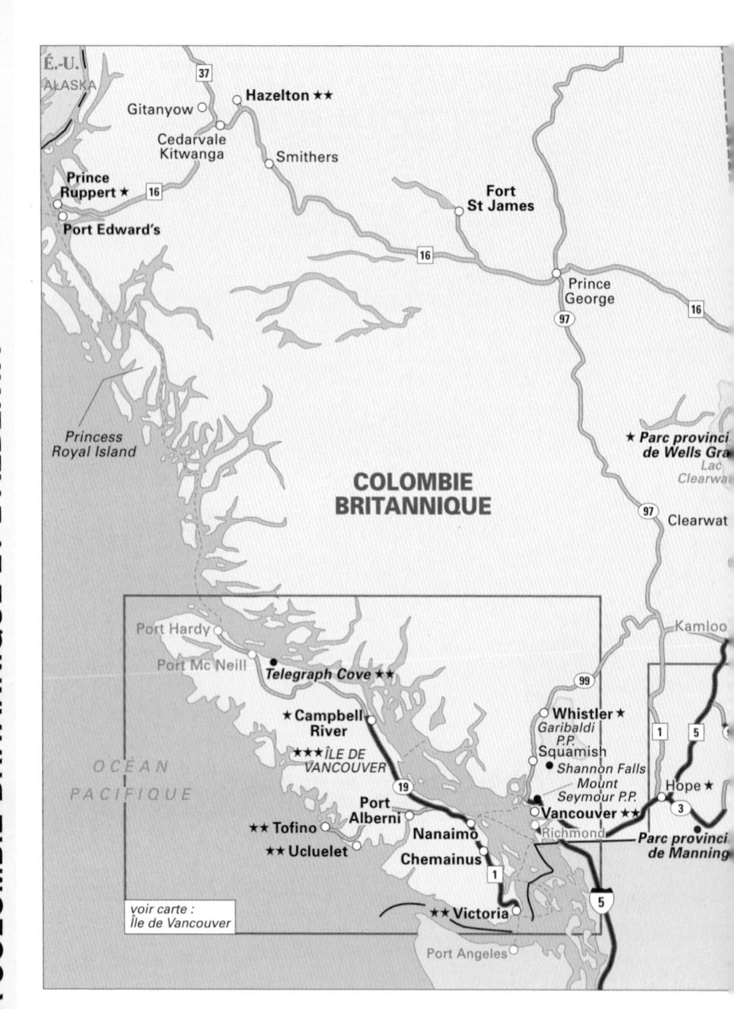
É.-U.
ALASKA
37
Hazelton ★★
Gitanyow
Cedarvale
Kitwanga
Smithers
Prince Ruppert ★
16
Port Edward's
Fort St James
Prince George
97
Princess Royal Island
COLOMBIE BRITANNIQUE
Port Hardy
Port Mc Neill
Telegraph Cove ★★
99
Whistler ★
Garibaldi P.P.
Squamish
Shannon Falls
Mount Seymour P.P.
★ Campbell River
★★★ ÎLE DE VANCOUVER
OCÉAN PACIFIQUE
19
Port Alberni
Nanaimo
★★ Tofino
★★ Ucluelet
Chemainus
Vancouver ★★
Richmond
Hope ★
3
5
★★ Victoria
Port Angeles
voir carte : Île de Vancouver

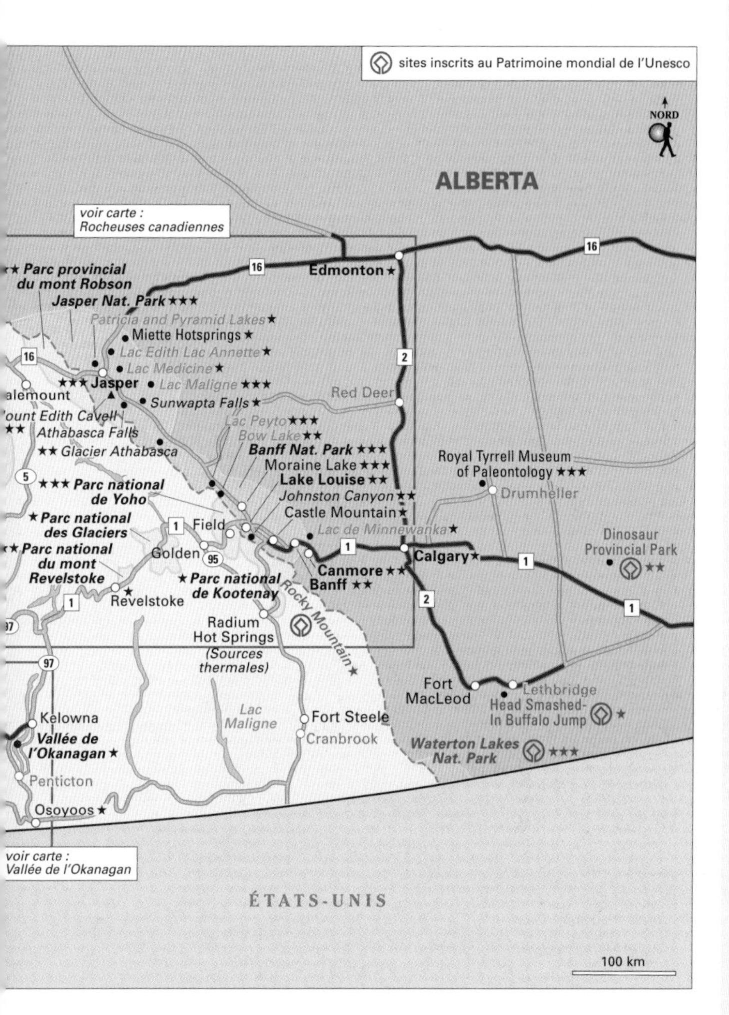

LA COLOMBIE-BRITANNIQUE ET L'ALBERTA

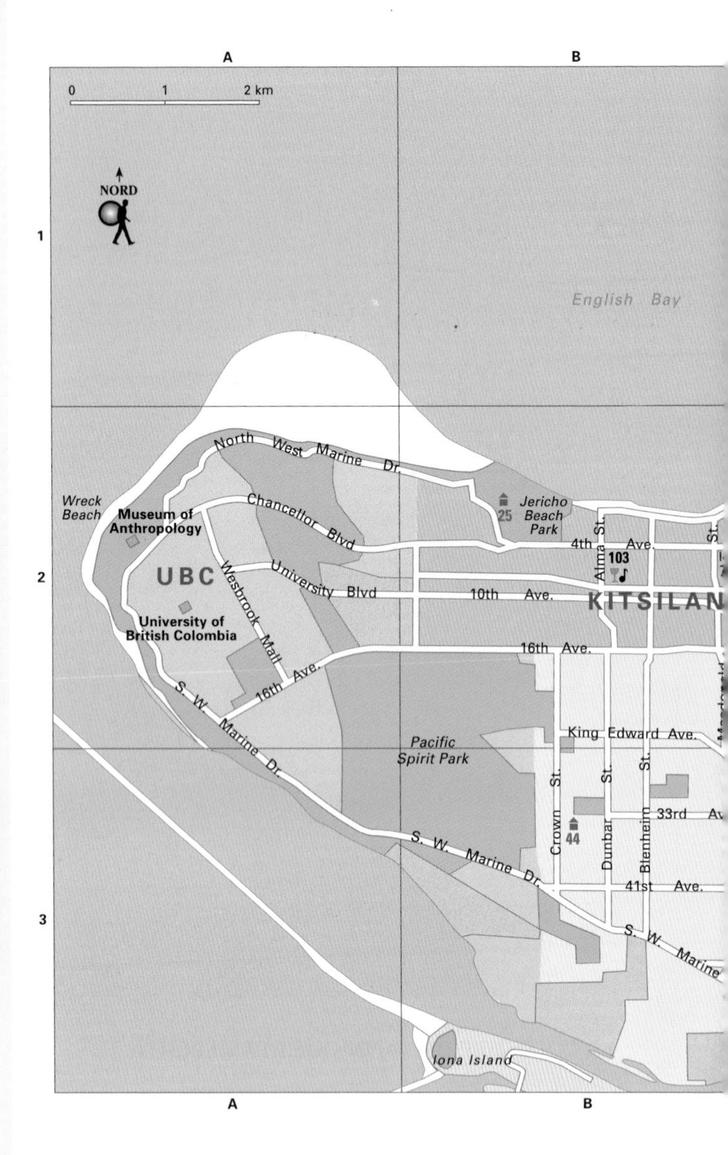

■ **Adresse utile**

8 Foreign Electronics Inc.

Où dormir ?

25 Hostelling International Vancouver Jericho Beach
28 Greystone B & B
35 Kitsilano Point B & B
39 River Run Cottages
44 Pacific Spirit Guest House
48 La Villa Antoine

Où manger ?

75 Sophie's Cosmic Café
77 Nyala

VANCOUVER – PLAN D'ENSEMBLE

78 Accord Seafood Restaurant
79 Naam
80 Sun Sui Wah
82 Vij's
83 Seasons in the Park
84 Big News Coffee Bar
87 Maenam

Où boire un verre en musique ?
101 Café Deux Soleils
105 The Waldorf Hotel

Où écouter de bons concerts ?
103 The Cellar

Achats
159 Mountain Equipment Co-op

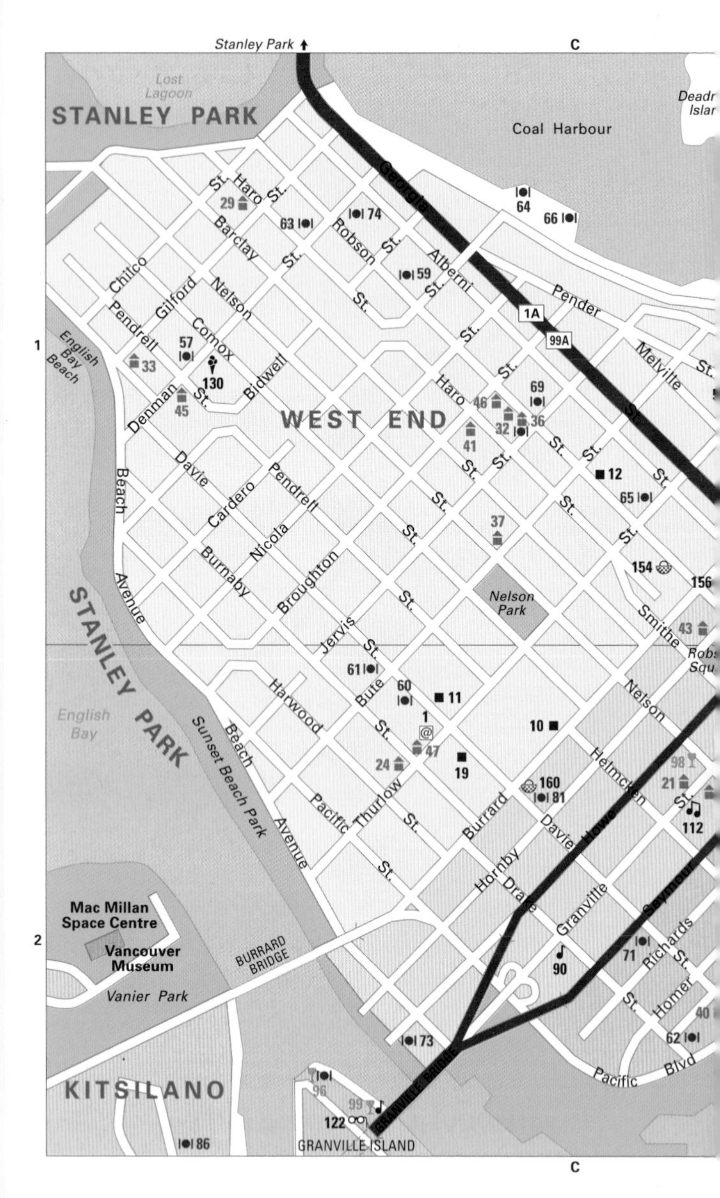
Stanley Park
C
Lost Lagoon
STANLEY PARK
Coal Harbour
Deadr Islar
Georgia
Haro St.
Barclay St.
Robson St.
Alberni St.
Pender
1A
99A
Melville St.
Chilco
Gilford
Nelson
Pendrell
Comox
Bidwell
Denman St.
English Bay Beach
WEST END
Haro St.
Davie
Cardero
Pendrell
Nicola
Burnaby
Broughton
Beach Avenue
STANLEY PARK
English Bay
Nelson Park
Smithe
Robs Squ
Jervis St.
Bute St.
Harwood
Nelson
Helmcken
Sunset Beach Park
Beach Avenue
Pacific
Thurlow St.
Burrard
Davie
Howe
Hornby
Drake
Granville
Seymour
Richards St.
Homer St.
Pacific Blvd
Mac Millan Space Centre
Vancouver Museum
Vanier Park
BURRARD BRIDGE
GRANVILLE BRIDGE
KITSILANO
GRANVILLE ISLAND
1
2
C

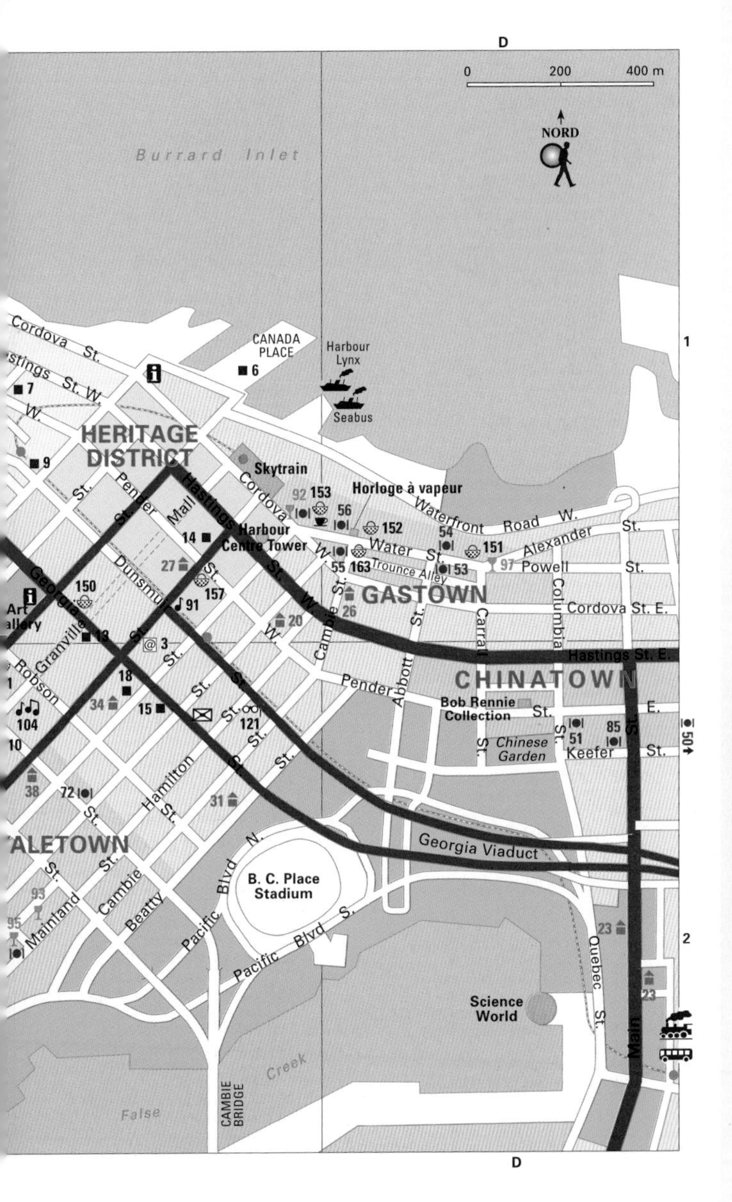

VANCOUVER – ZOOM DOWNTOWN

■ **Adresses utiles**

- Tourist Info Centres
- @ 1 Internet
- @ 3 Internet
- 5 Consulat de France
- 6 Consulat de Suisse
- 7 Consulat des États-Unis
- 9 Ultima Medicentre
- 10 Saint Paul Hospital
- 11 Shoppers Drug Mart
- 12 London Drug
- 13 London Drug
- 14 Dollar et Thrifty
- 15 Budget
- 17 Avis
- 18 Pacific Car Rentals
- 19 Laverie

Où dormir ?

- 20 American Backpackers Hostel
- 21 Hostelling International Vancouver Central
- 22 Same Sun Backpacker Lodges
- 23 C & N Backpackers Hostels
- 24 Hostelling International Vancouver Downtown
- 26 Cambie International Hostel
- 27 Seymour Cambie Hostel
- 29 Buchan Hotel
- 31 YWCA Hotel
- 32 Barclay
- 33 Sylvia Hotel
- 34 The Kingston Hotel
- 36 Listel Hotel
- 37 Ashby House B & B
- 38 Moda Hotel
- 40 Opus Hotel
- 41 The West End Guesthouse
- 43 Wedgewood Hotel & Spa
- 45 English Bay Hotel
- 46 Robsonstrasse Hotel & Suites
- 47 Sunset Inn & Suites

Où manger ?

- 50 Hon's Wun-Tun House
- 51 Kam Gok Yuen
- 53 Jules Bistro
- 54 The Old Spaghetti Factory
- 55 Water Street Café
- 56 Al Porto (Borgo Antico) Ristorante
- 57 Delany's Coffee House
- 59 Capers Organic Produce
- 60 Stepho's
- 61 Hamburger Mary's
- 62 Rodney's Oyster House
- 63 Poncho's Mexican Restaurant
- 64 Lift
- 65 Joe Fortes
- 66 Cardero's
- 69 La Bretagne
- 71 The Elbow Room Café
- 72 Subeez
- 73 C Restaurant
- 74 Kintaro Ramen
- 81 Bin 941
- 85 Bao Bei
- 86 Go Fish Ocean Emporium

Où boire un verre en musique ?

- 92 Steamworks Brewing Company
- 93 Afterglow
- 95 Yaletown Brewing Company
- 96 Bridges Bistro
- 97 Chill Winston
- 98 The Moose
- 100 George

Où écouter de bons concerts ?

- 90 The Yale
- 91 Railway Club
- 99 The Backstage Lounge
- 104 Commodore Ballroom

Où danser ?

- 110 The Roxy
- 112 Stone Temple Cabaret

Où voir un *comedy show* ou une pièce de théâtre ?

- 121 Vancouver Playhouse & Queen Elizabeth Theatre
- 122 Arts Club Theatre

Où manger une glace ?

- 130 Gelarmony Gelato Café

Achats

- 150 Pacific Centre
- 151 Spirit Wrestler Gallery
- 152 Hill's Native Art
- 153 Les Délices de l'Érable (Canadian Maple Delights)
- 154 Lush Fresh Handmade Cosmetics
- 156 HMV – Megastore
- 157 A & B Sound
- 160 Darryl's Café & Native Art Shop
- 161 Chapters
- 163 Inuit Gallery

VANCOUVER – REPORTS DU ZOOM

Campings

⛺ ***Two Jack Lakeside et Two Jack Main*** *(hors plan par B1) : à env 10 km au nord-est de Banff vers le lac Minnewanka. De mi-mai à fin sept. 2 campings voisins. On préfère le* Lakeside *(☎ 403-762-1580), plus intime avec ses 75 places. Prix : 27,40 $ sans feu.* Très beau site, on dort sous les sapins, face au lac qui scintille au soleil, au pied des sommets enneigés. Douches, w-c et tables en bois. *Un peu plus loin, le* ***Main*** *(☎ 403-762-1579), avec 380 emplacements. Moins cher : 21,50 $ (sans feu).* C'est un peu l'usine, mais au moins, il n'est pas toujours complet, même en haute saison. Dans ce dernier, ni douche ni lac à l'horizon.

⛺ ***Campings de Tunnel Mountain Village*** *(hors plan par B1) : à 2,5 et 4,5 km à l'est de Banff, par Tunnel Mountain Rd. Navette* Roam *depuis Banff. Résas via l'office de tourisme.* À 2 km l'un de l'autre, le 1er (venant de Banff), un immense camping, est plutôt destiné aux *RV (env 32 $)* tandis que le 2nd est plutôt pour les tentes *(pas d'électricité, compter 28 $).*

Bon marché

🏠 ***Samesun Backpacker Lodge*** *(plan B1, **10**) : 433 Banff Ave. ☎ 403-762-4499 ou 1-877-972-6378. • samesun.com • Env 37 $/pers en été, 28-30 $ le reste de l'année, petit déj inclus. Internet, wifi.* Une AJ privée diablement chouette ! Moderne sans être aseptisée, elle dispose d'une centaine de lits en dortoirs moquettés et très agréables de 6 à 10 lits, avec sanitaires privés, TV et même des fauteuils. Cuisine sympa, salon, laverie et même un bar, ouvert à partir de 17h et servant tous les jours des plats à 6 $. Enfin, l'*hostel* organise un tas d'activités (soirées au pub, randonnées...), pour la plupart gratuites.

🏠 ***HI Banff Alpine Center*** *(plan B1, **11**) : Tunnel Mountain Rd. ☎ 403-762-4123 ou 1-866-762-4122. • hihostels.ca • Assez excentré (à 2 km du centre), mais navette* Roam *pour le centre-ville ttes les 40 mn. Compter 30-37 $; quelques chambres privées avec ou sans sdb 110-150 $. Internet, wifi.* Encore une belle AJ, moderne et nickel, dans 2 bâtiments. Très bien équipée, excellents matelas dans les dortoirs, salon-cheminée, cuisines, machines à laver, bar (avec baby-foot, billard et fléchettes), resto sympa et pas cher (pour le petit déj et le dîner) et activités de groupe tous les soirs. Rafting, excursions et randos sur demande. En prime, possibilité d'y obtenir des nuitées gratuites contre quelques heures de boulot – quand il y en a, bien sûr (4h de taf = 1 nuit !).

🏠 ***Banff « Y » Mountain Lodge*** *(plan A2, **12**) : 102 Spray Ave. ☎ 403-762-3560 ou 1-800-813-4138. • ymountainlodge.com • Sur la gauche après le pont en venant du centre. Résa conseillée. En dortoir, 33 $; doubles avec ou sans sdb 88-104 $. Réduc de 10 % avec la carte* HI. *Internet, wifi.* Dans un bâtiment moderne, dortoirs en sous-sol un peu sommaires, de 6 à 10 lits (filles et garçons séparés), avec sanitaires intégrés. Grand salon agréable. Cafétéria ouverte de 7h à 21h. Cuisine équipée, laverie, etc. Accueille beaucoup de jeunes qui travaillent en ville pour la saison. Bon, on préfère tout de même les autres AJ.

De prix moyens à plus chic

🏠 ***King Edward Hotel*** *(plan A1-2, **13**) : 137 Banff Ave. ☎ 403-985-3734 ou 1-888-762-2607. • kingedwardhotelbanff.com • À partir de 100 $ pour 2 pers en été, à peine 55-60 $ hors saison. Wifi.* Le moins cher de la ville. Petit hôtel sans caractère mais les chambres, à peine une vingtaine, offrent le confort de base et ne sont pas mal tenues.

🏠 ***Red Carpet Inn*** *(plan A1, **14**) : 425 Banff Ave. ☎ 403-762-4184 ou 1-800-563-4609. • banffredcarpet.com • À partir de 135 $ pour 2 pers en été ; presque moitié prix hors saison. Petit déj compris. Internet, wifi.* Chambres banales, avec frigo et AC, mais encore abordables. Certaines, rénovées, sont plus fraîches et plus agréables, tâchez d'avoir une de celles-là ! Également des chambres intéressantes pour famille ou groupe.

🏠 ***High Country Inn*** *(plan A1, **14**) :*

419 Banff Ave. ☎ 403-762-2236 ou 1-800-661-1244. • banffhighcountryinn.com • Double 205 $ en été, 135 $ hors saison, avec le petit déj. Internet, wifi. Remises intéressantes si l'hôtel n'est pas complet. Chambres tout confort, spacieuses et, pour la plupart, avec balcon. Sauna, jacuzzi et belle petite piscine intérieure.

B & B

La région étant très touristique, mieux vaut réserver les *B & B* longtemps à l'avance. À noter que la plupart ne prennent de réservation que pour 2 nuits au moins en saison. Liste disponible à l'office de tourisme et sur • *banfflakelouise.com* • Quelques adresses :

Tan-Y-Bryn B & B *(plan A2, **15**) : 118 Otter St. ☎ 403-762-3696. • tanybryninbanff.com • Compter 50-95 $ selon taille. Wifi.* Dans une maison centenaire, un *B & B* de 8 chambres à deux pas du centre. C'est le moins cher de la ville, aussi ne vous attendez pas à un confort princier ni à une déco très léchée. Seule la chambre la plus chère possède sa propre salle de bains. Petit déjeuner assez léger.

Rocky Mountain B & B *(plan B1, **16**) : 223 Otter St, à l'angle de Wolf. ☎ 403-762-4811. • rockymtnbb.com • Env 100-135 $ la double et 170 $ l'appart pour 6 pers. Wifi.* À mi-chemin entre le *B & B* et l'hôtel, 10 chambres avec ou sans salle de bains à la jolie déco, un peu campagnarde pour certaines, avec plancher. Salle commune accueillante, avec canapé rouge, TV et cheminée. Très bien tenu, accueil excellent et petit déjeuner complet. Une bonne adresse.

Mountain Country B & B *(plan A1, **17**) : 427 Marten St. ☎ 403-762-3288. • banffmountaincountry.com • Doubles 90-150 $ selon taille.* Dans une grande maison de type chalet. Les 2 chambres sont très confortables, avec baignoire-jacuzzi, et disposent d'un balcon ainsi que d'une kitschissime moquette, orange ou verte, à poils longs. On prépare soi-même son petit déj dans la chambre. Accueil aimable.

Cascade Court B & B *(plan A2, **18**) : 2 Cascade Court. ☎ 403-762-2956. • tarchuk.com • Doubles 95-165 $. Internet, wifi.* 2 chambres cossues, avec salle de bains nickel, à l'étage d'une élégante demeure. Accueil charmant d'un couple âgé. Petit déj continental. En prime, un petit salon cosy et une salle en sous-sol avec TV et billard. Strictement non-fumeurs.

Où manger ?

Spécial petit déjeuner

Wild Flour Artisan Bakery *(plan A1, **41**) : 211 Bear St. ☎ 403-760-5074. Tlj 7h-18h.* Boulangerie artisanale avec choix de pains bio, des pâtisseries, croissants, muffins et breakfasts servis toute la journée, à accompagner de café ou – pourquoi pas ? – d'un chocolat chaud mexicain. Très bien aussi pour le midi (bons sandwichs frais, soupes, salades).

Evelyn's Coffee Bar *(plan A1, **40**) : 201 Banff Ave. ☎ 403-762-0352. Tlj 6h30-23h.* Croissants, muffins, *rolls, breakfast wraps* et divers bons cafés. Une autre adresse : **Evelyn's Too,** *229 Bear St (lun-ven 7h-18h, w-e 9h-17h).* La salle y est plus grande.

Également le **Bruno's Cafe & Grill,** qui sert des petits déj complets *(compter 11-18 $)...* jusqu'au soir ; et le **Coyotes** *(à peine 10-12 $).* Voir ci-dessous.

De bon marché à prix moyens

Bruno's Cafe & Grill *(plan A1-2, **30**) : 304 Caribou St. ☎ 403-762-8115. Tlj 8h-minuit. Burger env 15 $.* Un endroit très populaire, entre le *diner* et le bar, qui tire son nom d'une légende locale, le Suisse Bruno Engler, un des premiers alpinistes de Banff. Burgers originaux, au poulet, au bison, au bœuf ou végétariens, avec des sauces au choix. Également des pizzas, *wraps*, sandwichs et de bons petits déj, servis à toute heure. Concerts de temps en temps le week-end.

St Jame's Gate *(plan A1, **33**) : 207 Wolf St. ☎ 403-762-9355. Dim-jeu 11h-1h, ven-sam 11h-2h.* Happy hours

17h-19h. Plats 12-18 $. Ce cousin irlandais est chaleureux à souhait, avec de grandes banquettes, coins et alcôves pour dîner tranquille. Et pour accompagner l'une des 23 bières pression, très bonne cuisine de pub (steak Guinness, burger d'agneau, *maple whiskey salmon, bangers & mash,* etc.). Atmosphère chaleureuse et reposante.

I●I ***Sushi House*** *(plan A1-2,* ***30****) : 304 Caribou St.* ☎ *403-762-4353. Tlj 11h30-22h. Repas env 15 $.* Makis et sushis défilent sur un train électrique qui fait le tour d'une grande table ovale autour de laquelle sont assis les convives. C'est frais, ludique, sain et délicieux.

De prix moyens à plus chic

I●I ***Nourish*** *(plan A1,* ***32****) : 215 Banff Ave, Sundance Mall ; au 2e étage.* ☎ *403-760-3933. Tlj sf mar 12h-15h, 17h-21h. Repas env 20 $.* Petit resto végétarien à la déco un peu orientale. La cuisine (salades élaborées, *cheese curry,* raviolis de champignons sauvages, poivrons farcis, etc.) est une explosion de saveurs et de couleurs ! Certains plats sont servis en demi-portion ou portion entière, celle-ci pouvant parfois suffire pour 2. Également d'excellents cocktails de jus de fruits et autres sodas naturels. Loin des hordes touristiques, on se sent bien dans ce joli petit endroit. En revanche, mieux vaut ne pas être trop pressé.

I●I ***Coyotes*** *(plan A1,* ***37****) : 206 Caribou St.* ☎ *403-762-3963. Tlj dès 7h30. Compter 12-15 $ le midi et 15-30 $ le soir.* On a été conquis par la finesse des plats servis dans ce resto tendance tex mex : *enchiladas* aux crevettes, polenta du Sud-Ouest avec ratatouille, *spicy black bean burrito...* mais aussi des plats plus canadiens (saumon, *beef tenderloin*). Vraiment succulent, le tout dans une salle fort plaisante avec cuisines bien en vue. On peut aussi (c'est même recommandé) y prendre le petit déj.

I●I ***The Bison*** *(plan A1,* ***38****) : 211 Bear St.* ☎ *403-762-5550. Tlj 11h30-23h. Plats 12-20 $.* Au rez-de-chaussée, un bar-resto où l'on s'envoie d'appétissantes pizzas bien fines, des burgers ou encore d'excellents petits plats de ménage servis dans des petites poêles en fonte... Beaucoup d'ambiance (surtout quand il y a des événements sportifs !). Pour nos lecteurs plus à l'aise dans leur budget, il y a aussi un resto plus chic à l'étage *(ouv slt le soir, plats 25-40 $),* au cadre élégant et à l'atmosphère relax.

I●I ***Timbers Food Company*** *(plan A1,* ***31****) : 204 Wolf St.* ☎ *403-762-8987. Tlj 8h-22h. Plats 10-17 $ le midi ; env 20-35 $ le soir.* Cuisine fine et inventive dans une belle salle de style contemporain ou sur une terrasse tout en bois. Relativement simple, quoique bien bon, au déjeuner, la nourriture devient plus sophistiquée le soir : veau *alla parmigiana,* saumon à l'orange... avec toujours une touche de créativité qui fait la différence. Conseillé, même si les portions sont parfois un peu petites.

I●I ***Cilantro Mountain Café*** *(plan B1,* ***34****) : Tunnel Mountain Rd.* ☎ *403-762-2400. Ouv slt en juil-août, mer-dim 17h-22h. Pizzas et pâtes env 15 $; viande moins de 30 $.* Sur les hauteurs de Banff, dans l'enceinte du *Buffalo Mountain Lodge,* petit chalet-resto proposant une carte courte mais alléchante. Terrasse aux beaux jours.

I●I ***The Maple Leaf*** *(plan A2,* ***35****) : 137 Banff Ave.* ☎ *403-760-7680. Tlj 11h-22h (minuit côté bar). Plats 15-30 $ le midi ; 20-45 $ le soir.* Fine cuisine régionale et carte inventive, avec néanmoins toujours le classique filet de bison ou le saumon sauvage du Pacifique. Liste de 650 vins. Le service hyper attentionné et le cadre, élégant, tout en pierre et bois, sont une invitation à la détente. Une valeur sûre de Banff.

Où boire un verre ? Où écouter de la musique ?

La plupart des bars de Banff sont en fait des restos-bars : les uns dînent d'un côté tandis que les autres vident des bières en face.

🍸 ♪ ***St Jame's Gate*** *(plan A1,* ***33****) : 207 Wolf St.* ☎ *403-762-9355. • stjamesgatebanff.com • Tlj 11h-1h (2h ven-sam). Happy hours 17h-19h.* Très beau pub à l'irlandaise, autour d'un immense bar central, où le stout coule à flots. Le choix risque d'être rude : 23 bières pression et environ 30 scotchs différents (les 15 premiers sont excellents, après on ne se souvient plus !). Incontestablement un des endroits les plus sympas de la ville, d'où l'affluence. Concerts gratuits d'*Irish folk* dès 21h30 le week-end.

🍷 ♩ ***Wild Bill's Saloon*** *(plan A1,* ***50****) : 201 Banff Ave ; au 1er étage. ☎ 403-762-0333. • wbsaloon.com • Tlj 11h-2h.* En l'honneur de Bill Peyto, figure locale. Plusieurs salles avec cadre façon saloon ; on peut choisir la piste de danse enfiévrée ou s'installer plus au calme face aux Rockies. Musique country en fin de semaine.

🍷 ***Tommy's*** *(plan A2,* ***51****) : 120 Banff Ave. ☎ 403-762-8888. Tlj 11h-2h.* Un autre repaire des jeunes de Banff, sorte de pub à la canadienne, spacieux et tout en bois clair. Miniterrasse et parties de fléchettes. Bonne ambiance.

🍷 ♩ ***Rose and Crown*** *(plan A1,* ***52****) : 202 Banff Ave ; au 1er étage. ☎ 403-762-2121. Tlj 11h-2h. Resto jusqu'à minuit.* Happy hours *ven-dim 16h-18h.* Un des bars les plus animés de la ville : la fréquentation est jeune et l'ambiance vraiment sympa. C'est aussi le seul à proposer des concerts tous les soirs en saison. Coin billard. Grande terrasse sur le toit.

À voir. À faire

Il existe un ticket combiné (le ***Heritage Pass***) à 10 $ (réduc enfants) pour le Park Museum, le Whyte Museum et le Buffalo Nations Luxton Museum (50 % de remise sur ce dernier). Achat dans l'un de ces musées.

👁👁 ☺ ***Buffalo Nations Luxton Museum*** *(plan A2) : après le pont, au bout de Banff Ave, prendre à droite et entrer sur le parking de la boutique* Indian Trading Post, *le musée est derrière. ☎ 403-762-2388. • buffalonationsmuseum.ca • En été, tlj 10h-18h ; hors saison, 13h-17h. Entrée : 8 $; 2,50 $ 6-12 ans.* Un fort protégé par une grande palissade de bois (genre *Rintintin*) abrite le musée le plus intéressant de la ville, quoique un peu vieillot. Il retrace la vie des Indiens des Prairies du Nord, dans leur environnement et leurs costumes. Entre autres, le chef indien Crowfoot, qui eut 10 femmes, posséda 400 chevaux et signa un des tout premiers traités. On apprend les techniques de chasse, de capture des aigles, d'artisanat, ainsi que le déroulement de la sanglante *sun dance,* une des plus importantes cérémonies des tribus des plaines. Très bien pour comprendre la vie de ces Indiens nomades qui suivaient la migration des bisons. Également de nombreux animaux empaillés (ça vous dispense de visiter le *Park Museum*).

👁 ☺ ***Banff Park Museum*** *(plan A2) : au bout de Banff Ave, à droite, au bord de la rivière. ☎ 403-762-1558. • pc.gc.ca/museeduparcbanff • Mai-sept, tlj 10h-18h (visites guidées à 11h et 15h) ; hors saison, 13h-17h. Entrée : 4 $; 6-18 ans 2 $.* Au bord d'un petit parc, dans un bâtiment en bois, représentatif des premiers édifices fédéraux dans le parc, on peut voir toute la faune des *Rockies* empaillée. C'est le musée d'Histoire naturelle le plus ancien de l'Ouest canadien (1895), et ça se voit !

👁 ***Whyte Museum of the Canadian Rockies*** *(plan A2) : 111 Bear St. ☎ 403-762-2291. • whyte.org • Tlj 10h-17h. Entrée : 8 $; réduc.* Un musée regroupant une galerie d'art (expos temporaires uniquement) et un espace consacré à des expos changeantes sur l'histoire des Rocheuses. Également, visibles seulement dans le cadre des visites guidées qui ont lieu entre 10h30 et 15h30, deux maisons historiques. L'une, de 1907, appartenait à Pearl et Philip Moore, le couple à l'origine de la compagnie de transport *Brewster.* Pearl, dit-on, était un garçon manqué qui tua un bélier à l'âge de 15 ans (on peut voir la tête du bestiau dans la maison) et jouait encore au hockey à 50 ans passés... Philip, son mari, qui ne mesurait que 1,62 m, battit quant à lui le record du monde du saut à la perche... L'autre maison, de 1930, appartenait aux Whyte, une grande famille de Banff.

EAU BÉNITE

Les eaux se réchauffent à l'intérieur de l'écorce terrestre en entraînant avec elles quantité de sels minéraux dont elles se déchargent en partie en regagnant la surface. L'un de ces sels, le carbonate de calcium, en se durcissant forme le tuf. Auprès des premiers touristes au XIXe s, cette eau avait acquis l'étrange réputation de guérir la goutte, la dyspepsie, la dépression et... les blessures par balle !

Cave and Basin *(hors plan par A2)* **:** *311 Cave Ave. ☎ 403-762-1566. De mi-mai à mi-sept, 9h-18h ; hiver, 11h-16h. Visite guidée à 11h. Entrée : 4 $; réduc. Musée payant, mais balade sur le site gratuite. Docu-fiction de 30 mn disponible en français.* Sources thermales déjà connues des natifs pour leurs vertus curatives, qui furent découvertes par hasard par trois cheminots en 1883. À l'époque, les thermes étaient très à la mode, mais le Canada n'en possédait pas encore. Profitant des querelles entre les « découvreurs » qui se disputaient la propriété des sources, le gouvernement décida en 1885 la création du premier parc national du pays.
Belle expo sur le parc de sa création à nos jours ; intéressant de découvrir la prise de conscience écologique progressive. On peut voir le fameux bassin dans lequel tout a commencé – il est fermé à la baignade depuis 1992 –, ainsi que la grotte d'où coule la source d'eau sulfureuse. Cette eau provient des pluies et de la fonte des neiges de l'autre côté du mont Sulphur, et abrite une espèce en danger, un minuscule escargot gros comme un pépin de raisin, qui vit dans les bassins et n'existe nulle part ailleurs dans le monde.

Banff Upper Hot Springs *(hors plan par A2)* **:** *au bout de Mountain Ave. ☎ 403-762-1515 ou 1-800-767-1611. Navette* Roam *en été depuis le centre. En hte saison, tlj 9h-23h. Entrée : env 7,50 $. Loc de serviettes et de maillots d'époque pour le fun ! Casier à vêtements payant (1 $).* Température de l'eau « rafraîchie » à 40 °C. Massages. Quitte à barboter dans l'eau chaude, on aurait préféré une piscine naturelle, mais la vue sur les montagnes est quand même impressionnante. Hélas, il arrive parfois, au début de l'automne, que la source se tarisse. On coupe alors les eaux thermales avec... de l'eau du robinet !

Banff Gondola *(hors plan par A2)* **:** *au bout de Mountain Ave, comme pour les Hot Springs ; indiqué. Navette* Roam *ttes les 40 mn. ☎ 403-762-2523. En été, 8h30-21h ; horaires restreints hors saison. Adulte 30 $; ½ tarif en dessous de 15 ans.* Une télécabine effectue la montée en 8 mn au sommet du mont Sulphur (2 270 m). La vue sur les Rockies et sur la Bow River, couleur d'émeraude, un peu laiteuse, est grandiose. Sinon, possibilité de monter à pied : compter 2 à 3h de belle randonnée avec 700 m de dénivelée. De l'autre côté, l'étendue infinie de la chaîne montagneuse s'offre à vous. Un sentier mène en 30 mn à une ancienne station météo au décor 1930 reconstitué, et vous pouvez redescendre à pied jusqu'à *Cave and Basin* (8,4 km).

Bow River Falls *(plan B2)* **:** *en descendant Banff Ave depuis le centre, prendre Spray Ave à gauche après le petit pont et suivre les flèches.* Petite chute d'eau pittoresque. Allez-y plutôt au petit matin, c'est plus sympa sans les cars de Japonais. La chute est le départ d'une chouette balade le long de la rivière. Gare aux moustiques !

Le lac de Minnewanka *(hors plan par B1)* **:** *à env 12 km au nord-est de Banff.* Belle étendue au pied des montagnes. Le niveau du lac a été relevé artificiellement deux fois. Sous l'eau se trouvent donc les vestiges du premier barrage et ceux d'un village englouti. On peut y faire une balade en bateau de 1h30, avec commentaires sur l'histoire des tribus indiennes, la faune et la flore, ainsi que l'historique de Banff. À faire de préférence en fin de journée. Sur la rive gauche du lac de Minnewanka, sentier vers les Stewart Canyon, Aylmer Pass et Devil's Gap.

À faire encore. Activités sportives

Petites balades pédestres et cyclistes au départ de Banff

Passez prendre au centre d'information de Banff le guide-dépliant gratuit *Randonnées d'une journée,* qui reprend et détaille, cartes à l'appui, les balades courtes à faire dans les environs de la ville. Pour les balades à vélo, se procurer le *Guide du cycliste* (gratuit aussi). Les itinéraires y sont détaillés. La plupart des loueurs de bécanes sont sur Bear Street (prix identiques ; voir « Adresses et infos utiles »). Quelques idées de balades :

➢ ***De Cave and Basin à Sundance Canyon :*** sentier facile de 3,7 km, le long de la rivière et dans la forêt, à faire à pied ou à vélo. À pied, on peut faire une boucle et rejoindre Banff par l'*Upper Hot Springs.* Pas de voiture après *Cave and Basin.*

➢ ***Lake Minnewanka :*** une boucle sans difficulté de 24 km (à faire à vélo) qui vous mène au lac Minnewanka, au nord-est de la ville. Aire de pique-nique et petite épicerie au bord du lac.

➢ ***Vermilion Lakes :*** plutôt à vélo. Balade de 1h, le long de trois petits lacs, à partir de Mount Norquay Drive, juste avant la Transcanadienne. Ne pas oublier les jumelles pour observer castors, oies sauvages, aigles, rats musqués, aigrettes, etc.

➢ ***Fenland :*** sentier d'interprétation pédestre au début de la balade précédente. On passe du marais à la forêt (2 km). Quelques castors et oiseaux aquatiques balisent le parcours.

➢ ***Tunnel Loop :*** au nord-est de Banff, par la Tunnel Mountain Road. À faire plutôt à vélo. Il s'agit d'une boucle de 9,4 km offrant de très belles vues sur les monts Cascades et Rundle. Avant la fin, on peut emprunter la ***Hoodoo Trail,*** de 3,5 km, qui donne sur la vallée de la rivière Bow ainsi que sur les *hoodoos,* d'intrigantes formations rocheuses en forme de cheminées de fée.

➢ ***Spray River et Goat Creek :*** au sud de Banff, départ du *Banff Springs Hotel.* À faire à VTT. Si quelqu'un vient vous chercher à l'arrivée, cela vous évitera de faire le chemin en sens inverse. Ce serait dommage cependant, car les paysages sont différents et le trajet plus facile au retour. Nous conseillons donc l'aller-retour. Compter 6h (pour deux fois 19 km), mais quelle balade ! En partant le matin de bonne heure, peut-être aurez-vous la chance de voir des troupeaux de biches dans la brume matinale.

➢ ***Heritage Trail :*** une nouvelle piste cyclable qui relie Banff au poste d'entrée est du parc. Beaux paysages, même si la piste longe en fait l'autoroute qui va vers Canmore.

Randonnées plus longues dans les environs de Banff

Le parc compte plus de 1 300 km de sentiers balisés. Certaines promenades sont réalisables en 1 journée, d'autres demandent plusieurs jours.

- Des aires de ***camping sauvage*** sont prévues, mais il faut acheter un *permis de camper (10 $/j. par pers)* au centre d'info de Banff. On peut aussi réserver son emplacement (service payant).
- Outre le guide-dépliant *Randonnées d'une journée dans le parc national de Banff,* procurez-vous le *Guide du visiteur de l'arrière-pays,* qui décrit les randonnées plus longues à faire dans le parc. Nombreux autres guides et cartes à la boutique de *Parcs Canada,* notamment le très bien fichu (mais en anglais) *Classic Hikes in the Canadian Rockies,* de Graeme Pole (voir « Un peu de lecture » en début de chapitre).
- Enfin, ne pas oublier que beaucoup de lacs ne sont totalement dégelés qu'à partir de fin juin et qu'avant cette date, certaines balades sont fermées, souvent à cause des risques d'avalanche.

Voici une petite sélection de randonnées, de 1 ou 2 jours, à faire non loin de Banff :

➢ ***Le col Aymer :*** pas moins de 26 km (aller-retour), qu'on effectue en 8 à 9h de marche. Randonnée très populaire, qui commence par la boucle du lac Minnewanka et vous mène jusqu'à un col de 2 285 m ! Pas besoin de préciser que la vue vaut le détour...
➢ ***Bourgeau Lake :*** à l'est de Banff, en allant vers Lake Louise. Compter 5 à 6h pour couvrir les 15 km (aller-retour) de cette balade pas trop difficile. Lac sauvage entouré d'éboulis et de sapins. Quelques chèvres de montagne. Les marcheurs confirmés pourront continuer jusqu'au col Harvey par un sentier assez ardu et non balisé (prévoir 2h de plus).
➢ ***Elk Lake :*** le sentier (23 km aller-retour) démarre à la station de ski Norquay, au nord de Banff. Le lac est situé au milieu d'un cirque. Panorama ouvert, très varié. Pas de difficultés majeures. Camping dans les prés subalpins du col.
➢ ***Mystic Lake :*** même point de départ (mais sentier différent) que pour *Elk Lake.* Compter 6 à 8h aller, il faut donc prévoir 2 jours. Un classique des randonneurs. Nombreux sites de camping sur le parcours. Possibilité de prolonger la randonnée jusqu'à *Johnston Canyon.* On rencontre de charmants cours d'eau, des paysages de type subalpin, de denses forêts.
➢ Voir aussi les balades à faire entre Banff et Lake Louise, plus loin.

Rafting

Plusieurs compagnies à Banff, proposant à peu près les mêmes prestations. Deux formules possibles : le rafting tranquille (sur la Bow River, par exemple) ou le rafting sportif. Pour ce dernier, départ de Banff, arrêt à Lake Louise pour prendre quelques clients supplémentaires, puis direction Golden. Si, donc, votre voyage passe d'abord par Banff puis se prolonge par Lake Louise, attendez d'être à Lake Louise pour faire votre descente en eaux vives (cela vous évitera un aller-retour Banff-Lake Louise inutile).

■ ***Float Trips :*** ☎ *403-762-3632.* • *banffrafttours.com* • Rafting assez pépère.
■ ***Hydra :*** *211 Bear St.* ☎ *403-762-4554 ou 1-800-644-8888.* • *raftbanff.com* • Rafting mouvementé sur la Kicking Horse River.
■ ***Kootenay River Runers :*** ☎ *1-800-599-4399.* • *raftingtherockies.com* • Rafting de différents niveaux.

Canoë

Possibilité de louer un canoë et de voguer sur la *Bow River* et les *Vermilion Lakes.* Le paysage pourrait être magnifique et serein... sans la présence de la Transcanadienne que l'on entend et voit pendant presque toute la balade...

■ ***Blue Canoe*** *(plan A1,* ***7****) :* *angle Wolf St et Bow Ave.* ☎ *403-760-5465.* • *banfftours.com* • *Loc de canoës ou kayaks 34 $ pour les 2h précédant la fermeture de la boutique, ou 60 $/j.*

Équitation

Plus de possibilités dans le coin de Lake Louise. Une seule compagnie :

■ ***Holiday on Horseback :*** The Trail Rider Store, *132 Banff Ave.* ☎ *403-762-4551.* • *horseback.com* • Leurs circuits durent entre 1 et 7h.

Pêche

■ Pour la pêche en rivière ou sur le lac, il existe plusieurs agences, dont ***Banff Fishing Unlimited*** *(☎ 403-762-4936 ou 1-866-678-2486 ;* • *banff-fishing.com* •*).* Ils s'occupent du permis.

Manifestation

– ***Banff Summer Art Festival :*** *juin-août. Se déroule au* Banff Center. • *banffcentre.ca/bsaf* • Des événements artistiques et culturels quotidiens tout au long de l'été : concerts, ballets, expositions, conférences, etc.

DE BANFF À LAKE LOUISE (64 KM PAR LA 1A)

Après avoir récupéré la Transcanadienne à la sortie de Banff, à quelques kilomètres, empruntez la *Bow Valley Parkway* (la route 1A) qui mène à Lake Louise par la route tracée initialement, plus pittoresque que la Transcanadienne. Vous avez toutes les chances de croiser des wapitis. Cette zone est d'ailleurs si cruciale pour la faune qu'elle est parfois fermée à la circulation de 18h à 21h au printemps pour que les bébés quadrupèdes ne soient pas frappés par des « quadriroues ». On vous indique ci-dessous quelques belles étapes.

JOHNSTON CANYON

À environ 25 km, peu après le camping de *Johnston Canyon,* sur la droite. *Coffee shop (*The Bridges, *bon marché ; ouv 8h-22h)* au départ d'une ***chouette balade*** facile et accessible à tous (même aux tout-petits), qui remonte la sinueuse rivière Johnston sur plusieurs kilomètres. À 1 km, en empruntant le sentier goudronné sous les pins, on parvient à une chute d'eau qui fouette la roche et a creusé un bassin aux contours arrondis. C'est la chute « inférieure », la chute « supérieure » étant 1,6 km plus haut. À 5,8 km, on arrive aux *Inkpots* (« pots d'encre »), une série de sources qui s'écoulent dans de superbes bassins. Pour aller jusqu'au bout, compter tout de même 4h aller-retour.

CASTLE MOUNTAIN

En poursuivant la route apparaît sur la droite, presque comme dans un conte de fées, la Castle Mountain, énorme masse rocheuse aux formes pyramidales dressées vers le ciel. Quelques très belles balades à faire dans le secteur :

➢ ***Rockbound Lake :*** départ du sentier à Castle Junction, en face de l'auberge de jeunesse. Environ 17 km aller-retour, compter 6h en tout. Randonnée assez sportive. Superbes paysages de type subalpin se reflétant dans un lac. Le spectacle vaut l'effort.
➢ ***Twin Lakes :*** départ de Castle Junction mais de l'autre côté de la Highway 1 (accès par la route 93 vers l'ouest). Compter aussi 6h aller-retour (17 km). On longe le lac Vista et le lac Arnica, avant d'atteindre les lacs jumeaux *(twin lakes).* Vue impressionnante des crêtes, au pied desquelles un lac repose sagement. Paysages très prenants.
➢ Cinq kilomètres plus loin en allant vers Lake Louise, un chemin de 3,7 km mène au ***Castle Mountain Lookout,*** un superbe point de vue à 520 m en surplomb de la route. Compter bien 3h aller-retour.

Où dormir ? Où manger en cours de route ?

Camping de Johnston Canyon : *à 25 km de Banff, sur la gauche. ☎ 403-762-1581. Juin-sept, accueil 7h-22h30. Compter 28 $.* Joli et vaste site, au milieu des pins. L'un des plus agréables campings des environs de Banff. Équipé de w-c, de douches et d'abris-cuisines.

HI Castle Mountain : *à 30 km de Banff, sur la gauche. Résas : ☎ 1-866-762-4122. • hihostels.com • Sortir au* *panneau « Radium Hot Springs », c'est à deux pas du carrefour de Castle Junction (petite épicerie, station d'essence et loc de chalets). Réception 8h-10h, 17h-22h. Compter 23 $.* Tenu par le sympathique Tony. 2 dortoirs (un pour les filles, un pour les garçons) un peu exigus, avec sanitaires un peu exigus également mais très propres et équipés d'excellentes douches. Cuisine et salon tout vitré avec cheminée, donnant sur les pins (où il n'est pas rare, le matin, d'apercevoir des caribous). Bonne ambiance entre randonneurs : de très beaux sentiers partent d'ici.

|●| ***Baker Creek Bistro :*** *à env 11 km de Lake Louise. ☎ 403-522-2182. Tlj en saison 8h-21h. Petits déj 10-15 $, plats env 10-20 $ le midi ; 25-30 $ le soir.* Resto du *Baker Creek Chalets,* à 10 mn de Lake Louise. Salle à la canadienne un poil chic, sur fond jazzy ou country. Terrasse agréable.

LAKE LOUISE

Banff : 58 km ; Calgary : 186 km ; Jasper : 233 km ; Edmonton : 481 km.

Pas vraiment de village car presque personne n'habite autour de Lake Louise, lieu dévolu au tourisme. Il s'agit plutôt d'un gros carrefour bordé de deux stations-service et d'un centre commercial. Les hôtels sont situés aux alentours de ce point névralgique. En suivant la route, 4 km plus haut, on atteint l'un des plus fameux lacs des Rockies, le lac Louise et son célèbre hôtel presque centenaire, le *Château Fairmont Lake Louise.* En été, ses eaux émeraude coincées dans un cirque de versants rocheux abrupts couverts de sapins en font le passage obligé des cars de touristes. Il y a foule tous les jours en saison et, soyons francs, cela enlève au lieu un peu de son charme. À proximité s'étale le superbe lac Moraine, un poil plus sauvage (mais très fréquenté aussi en été), et, plus loin (à environ 30 km), Emerald Lake, dans le parc national de Yoho. Comme on peut s'y attendre, la région offre aussi un excellent réseau de sentiers qui ravira les randonneurs et VTTistes de tous niveaux.

Arriver – Quitter

🚌 **Bus :** *au carrefour, plus précisément au* Depot *du* Samson Mall. 2 compagnies : *Greyhound (☎ 1-800-661-8747)* et *Brewster (☎ 1-877-625-4372 ; • brewsterbus.ca •).*

➢ ***Depuis/vers Banff et Calgary :*** 4 bus/j. avec *Greyhound* et 6 bus/j. avec *Brewster* (plus cher). Ces derniers desservent aussi l'***aéroport de Calgary.*** Compter 45 mn jusqu'à Banff et 2h30 jusqu'à Calgary (3h15 pour l'aéroport).

➢ ***Depuis/vers Jasper :*** 1 seul bus/j. (en milieu d'ap-m de Lake Louise), avec *Brewster.* Billet cher. Env 4h de route.

➢ ***Depuis/vers Golden et Vancouver :*** 4 bus/j. avec *Greyhound.* Prévoir env 12h de route.

Adresses et infos utiles

🛈 ***Bureau de Parcs Canada :*** *adjacent au Samson Mall. ☎ 403-522-3833. De mi-juin à mi-sept, tlj 8h-20h ; 9h-17h (ou 16h30) le reste de l'année.* Infos sur les nombreuses possibilités de randonnées dans le coin et prévisions météo. Petite expo sur la géologie, la faune et la flore des Rocheuses. On y trouve aussi un comptoir de ***Banff-Lake Louise Tourism*** *(☎ 403-522-2744 ; • banfflakelouise.com •)* qui peut, entre autres, vous aider à trouver un logement.

■ ***Bureau des gardes :*** *☎ 403-762-1470 (24h/24).* En cas de problème.

■ @ ✉ ***The Depot :*** *au Samson Mall.* Une boutique regroupant la poste *(lun-ven 7h-18h, w-e 7h-17h),* la billetterie des bus *Greyhound* et *Brewster*, le loueur de voitures *National*, un guichet de change (mais mauvais taux), un distributeur de billets et l'accès à Internet.

■ ***Librairie The Viewpoint :*** *Samson Mall. Tlj 9h-20h.* Spécialisée dans les cartes et livres de randonnée. Énorme littérature sur les Rocheuses.

■ ***Location de vélos : Wilson Mountain Sports,*** *au Samson Mall. ☎ 403-522-3636. • wmsll.com • Tlj 8h-22h.* Loue des VTT, des tandems *(respectivement 40-50 $/j.)* mais aussi du matériel d'escalade, de camping et de pêche.

■ ***Urgences :*** *☎ 911.*

■ ***Clinique médicale de Lake Louise :*** *☎ 403-522-2184. Entre le Samson Mall et* Lake Louise Inn.

Où dormir ?

Lake Louise n'existe que par le tourisme et ne compte quasiment pas d'habitants permanents. Vous n'y trouverez donc pas de *B & B*, mais des hôtels ou des chalets à louer, ainsi qu'une AJ. En dehors de cette dernière, vous devrez casser votre tirelire, surtout en haute saison.

Camping

⛺ ***Camping Lake Louise :*** *traverser le carrefour en direction du lac Louise et prendre à gauche après la voie ferrée, sur Sentinel Fairview Rd ; le camping se trouve à droite, le long de la Bow River. Tél à l'office de tourisme. Tte l'année pour le caravaning ; de fin mai à mi-sept pour les tentes. Emplacement env 28 $.* Assez grand et très fréquenté, généralement complet l'été, mais néanmoins agréable. Bien équipé : douches chaudes, abris avec poêle et tables en cas de pluie, etc. Le coin des tentes est protégé des ours par une clôture électrifiée.

De bon marché à prix moyens

🏠 ***HI Lake Louise Alpine Center :*** *Village Rd, juste après le* Post Hotel. *☎ 403-522-2201. • hihostels.ca/lakelouise • Résa conseillée (plusieurs mois à l'avance en été). Dortoir 38 $, double 110 $. Internet, wifi.* Vaste AJ de 190 places, moderne et très bien équipée. Dortoirs agréables de 4 à 6 lits avec w-c et lavabo (douches sur le palier), ou chambres privées cosy et bien nettes (dont certaines familiales, avec mezzanine). On adore la grande salle commune sous plafond en pente avec coin canapés et cheminée, billard, baby-foot et jeux d'échecs, vraiment très conviviale. Bibliothèque, cuisine, laverie et, en prime, un sauna (inclus dans le prix) et un resto sympa (voir « Où manger ? »). Sans oublier les activités gratuites en été : soirées ciné, feux de camp...

🏠 Si vous êtes motorisé, ***The Great Divide Lodge*** *(☎ 250-343-6311 ; • thegreatdividelodge.com •), à env 10 km de Lake Louise sur la Hghw 1, vers l'ouest.* Propose des chambres sans grand caractère mais convenables et pas très chères *(à partir de 100 $ pour 2 pers).*

De plus chic à très chic

🏠 ***Lake Louise Inn :*** *210 Village Rd. ☎ 403-522-3791 ou 1-800-661-9237. • lakelouiseinn.com • À partir de 180 $ pour 2 pers. Internet, wifi.* Hôtel surtout conçu pour des groupes, avec pas moins de 13 catégories de chambres ! Les moins chères sont un peu démodées mais très correctes quand même. En mettant un peu plus, vous aurez déjà droit à une belle et confortable chambre meublée à l'ancienne. Belle piscine intérieure, jacuzzi et fitness. L'hôtel possède aussi 3 restos, on peut donc y manger à toute heure.

🏠 ***Paradise Lodge and Bungalows :*** *105 Lake Louise Dr (entre le carrefour et le lac Louise). ☎ 403-522-3595. • paradiselodge.com • De mi-mai à fin sept. À partir de 235 $ pour 2 pers.* Un ensemble de bungalows rouge foncé sous les pins à deux pas du lac. Chambres ou petits chalets, avec poêle à gaz réglable, lits douillets et sanitaires étincelants, certains (plus chers) avec coin cuisine et terrasse en bois. Très mignon et confortable, dans un bel environnement.

🏠 ***Deer Lodge :*** *juste avt d'arriver au lac. ☎ 403-410-7417 ou 1-800-661-1595. • crmr.com • Doubles 200-300 $.*

Internet, wifi. Ce *lodge* tout en bois, construit dans les années 1920 et qui n'était alors qu'un salon de thé, a su garder un authentique parfum d'autrefois. Chambres à l'ancienne donc (et sans TV !), les moins chères pour tout dire un peu vieillottes, mais il y en a de plus récentes, agréables et tout confort (mais pas données du tout). Resto (de bonne tenue) et *lounge* avec vieille cheminée, ça va de soi. Belle vue sur le glacier Victoria.

Où manger ?

De bon marché à prix moyens

|●| ☕ ***Laggan's Mountain Bakery & Delicatessen :*** *Samson Mall.* ☎ *403-522-2017. Tlj 6h-19h. Tout à moins de 10 $.* Une boulangerie-snack qui propose aussi sandwichs et petits plats le midi. Quelques tables. Bien pour le petit déj ou le déjeuner.

|●| ☕ ***Trailhead Café :*** *Samson Mall. Tlj 7h-19h. Wraps* et sandwichs corrects à moins de 10 $. Également du choix pour le petit déj. Un peu cher pour ce que c'est.

|●| ☕ ***Bill Peyto Café :*** *c'est le resto du* HI Lake Louise Alpine Center *(voir « Où dormir ? »). Tlj 7h-22h. Petits déj 5-12 $, plats 7-15 $.* Cadre agréable tout en bois clair. Cheminée pour l'hiver, terrasse aux beaux jours. Pas mal de choix et, les soirs en été, toujours d'originaux *daily specials* pas très chers. Bons petits déj. Ambiance jeune et conviviale. L'un des plus sympathiques petits restos du coin.

|●| ***The Outpost :*** *le pub du* Post Hotel, *entre le Samson Mall et l'AJ.* ☎ *403-522-3989. Ouv dès 16h30 en sem et dès 12h le w-e, jusqu'à 23h30 (cuisine). Plats 15-20 $. Pub-food* variée et d'excellente facture : burgers de saumon, saucisse-rösti, pizzas, goulasch, *quesadillas...* et même de la soupe à l'oignon. Cadre chaleureux, on mange à des tables en bois rondes ou assis dans des canapés.

|●| ***Mountain Restaurant :*** *juste à côté de la station-service* Husky, *au centre du carrefour.* ☎ *403-522-3573. Tlj 7h-22h. Plats 10-16 $ le midi, 12-22 $ le soir.* Cette cafétéria propose un peu de tout, du *mountain burger* au *halibut steak* en passant par les pâtes. Le proprio coréen met également au menu un *bul-go-gi* fumant au bœuf de l'Ouest, qui nourrit bien son homme. Un endroit où manger sans trop débourser.

De prix moyens à plus chic

|●| ***Lake Louise Station :*** *au bout de Sentinel Rd, en arrivant de Banff, à droite après être passé sous la voie ferrée.* ☎ *403-522-2600. Tlj 11h30-21h. Plats env 10-15 $ le midi ; 20-35 $ le soir.* C'est l'ancienne gare ferroviaire, rénovée à merveille. Le bureau du chef de gare a même été conservé, avec téléphone et télégraphe d'époque. Cadre des années 1920, hauts plafonds et grande cheminée en brique. Carte inventive, avec de bonnes viandes locales. Plats plus simples le midi. Les trains de marchandises passent encore à côté, mais pas sur les anciens rails. Toute une atmosphère le soir.

Très chic

|●| ***Fine Dining Room :*** *200 Pipestone Rd.* ☎ *403-522-3989. Résa impérative en été. Le midi, on peut manger léger pour env 15-20 $; le soir, compter 40-50 $ le plat.* Le resto du chic *Post Hotel,* probablement le meilleur de Lake Louise ! Spécialités européennes de tradition, mitonnées par un chef suisse, avec des propositions parfois originales, comme le veau de lait du Québec. Sélection de vins impressionnante (cave contenant près de 30 000 bouteilles !). Salle agréable en rondins, très élégante mais sans excès.

À voir. À faire

★★★ ***Lake Louise,*** bien sûr, dans son écrin montagneux. Ultrafréquenté l'été, avec un grand parking gratuit à proximité. Sans oublier l'hôtel *Fairmont,* gros pâté conçu pour loger quelque 2 000 personnes... Son histoire remonte à 1890, avec la construction d'un premier chalet, mais le bâtiment actuel date en bonne partie de 1925 car, l'année précédente, l'hôtel fut ravagé par le feu... ce qui, dit-on, n'empêcha pas les clients, le soir du sinistre, de dîner puis de danser comme si de rien n'était ! L'intérieur en jette, avec ses bars, restos et nombreuses boutiques de luxe. Si vous êtes en fonds, allez prendre un café (à la rigueur grignoter un en-cas) au *Lakeview Lounge,* qui donne sur le lac au travers de grandes vitres cintrées. Mais l'attraction première reste tout de même le lac, d'un bleu profond... en été, car il n'est dégelé que quelques mois dans l'année, de mi-juin à mi-septembre en général. On peut y faire du canoë, mais à prix gangster : 45 $/h ! Si cela vous tente quand même, alors on vous conseille plutôt d'opter pour la *sunrise canoe experience* : pour 55 $ par personne, on s'embarque sur un de ces canoës vers 6h du matin, avec du café, des muffins et le journal (le tout fourni), et c'est parti pour 1h30 de navigation, à son rythme, sur ce plan d'eau dominé par le mont Victoria qui, à cette heure du jour, prend de superbes teintes rosées !

➢ Pour bien voir le lac d'en haut, on vous conseille la balade jusqu'à la *Big Beehive.* Le départ se fait du *Château,* face au lac, par un sentier qui part sur la droite. On parvient d'abord, en 45 mn environ, au *Lake Mirror* (joli petit lac surmonté d'un piton rocheux), puis, 15 à 20 mn après, au lac Agnes, où se trouve une *tea house* tout en bois, vraiment très agréable mais bondée en été, tâchez d'y faire halte avant ou après le rush de midi (de 11h30 à 14h30) ! Au menu, grand choix de thés, cafés et petite restauration, le tout assez cher. Vu sa situation, les produits sont acheminés à dos d'homme et même, une fois par an, par hélico ! De là, on continue vers la *Big Beehive,* 1,6 km plus loin (environ 45 mn de marche, ça continue à grimper), d'où la vue sur le lac Louise, qui se dévoile enfin, est éblouissante !

➢ Autre balade très populaire, la *plaine des Six-Glaciers.* Départ là encore du *Château.* On suit la berge jusqu'au bout du lac, puis on s'enfonce dans la vallée, où l'on se retrouve cerné de pics et de glaciers impressionnants. Un peu avant d'arriver au bout du sentier, le pied du glacier Victoria, possibilité de faire une pause (bien méritée !) dans un autre salon de thé (ouvert en saison uniquement, comme l'autre). Ensuite, il n'y a plus qu'à tout refaire en sens inverse. Compter environ 4h en tout (11-12 km).

➢ On peut aussi (et on vous le recommande) combiner les deux balades décrites ci-dessus. De la *Big Beehive* par exemple, il est possible de rejoindre le sentier de la *plaine des Six-Glaciers* (ou inversement, de ce même sentier, de rejoindre la *Big Beehive*). Compter alors, en tout, au moins 5h de trajet.

➢ Enfin, pour ceux qui manquent de temps, il y a aussi la *Fairview Trail,* qui part du *Château,* sur la gauche, et mène en 20 à 30 mn (à travers bois) à un point de vue sur le lac. Plus rapide à atteindre mais moins spectaculaire que celui de la *Big Beehive.*

➢ ***Balades à cheval :*** vous avez le choix entre deux agences :

■ ***Brewster Lake Louise Trail Rides :*** *à côté du* Château Fairmont. ☎ *403-522-3511 ou 1-800-691-5085.* • *brewsteradventures.com* • *Compter 50-250 $.* Plusieurs options : 1h, 1 demi-journée ou 1 journée, dans les plus beaux endroits du coin.

■ ***Timberline Tours :*** *derrière le* Deer Lodge, *à deux pas du* Château. ☎ *403-522-3743 ou 1-888-858-3388.* • *timberlinetours.ca* • *Env 70 $ pour la plus courte balade (1h30-2h).* Randonnées de toutes durées, y compris de plusieurs jours (avec nuit sous la tente, cuisine au feu de bois, etc.) sur les bords des lacs ou dans la plaine des Six-Glaciers. Il y a même des balades de 10 mn pour les mômes !

– ***Rafting :*** il n'y a qu'une agence à Lake Louise, les autres sont à Banff. Et pourtant, on passe par ici pour aller depuis Banff aux principaux lieux de rafting (Yoho National Park). La réglementation canadienne est encore plus stricte qu'en France :

sécurité garantie. Les adeptes remarqueront que le « rafteur » (ou barreur) ne se situe pas derrière (comme c'est le cas en France), mais au centre, avec deux longues rames. Pour les frileux, sachez que l'on vous remettra du matériel en mousse isolante (ou Néoprène) comprenant des combinaisons longues, des chaussons, des gants, mais également un casque et un gilet de sauvetage (avec tout cela, difficile d'avoir froid ou de couler en cas de chute). Descente de 1 demi-journée.

■ ***Wild Water Adventures :*** *comptoir dans le* Château Fairmont. ☎ *403-522-2211 ou 1-888-647-6444.* • *wildwater.com* • *70-150 $/pers.* Excursions de tous niveaux.

⚑⚑ ***Sightseeing Gondola & Interpretive Center :*** ☎ *403-522-3555.* • *lakelouisegondola.com* • *Bus gratuits juin-sept, depuis le* Château, Lake Louise Inn, Post Hotel *et* Samson Mall. *Tlj de mi-mai à début oct : 9h-18h30 d'août à mi-sept, 9h-17h30 en juil, et env 9h-16h le reste de la saison. Env 27 $; réduc.* Du haut du téléphérique, sur le mont Whitehorn à 2 088 m, la vue est évidemment saisissante. Possibilité d'y effectuer une randonnée guidée de 45 mn *(5 $).* Également un centre d'interprétation sur la faune locale (les ours surtout) et une agréable cafétéria.

DANS LES ENVIRONS DE LAKE LOUISE

MORAINE LAKE

⚑⚑⚑ À 11,5 km de la route qui va vers le lac Louise, plus petit mais aussi beau et un peu plus sauvage que celui-ci. Inaccessible l'hiver, il est rarement dégelé avant mi-juin. Le lac est bordé de sévères édifices rocheux appelés « la vallée des Dix-Pics ». Le spectacle de ces immenses falaises aux couleurs austères, qui s'adoucissent par une toison verte dans leur partie basse avant de plonger dans les eaux bleues éblouissantes du lac, est une image inoubliable. Quand il fait beau, le soleil éclaire le lac en début d'après-midi ; le reste du temps, il est plutôt sombre. Sur la gauche, juste avant d'arriver au lac, la *tour de Babel,* énorme montagne en forme de monolithe isolé, dressé droit vers le ciel.

Où dormir ? Où manger ?

🏠 |●| ***Moraine Lake Lodge :*** *au bord du lac.* ☎ *403-522-3733 ou 1-877-522-2777.* • *morainelake.com* • *Juin-fin sept. À partir de 345 $ en saison. Plats au resto le soir 30-50 $, petit déj compris. Internet, wifi.* Tellement de charme qu'on ne pouvait passer à côté, malgré les prix dissuasifs. Superbes chambres ou chalets de style canadien tout en bois, avec poêle ou cheminée, et cette vue fantastique sur le lac et les montagnes. Très cher donc, mais le prix incluent pas mal de petits « plus » : prêt de canoës, balades guidées le matin, goûter l'après-midi, petites conférences sur les Rockies par des guides du parc le soir. Très romantique... Un bémol cependant : le défilé des touristes qui viennent admirer le lac toute la journée...

À faire

Voici quelques randonnées pédestres au départ du lac Moraine, parmi les plus belles de la région. Elles partent du parking. Sur certains parcours, quand des ours sont signalés dans les parages, *Parcs Canada* conseille très fortement de partir par groupes de quatre personnes minimum. Se renseigner à l'office de tourisme, qui vous aidera à constituer un groupe si vous n'êtes pas assez nombreux. Une bonne occasion pour se faire des camarades.

➢ ***Le sentier de Lake Moraine Rock Pile :*** à 300 m à peine du parking de l'hôtel, on grimpe en 5 mn sur quelques gros rochers qui dominent le lac. Vue magnifique sur ce dernier.
➢ ***Le sentier de Lake Moraine :*** le long du lac, un peu moins de 3 km aller-retour (20 à 30 mn jusqu'au bout du lac).
➢ ***Le sentier vers Consolation Lake :*** 6 km aller-retour (2h en tout). Assez fréquenté par les ours, il faut partir en groupe d'au moins quatre personnes (voir plus haut). Sentier très agréable au milieu des bois, qui aboutit à un lac superbe au milieu d'éboulis rocheux, inaccessible aux voitures, donc assez calme. Au fond du lac, un beau glacier. Le retour est en pente descendante.
➢ ***Le col de la Sentinelle*** *(Sentinell Pass)* ***:*** 12 km aller-retour (5h de marche). Là aussi, constituer un groupe de quatre personnes minimum. Cette rando assez exigeante vous mène à travers la vallée des Dix-Pics. À 2,5 km après le lac, suivre Larch Valley (ça grimpe !) avec sur la droite le mont Temple. Sur la gauche, le pic Eiffel et le mont Pinacle. Tous les trois culminent à plus de 3 000 m. On atteint finalement le col proprement dit, à 2 611 m d'altitude. Pas besoin de vous décrire la vue...

DE LAKE LOUISE À JASPER (236 KM)

La route qui mène de Lake Louise à Jasper (la Highway 93, surnommée route des Glaciers) traverse une région de toute splendeur, composée de lacs, de glaciers, de crêtes acérées et de forêts. Attention, pendant près de 250 km vous ne trouverez qu'une seule station-service, à *The Crossing* (à 150 km de Jasper et 76 km de Lake Louise). Les sentiers sont sous la neige la plus grande partie de l'année, alors, même en juin, prévoyez de bonnes chaussures de montagne plutôt que les dernières baskets en vogue. Pour aller sur le glacier Columbia, prévoir une p'tite laine, un bonnet et des gants.

Plusieurs ***AJ*** sur ce parcours, rustiques (avec toilettes et cuisine mais sans douche et même parfois sans électricité), mais nichées dans des sites géniaux, dont l'attrait compense largement le manque de confort. Elles sont ouvertes toute l'année mais, en basse saison (en gros de mi-octobre à mai), elles ferment 1 ou 2 jours par semaine. Les réservations (préférables en juillet-août, pas vraiment nécessaires le reste de l'année) s'effectuent sur • *hihostels.ca* •, ou en appelant le numéro central des AJ : ☎ *1-866-762-4122.*
– On trouve aussi des ***campings,*** là encore assez simples (sans douche) mais dans de beaux sites, en pleine nature, gérés par *Parcs Canada*. Certains n'ouvrent qu'à partir de mi-juin. Pas de réception, on « s'auto-enregistre » en remplissant une fiche qu'on dépose dans une boîte, avec le solde. Possibilité d'y faire du feu en payant un supplément (pour le bois notamment, qui est fourni). *Infos et résas :* • *pccamping.ca* •

Mosquito Creek Hostel : *au km 24. Réception 8h-10h, 17h-22h. Compter 23 $/pers (juil-sept). Également 2 chalets familiaux pour 4 pers (60 $ pour 2 ; 20 $/pers en plus).* Environnement sauvage, sous les pins. Cuisine, salon, sauna au feu de bois, w-c mais pas de douche. On se lave à la *roots* avec l'eau bien froide de la rivière. Ambiance refuge de montagne, au pied des balades et des pistes de ski de fond. Camping à côté.

Km 34 : sur la gauche, superbe vue sur **Bow Lake** et, avant, sur le *Crowfoot* glacier qui apparaît au fond d'un cirque.

Simpson's Num-Ti-Jah Lodge : *sur les rives du* ***Bow Lake.*** *☎ 403-522-2167.* • *num-ti-jah.com* • *De fin mai à mi-oct. Compter 275-320 $ selon vue (sur le lac ou non). Café le midi avec soupes, salades et sandwichs pas chers ;*

DE BANFF À JASPER

LA ROUTE DES GLACIERS

le soir, resto avec menu 4 services 57 $ (ou plat principal 33 $). Un *lodge* qui jouit d'une vue imprenable sur le superbe *Bow Lake,* bordé de montagnes. Sa construction remonte à 1922, époque à laquelle il n'y avait pas encore de route. Le *lodge* a ensuite été racheté aux descendants du 1er propriétaire (un pionnier), mais rien n'a changé : trophées de chasse, chaudes moquettes et murs en gros rondins. Chambres douillettes mais tarifs tout de même élevés (on paie surtout la situation). De même, le resto est bon mais pas donné. Si vous y êtes en juin, vous aurez peut-être la chance d'assister à la baignade annuelle du staff : en costume de bain d'époque, tout le monde pique une tête dans le lac, parfois encore gelé par endroits !

Km 40 : le magnifique ***lac Peyto*** (en forme d'ours ?), réputé pour passer du vert au bleu au cours de l'année. On accède au point de vue sur ce lac, entouré de montagnes, en 15 mn depuis le parking. Panneaux explicatifs sur la faune et la flore. On peut aussi, de là, pousser jusqu'à un autre point de vue, sur le *Bow Lake* celui-là (mais compter 3 à 4h). Une halte à ne manquer sous aucun prétexte.

Camping de Waterfowl Lakes : *au km 57. De mi-juin à début sept. Env 22 $ la nuit.* Près de la rivière, très agréable ; w-c et eau courante, abris où l'on peut cuisiner. Du camping, sentier menant vers 2 beaux lacs (1h30 de marche).

The Crossing : *au km 76, au croisement de la Hwy 93 et de la Hwy 11 (d'où le nom !). ☎ 403-761-7000. • thecrossingresort.com • Selon vue, 160-180 $ pour 2 (en été).* Motel situé entre la route et la montagne. Chambres sans charme particulier mais propres et confortables. Sauna et fitness. La cafét (flanquée d'un énorme *gift shop*) est ouverte pour le petit déj (dès 7h) et permet de se sustenter pour pas trop cher le midi (mais il faut aimer le formica orange !). Au dîner, on préfère l'ambiance chaleureuse du pub de l'hôtel *(tlj 11h-23h en été)* qui, en plus, propose une chouette formule gril : pour 15 à 20 $, on cuit soi-même sa viande et on l'accompagne de salade et d'une soupe. Sympa !

– On trouve ici le seul ***poste d'essence*** de la route des Glaciers, et, sans surprise, le litre y coûte 0,30 $ (voire 0,40 $) de plus qu'ailleurs.

Rampart Creek Hostel : *au km 88, sur la droite. ☎ 403-670-7580 (mais résas au ☎ 1-866-762-4122). Réception 8h-10h, 17h-22h. Compter 20 $.* Auberge rustique, de 24 places, située dans une clairière au pied de la montagne, à proximité des sites d'escalade. Pas de douche mais un sauna ! Un lieu enchanteur.

Km 109 : sur la droite, le ***Weeping Wall,*** une haute falaise abrupte du haut de laquelle dégringolent des filets d'eau. Assez impressionnant.

Wilcox Creek Campground et Columbia Icefield Campground : *aux km 124 et 125. Nuit env 16 $. À ce prix-là, pas de douche.* 2 petits campings sur la droite de la route, sous les pins, face aux montagnes enneigées. Attention, le 1er est pour les *RV,* le 2nd pour les tentes. Auto-enregistrement à l'entrée. Départs de randos à proximité.

Km 127 : le ***Columbia Icefield,*** une imposante calotte glaciaire qui couvre plus de 250 km², et d'une épaisseur pouvant atteindre 300 m. Phénomène assez rare, cet énorme champ de glace alimente des rivières qui se jettent dans trois océans. Il donne aussi naissance à plusieurs « langues glacières », dont le ***glacier Athabasca,*** bien visible de la route, et qui n'est autre que l'attraction la plus courue de la route des Glaciers : en juillet-août, préparez-vous à devoir jouer des coudes pour vous frayer un passage parmi les autres touristes !

L'activité première consiste à faire un tour sur le glacier à bord de l'*Ice Explorer,* un bus à roues énormes spécialement conçu pour rouler sur la glace. Cher *(plus de 50 $)* et hyper touristique *(départ ttes les 15-30 mn, résas au centre du visiteur, voir plus bas),* mais beaucoup reviennent enchantés par la balade. On peut aussi explorer le glacier à pied en faisant une randonnée guidée. *Cher aussi (60-70 $), mais l'excursion dure 3-5h (selon celle qu'on choisit) et vaut vraiment le coup ! Si ça vous tente, départ à 11h (tlj sf dim et jeu), mais mieux vaut réserver à l'avance, auprès de* Ice Walk, *au ☎ 1-800-565-7547 ou sur • icewalks.com •* Enfin, si vous voulez aller seul(s) au pied du glacier, il y a un parking pas loin, en face du centre du visiteur, de l'autre côté de la route. Sur le chemin, des bornes marquent le recul du glacier (de 1,5 km !) depuis 1870 ; impressionnant. En tout état de cause, ne vous aventurez en aucun cas seul sur le glacier, c'est tout simplement très dangereux (risque de tomber dans une crevasse, etc.).

Centre du champ de glace *(Icefield Center) : face au glacier Athabasca. D'avr à mi-oct, tlj.* Un grand complexe avec un hôtel, des magasins de souvenirs, l'accès à Internet (cher) et, au 1er étage, une ***cafétéria*** *(ouv 9h-18h, sert des petits déj le mat et des plats ou sandwichs tte la journée)* et un ***resto*** *(ouv jusqu'à 21h, buffet midi 23 $, à la carte slt – et plus cher – le soir).* Une vraie ruche en été ! On y trouve aussi le comptoir d'achat des billets pour l'***Ice Explorer*** et, au sous-sol, une ***expo didactique*** sur la formation des glaciers, bien fichue et gratuite.

Parcs Canada : *dans l'*Icefield Center. *☎ 403-852-6288. Tlj 9h-17h (18h en été).* Prévisions météo et conseils

randos. Efficace et souriant.
Columbia Icefield Chalet : *dans l'Icefield Center.* ☎ *1-877-423-7433.* • *icefield@brewster.ca* • *De mi-avr à mi-oct. Compter 210-225 $; ½ tarif de mai à mi-juin et de mi-sept à mi-oct.* Chambres confortables, bien arrangées et lumineuses, avec vue sur les montagnes ou, un peu plus cher, sur le glacier. On peut loger jusqu'à 6 personnes dans les plus grandes. Une bonne affaire hors été.

Km 135 : passé le glacier, en redescendant dans la vallée, on aperçoit sur la gauche, au loin, le **glacier Stutfield.** Les paysages deviennent un peu moins sévères, la vallée s'ouvre.

Beauty Creek Hostel : *au km 144, sur la gauche dans la vallée, posé entre la route et une large rivière. Réception 17h-23h. Lit 20 $.* Encore une AJ merveilleusement située, face à une vallée bordée de sommets enneigés. Cuisine basique et 2 dortoirs mixtes de 8 et 12 lits. Petite douche artisanale (plutôt réservée à ceux qui restent plus de 1 nuit), mais pas d'électricité ! Bon point de départ pour les randonneurs. Stanley Falls à proximité.
Jonas Creek Campground : *au km 153. Nuit env 16 $.* Petit camping à droite de la route. Pas de douche. On s'auto-enregistre.

Km 175 : Sunwapta Falls. *Prendre à gauche, le parking est 600 m plus loin.* Un chouette sentier en sous-bois mène rapidement aux chutes de la « rivière turbulente » *(sunwapta),* qui coulent et roucoulent dans un minicanyon adorable.

Sunwapta Falls Resort : *à l'embranchement pour les chutes.* ☎ *780-852-4852 ou 1-888-828-5777.* • *sunwapta.com* • *Doubles 215-245 $ (moins cher hors juil-août). Plats 25-40 $ le soir (max 15-20 $ le midi). Internet, wifi.* Accueil sympa et pro. Chambres correctes, avec frigo, TV, percolateur et terrasse. Pas idyllique, car tous les cars de touristes s'y arrêtent, ainsi que les groupes de VTT. Et pour cause ! On y trouve le seul resto du coin *(ouv du mat au soir).* Petit magasin à côté. Location de vélos et de matériel de pêche.
Athabasca Falls Hostel : *au km 198, sur la droite de la route, juste après le poste de secours.* ☎ *403-852-5959 (mais résas au* ☎ *1-866-762-4122). Tlj sf mar en basse saison, réception 17h-23h. Dortoir 23 $, double 60 $ (en été).* AJ de 44 places un peu en retrait de la route, derrière une grosse rangée de pins. Déjà un peu plus de confort qu'aux précédentes : douche en été (mais interdiction d'utiliser un savon qui pourrait attirer les ours !), et surtout cuisine très conviviale, avec grosses tables en bois et cartes de randonnées aux murs. 2 dortoirs et 2 chambres privées familiales. Non loin des chutes, des sentiers de rando et de VTT.

Km 199 : Athabasca Falls. *Prendre la route 93A à gauche sur quelques centaines de mètres.* Les eaux émeraude de l'Athabasca s'enfoncent avec puissance dans un étroit canyon. La fougue de la chute est impressionnante (25 m de haut). Géologiquement, on comprend le travail de l'eau, se frayant au cours des siècles un passage toujours plus grand, sculptant des bassins de plus en plus larges, perçant des cavités toujours plus profondes. Les passerelles en béton rompent cependant un peu le charme.

Mount Edith Cavell : *à 30 km au sud de Jasper, par les routes 93 et 93A.* L'un des plus beaux sites de la région, mais attention : la route sinueuse qui y mène est interdite aux véhicules trop larges (grands motor homes, caravanes, bus) et n'est ouverte que l'été. Deux sentiers de randonnée : l'un qui mène aux prés Cavell (pour admirer les prés subalpins et alpins fleuris, boucle de 9 km, dénivelée de 550 m, soit entre 3 et 6h de marche) ; et l'autre qui mène au glacier Angel (sentier court et très fréquenté, compter 1h aller-retour). C'est vraiment l'un des coins à ne pas manquer dans les Rocheuses !

LE PARC NATIONAL DE JASPER

L'achat d'un permis est obligatoire pour quiconque séjourne plus de 1 journée dans un parc national (voir la rubrique « Parcs nationaux et provinciaux » dans « Hommes, culture et environnement » en début de guide). On l'obtient à l'entrée du parc, au *Icefield Center* ou au centre d'information de Jasper. Une bonne occasion pour s'informer sur la météo, l'état des sentiers, etc. Attention, les denrées alimentaires sont hors de prix dans les épiceries de Jasper, à tel point que les locaux filent jusqu'à Hinton, à 80 km de là, pour faire leurs courses. Moralité : emportez des provisions ou prévoyez une rallonge de budget !

JASPER (4 000 hab.)

Entourée de crêtes rocheuses impressionnantes, Jasper est moins chic que Banff, plus tranquille, moins commerciale : clientèle plus populaire, restos (un peu) plus abordables... Elle compte beaucoup de chambres d'hôtes mais pas de vrais *B & B* : le petit déj n'est jamais inclus, car les boulangeries-restos veulent aussi, paraît-il, leur part du gâteau. Jasper est constituée de trois rues parallèles dont la principale, Connaught Drive, est bordée sur la droite (en venant du sud) par la voie ferrée et sur la gauche par les boutiques et restos. Sur Patricia Street, vieilles demeures en bois aux toits colorés, avec de charmants petits jardins aux blanches barrières. Quelques bâtiments « historiques » : la caserne de pompiers, l'office de tourisme, la poste (en pierre de montagne). La région de Jasper est absolument éblouissante, avec une variété de paysages qu'on croirait infinie. C'est donc un haut lieu de rendez-vous des randonneurs, ainsi que des *mountain bikers* qui organisent d'incroyables raids dans la montagne. On peut aussi y pratiquer le kayak et le rafting.

Arriver – Quitter

En bus

🚌 ***Gare routière*** *(plan B1) : 607 Connaught Dr.* Greyhound *et* Brewster *sont situés dans un même bureau dans la gare.* ☎ *780-852-3926. Horaires sujets à changements.*

➢ ***Depuis/vers Banff :*** 1 bus/j. (en début d'ap-m de Jasper) avec *Brewster.* Billet cher. Compter 4h45 de trajet. S'arrête à ***Lake Louise*** et continue jusqu'à ***Calgary*** (et poursuit même jusqu'à l'aéroport).

➢ ***Depuis/vers Edmonton :*** 1 départ tôt le mat, 1 l'ap-m, 1 le soir et 1 la nuit. Compter 5h de route. Pour ceux qui ont un avion à prendre, le bus *Sundog* dessert l'aéroport.

➢ ***Depuis/vers Vancouver :*** 1 départ de nuit et 1 vers 12h. Passe par ***Kamloops.*** Compter 10-11h jusqu'à Vancouver.

En train

🚆 ***Gare ferroviaire*** *(plan B1) : 607 Connaught Dr. Résas et horaires :* ☎ *780-842-7245 ou 1-888-VIA-RAIL.* • *viarail.ca* • *Guichets ouv lun et jeu 11h15-18h45, mar et mer 10h-17h45, ven 10h-17h15, sam 12h-18h45 et dim 9h30-14h45.*

➢ ***Vers Vancouver :*** dim, mar et ven à 14h30. Le trajet, qui dure tt de même 18h, traverse des paysages vraiment superbes. Dommage qu'une partie du voyage se fasse de nuit.

➢ ***Vers Toronto*** *(via Edmonton)* ***:*** lun, mer et sam à 17h30. Pas moins de 3 j. de voyage !

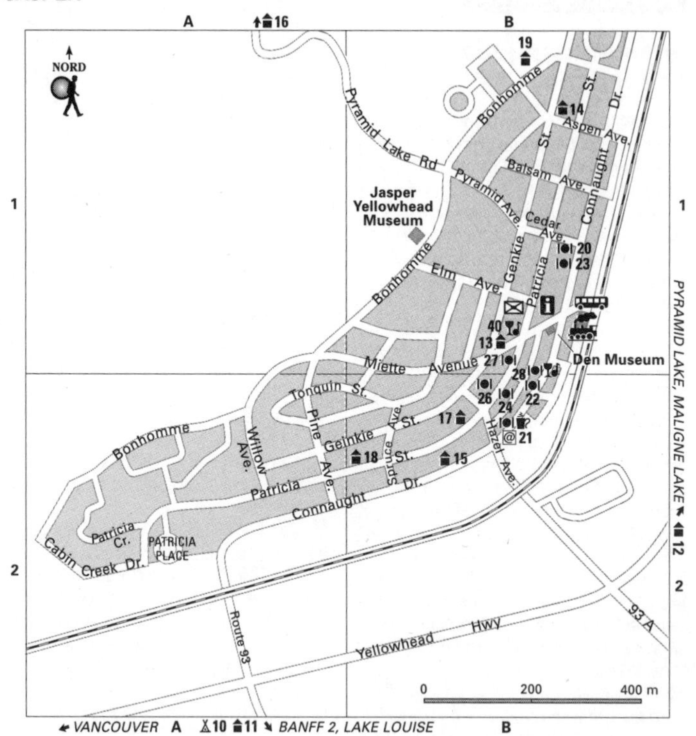

■ Adresses utiles

- Centre d'information de Jasper
- @ 21 More than Mails

Où dormir ?

- **10** Camping Whistler
- **11** Jasper International Hostel
- **12** Maligne Canyon Hostel
- **13** Athabasca Hotel
- **14** Meadows Inn
- **15** Mountain Memories
- **16** Alpine Log House
- **17** Tassoni Inn
- **18** Austrian Haven
- **19** Bear Hill Lodge

Où manger ?

- **20** Bear's Paw Bakery
- **21** Soft Rock Café
- **22** Jasper Brewing Co
- **23** Jasper Pizza Place et Papa George's
- **24** Something Else
- **26** Evil's Dave
- **27** Andy's Bistro
- **28** Fiddle River

Où boire un verre ? Où sortir ?

- **28** Downstream
- **40** O'Sheas Pub

➢ ***Vers Prince Rupert :*** mer, ven et dim à 12h45. Arrivée le lendemain soir à Prince Rupert (après 1 nuit passée à Prince George). Encore plus beau que vers Vancouver, c'est même, d'après le *National Geographic*, l'un des 10 trajets en train les plus spectaculaires au monde !

Adresses utiles

Infos touristiques et services

ℹ *Centre d'information de Jasper* *(plan B1) : 500 Connaught Dr, au milieu du petit parc.* ☎ *780-852-6177 (bureau des sentiers) ou 6176 (infos générales).* • *pc.gc.ca/jasper* • *jaspercanadianrockies.com* • *Fin juin-début sept, tlj 8h30-20h ; fin mai-fin juin et en sept, 9h-19h ; le reste de l'année, 9h-17h.* La maison en pierre et bois est l'une des plus anciennes de Jasper ; elle date de 1913. Infos et conseils pour les randonneurs. Demandez l'utile et gratuit *Guide des montagnes* et, surtout, le *Guide des randonnées d'un jour.* Pour voir des ours, consultez le *Bulletin hebdomadaire sur les ours* (disponible aussi sur le site web de *Parcs Canada*). On y trouve également un comptoir de ***Tourism Jasper,*** qui peut vous aider à dénicher un hébergement (liste des chambres disponibles affichée et mise à jour en continu).

■ ***État des routes :*** *pour les routes du parc, appelez le* ☎ *780-852-3311 (messagerie vocale* Parcs Canada*).* Utile surtout en hiver.

✉ ***Poste*** *(plan B1) : Patricia St. Derrière le centre d'info. Lun-ven 9h-17h.*

@ Internet *(plan B2,* ***21****) : au* ***More than Mails,*** *632 Connaught Dr.* ☎ *780-852-3151. Lun-ven 9h30-17h30, sam 10h-14h.* 4 postes. Fax, photocopieur et cartes postales aussi. *Également au* ***Snowdome,*** *607 Patricia St (en plein centre), qui fait aussi* ***laverie automatique*** *et* ***café*** *(de quoi s'occuper en faisant sa lessive !). Tlj 7h45 (9h le w-e)-21h.*

■ ***Change :*** *slt à l'hôtel* Whistlers Inn, *à un jet de pierre du centre d'info.* Mauvais taux, mieux vaut vraiment retirer de l'argent avec une carte.

■ ***Hôpital de Jasper :*** *518 Robson St.* ☎ *780-852-3344. Sinon, il y a aussi la* ***Cottage Medical Clinic,*** *300 Miette Ave.* ☎ *780-852-4885.*

■ ***Urgences :*** ☎ *911.*

Transports

Gares ferroviaire et routière *(plan B1) : 607 Connaught Dr.* Voir « Arriver – Quitter ».

■ ***Location de voitures : National*** *(☎ 780-852-1117) et* ***Hertz*** *(☎ 780-852-3888) se trouvent dans la gare ferroviaire.*

■ ***Taxis : Mr Taxi & Tours,*** ☎ *780-931-2931.* ***Mountain Express,*** ☎ *780-852-4555.*

Activités sportives

■ ***Location de vélos : Free Wheel Cycle,*** *618 Patricia St.* ☎ *780-852-3898.* • *freewheeljasper.com* • *Dans le centre. Tlj 9h-21h ou 22h. Compter 32 $/j.* Loue aussi des skis l'hiver. Avoir une carte de paiement et une pièce d'identité.

■ ***Pêche : On-line Sport & Tackle,*** *600 Patricia St.* ☎ *780-852-3630. Permis de pêche 10 $/j. ; 35 $ la saison.* Location de cannes, etc. Bon choix de matos et de vêtements de plein air. Organise aussi des sorties de pêche sur le lac Maligne.

■ ***Jasper Adventure Center :*** *611 Patricia St.* ☎ *780-852-5595 ou 1-800-565-7547.* • *jasperadventurecentre.com* • Propose tout type d'activités en extérieur, notamment des randonnées guidées dans les plus beaux coins du parc. Organisation impeccable. Travaille avec plusieurs compagnies de rafting, dont ***White Water Rafting*** *(☎ 1-800-557-7238 ;* • *whitewaterraftingjasper.com* •*),* adepte du rafting qui mouille et où tout le monde pagaie, et ***Jasper Raft Tours*** *(☎ 1-888-553-5628 ;* • *jasperrafttours.com* •*),* qui pratique sur des flots tranquilles avec un guide comme seul maître des pagaies.

■ ***Maligne Lake :*** *616 Patricia St.* ☎ *780-852-3370 ou 1-866-MALIGNE.* • *malignelake.com* • Spécialisé dans les activités sur l'eau. Croisière sur le lac Maligne et beaux programmes de rafting sur les rivières Athabasca, Sunwapta et Fraser.

Où dormir à Jasper et dans les environs (proches) ?

Les hôtels de Jasper sont assez chers. Préférez les AJ ou les chambres d'hôtes. À partir de 4 personnes, la formule chalet peut aussi se révéler intéressante.

Bon marché

⛺ ***Camping Whistler*** *(hors plan par A2, **10**) : à 3 km au sud de Jasper, par la route 93, puis à droite. Début mai-début oct. Env 28 $ sans feu ni électricité.* Le plus grand camping et le mieux équipé du parc national Jasper, au cœur d'une vaste forêt de pins. En continuant un peu vers le sud sur la route 93, on tombe sur le camping ***Wapiti,*** *ouv de mi-juin à mi-sept. Mêmes tarifs que le* Whistler.

☗ ***Jasper International Hostel*** *(hors plan par A2, **11**) : à 7 km au sud-ouest de Jasper (4 km après le camping* Whistler*), au pied du mont The Whistlers. ☎ 780-852-3205 ou 1-866-762-4122. • hihostels.ca • Réception 8h-23h. Dortoirs 27,50-30 $/pers ; doubles avec sdb commune 70-80 $. Internet, wifi.* Chouette chalet situé dans un coin sauvage, au départ du sentier de rando qui mène au sommet du mont *The Whistlers*. Ambiance fraternelle et de communion avec la nature. 2 dortoirs : 1 féminin, de 28 lits, et 1 mixte de... 44 lits (bonjour la caserne !). Propre. Cuisine avec salle à manger équipée de grandes tables en bois, prolongée d'un coin salon avec bibliothèque. Location de vélos (moins cher que dans les agences de Jasper). Feu de camp en soirée.

☗ ***Maligne Canyon Hostel*** *(hors plan par B2, **12**) : à 11 km à l'est de Jasper, sur Maligne Canyon Rd (en face de l'accès au Canyon). Résas auprès de* Jasper International Hostel, *ou au numéro central : ☎ 1-866-762-4122. • hihostels.ca • Réception 8h-10h, 17h-23h. Fermé mer oct-avr. Selon saison, 20-23 $.* Ensemble de petits chalets près de la rivière Maligne, à deux pas du canyon et au départ du fameux *Skyline Trail* (voir plus loin la rubrique « Balades. Randonnées de 2 à plusieurs jours avec nuit(s) en montagne »). 4 dortoirs de 6 lits. Draps fournis et eau potable gratos. Cuisine et feux de camp. Confort spartiate (pas de douche – mais ceux qui sont véhiculés peuvent aller se laver à l'autre AJ – et w-c à l'extérieur), immersion dans la nature garantie (le bruit de la rivière bercera vos nuits). Interdiction de laisser de la nourriture dans les dortoirs (il n'est pas rare qu'un ours traîne dans les parages...).

De prix moyens à plus chic

☗ ***Athabasca Hotel*** *(plan B1, **13**) : 510 Patricia St. ☎ 780-852-3386 ou 1-877-542-8422. • athabascahotel.com • En été, compter min 100-160 $ avec ou sans sdb. Internet, wifi.* À deux pas de la gare et du centre d'info, c'est l'hôtel historique de la ville. Malgré les rénovations, il a conservé son ambiance de relais de chasse à l'ancienne, avec des chambres douillettes à papier peint et jolies tentures. Confort très correct. Pub parfois animé de concerts au rez-de-chaussée.

Chambres d'hôtes

Les nombreuses chambres d'hôtes se repèrent facilement sur Connaught Drive et Patricia Street (pancarte *Approved accommodation).* Attention, ne vous fiez pas à l'aspect extérieur : la plupart de ces maisons d'hôtes proposent des chambres en sous-sol, parfois sans fenêtre. Autre particularité des « *B & B* » de Jasper : le petit déj n'y est quasiment jamais inclus. Si les adresses ci-dessous sont complètes (le week-end ou en période de vacances), vous pouvez vous adresser à l'office de tourisme (au centre d'info de Jasper), qui affiche la liste, constamment mise à jour, des *B & B* où il reste de la place. Ou encore chercher vous-même sur le site • *stayinjasper.com* •

☗ ***Mountain Memories*** *(plan B2, **15**) : 712 Connaught Dr. ☎ 780-852-3763. • memory3@telus.net • À 2-3 mn du centre et de la gare. Doubles 75-85 $.* 2 chambres convenables en sous-sol mais avec fenêtre, frigo, TV et salle de bains privée. Accueil souriant. Thé et café à dispo.

☗ ***Tassoni Inn*** *(plan B2, **17**) : 706 Patricia St. ☎ 780-852-3427. • tassoni@telus.net • Env 90 $ pour 2 pers.* Agréable et bien tenu. 1 chambre avec sanitaires à l'intérieur ; dans l'autre, salle de bains privée mais dans le couloir. Terrasse et petit salon TV avec jeux à disposition. Laverie. Bruno et Kathy Tassoni sont gentils et pros.

Meadows Inn *(plan B1, **14**) : 302 Aspen Ave. ☎ 780-852-3474. • faymccready@incentre.net • Suites 115-130 $.* Dans une maison récente, bel intérieur à dominante de pierre et de bois. 2 suites en sous-sol, bien arrangées et plutôt lumineuses, l'une d'elles possédant une cuisine et un vrai salon. Pas mal d'espace, de confort et de charme pour le prix. Accueil charmant de Fay.

Alpine Log House *(plan B1, **16**) : 920 Pyramid Lake Rd. ☎ 780-852-3930. • alpineloghouse@telus.net • Env 130 $ pour 2 pers.* Grand chalet au pied de la forêt, tenu par la très avenante Terry. Elle propose 2 chambres douillettes et très bien décorées, avec sanitaires étincelants. En prime, une cuisine-bar aménagée et un salon bien cosy, avec coin pour manger et grandes baies vitrées, à l'usage exclusif des hôtes.

Austrian Haven *(plan B2, **18**) : 812 Patricia St. ☎ 780-852-4259. • austrianhaven.ca • Réserver très à l'avance. Suites 148-178 $, avec petit déj (unique à Jasper !).* Confort un cran au-dessus de la moyenne dans ces 2 vastes suites moquettées avec vue sur les montagnes. Salon, cuisinette, TV. Adorable jardin très soigné. La proprio parle un peu le français.

Chalets

Plus séduisants que les motels et hôtels traditionnels. Réservation conseillée. Ouverts en moyenne de fin avril au Thanksgiving canadien (2e lundi d'octobre). Les prix que nous indiquons sont ceux de la haute saison (en gros de mi-juin à mi-septembre), mais sachez que ceux-ci varient aussi en fonction des options (cuisine, cheminée, vue, etc.).

Alpine Village *(hors plan par B2) : sur la route 93A, à env 3 km de Jasper. ☎ 780-852-3285. • alpinevillagejasper.com • De fin avr à mi-oct. À partir de 180 $ pour 2 pers ; 250 $ pour 4. Wifi.* Cachés dans les arbres, de ravissants chalets fleuris en gros ondins *(log cabins)*, au bord de l'Athabasca River. Chacun d'eux dispose d'une pelouse avec terrasse au soleil. Déco intérieure de charme, avec beaux sanitaires, petit bureau, TV et lits douillets. Certains, plus chers, ont une cuisine, une cheminée en grosses pierres et même un barbecue. Bassin extérieur chauffé. Pas de resto (mais vente de céréales à la réception !).

Becker's Chalets *: à env 5 km au sud de Jasper, sur la route 93A. ☎ 780-852-3779. • beckerschalets.com • Mai-sept. Double 120 $, chalets à partir de 165 $. Petit déj-buffet 14 $. Wifi.* Belle situation face aux montagnes. Plusieurs options : des petites chambres pas trop chères (pour le coin) ou de beaux et agréables chalets, plus ou moins grands mais tous bien équipés (cuisinette, coin salon, etc.). C'est aussi une adresse réputée pour son resto (plutôt chic).

Bear Hill Lodge *(plan B1, **19**) : 100 Bonhomme St. ☎ 780-852-3209. • bearhilllodge.com • De mi-avr à fin oct. À partir de 160 $ pour 2 pers, petit déj inclus. Internet, wifi.* Agréable petit ensemble de chalets près du centre-ville. Chambres charmantes et soignées, certaines (plus chères) avec cheminée et kitchenette. Petit déj servi dans une agréable salle à côté de la réception, où gît un ours empaillé. Accueil sympa. Sauna, jacuzzi et barbecue inclus dans le prix de l'hébergement.

Tekarra Lodge *(hors plan par B2) : sur la route 93A, à env 1,5 km de Jasper. ☎ 780-852-3058. • tekarralodge.com • Double 180 $; chalets 230-240 $ pour 2 pers (à peine plus pour 4). Petit déj-buffet inclus. Internet.* Chalets dispersés dans les bois, là où se rencontrent les rivières Miette et Athabasca. Fort beau point de vue sur celles-ci d'ailleurs, tant et si bien que pas mal de gens se marient ici ! Chambres assez simples (pas de TV), mais les chalets sont mieux équipés (cuisine et terrasse). Resto de très bonne réputation (mais assez cher) ouvert au dîner. Laverie, vélos en location, etc.

Où manger ?

Bon marché

Bear's Paw Bakery *(plan B1, **20**) : 4 Cedar Ave, pas loin de Connaught Dr. ☎ 780-852-3233. Tlj 6h-18h. Moins de*

10 $. Impossible de ne pas signaler cette boulangerie : pains en tout genre et, surtout, excellentes viennoiseries et pâtisseries. À emporter ou à déguster sur place avec un thé ou un café. Parfait pour le petit déj, mais aussi pour manger vite fait le midi : jolis sandwichs tout frais et savoureuse soupe du jour. Endroit très agréable, tenu par un staff adorable. Autre adresse, ***The Other Paw*** *(610 Connaught Dr).*

Soft Rock Café *(plan B2, **21**) : 632 Connaught Dr. ☎ 780-852-5850. Tlj 7h30-22h (ferme plus tôt hors saison).* Un chouette petit café qui ne désemplit pas. Normal, le petit déj, du simple bagel au complet à 10-12 $, est servi toute la journée ! Énormes croque-sandwichs, pâtisseries maison et véritable *espresso,* préparés en cuisine par une joyeuse bande de Québécois. Terrasse très convoitée.

Jasper Pizza Place *(plan B1, **23**) : 402 Connaught Dr. ☎ 780-852-3225. Tlj jusqu'à minuit. Plats 10-18 $.* Salades, burgers, pizzas, pâtes et poutine pour les fans. Rien de très raffiné, mais une belle terrasse sur le toit, avec vue sur les montagnes.

De prix moyens à plus chic

Jasper Brewing Co *(plan B2, **22**) : 624 Connaught Dr. ☎ 780-852-4111. Tlj 12h-2h. Plats 13-25 $.* Pub d'un côté, resto de l'autre, mais on mange où on veut. Un peu de tout à la carte : burger de bison, salade thaïe, *fish & chips, enchiladas* aux crevettes ou, plus original, un excellent poulet aux cornflakes ! On peut aussi juste y boire un verre, le lieu brasse ses propres bières (avec l'eau des glaciers) dont l'excellente *lift line cream ale,* une bière ambrée à la texture crémeuse. On peut d'ailleurs visiter les installations. Atmosphère un peu bruyante, mais animation plutôt plaisante (le reste de la ville étant assez calme).

Something Else *(plan B2, **24**) : 621 Patricia St. ☎ 780-852-3850. Tlj 11h-23h. Plats 10-20 $ le midi, 18-26 $ le soir.* La carte louche vers la Grèce et l'Italie, délicieux souvlakis et pâtes fraîches. Plats cajuns également. Il y a 30 ans, quand les premiers proprios grecs cherchaient à s'établir à Jasper, ils voyaient que presque tous les restos étaient ici des *diners* à l'américaine. Alors ils se sont dit : « Il faut ouvrir... *something else.* » C'est réussi !

Evil's Dave *(plan B2, **26**) : 622 Patricia St. ☎ 780-852-3323. Tlj 17h-22h. Plat env 25 $.* On aime bien cette adresse au cadre sobre mais agréable. La cuisine y est savoureuse et copieuse, avec toujours un plat végétarien original et bien réalisé. Très recommandé.

Fiddle River *(plan B1-2, **28**) : 620 Connaught Dr. ☎ 780-852-3032. Tlj 17h-22h. Plats env 25-30 $, suggestions un peu plus chères.* Situé au 1er étage, arriver tôt pour trouver une table près de la fenêtre et bénéficier de la vue sur les monts enneigés. Resto spécialisé dans les poissons et fruits de mer, cuisinés avec maestria, mais on trouve d'autres succulents petits plats, comme la lasagne de bison ! Une bien bonne adresse là encore.

Papa George's *(plan B1, **23**) : 404 Connaught Dr, dans l'hôtel* Astoria. *☎ 780-852-2260. Tlj 7h-22h. Plats env 10-15 $ le midi, 36-43 $ le soir.* Une institution depuis 1925, fondée par un certain George Andropoulos. On vous le conseille surtout le midi, pour ses bons *lunch specials* bon marché. Le soir, c'est beaucoup plus cher. On peut aussi y prendre le petit déj *(7-13 $).*

Andy's Bistro *(plan B1, **27**) : 606 Patricia St. ☎ 780-852-4559. Tlj 17h-21h (ou 22h). Plats env 25-40 $.* Salle classique avec nappes blanches. Cuisine inventive qui mélange influences européennes et nord-américaines. Le chef étant d'origine suisse, on peut y manger une succulente fondue. Belle carte des vins. Une des bonnes tables de Jasper.

Où boire un verre ? Où sortir ?

Downstream *(plan B1-2, **28**) : 620 Connaught Dr, sous le resto* Fiddle River. *Tlj 17h-2h.* Vaste pub en sous-sol, parfois chauffé par les groupes de passage. En tout, 350 sortes d'alcools dont une cinquantaine de bières ! Possibilité de grignoter un morceau. Billard.

O'Sheas Pub *(plan B1, 40) : à l'angle de Miette Ave et Patricia St, dans l'*Athabasca Hotel. Groupes la plupart des week-ends. Le reste du temps, pas énormément d'attrait.

Pour ceux qui voudraient danser dans les Rocheuses, il y a encore, toujours dans l'hôtel *Athabasca*, l'***Athabasca Pub*** *(ouv slt le w-e),* qui fait le plein de locaux le dimanche, ou encore le ***Horse Shoe Club*** *(au 614 Patricia St ; à l'étage),* animé tous les soirs en saison.

À voir

Jasper Yellowhead Museum *(plan B1) : 400 Bonhomme St.* ☎ *780-852-3013.* • *jaspermuseum.org* • *Juin-sept, tlj 10h-17h ; oct-mai, jeu-dim 10h-17h. Entrée : 6 $; réduc.* Petit musée d'Histoire de la ville et de la région. Dans une salle, la vie des pionniers en quête de fourrures, l'arrivée du chemin de fer et les débuts du tourisme de luxe, l'arrivée du ski, etc. De nombreux vieux objets sont exposés et des photos anciennes illustrent les panneaux explicatifs entièrement traduits en français. Un peu cher quand même.

SHOCKING !

En 1953, Marilyn Monroe, alors en plein tournage de River of No Return, *se vit refuser l'entrée du resto du* Jasper Lodge *pour tenue « indécente » ! Mais encore ? Entre le jean trop sexy, le décolleté trop plongeant, la rumeur va bon train. Certains prétendent même qu'elle se serait dévêtue pour une séance de photos dans le hall d'entrée...*

Balades

Les possibilités de randonnées dans les environs de Jasper sont évidemment très nombreuses. Petit topo :

Randonnées courtes (moins de 1 jour)

Le mieux est de se procurer, au centre d'information de Jasper, le guide-dépliant *Randonnées d'une journée,* qui décrit brièvement, carte à l'appui, une quinzaine de balades de 1 à 6h.

➢ Si vous devez n'en faire qu'une, on vous conseille celle qui mène au sommet de *Bald Hills,* au lac Maligne (voir plus loin « Dans les environs de Jasper »), les vues sur ce dernier sont vraiment magnifiques.

Randonnées de 2 à plusieurs jours avec nuit(s) en montagne

Pour ces randonnées plus longues, demandez le *Guide du visiteur de l'arrière-pays, parc national de Jasper,* à l'office de tourisme. N'oubliez pas qu'il vous faudra aussi acheter le permis d'accès à cet arrière-pays (voir la rubrique « Les parcs nationaux et provinciaux » dans « Hommes, culture et environnement » en début de guide). Limite de 2 ou 3 nuits par aire de camping.

➢ ***Deux jours :*** la boucle du lac *Saturday Night* (au nord-ouest de Jasper) d'une petite trentaine de kilomètres, avec une dénivelée de 540 m. Elle présente l'avantage de partir de Jasper même. Sentier assez facile. Sinon, il y a la randonnée du lac Jacques, sur les hauteurs du lac Medicine, d'une longueur de 24 km en tout, assez facile elle aussi.

➢ ***Trois jours :*** parmi toutes les randonnées possibles, celle de la *vallée Tonquin* (à partir de fin juin seulement), près du lac Cavell, vous fera découvrir des paysages merveilleusement sauvages ; 42 km en tout et 700 m de dénivelée. Mais on recommande aussi la *Skyline Trail* (45 km), faisable à partir de la fonte des neiges (fin juin-début juillet). Départ au lac Maligne ou juste avant le canyon Maligne pour une rando de 44 km. Panoramas grandioses.

Autres activités sportives

- ***VTT :*** les adeptes du *mountain bike* s'en donneront à cœur joie. Excursions sur des sentiers bien tracés. Renseignements à l'office de tourisme, qui remet gratuitement le *Guide du vélo de montagne.* Le guide-dépliant *Randonnées d'une journée* indique clairement aussi, sur une carte, les chemins que peuvent suivre les VTT. Enfin, interrogez ceux qui reviennent de balades à vélo : il y en a toujours qui traînent avec leur bécane, près de l'office de tourisme, dans le petit parc. Pour louer, voir « Adresses utiles ».

- ***Rafting :*** les rivières (Athabasca, Canyon Run, Sunwapta et Fraser) des environs de Jasper offrent des possibilités de rafting géniales. Voir « Adresses utiles ».

- ***Kayak :*** les amateurs trouveront sur le lac Maligne (voir plus loin) l'un des plus beaux endroits des Rockies. Location de kayaks (mais chère !) sur place. Possibilité aussi d'en faire sur le Pyramid Lake, à 5 km de Jasper (mais là encore, ce n'est pas donné).

➢ ***Balades à cheval : Jasper Park Stables.*** *☎ 780-852-7433. • jasperparkstables.com • De Jasper, prendre la direction de Pyramid Lake et du* Mountain Park Lodge *; les écuries se trouvent à 4 km sur Pyramid Lake Rd. De mi-mai à début oct. Résa conseillée.* Balades de 1h à 1 journée. Poneys pour les enfants. Tarifs élevés.

DANS LES ENVIRONS DE JASPER

★ ***Patricia and Pyramid Lakes :*** *à 5-10 mn en voiture (5 km) au nord-est de Jasper. On peut y aller facilement à vélo.* Un bien joli lac dominé par une imposante montagne. On peut faire le tour de la petite île Pyramid, qui a été aménagée. Et y louer canoës, kayaks et vélos (à prix élevés) au *Coast Pyramid Lake Resort.* Environnement boisé et très tranquille.

★★ ***Jasper Tramway :*** *à 8 km au sud-ouest de Jasper. ☎ 780-852-3093 ou 1-866-850-8726. • jaspertramway.com • De Jasper, prendre la route 93 puis Whistler Rd à droite et poursuivre jusqu'au bout. En été, tlj 9h-20h ; de mi-avr à mi-mai et de fin août à mi-oct, 10h-17h ; de mi-mai à fin juin, 9h30-18h30. Billet : 30 $; réduc.* Il s'agit d'un téléphérique vous hissant au sommet du mont *The Whistlers* (2 469 m). Ce dernier doit son nom aux sifflements des marmottes que l'on aperçoit parfois en contrebas de la cabine supérieure du téléphérique. Vue impressionnante sur la vallée, les chaînes montagneuses environnantes, les rivières qui scintillent, les lacs qui se reposent. De là-haut, un sentier de 1,5 km mène au sommet du mont. Panorama à la hauteur du lieu. Sachez tout de même qu'il est possible aussi d'y monter à pied depuis tout en bas, par un chemin qui part de l'auberge de jeunesse, environ 1 km avant le téléphérique ; ça prend du temps et ça grimpe dur (1 000 m de dénivelée pour 7 km de marche !), mais vous aurez bien mérité le panorama et aurez économisé une somme rondelette.
|●| *Resto* au sommet du téléphérique.

★ ***Lake Edith et Lake Annette :*** *à 5 km de Jasper, sur la route du* Jasper Park Lodge. Deux petits lacs adorables et peu fréquentés, dont les eaux sont moins froides qu'ailleurs (environ 20 °C en juillet). On peut donc s'y baigner. Assez aménagé (w-c, parking, aire de pique-nique) mais pas trop (ni resto ni boutique de souvenirs). Parcours de jogging. Une petite préférence pour le lac Edith : paysage plus doux, éclairé superbement au soleil couchant. Bords sablonneux qui se prennent presque pour une plage. Sentiers de randonnée.

Maligne Canyon : *à 11 km de Jasper, par la route 16 (vers Edmonton), puis à droite. Parking.* Impressionnante gorge, la plus profonde des Rocheuse en fait, au fond de laquelle rugit un tumultueux torrent. Il y a trois chemins balisés *(Interpretive Trails)* mais le premier permet déjà, en moins de 1h, de voir la gorge à l'endroit où elle est le plus profond (50 m) et la superbe cascade de 23 m qui s'y jette.

Le lac Medicine : *à 25 km de Jasper en poursuivant la route précédente.* Il est presque à sec l'hiver et profond d'une vingtaine de mètres seulement l'été. On le compare souvent à une baignoire trouée : en été, le lac se remplit grâce au trop-plein du lac Maligne, et, en hiver, son eau rejoint un vaste réseau souterrain et retourne d'où elle vient, dans le lac Maligne. Ce lac n'est pas le plus beau du coin, mais les monts qui le bordent sur la gauche (en allant vers le lac Maligne) sont impressionnants avec leurs stratifications verticales nettement dessinées, qui permettent d'imaginer le bouleversement phénoménal de la croûte terrestre lorsqu'il fallut amener ces blocs à la verticale.

Le lac Maligne : *à 48 km de Jasper, sur la même route que précédemment.* Une pure merveille (22 km de long). Quelques chances de voir des chèvres de montagne dans le coin. Quand la lumière est douce, le ciel un peu tourmenté, le spectacle devient éblouissant : d'un côté, une colline arrondie hérissée de pins dont les flancs s'élèvent doucement des berges ; de l'autre, et au fond du lac, des sommets enneigés. L'étroitesse du lac lui confère un côté intimiste. Tout au bout, *Spirit Island,* la diapo la plus célèbre du coin. Pour saisir toute la splendeur de l'endroit, on vous conseille vivement de marcher jusqu'au sommet de *Bald Hills,* par un sentier qui part sur la droite quand on fait face au lac au niveau de la cafétéria. Compter tout de même 5h aller-retour (10 km en tout), mais ça vaut vraiment la peine. Sinon, pour les plus pressés, il y a aussi le point de vue *Mary Schäffer,* à environ 3 km de la cafétéria, par un chemin qui part sur la gauche quand on regarde le lac. Quoi qu'il en soit, tâchez de venir tôt le matin ou plutôt en fin d'après-midi, la lumière est plus belle et il y a moins de monde. Autres activités possibles : la croisière sur le lac (voir ci-dessous) ou la location d'un canoë ou d'un kayak (à l'ancienne remise à bateaux tout près de la cafétéria), très romantique mais, hélas, très cher.

Maligne Lake Tours : *résas à Jasper, 616 Patricia St. ☎ 780-852-3370. • malignelake.com • Tour en bateau sur le lac. Début juin-début oct, départ tlj chaque heure, 10h-16h (17h en juil-août). Prix : 55 $. Durée : 1h30.* Sympa mais assez cher tout de même. Possibilité aussi de louer des canoës et des kayaks *(à partir de fin juin seulement).*

Grande **cafétéria** : *9h-19h (18h de mi-sept à fin juin).*

Miette Hotsprings : *à 61 km de Jasper, au nord-est, en direction d'Edmonton (Hwy 16). Tourner à droite à Pocahontas et continuer sur 17 km. ☎ 780-866-3939. En été, tlj 8h30-22h30 ; de début mai à mi-juin et de début sept à mi-oct, 10h30-21h. Accès : 6 $; réduc.* Piscines à ciel ouvert : deux chaudes (dont une « rafraîchie » à 40 °C, l'eau sortant à 54 °C) et deux froides, le tout dans un cirque de collines et de montagnes hérissées de sapins. *Café et aire de pique-nique.*

LES GUIDES DU ROUTARD 2012-2013

(dates de parution sur **routard.com**)

France

Nationaux

- Les grands chefs du Routard
- Nos meilleures chambres d'hôtes en France
- Nos meilleurs campings en France
- Nos meilleurs hôtels et restos en France
- Nos meilleurs produits du terroir en France
- Tourisme responsable

Villes françaises

- Lyon
- Marseille
- Nantes et ses environs
- Nice

Paris

- Environs de Paris
- Junior à Paris et ses environs
- Paris
- Paris à vélo
- Paris balades
- Paris la nuit
- Paris, ouvert le dimanche
- Paris zen
- Restos et bistrots de Paris
- Le Routard des amoureux à Paris
- Week-ends autour de Paris

Régions françaises

- Alsace
- Ardèche, Drôme
- Auvergne
- Berry
- Bordelais, Landes, Lot-et-Garonne
- Bourgogne
- Bretagne Nord
- Bretagne Sud
- La Bretagne et ses peintres
- Champagne-Ardenne
- Châteaux de la Loire
- Corse
- Côte d'Azur
- Dordogne-Périgord
- Franche-Comté
- Guadeloupe, Saint-Martin, Saint-Barth
- **Isère, Hautes-Alpes (mai 2012)**
- Languedoc-Roussillon
- Limousin
- Lorraine
- Lot, Aveyron, Tarn
- Martinique
- Nord-Pas-de-Calais
- Normandie
- La Normandie des impressionnistes
- Pays basque (France, Espagne), Béarn
- Pays de la Loire
- Picardie
- Poitou-Charentes
- Provence
- Pyrénées, Gascogne et Pays toulousain
- Réunion
- **Savoie et Mont-Blanc (avril 2012)**

Europe

Pays européens

- Allemagne
- Andalousie
- Angleterre, Pays de Galles
- Autriche
- Baléares
- Belgique
- **Budapest, Hongrie (mars 2012)**
- Catalogne (+ Valence et Andorre)
- Crète
- Croatie
- Danemark, Suède
- Écosse
- Espagne du Nord-Ouest (Galice, Asturies, Cantabrie)
- Finlande
- Grèce continentale
- Îles grecques et Athènes
- Irlande
- Islande
- Italie du Nord
- Italie du Sud
- Lacs italiens
- Madrid, Castille (Aragon et Estrémadure)
- Malte
- Norvège
- Pologne
- Portugal
- **République tchèque, Slovaquie (mars 2012)**
- Roumanie, Bulgarie
- Sardaigne
- Sicile
- Suisse
- Toscane, Ombrie

LES GUIDES DU ROUTARD 2012-2013 (suite)

(dates de parution sur **routard.com**)

Villes européennes

- Amsterdam et ses environs
- Barcelone
- Berlin
- Bruxelles
- Florence
- Lisbonne
- Londres
- Moscou, Saint-Pétersbourg
- Prague
- Rome
- Venise

Amériques

- Argentine
- Brésil
- Californie
- Canada Ouest
- Chili et île de Pâques
- Équateur et les îles Galápagos
- États-Unis Nord-Est
- Floride
- Guatemala, Yucatán et Chiapas
- Louisiane et les villes du Sud
- Mexique
- New York
- Parcs nationaux de l'Ouest américain et Las Vegas
- Pérou, Bolivie
- Québec, Ontario et Provinces maritimes

Asie

- Bali, Lombok
- Birmanie (Myanmar)
- Cambodge, Laos
- Chine
- Inde du Nord
- Inde du Sud
- Istanbul
- **Israël, Palestine (mai 2012)**
- Jordanie, Syrie
- Malaisie, Singapour
- Népal, Tibet
- **Sri Lanka (Ceylan ; mai 2012)**
- Thaïlande
- Tokyo, Kyoto et environs
- Turquie
- Vietnam

Afrique

- Afrique de l'Ouest
- Afrique du Sud
- Égypte
- Kenya, Tanzanie et Zanzibar
- Maroc
- Marrakech
- Sénégal, Gambie
- Tunisie

Îles Caraïbes et océan Indien

- Cuba
- Guadeloupe, Saint-Martin, Saint-Barth
- Île Maurice, Rodrigues
- Madagascar
- Martinique
- République dominicaine (Saint-Domingue)
- Réunion

Guides de conversation

- Allemand
- Anglais
- Arabe du Maghreb
- Arabe du Proche-Orient
- Chinois
- Croate
- Espagnol
- Grec
- Italien
- Japonais
- Portugais
- Russe

Et aussi...

- G'palémo (conversation par l'image)

routard assurance WEEK-END & VOYAGES

Pour plus d'informations : Tél. : 01 44 63 51 00*
Fax : 01 42 80 41 57- www.avi-international.com

routard assurance

Voyage de moins de 8 semaines
Monde entier

BULLETIN D'ADHÉSION

❑ M. ❑ Mme ❑ Mlle

Nom : ____________________

Prénom : ____________________

Date de naissance : ____ / ____ / ________

Adresse de résidence : ____________________

____

Code Postal : __________

Ville : ____________________

Pays : ____________________

Nationalité : ____________________

Tél. : ____________________ Portable : ____________________

Email : ____________________ @ ____________________

Pays de départ : ____________________

Pays de destination principale : ____________________

Date de départ : ____ / ____ / ________

Date du début de l'assurance : ____ / ____ / ________

Date de fin de l'assurance : ____ / ____ / ________ = ____ semaines

(Calculer exactement votre tarif en semaine selon la durée de votre voyage : 7 jours du calendrier = 1 semaine)

COTISATION FORFAITAIRE (Tarifs valable jusqu'au 31/03/2012)

	❑ De 0 à 2 ans inclus	42 € TTC x ____ semaines = ________ € TTC
	❑ De 3 à 50 ans inclus	28 € TTC x ____ semaines = ________ € TTC
	❑ De 51 à 60 ans inclus	42 € TTC x ____ semaines = ________ € TTC
	❑ De 61 à 75 ans inclus (sénior)	44 € TTC x ____ semaines = ________ € TTC
ou	❑ **OPTION Sports et Loisirs****	7 € TTC x ____ semaines = ________ € TTC
	❑ **OPTION Sports et Loisirs Plus*****	11 € TTC x ____ semaines = ________ € TTC
		TOTAL À PAYER = ________ € TTC

PAIEMENT

❑ Carte Bancaire (Visa / Eurocard / Mastercard / American Express) Expire le ____ / ____

N° ________________________________ Cryptogramme ______

❑ Chèque (sans frais en France) à l'ordre d'AVI International à envoyer au 106-108, rue la Boétie 75008 Paris

❑ Je reconnais avoir pris connaissance et accepté l'ensemble des dispositions contenues dans les conditions générales Pass'port Sécurité Routard Assurance ou Séniors, disponibles sur le site www.avi-international.com, avec lesquelles ce document forme un tout indivisible.

❑ Je déclare être en bonne santé et savoir que toutes les conséquences de maladies et accidents antérieurs à ma date d'assurance ci-dessus, ne sont pas assurés, ni toutes les suites et conséquences de la contamination par des MST, le virus HIV ou l'hépatite C. Je certifie ne pas prévoir de traitement à l'étranger et ne pas voyager pour des raisons médicales.

❑ Je dispose d'un droit d'accès, de modification, de rectification et de suppression des informations me concernant figurant dans les fichiers d'AVI International dans les conditions prévues par la loi n° 78-17 du 6 janvier 1978 modifiée en contactant AVI International par courrier ou mail. Je reconnais que ces informations sont destinées à l'assureur, à AVI et à leurs partenaires pour les besoins de la gestion du contrat.

Date : ____ / ____ / ________ SIGNATURE :

* Coût d'un appel local.

** Elle étend vos garanties aux conséquences d'un accident dont vous êtes victime, du fait de l'usage d'un véhicule à moteur à deux roues jusqu'à 125 cm³, de sports dangereux (surf, rafting, escalade, plongée sous-marine jusqu'à 25 m), d'une activité manuelle, stage en entreprise ou en laboratoire (accident du travail).

*** Elle étend vos garanties aux conséquences d'un accident dont vous êtes victime, du fait de l'usage d'un véhicule à moteur à deux roues au-delà de 125 cm³, de sports dangereux (surf, rafting, escalade, plongée sous-marine jusqu'à 45 m, kitesurf, deltaplane, parapente, jetski, motoneige, quad), d'une activité manuelle, stage en entreprise ou en laboratoire (accident du travail).

INDEX GÉNÉRAL

A

B

C

D

E

F

G

H

J

K

L

M

N

O

P

Q-R

S

T

U-V

W-Y

OÙ TROUVER LES CARTES ET LES PLANS ?

Les **Routards** parlent aux **Routards**

Faites-nous part de vos expériences, de vos découvertes, de vos tuyaux. Indiquez-nous les renseignements périmés. Aidez-nous à remettre l'ouvrage à jour. Faites profiter les autres de vos adresses nouvelles, combines géniales... On adresse un exemplaire gratuit de la prochaine édition à ceux qui nous envoient les lettres les meilleures, pour la qualité et la pertinence des informations. Quelques conseils cependant :

– Envoyez-nous votre courrier le plus tôt possible afin que l'on puisse insérer vos tuyaux sur la prochaine édition.
– N'oubliez pas de préciser l'ouvrage que vous désirez recevoir.
– Vérifiez que vos remarques concernent l'édition en cours et notez les pages du guide concernées par vos observations.
– Quand vous indiquez des hôtels ou des restaurants, pensez à signaler leur adresse précise et, pour les grandes villes, les moyens de transport pour y aller. Si vous le pouvez, joignez la carte de visite de l'hôtel ou du resto décrit.
– N'écrivez si possible que d'un côté de la lettre (et non recto verso).
– Bien sûr, on s'arrache moins les yeux sur les lettres dactylographiées ou correctement écrites !

En tout état de cause, merci pour vos nombreuses lettres.

Les Routards parlent aux Routards :
122, rue du Moulin-des-Prés, 75013 Paris

e-mail : ***guide@routard.com***
Internet : ***routard.com***

Le Trophée du voyage humanitaire ROUTARD.COM s'associe à VOYAGES-SNCF.COM

Ils ont aidé à la création d'un poste de santé autonome au Sénégal, à la reconstruction d'un orphelinat à Madagascar... Et vous ?
Envie de soutenir un projet qui favorise la solidarité entre les hommes ? Le Trophée du Voyage Humanitaire Routard.com est là pour vous ! Que votre projet concerne le domaine culturel, artisanal, écologique, pédagogique, en France ou à l'étranger, le *Guide du routard* et Voyages-sncf.com soutiennent vos initiatives et vous aident à les réaliser ! Si vous aussi vous voulez faire avancer le monde, inscrivez-vous sur ● *routard.com/trophee* ● ou sur ● *tropheesdutourismeresponsable.com* ●

Routard Assurance 2012

Routard Assurance et Routard Assurance Famille, c'est l'Assurance Voyage Intégrale. Dépenses de santé et frais d'hôpital pris en charge directement sans franchise jusqu'à 300 000 € + caution + défense pénale + responsabilité civile + tous risques bagages et photos. Assurance personnelle accidents : 75 000 €. Très complet ! Tarif à la semaine pour plus de souplesse. Tableau des garanties et bulletin d'inscription à la fin de chaque *Guide du routard* étranger. Pour les départs en famille (4 à 7 personnes), demandez le bulletin d'inscription famille. Pour les longs séjours, contrat Plan Marco Polo « spécial famille » à partir de 4 personnes. Pour un voyage éclair de 3 à 8 jours dans une ville de l'Union européenne, bulletin d'inscription adapté dans les guides villes avec des garanties allégées et un tarif « light ». Également un nouveau contrat Seniors pour les courts et longs séjours. Si votre départ est très proche, vous pouvez vous assurer via Internet ● *avi-international.com* ● ou par fax : 01-42-80-41-57, en indiquant le numéro de votre carte de paiement. Pour en savoir plus : ☎ 01-44-63-51-00.

Photocomposé par JOUVE – 45770 Saran
Imprimé en Italie par Rotolito
Dépôt légal : février 2012
Collection n° 13 - Édition n° 01
24/5289/4
I.S.B.N. 978-2-01-245289-3